Bea

DÉSAXÉ

“Actes noirs”

DU MÊME AUTEUR

L'HYPNOTISEUR, Actes Sud, 2010 ; Babel noir n° 84.
LE PACTE, Actes Sud, 2011 ; Babel noir n° 102.
INCURABLES, Actes Sud, 2013.
LE MARCHAND DE SABLE, Actes Sud, 2014 ; Babel noir n° 123.

Titre original :
Stalker
Éditeur original :
Albert Bonniers Förlag, Stockholm

ISBN 978-2-330-05792-3

Le film n'a été pris au sérieux qu'à la découverte du premier corps. Un lien vers une vidéo sur YouTube avait été envoyé à l'adresse électronique de la Rikskrim, la Police criminelle nationale. Le mail ne contenait pas de texte et il était impossible d'identifier l'adresse IP de l'expéditeur. Le secrétaire chargé du courriel avait consciencieusement ouvert le lien et regardé la vidéo. Il avait supposé qu'il s'agissait d'une plaisanterie douteuse, mais avait quand même consigné le mail dans le registre.

Deux jours plus tard, à cause de cette vidéo, trois enquêteurs expérimentés se réunissaient dans une petite pièce au huitième étage de l'hôtel de police à Stockholm. Le plus âgé était assis dans un fauteuil de bureau grinçant, les deux autres restaient debout.

La séquence qu'ils examinaient sur le large écran d'ordinateur ne durait que cinquante-deux secondes.

L'image tremblante montrait une femme d'une trentaine d'années filmée à son insu à travers la fenêtre de sa chambre, au moment où elle enfilait un collant noir.

Dans un silence gêné, les trois hommes de la Rikskrim observaient les mouvements insolites de la femme.

Pour ajuster son collant, elle enjambait des obstacles invisibles, puis pliait plusieurs fois les genoux, jambes écartées.

Le lundi matin, cette femme avait été retrouvée dans la cuisine d'une villa mitoyenne à Lidingö, près de Stockholm. Elle était assise par terre, la bouche grande ouverte. Le sang avait éclaboussé la fenêtre et l'orchidée blanche dans son pot. Elle ne portait qu'un collant et un soutien-gorge.

L'autopsie put établir qu'elle était morte d'une hémorragie due à de multiples coupures causées par des coups de couteau extrêmement violents, principalement portés au cou et au visage.

À l'origine, le mot anglais stalker *signifiait rôdeur ou braconnier. Il est employé depuis le début du* XVIII*e* *siècle.*

En 1921, le psychiatre français Gaëtan Gatian de Clérambault publia l'étude d'un patient vivant une relation d'amour imaginaire. Ce cas est considéré par beaucoup comme la première analyse moderne d'un stalker.

Aujourd'hui le mot s'applique à une personne souffrant d'un désir de harcèlement névrotique, aussi appelé traque furtive, une obsession maladive de la surveillance d'autrui.

Près de dix pour cent de la population est exposée à une forme de stalking *à un moment ou à un autre de sa vie.*

En général, le stalker *a ou a eu une relation avec sa victime, mais très souvent, lorsque la fixation se fait sur des étrangers ou des personnes jouissant d'une quelconque célébrité, c'est le hasard qui prédomine.*

Bien que la plupart des cas ne mènent jamais à des passages à l'acte, la police prend le phénomène très au sérieux, l'obsession pathologique du stalker *induisant une forme de dangerosité spontanée. Les nuages qui évoluent entre courants ascendants et courants descendants peuvent se renverser par temps orageux et se transformer en tornade ; de la même manière, l'oscillation sentimentale du* stalker *entre adoration et haine peut subitement se traduire par des actes de violence extrême.*

1

Vingt heures quarante-cinq le vendredi 22 août. Après les crépuscules enchanteurs et les nuits lumineuses du plein été, l'obscurité arrive désormais à une vitesse surprenante. Il fait déjà nuit noire de l'autre côté du hall vitré de l'hôtel de police.

Margot Silverman sort de l'ascenseur et se dirige vers les portes de sécurité. Elle est vêtue d'une chemise blanche sous un cache-cœur noir qui lui comprime la poitrine et d'un pantalon noir dont la haute taille épouse son ventre de femme enceinte.

Sans hâte, elle s'approche de la porte à tambour encastrée dans le mur en verre. Le gardien est assis derrière le comptoir en bois, le regard rivé sur un écran. Des caméras de surveillance filment la moindre parcelle du grand bâtiment vingt-quatre heures sur vingt-quatre.

Les cheveux de Margot ont la teinte claire du bois de bouleau poli, ils sont ramassés en une lourde tresse dans son dos. Elle a trente-six ans, c'est sa troisième grossesse et elle est resplendissante avec ses yeux humides et ses joues roses.

Après une longue semaine de travail, elle rentre chez elle. Elle a fait des heures sup tous les jours, on lui a signalé deux fois déjà qu'elle exagérait.

Elle est la nouvelle experte ès tueurs en série, tueurs à la chaîne et *stalkers* de la Rikskrim. L'assassinat de Maria Carlsson est le premier cas qu'elle gère seule depuis qu'elle a été nommée inspectrice.

Il n'y a pas de témoin et pas de suspect. La victime était célibataire, sans enfants, travaillait comme chargée de communication chez Ikea, elle avait repris la villa mitoyenne de ses parents après la mort de son père, quand sa mère s'était installée dans une maison de retraite.

Maria faisait en général du covoiturage avec un collègue pour se rendre au travail, mais ce matin-là, elle n'était pas au rendez-vous habituel. Son collègue était allé chez elle, avait sonné à la porte avant de regarder par la fenêtre et de l'apercevoir. Elle était assise sur le sol de la cuisine, le visage réduit en charpie, le cou presque tranché, la tête penchée sur le côté et la bouche étrangement béante.

Les premiers résultats de l'autopsie indiquent que la bouche a sans doute été ouverte après la mort. Cependant, théoriquement, elle aurait pu se figer dans cette position d'elle-même.

La rigidité cadavérique s'installe d'abord dans le cœur et le diaphragme, mais après deux heures, elle s'observe aussi dans la nuque et les mâchoires.

C'est un vendredi soir et le grand hall d'entrée est presque vide. Deux policiers en pulls bleu marine sont en train de discuter et un procureur fatigué sort d'une des pièces dédiées aux délivrances de mandats d'arrêt.

Dès l'instant où Margot avait été désignée pour mener des enquêtes préliminaires, elle avait su qu'elle courait le risque d'être dévorée par l'ambition, d'en vouloir trop et de voir trop grand.

Si elle avait dit être convaincue d'avoir affaire à un tueur en série, tout le monde se serait moqué d'elle.

Au cours de la semaine, Margot Silverman a visionné plus de deux cents fois le film dans lequel Maria Carlsson enfile son collant. Tout indique qu'elle a été tuée peu après que la vidéo a été postée sur YouTube.

Margot a essayé d'interpréter la courte séquence, mais n'y a rien décelé de particulier. Les fétichistes qui se focalisent sur des collants ne sont pas rares, or, rien dans cet assassinat ne dénote un tel penchant.

Le film n'est qu'un court extrait de la vie d'une femme ordinaire. Elle est célibataire, a un bon boulot et se prépare à se rendre à un cours du soir de dessin de BD.

Il est impossible de déterminer pourquoi l'auteur du crime se trouvait dans son jardin. Hasard ou minutieuse planification ?

Toujours est-il que pendant les minutes qui précèdent le meurtre, il filme cette femme, et qu'il y a forcément une raison.

S'il envoie le lien à la police, c'est qu'il tient à leur montrer quelque chose.

Le meurtrier veut désigner une caractéristique de cette femme en particulier ou d'une catégorie de femmes. Il peut aussi désigner toutes les femmes, ou la société en général.

Pourtant, aux yeux de Margot, le comportement de cette femme n'a pas de caractère distinctif, pas plus que son apparence physique. Elle est concentrée sur son collant qu'elle s'efforce d'enfiler correctement, le front plissé et la bouche en cul-de-poule.

Margot s'est rendue deux fois au domicile de Maria Carlsson, mais elle a surtout minutieusement étudié le film de la scène de crime en l'état réalisé par l'expertise judiciaire.

La vidéo de l'assassin paraît presque sentimentale comparée à celle de la police. Les traces laissées par l'agression bestiale ont été filmées sans état d'âme par les techniciens. Assise par terre jambes écartées dans une sombre mare de sang, la victime est filmée sous divers angles. Le soutien-gorge est tailladé et pend le long de son flanc. Un sein laiteux repose sur les bourrelets du ventre. Il ne reste presque rien du visage, juste une bouche béante au milieu d'un magma rouge.

Margot s'arrête dans le hall devant les canapés du coin d'attente, l'air de rien. Une corbeille de fruits est posée sur la table basse, elle jette un coup d'œil au garde qui parle au téléphone avant de lui tourner le dos. Elle surveille quelques secondes le reflet du gardien dans le mur de verre donnant sur la grande cour intérieure, puis prend six pommes et les glisse dans son sac.

Six, c'est trop, elle le sait, mais c'est plus fort qu'elle, il fallait qu'elle les prenne. Jenny pourra peut-être faire une bonne tarte aux pommes ce soir, caramélisée au beurre salé et à la cannelle.

Son téléphone sonne, dissipant ses pensées. Elle regarde l'écran et voit la photo d'Adam Youssef. Il fait partie de l'équipe d'enquêteurs.

— Tu n'es pas encore partie ? Dis-moi que tu es encore là, parce qu'on a…

— Je suis déjà dans ma voiture, je roule sur Klarastrandsleden, ment Margot. Qu'est-ce que tu voulais me dire ?

— On a reçu une autre vidéo.

Margot sent une vibration dans son ventre et pose une main sous le lourd arrondi.

— Une autre vidéo, répète-t-elle.

— Tu viens ?

— Je fais demi-tour, j'arrive, dit-elle, et elle revient sur ses pas. Débrouille-toi pour obtenir une copie.

Margot aurait pu poursuivre son chemin, sortir du bâtiment, rentrer chez elle et laisser l'affaire à Adam. Elle n'a qu'un coup de téléphone à passer pour se retrouver en congé parental pendant un an, en percevant une bonne partie de son salaire. C'est peut-être ce qu'elle aurait fait si elle avait su combien sa première affaire allait être violente.

Une ombre plane sur l'avenir, tandis que les planètes frôlent des constellations dangereuses. En cet instant, le destin de Margot flotte comme une lame de rasoir sur une eau stagnante.

La lumière dans l'ascenseur vieillit son visage. La fine ligne de khôl noir autour de ses yeux est presque effacée. Quand elle penche la tête en arrière, elle comprend ce que veulent dire ses collègues quand ils affirment qu'elle ressemble à son père, l'ancien chef de police départementale Ernest Silverman.

L'ascenseur s'arrête au huitième étage et elle traverse le couloir vide aussi vite que son gros ventre le lui permet. Adam et Margot ont repris le bureau de Joona Linna la semaine où la police organisait une cérémonie commémorative en son honneur. Elle n'a fait que croiser Joona, elle ne le connaissait pas personnellement et s'installer dans son bureau ne lui a posé aucun problème.

— Tu as une voiture rapide, ironise Adam quand elle entre, et il sourit en montrant ses dents pointues.

— Assez, oui.

Adam Youssef a vingt-huit ans, mais son visage est rond comme celui d'un adolescent et ses cheveux auraient besoin d'une bonne coupe. Il porte une chemise à manches courtes qui sort de son jean. Il vient d'une famille assyrienne, a grandi à Södertälje et a joué au football dans une équipe de troisième division.

— Ça fait combien de temps qu'elle tourne sur YouTube, cette vidéo ?

— Trois minutes, répond Adam. Il est chez elle en ce moment. Il se tient devant la fenêtre et…

— On n'en sait rien…

— Je pense que si, l'interrompt-il. Je pense que si, c'est évident.

Margot pose son lourd sac par terre, s'assied et passe un coup de téléphone aux techniciens.

— Salut, c'est Margot. Vous nous avez envoyé une copie ? demande-t-elle d'une voix stressée. Écoutez bien, je dois absolument trouver un lieu ou un nom, identifier l'endroit ou la femme… Tous les moyens doivent être mobilisés, je vous laisse cinq minutes, démerdez-vous, mais donnez-moi quelque chose de tangible et je promets de vous lâcher à temps pour la bringue du vendredi soir.

Elle pose le téléphone et ouvre le carton de pizza sur le bureau d'Adam.

— Tu n'en veux plus ?

Son ordinateur lui notifie l'arrivée d'un mail et Margot enfourne rapidement un bout de pizza. Une ride d'impatience s'est creusée sur son front. Elle clique sur le fichier du film et passe en plein écran, rejette sa tresse dans le dos, démarre la lecture et recule son fauteuil pour qu'Adam puisse voir.

On distingue d'abord une fenêtre allumée qui tremble dans l'obscurité. La caméra s'approche doucement et quelques feuilles frôlent l'objectif.

Les poils se dressent sur les bras de Margot.

Une femme se tient dans la pièce éclairée, devant la télé, elle mange de la glace directement dans le pot.

Elle a baissé son pantalon de jogging, elle l'a enlevé à moitié seulement, entraînant aussi la chaussette.

Elle lorgne la télé, sourit et suce la cuillère.

Dans la pièce de l'hôtel de police, on n'entend que le ventilateur de l'ordinateur.

Donnez-moi un seul détail exploitable, songe Margot en observant le visage de la femme, les traits réguliers autour des yeux, les pommettes et l'arrondi du crâne. Son corps semble exhaler de la vapeur. Elle vient de faire du sport. L'élastique de sa culotte blanche est distendu par les lavages et son soutien-gorge est visible sous le débardeur trempé de sueur.

Margot se penche plus près de l'écran, son ventre appuie sur ses cuisses et la tresse retombe devant son épaule.

— Il reste une minute, dit Adam.

La femme pose le pot de glace sur la table basse et quitte la pièce, le pantalon de jogging traînant autour de son pied droit.

La caméra la suit, se déplace latéralement, passe devant une porte de terrasse étroite. Elle s'approche de la fenêtre de la chambre où la lumière s'allume. La femme redevient visible. Elle se débarrasse du pantalon en l'envoyant valser vers un fauteuil au coussin rouge. Le pantalon heurte le mur derrière et atterrit par terre.

2

La caméra avance lentement sur les derniers mètres à travers le jardin sombre, s'arrête juste devant la fenêtre et oscille légèrement, comme si elle flottait sur l'eau.

— Si elle lève les yeux, elle le voit, chuchote Margot, et elle sent son cœur accélérer.

La lumière de la chambre éclabousse les feuilles des rosiers et jette un reflet sur le bord supérieur de la lentille.

Adam a posé une main sur sa bouche.

La femme retire son débardeur, le jette sur le fauteuil et, vêtue seulement de sa petite culotte délavée et de son soutien-gorge sale, elle regarde un instant le téléphone qui est en train de charger sur la table de chevet à côté d'un verre d'eau à moitié plein. Ses cuisses sont tendues et gorgées de sang après sa séance de sport, la ceinture du pantalon a laissé une trace rouge sur son ventre.

Son corps ne porte aucune cicatrice visible, aucun tatouage, on ne distingue que de légères lignes de vergetures laissées par une grossesse.

La chambre est comme des millions d'autres chambres. Rien ne permettrait de la localiser.

La caméra tremble soudain et glisse en arrière.

La femme saisit le verre d'eau sur la table de chevet et le porte à sa bouche quand le film s'arrête.

— Merde, merde, merde, répète Margot entre ses dents. Pas un putain d'indice, rien.

— On regarde encore une fois, propose Adam.

— On peut regarder mille fois. Vas-y, te gêne pas, tu verras que dalle.

— Je vois un tas de choses, je vois…

— Tu vois une villa, construite au XXe siècle, des arbres fruitiers, des rosiers, des fenêtres à triple vitrage, une télé 42 pouces, de la glace Ben & Jerry's, dit Margot avec un geste en direction de l'ordinateur.

C'est fou comme les gens se ressemblent ; elle n'y avait jamais pensé auparavant. Vus à travers une fenêtre, des pans entiers de la population suédoise sont de véritables copies conformes. Les mêmes intérieurs, le même physique, les mêmes passe-temps, les mêmes objets.

— C'est complètement tordu, reprend Adam d'une voix stressée. Pourquoi est-ce qu'il poste des vidéos ? Qu'est-ce qu'il cherche, putain de merde ?

Par la petite fenêtre, Margot regarde les cimes des arbres du parc Kronoberg qui se détache en noir sur la brume illuminée de la ville.

— On est sans le moindre doute possible en présence d'un tueur en série, constate-t-elle. La seule chose qu'on puisse faire, c'est dresser un premier profil pour…

— En quoi est-ce que ça l'aide, elle ? l'interrompt Adam en se passant une main dans les cheveux. Il se tient devant sa fenêtre et toi, tu parles de profil d'assassin.

— Ça peut aider la suivante.

— Mais putain ! Il faut qu'on lance…

— Ferme-la une seconde ! le coupe Margot, et elle prend son téléphone.

— Toi, ferme-la ! réplique Adam en élevant la voix. J'ai le droit de donner mon opinion, non ? À mon avis, on devrait filer la photo de cette femme aux journaux en ligne pour qu'ils la publient.

— Adam, écoute… on a espéré pouvoir l'identifier tout de suite, il aurait suffi de peu, seulement on n'a rien. Je vais en parler avec les techniciens, mais je ne pense pas qu'ils trouvent quoi que ce soit de plus que l'autre fois.

— Mais si sa photo arrive sur…

— Je n'ai pas le temps d'écouter des bêtises. Réfléchis… Tout indique qu'il poste la vidéo directement du jardin, et dans ce cas, oui, il existe une possibilité théorique de la sauver.

— C'est bien ce que je dis.

— Mais cinq minutes se sont déjà écoulées, il ne va pas rester planté devant la fenêtre aussi longtemps.

Adam se penche en avant et la fixe. Ses yeux fatigués sont injectés de sang, ses cheveux hérissés sur sa tête.

— Alors on va abandonner, comme ça ?

— On doit prendre le temps de réfléchir, même s'il y a urgence.

— C'est ça, répond-il sur un ton irrité.

— Le tueur a pris de l'assurance, il sait qu'il a plusieurs longueurs d'avance sur nous, explique Margot en prenant le dernier morceau de pizza. Mais plus on en apprendra sur son compte, plus on approchera…

— Apprendre ? OK, mais je n'ai pas l'impression qu'on soit partis pour apprendre quoi que ce soit, réplique Adam en essuyant la sueur sous son nez. On n'a pas réussi à déterminer l'origine du premier film, on n'a rien trouvé sur le lieu du crime, et on ne trouvera pas l'origine de celui-ci non plus.

— Techniquement, en effet, c'est peu probable, mais on peut essayer de le cerner, en analysant les vidéos et le degré de violence, poursuit Margot, qui sent le fœtus tressaillir dans son ventre. Qu'est-ce qu'on a réellement vu jusque-là, qu'est-ce qu'il nous a montré et qu'est-ce qu'il voit, lui ?

— Une femme qui vient de faire du sport, qui mange de la glace et qui regarde la télé.

— Et qu'est-ce que ça nous dit du tueur ?

— J'en sais rien… qu'il n'aime pas les femmes qui mangent de la glace…, gémit Adam en cachant son visage entre ses mains.

— Allez, un petit effort.

— Je suis désolé, mais…

— Moi, j'imagine que le tueur poste une vidéo qui montre les instants précédant le meurtre, dit Margot. Il prend son temps, jouit du moment et… il veut nous montrer les femmes vivantes, il veut les conserver vivantes en vidéo, ce sont peut-être les vivantes qui l'intéressent.

— Un voyeur, souffle Adam, et il sent la chair de poule courir sur ses bras.

— Un *stalker*, chuchote-t-elle.

— Dis-moi comment je dois filtrer la liste de tous les enculés qui sont sortis de prison ou de l'hôpital psy, demande Adam tout en ouvrant l'intranet de la police.

— Cherche des violeurs, des viols sadiques, des traques furtives.

Il tape vite sur son clavier, clique sur des liens, écrit de nouveau.

— Trop de résultats. Le temps s'écoule.

— Entre le nom de la première victime.

— Aucun résultat, soupire-t-il en tirant sur ses cheveux.

— Un violeur en série frustré, peut-être castré chimiquement, énonce Margot tout en réfléchissant.

— Il faudrait consulter plusieurs fichiers simultanément, mais ça va être trop long. Ça ne marche pas. Merde, qu'est-ce qu'on fait ?

— Elle est morte, répond Margot en se renversant dans le fauteuil. Il lui reste peut-être quelques minutes, mais…

— Je ne suis pas sûr de pouvoir supporter ça, dit Adam. On la voit, on voit son visage, sa maison… Bon sang, on regarde droit dans sa vie, mais on ne saura pas qui elle est avant qu'elle soit morte et que quelqu'un trouve son corps.

3

Quand elle baisse sa culotte humide et la lance sur le fauteuil, Susanna Kern sent ses cuisses frémir après la course.

Depuis qu'elle a trente ans, elle court cinq kilomètres trois soirs par semaine. Après le jogging du vendredi, elle a pris l'habitude de regarder la télé en mangeant de la glace, puisque Björn ne rentre que vers minuit.

Quand Björn a obtenu ce boulot à Londres, elle pensait qu'elle se sentirait seule, mais elle s'est vite rendu compte qu'elle apprécie énormément ses heures de liberté les semaines où Morgan est chez son père.

Elle a particulièrement besoin de ce calme depuis qu'elle suit une formation continue de neurologie assez exigeante à l'institut Karolinska.

Elle dégrafe son soutien-gorge trempé de sueur et se dit qu'elle l'utilisera encore dimanche avant de le mettre au sale.

Elle ne se souvient pas qu'il ait fait aussi chaud de tout l'été.

Elle se retourne en entendant un grattement à la fenêtre.

Le jardin à l'arrière de la maison est tellement sombre qu'elle ne voit que le reflet de la chambre dans la vitre. On dirait une scène de théâtre, un plateau télé.

Elle vient de faire son entrée et se tient sous les feux des projecteurs.

Mais j'ai oublié de m'habiller, pense-t-elle avec un sourire en coin.

Elle reste quelques secondes à contempler son corps nu. Il est théâtralement éclairé et dans le miroir de la fenêtre, elle a l'air plus mince qu'elle ne l'est réellement.

Le petit bruit se fait entendre de nouveau, comme si quelqu'un tapotait des ongles sur le rebord de la fenêtre. Il fait trop sombre pour voir si c'est un oiseau.

Susanna scrute à travers les reflets, attrape le couvre-lit bleu marine, l'enroule autour de son corps et frissonne.

Elle se fait violence et avance doucement jusqu'à la fenêtre. Elle approche son visage de la vitre et voit le jardin prendre les contours d'un monde gris sombre, comme les ténèbres d'une gravure de Gustave Doré.

L'herbe noire, les hauts buissons, la balançoire de Morgan qui oscille dans le vent et les carreaux déposés derrière la cabane de jeux, destinés à la véranda qu'ils n'ont jamais construite.

La buée de son haleine est bien visible sur le verre quand elle se redresse et ferme les rideaux. Elle laisse le lourd couvre-lit tomber, marche toute nue vers la porte, éprouve une sensation déplaisante derrière elle et se retourne vers la fenêtre. Dans l'interstice entre les rideaux rose foncé scintille une bande étroite de verre noir.

Elle prend le téléphone sur la table de chevet, appelle Björn, écoute la répétition des sonneries et ne peut s'empêcher de fixer la fenêtre.

— Allô, ma chérie, répond-il d'une voix beaucoup trop forte.

— Tu es à l'aéroport ?

— Quoi ?

— Tu es à…

— Je suis à l'aéroport, je mange un hamburger chez O'Learys et…

Ses paroles sont noyées dans un flot de cris et d'applaudissements en arrière-plan.

— Liverpool vient encore de marquer, explique-t-il.

— Hourra, dit-elle sans enthousiasme.

— Ta mère m'a appelé, elle voulait savoir ce qui te ferait plaisir pour ton anniversaire.

— C'est sympa.

— J'ai dit que tu voulais de la lingerie transparente, plaisante-t-il.

— Parfait.

Elle a le regard rivé sur le verre scintillant entre les rideaux. Ça grésille dans le téléphone.

— Tout va bien à la maison ? demande Björn.

— J'ai eu un peu peur du noir, c'est tout.

— Ben n'est pas là ?

— Si, devant la télé, répond-elle.

— Et Jerry ?

— Ils m'attendent tous les deux, sourit-elle.

— Tu me manques.

— Ne loupe pas ton avion, chuchote-t-elle.

Ils bavardent encore un peu, se disent : "Ciao, bisous." Après avoir raccroché, elle se met à penser à un patient admis la nuit précédente, un jeune motard sans casque qui avait eu un accident et souffrait de graves blessures au cerveau. Son père était arrivé à l'hôpital directement de son travail. Il portait encore sa combinaison sale et un masque de protection autour du cou.

Elle tient son kimono rose devant elle quand elle entre dans le séjour et ferme les épais rideaux.

Une étrange atmosphère flotte dans la pièce.

Les rideaux ondulent devant les fenêtres et elle sent un frisson parcourir sa colonne vertébrale quand elle leur tourne le dos.

Elle goûte la crème glacée qui s'est un peu ramollie. Bientôt elle sera parfaite. Une saveur intense de chocolat se répand dans sa bouche.

Susanna pose le pot, va dans la salle de bains, ferme la porte à clé, ouvre le robinet, défait sa queue de cheval et pose l'élastique sur le bord du lavabo.

Elle laisse échapper un soupir d'aise quand l'eau chaude inonde sa tête et sa nuque et finit par englober tout son corps. Ça tonne dans ses oreilles, ses épaules se relâchent et ses muscles se détendent. Elle se savonne, s'attarde avec la main entre les jambes et sent que les poils ont déjà commencé à repousser depuis la dernière épilation.

De la main, Susanna essuie la vapeur de la paroi de douche vitrée afin de pouvoir surveiller la poignée de porte et le bouton de la serrure.

Elle pense soudain à ce qu'elle a cru voir à travers la fenêtre de la chambre au moment d'attraper le dessus-de-lit pour se couvrir.

Elle avait dû se faire des idées. S'effrayer toute seule, comme ça, c'est complètement stupide. Elle avait refoulé la peur en se disant que c'était impossible de distinguer quoi que ce soit au-dehors.

La pièce était trop éclairée, et le jardin tout noir.

Mais à l'endroit où le jeté de lit se reflétait, elle avait eu l'impression de voir un visage qui la fixait.

Il avait disparu dans la seconde et elle en avait conclu qu'elle s'était trompée, mais à présent elle se demande si elle n'a pas vu juste.

Ce n'était pas un enfant, peut-être un voisin qui cherchait son chat et qui s'était arrêté pour la regarder.

Susanna ferme le robinet et son cœur se met à battre si fort que ses tempes palpitent lorsqu'elle réalise que la porte de la cuisine côté jardin est restée ouverte. Comment a-t-elle pu l'oublier ? Depuis le début de l'été, elle l'ouvre le soir pour laisser entrer l'air frais dans la maison, puis elle la referme systématiquement et la verrouille avant d'aller dans la salle de bains.

Elle efface la buée qui s'est reformée sur la paroi de douche et regarde de nouveau le bouton de la serrure. Rien n'a bougé. Elle attrape la serviette et se dit qu'elle va rappeler Björn et lui demander de rester en ligne pendant qu'elle inspecte la maison de fond en comble.

4

En sortant de la salle de bains, Susanna entend les acclamations du public à la télé. La mince soie du kimono colle à sa peau humide.

Un courant d'air froid à ras du sol.

Ses pieds laissent des traces mouillées sur le parquet fatigué.

Les fenêtres de la salle à manger scintillent dans l'obscurité. Du verre noir miroite derrière les fougères en suspension. Susanna se sent observée, mais s'oblige à ne pas regarder dehors, de peur de s'affoler davantage.

Pourtant, en se dirigeant vers la cuisine, elle se tient éloignée de la porte fermée de la cave.

Ses cheveux détrempent le dos du kimono. Les pointes sont tellement mouillées que des gouttes coulent sous le tissu, jusque dans la raie des fesses.

Le sol est plus froid à mesure qu'elle approche de la cuisine.

Son cœur bat fort dans sa poitrine.

Elle pense à nouveau au jeune homme atteint de graves lésions cérébrales. Ils l'avaient endormi à la kétamine. Tout son visage était brisé, écrasé à la tempe. Le père répétait à voix basse que son fils n'avait rien. Il aurait eu besoin de quelqu'un à qui parler, mais Susanna n'avait pas le temps.

Elle s'imagine à présent que ce père grand et fort l'a retrouvée, qu'il rejette la responsabilité sur elle et se tient devant sa cuisine vêtu de son bleu crasseux.

Une nouvelle chanson résonne à la télé.

Le vent s'engouffre dans la cuisine. La porte du jardin est grande ouverte. Le rideau de minces lanières en plastique volette.

Elle avance lentement. Difficile de discerner quoi que ce soit derrière le rideau qui s'agite. Quelqu'un pourrait très bien se tenir là.

Elle tend la main, écarte les lanières virevoltantes, franchit le rideau et attrape la poignée de la porte.

L'air nocturne a refroidi le sol.

Le kimono s'ouvre.

Elle a le temps de constater que le jardin plongé dans l'obscurité est désert. Les buissons frémissent et la balançoire oscille.

Elle ferme rapidement la porte, sans se soucier des lanières qui restent coincées, elle se dépêche simplement de tourner la clé, de l'enlever de la serrure et de reculer.

Elle pose la clé dans le vide-poche parmi les pièces de monnaie et referme son kimono.

En tout cas, maintenant, c'est verrouillé, songe-t-elle au moment où elle entend un léger craquement.

Elle se retourne vivement, puis sourit de sa réaction. C'est la fenêtre entrouverte du séjour qui s'est mise à battre quand le flot d'air de la cuisine s'est tari.

Le public siffle et hue le verdict des juges.

Susanna se dit qu'elle va aller chercher le téléphone dans la chambre et appeler Björn. Il est sûrement en train d'attendre à la porte d'embarquement maintenant. Elle veut lui parler pendant qu'elle parcourt la maison, avant de pouvoir s'installer devant la télé. Elle a réussi l'exploit de tellement s'affoler qu'elle ne pourra pas se détendre autrement. Le seul problème, c'est que dans la cave, ça ne capte pas. Elle pourra peut-être utiliser la fonction haut-parleur et poser le téléphone à mi-chemin dans l'escalier.

Elle se fait la réflexion qu'elle n'a pas à marcher sur la pointe des pieds dans sa propre maison, mais ne peut s'empêcher de se mouvoir en silence.

En passant devant la porte fermée de la cave, elle aperçoit du coin de l'œil les fenêtres sombres de la salle à manger et elle continue vers le séjour.

Elle sait qu'après son jogging elle a fermé la porte d'entrée à clé, mais elle veut quand même vérifier. C'est mieux, comme ça elle sera tranquille.

Le vent siffle à travers la fenêtre entrebâillée du séjour, le rideau est aspiré par la mince fente.

Elle se dirige vers la salle à manger et, avant de s'arrêter net, elle a le temps de noter que les fleurs des prés ont séché dans le vase sur la grande table en chêne.

C'est comme si tout son corps se recouvrait d'une pellicule de glace. La sécrétion d'adrénaline dans le sang est immédiate.

Les trois fenêtres de la salle à manger fonctionnent comme des miroirs. À la lueur du plafonnier, elle aperçoit la table et les huit chaises, mais aussi une silhouette.

Susanna fixe le reflet de la pièce et son cœur bat à tout rompre.

Dans l'ouverture du côté du hall d'entrée se tient un individu avec un couteau de cuisine à la main.

Il est dedans, il est dans la maison.

Elle a fermé à clé la porte de la cuisine alors qu'elle aurait dû s'enfuir dans le jardin.

Lentement, elle recule.

L'intrus se tient parfaitement immobile, dos à la salle à manger, le regard dirigé vers le couloir et la cuisine.

Le grand couteau pend dans sa main droite, tressaillant d'impatience.

Susanna marche à reculons, le regard rivé sur cet individu dans le vestibule. Son pied droit glisse sur le sol et le parquet grince quand elle déplace son poids.

Il faut qu'elle sorte, mais si elle gagne la cuisine, il la verra du couloir. Elle aura peut-être le temps de prendre la clé dans le vide-poche, mais ce n'est pas sûr.

Avec précaution elle continue de reculer, voit l'intrus dans la dernière fenêtre.

Le parquet craque sous son pied gauche et elle s'arrête. L'individu se retourne vers la salle à manger, lève les yeux et la regarde à travers l'une des fenêtres sombres.

Susanna fait lentement un pas en arrière. La personne avance vers elle. Elle gémit de peur, fait demi-tour et court se réfugier dans le séjour.

Elle glisse sur le tapis, perd l'équilibre, son genou heurte le sol, elle pare avec la main et pousse un soupir de douleur.

Une chaise bute contre la table à manger.

Quand elle se relève, elle renverse la lampe sur pied qui va heurter le mur et tombe par terre.

Elle entend des pas rapides derrière elle.

Sans se retourner, elle se précipite dans la salle de bains et verrouille la porte. L'air y est toujours chaud et humide.

Ceci n'est pas en train de se produire, pense-t-elle, prise de panique.

Elle va directement à la petite fenêtre et écarte le rideau. De ses mains tremblantes elle essaie d'enlever un des deux crochets de fermeture. Il ne bouge pas. Elle le secoue et essaie de se calmer, le titille un peu, le tire sur le côté et parvient juste à le défaire quand elle entend un raclement dans la serrure de la porte. Elle s'y précipite et agrippe le bouton de condamnation quand il commence à tourner. Elle contre le mouvement des deux mains et sent son cœur s'emballer de terreur.

5

L'intrus a glissé un tournevis ou peut-être la lame de son couteau dans la petite fente de l'autre côté de l'axe de la serrure. Susanna bloque la rotation, mais tremble tant qu'elle craint de lâcher prise.

— Mon Dieu, ceci n'est pas en train d'arriver, murmure-t-elle pour elle-même. Ceci n'est pas en train d'arriver, ça ne peut pas arriver.

Elle lance un rapide coup d'œil à la fenêtre, beaucoup trop petite pour qu'elle puisse se jeter à travers. La seule fuite possible serait de courir dégager le second crochet, d'ouvrir complètement et de se couler dehors, mais elle n'ose pas lâcher le bouton de la serrure.

Elle n'a jamais eu aussi peur de sa vie. Elle ressent une profonde angoisse de mort, au-delà de tout contrôle.

Le bouton devient chaud et glissant sous ses doigts crispés. Il y a un raclement de métal de l'autre côté de la porte.

— Ohé, dit-elle.

L'intrus essaie d'ouvrir dans un mouvement brusque et inattendu, mais Susanna y est préparée et tient bon.

— Qu'est-ce que tu veux ? demande-t-elle en maîtrisant autant que possible le son de sa voix. Tu as besoin d'argent ? Je peux le comprendre. Ce n'est pas un problème.

Elle n'obtient pas de réponse, mais elle entend le bruit de métal contre métal et sent la vibration dans la serrure.

— Tu peux fouiller, mais il n'y a rien de précieux dans la maison… la télé est assez récente…

Elle se tait, car elle tremble tellement que ses paroles sont presque inintelligibles. Elle se chuchote pour elle-même de se calmer, résiste au mouvement rotatoire en se disant que sa peur est dangereuse : elle peut éveiller de mauvaises intentions chez l'inconnu.

— Mon sac à main est dans l'entrée, poursuit-elle, et elle avale plusieurs fois sa salive. Un sac noir. Dedans tu trouveras un portefeuille avec un peu de liquide et ma carte Visa. Je viens d'être payée, je te donne le code si tu veux.

Les mouvements de l'autre côté de la porte s'arrêtent.

— D'accord, le code, c'est 3945. Je n'ai pas vu ton visage, tu peux t'en aller avec l'argent et j'attends demain pour signaler la disparition de ma carte.

Susanna serre fort le bouton de la serrure et pose son oreille contre la porte. Il lui semble entendre des pas s'éloigner sur le parquet avant qu'une page de pub à la télé couvre tous les bruits.

C'était peut-être bête de révéler son vrai code, elle ne sait pas, elle veut juste que ça cesse, et elle craint plus pour ses bijoux, l'alliance de sa mère et le collier d'émeraudes qu'elle a eu en cadeau à la naissance de Morgan.

Susanna attend à la porte en se répétant que ce n'est pas fini, qu'elle ne doit pas relâcher sa concentration une seule seconde.

Avec précaution, elle change de main, sans lâcher le bouton. Le pouce et l'index droits sont engourdis. Elle secoue la main et plaque à nouveau son oreille contre la porte, évaluant à plus d'une demi-heure le temps écoulé depuis qu'elle a révélé le code de sa carte bancaire.

C'est probablement un toxicomane qui a vu une porte de cuisine ouverte et qui est entré pour chercher des objets de valeur.

La première partie de l'émission est finie. De la pub à nouveau et ensuite le journal télévisé. Elle change de main encore une fois, puis attend.

Après dix minutes supplémentaires, elle s'allonge par terre et regarde sous la porte. Il n'y a personne de l'autre côté.

Elle peut voir de larges pans du parquet, la lumière de la télé qui fait briller le vernis, elle peut même voir sous le canapé.

Tout est tranquille.

Les cambrioleurs ne sont pas violents, ils veulent seulement leur argent, vite et sans encombre.

Elle se relève en tremblant, agrippe le bouton de condamnation de nouveau, reste immobile, l'oreille collée à la porte, et écoute les infos et la météo.

Elle ramasse la raclette de sa douche pour avoir une sorte d'arme, rassemble son courage et déverrouille précautionneusement la porte.

Elle la pousse, d'un geste lent.

Elle aperçoit presque tout le séjour de l'autre côté du couloir. Aucun signe de l'intrus. Comme s'il n'était jamais venu.

Elle sort de la salle de bains, effrayée, les jambes tremblantes. Tous ses sens sont en éveil quand elle s'approche du séjour.

Au loin, un aboiement de chien.

Elle poursuit et voit la lumière de la télé projetée sur les rideaux fermés, sur le canapé et les fauteuils et sur la table basse avec le pot de crème glacée.

Elle se dit qu'elle doit aller dans la chambre, prendre le téléphone, de nouveau s'enfermer à clé dans la salle de bains et appeler la police.

À gauche scintille la vitrine qui renferme la collection de porcelaine de Dresde dont Björn a hérité. Son cœur se remet à battre fort. Elle a presque traversé le couloir, et elle pourra bientôt voir tout le hall d'entrée.

Elle fait un pas dans la pièce, la parcourt du regard et a le temps de se dire qu'elle est vide avant de découvrir l'intrus juste à côté d'elle. À moins d'un mètre de distance. Il l'attend, contre la porte.

Le coup de couteau est si rapide qu'elle n'a pas le temps de réagir. La lame acérée s'enfonce droit dans sa poitrine.

Elle sent un tiraillement profond autour du métal dans son corps.

Son cœur n'a jamais battu aussi fort qu'à cet instant. Les secondes se sont figées tandis qu'elle pense que ceci ne peut pas arriver pour de vrai.

Le couteau se retire et ne laisse qu'un relâchement brûlant. Elle appuie sa main sur la plaie et sent le sang chaud ruisseler entre ses doigts. La raclette de douche tombe par terre. Elle chancelle, sa tête est lourde, elle voit que son sang a éclaboussé le ciré luisant de son agresseur. La lumière semble clignoter et elle essaie de dire quelque chose, qu'il doit s'agir d'une erreur, mais elle n'a plus de voix.

Susanna se retourne et se dirige vers la cuisine, elle sent des coups rapides dans son dos et sait que ce sont des coups de couteau.

Elle titube, cherche un appui et pousse la vitrine contre le mur, faisant tomber toutes les figurines en porcelaine dans un tintement fracassant.

Son cœur s'emballe et le sang coule sur son kimono. Une douleur épouvantable s'éveille dans sa poitrine.

Son champ de vision se rétrécit en un tunnel étroit.

Ses oreilles tonnent et elle se rend compte que l'inconnu crie quelque chose d'une voix énervée, mais les mots sont incompréhensibles.

Son menton se relève brutalement quand elle est tirée par les cheveux. Elle essaie de s'agripper à un fauteuil, mais perd prise.

Ses jambes se dérobent et elle s'effondre.

Un épanchement de liquide brûle un de ses poumons et la fait tousser faiblement.

Sa tête bascule sur le côté. Elle voit du vieux popcorn racorni dans la poussière sous le canapé.

À travers son vacarme intérieur, elle perçoit des cris étranges et sent des coups de couteau répétés dans le ventre et la poitrine.

Elle cherche à s'éloigner en s'aidant des pieds, elle voudrait retourner dans la salle de bains. Le sol sous son corps est glissant, et elle n'a plus aucune force.

Elle tente de rouler sur le côté, mais l'intrus la tient par le menton et lui plante le couteau dans le visage. Ça ne fait plus mal. Une sensation d'irréalité tourbillonne dans son cerveau. Le choc et une étrange absence de conscience se confondent avec le ressenti exact et intime d'avoir le visage lacéré.

La lame pénètre de nouveau dans son cou, dans sa poitrine, son visage. Les lèvres et les joues gonflent de chaleur et de douleur.

Susanna comprend qu'elle ne va pas s'en sortir. L'angoisse glaçante s'ouvre comme un gouffre quand elle cesse de lutter pour sa vie.

6

Le psychiatre Erik Maria Bark est confortablement assis dans son fauteuil recouvert de peau de mouton gris clair. Il a un grand cabinet de travail chez lui, avec parquet de chêne vitrifié et bibliothèque intégrée. La villa en brique sombre est située dans un des quartiers les plus anciens d'Enskede, au sud de Stockholm.

Il a été de garde la nuit dernière et aurait besoin de dormir quelques heures, bien qu'on soit en milieu de journée.

Il ferme les yeux et pense à Benjamin le jour où il avait demandé, petit, comment sa maman et son papa s'étaient rencontrés. Erik s'était installé au bord de son lit et avait raconté que Cupidon, le dieu de l'amour, existait pour de vrai. Il habitait dans les nuages et ressemblait à un petit garçon dodu avec un arc à la main.

Un soir d'été, Cupidon contemplait la Suède et il m'a remarqué, avait expliqué Erik à son fils. J'étais à une fête à l'université, j'avançais au milieu de la foule sur un toit en terrasse lorsque Cupidon s'est glissé jusqu'au rebord de son nuage et a décoché une flèche en une large courbe vers la Terre.

J'allais d'un ami à l'autre, je discutais, je grignotais des cacahuètes et j'échangeais quelques mots avec le préfet.

La flèche de Cupidon m'a atteint en plein cœur juste au moment où le regard d'une femme a croisé le mien. Elle était blonde, presque rousse, et elle tenait un verre de champagne à la main.

Après presque vingt ans de mariage, Erik et Simone avaient été totalement d'accord pour divorcer, Simone peut-être un peu plus qu'Erik.

Quand il se penche en avant pour éteindre la lampe de lecture, l'étroit miroir à côté de la bibliothèque lui renvoie l'image d'un visage fatigué. Les rides sur ses joues et les sillons sur son front sont plus profonds que jamais. Ses cheveux châtains sont parsemés de stries blanches. Il devrait aller chez le coiffeur. Quelques mèches lui pendent dans les yeux, il les écarte d'un mouvement de la tête.

Lorsque Simone lui avait parlé de John, Erik avait compris que c'était fini. Benjamin avait pris la nouvelle sereinement, les avait taquinés en disant que ça allait être super d'avoir deux papas.

Aujourd'hui Benjamin a dix-huit ans et vit dans la grande maison à Stockholm avec Simone et son nouveau mari, ses quasi-frères et sœurs et les chiens.

Sur la vieille table de fumeur sont posés le dernier numéro de *The American Journal of Psychiatry* et *Les Métamorphoses* d'Ovide avec en marque-page une plaquette de médicaments à moitié vide.

De l'autre côté des fenêtres serties de plomb, la pluie tombe sur la verdure saturée du jardin.

Erik retire la plaquette du livre, fait tomber un somnifère dans sa main, tente de calculer combien de temps il faudra à son corps pour assimiler le principe actif, recommence puis abandonne. Par précaution, il coupe le comprimé en deux, souffle sur la poudre pour éviter le goût amer et en avale une moitié.

La pluie ruisselle sur les fenêtres, et la musique assourdie de *Dear Old Stockholm* de John Coltrane se déverse des enceintes.

La chaleur chimique du comprimé se répand progressivement dans ses muscles. Il ferme les yeux et s'abandonne à la musique.

Erik Maria Bark est médecin, psychiatre et psychothérapeute, spécialisé en psychotraumatologie et psychiatrie de catastrophe, il a passé cinq ans en Ouganda en mission pour la Croix-Rouge.

Pendant quatre ans à l'institut Karolinska, il a dirigé un projet de recherche très remarqué autour de la thérapie de groupe sous hypnose profonde. Il est membre de The European Society of Hypnosis et beaucoup le considèrent comme une sommité de l'hypnose clinique.

Aujourd'hui, Erik fait partie d'une petite équipe spécialisée dans des pathologies traumatiques et post-traumatiques aiguës. Ils assistent régulièrement la police et le ministère public lors d'interrogatoires délicats de victimes de crimes.

Assez souvent, il utilise l'hypnose dans des situations de stress pour aider les témoins à se détendre et à faire le tri dans leurs souvenirs.

Dans trois heures il a une réunion à l'institut Karolinska et il espère pouvoir dormir jusque-là.

Mais tel ne sera pas le cas.

Il plonge tout droit dans un sommeil profond et commence à rêver qu'il porte un vieillard barbu à travers les pièces d'une maison exiguë.

Simone l'appelle derrière une porte fermée lorsque le téléphone se met à bourdonner. Erik sursaute et ses mains tâtonnent sur la table de fumeur. Son cœur bat fort, affolé d'avoir été subitement arraché à un repos réparateur.

— Simone, répond-il d'une voix vaseuse.

— Salut. Simone… je ne sais pas, mais tu devrais peut-être arrêter les cigarettes françaises, plaisante Nelly de sa manière lapidaire. Je suis navrée de te le dire, mais tu as presque la voix d'un homme.

— Presque, sourit Erik, et il sent le poids du somnifère sur son cerveau.

Nelly lance un rire franc et cristallin.

Nelly Brandt est psychologue et la plus proche collègue d'Erik dans le groupe de spécialistes à l'hôpital Karolinska. Extrêmement compétente, elle travaille dur tout en parvenant à se montrer très drôle, quoique d'une façon un tantinet vulgaire parfois.

— La police est là, ils flippent complètement, annonce-t-elle.

Ce n'est qu'à cet instant qu'il perçoit à quel point Nelly est stressée. Il se frotte les paupières pour sortir du brouillard tout en essayant d'écouter ce qu'elle dit à propos de la police qui est arrivée avec un témoin en état de choc.

Erik plisse les yeux vers la fenêtre donnant sur la rue. La pluie ruisselle toujours.

— On fait un bilan standard avec les prélèvements habituels, dit-elle. Le sang, l'urine… le bilan du foie, la fonction rénale et thyroïdienne…

— Bien.

— Erik, l'inspectrice t'a spécialement demandé… C'est ma faute, j'ai dit que tu étais le meilleur.

— La flagornerie, ça ne prend pas avec moi.

Il se lève sur des jambes en coton, se passe la main sur le visage et prend appui sur les meubles pour se diriger vers son bureau.

— Tu te lèves ? demande-t-elle joyeusement.

— Oui, mais je…

— Alors je dis à la police que tu es en route.

Sous le bureau traîne une paire de chaussettes noires et poussiéreuses à côté d'un reçu de taxi et d'un chargeur de téléphone. Quand il se penche pour ramasser les chaussettes, le sol se précipite vers lui ; s'il n'avait eu la présence d'esprit de tendre une main en avant, il se serait écroulé.

Les objets sur son bureau se contractent et se séparent, se regroupent et se dédoublent. Les stylos d'argent dans leur pot envoient des reflets aveuglants.

Il saisit un verre d'eau à moitié vide, boit une petite gorgée. Il doit absolument se ressaisir.

7

L'hôpital universitaire Karolinska est l'un des plus grands d'Europe, avec plus de quinze mille employés. Un peu à l'écart de l'énorme enceinte principale se trouve le département de psychologie. Vu d'en haut, ce bâtiment ressemble à un bateau viking tiré d'une gravure rupestre, mais quand on s'en approche par le parc, il ne se distingue pas des autres unités. Le crépi jaune nicotine de la façade est encore humide de pluie, de l'eau couleur rouille a coulé des gouttières, et au parking à vélos, une roue avant solitaire pend, attachée à son antivol.

Ça crépite lentement sous les pneus de la voiture au moment où il s'engage sur l'aire de stationnement.

Nelly l'attend sur le perron avec deux mugs de café. Erik ne peut s'empêcher d'esquisser un sourire en voyant sa mine satisfaite et le regard volontairement indolent.

C'est une femme plutôt grande et mince, ses cheveux décolorés sont toujours impeccablement coiffés et son maquillage est soigné.

Erik entretient des relations d'ordre privé avec elle et son mari, Martin. Nelly n'a pas réellement besoin de travailler, son mari est le principal propriétaire de Datametrix Nordic.

En apercevant la BMW d'Erik, elle avance à sa rencontre, souffle sur un des mugs et boit précautionneusement une gorgée avant de le poser sur le toit de la voiture, le temps d'ouvrir la portière arrière.

— Je ne sais pas de quoi il s'agit, mais nous avons là une inspectrice passablement stressée, dit-elle, et elle lui tend l'autre mug entre les sièges avant.

— Merci.

— Je lui ai expliqué que nous travaillons toujours pour le bien du patient, poursuit Nelly en s'asseyant et en refermant la portière. Merde, saloperie. Oups, pardon... Tu as un kleenex ? J'ai renversé du café... sur ton siège.

— Laisse, ce n'est pas grave.

— T'es fâché ? C'est ça, t'es fâché !

L'arôme de café se répand dans la voiture et Erik ferme les paupières un instant.

— Nelly, peux-tu me raconter ce qu'ils ont dit, s'il te plaît.

— C'est un peu tendu entre cette putain de... je veux dire cette agréable policière et moi.

— Y a-t-il quelque chose que je dois savoir avant d'entrer ?

— Je lui ai dit qu'elle pouvait attendre dans ton bureau et fouiller tes tiroirs.

— Merci pour le café... le bu et le renversé, plaisante-t-il, et il descend de la voiture en même temps qu'elle.

Il ferme à clé, glisse le trousseau dans sa poche, passe une main dans ses cheveux et se dirige vers le département de psychologie.

— Ce truc avec les tiroirs, je ne le lui ai pas dit, crie-t-elle derrière lui.

Erik grimpe l'escalier, tourne à droite, introduit sa carte magnétique dans le lecteur et pianote le code, puis longe le couloir suivant et rejoint son bureau. Il se sent toujours un peu dans les vapes, il faut absolument qu'il arrête les cachets. Les somnifères le plongent dans un sommeil trop profond. C'est comme se noyer. Les rêves sous narcotiques ont pris un tournant claustrophobe. Hier, il a fait un cauchemar dans lequel deux chiens avaient été soudés en un seul, et la semaine dernière il s'est endormi ici à l'hôpital et a rêvé de Nelly dans un contexte sexuel. Il a oublié les détails, mais elle était agenouillée devant lui et lui tendait une boule en verre glacé.

Le présent le rattrape quand il voit l'inspectrice assise dans son fauteuil, les pieds sur le bord de la corbeille à papier. Elle entoure son énorme ventre d'une main et tient une canette de Coca-Cola dans l'autre. Des plis ornent son front, son menton est baissé et elle respire par une bouche mi-ouverte.

Tout en se présentant, elle indique d'un geste fatigué sa plaque de police avec son identification, posée sur le bureau.

— Margot Silverman… Rikskrim.

— Erik Maria Bark, dit-il, et il lui serre la main.

— Merci d'être venu aussi vite. Nous avons un témoin qui a subi un choc… Tout le monde me dit que votre présence serait très bénéfique. Nous avons déjà essayé de l'entendre quatre fois, mais…

— Laissez-moi d'abord préciser que nous sommes cinq spécialistes dans notre groupe et qu'en général, moi, je ne participe pas aux interrogatoires de suspects ou d'auteurs de crimes.

La lumière du plafonnier se reflète dans les yeux clairs de la policière. Des cheveux crépus se sont échappés de sa tresse épaisse.

— D'accord, mais Björn Kern n'est pas un suspect. Il travaille à Londres et se trouvait à bord d'un avion quand sa femme a été assassinée, répond-elle.

Le métal fin craque quand elle serre la canette de Coca-Cola entre ses mains.

— Me voilà renseigné.

— Il prend un taxi à l'aéroport, rentre chez lui et la trouve assassinée. On ne sait pas exactement ce qu'il a fait, mais il n'a pas chômé. Il a traîné sa femme morte à travers toute la villa… On ignore où elle était au départ, on l'a découverte dans la chambre, installée dans le lit… Il a fait le ménage et nettoyé le sang… les meubles ont changé de place, le tapis ensanglanté tournait dans le lave-linge, et il dit qu'il ne se souvient de rien. On l'a récupéré à plus d'un kilomètre de la maison, un voisin a failli l'écraser avec sa voiture, il marchait pieds nus sur la route, son costume maculé de sang.

— Je vais le voir, pas de problème, déclare Erik. Mais je peux vous dire d'ores et déjà qu'essayer d'obtenir des informations par la force, ce n'est pas bon.

— Il faut qu'il parle, s'entête-t-elle en continuant à faire craquer la canette.

— Je comprends votre frustration, mais il peut sombrer dans une psychose si vous le pressez trop… Donnez-lui du temps, il finira par parler.

— Vous avez déjà aidé la police par le passé, n'est-ce pas ?

— Maintes fois.

— Et cette fois, on peut compter sur vous ? C'est le deuxième homicide de ce qui sera sans doute une série.

— Une série, répète Erik.

Le visage de Margot a tourné au gris et les minces rides autour de ses yeux s'accentuent à la lueur de la lampe.

— On est à la recherche d'un tueur en série.

— Très bien, je comprends, mais le patient doit…

— Ce tueur est entré dans une phase active, il ne va pas s'arrêter tout seul, l'interrompt-elle. De mon point de vue, Björn Kern est une véritable catastrophe. Pour commencer, il intervient sur le lieu du crime et chamboule tout avant l'arrivée de la police… et maintenant on n'arrive pas à lui faire dire quelle était la configuration de départ.

Elle retire ses pieds de la corbeille, chuchote tout bas pour elle-même qu'il faut qu'ils se mettent au travail, puis elle reste assise en respirant bruyamment, le dos raide.

— Si on le presse maintenant, il risque de se fermer définitivement, souligne Erik.

Il déverrouille l'armoire en bouleau et sort la sacoche en similicuir contenant sa caméra.

Margot se lève, pose la canette sur le bureau, récupère son insigne et se dirige vers la porte d'un pas lourd.

— Rassurez-vous, je comprends que ça doit être une sacrée épreuve pour lui, mais c'est primordial qu'il se maîtrise et…

— Oui, mais c'est plus qu'une épreuve… Y repenser tout de suite peut lui être tout à fait impossible, répond Erik. Ce que vous décrivez ressemble à un syndrome de stress inquiétant et…

— Tout ça, ce sont des mots, le coupe-t-elle, et l'irritation empourpre ses joues.

— Un traumatisme psychique peut provoquer un blocage aigu de…

— Et pourquoi donc ? Je n'y crois pas.

— Vous le savez sans doute, l'hippocampe organise nos souvenirs selon l'espace et le temps… puis l'information est communiquée au cortex préfrontal, explique patiemment Erik en indiquant son propre front. Mais ce processus est modifié en cas d'activation physiologique intense, lors d'un choc. Lorsque le complexe amygdalien identifie une menace, deux systèmes sont activés, le système nerveux autonome et ce qu'on appelle l'axe HPA, et…

— Oui, c'est bon, j'ai compris. Il se passe tout un tas de choses dans le cerveau.

— Ce qu'il faut surtout retenir, c'est qu'un stress de ce niveau peut empêcher le stockage normal des souvenirs. Dans des situations émotionnelles intenses… ils vont être congelés en quelque sorte, comme des glaçons, enfermés… chaque partie séparément.

— Je vois, vous m'expliquez qu'il fait de son mieux, dit Margot en posant la main sur son ventre. Mais Björn a peut-être vu quelque chose qui nous permettrait d'arrêter le tueur en série. Vous devez le calmer et le faire parler.

— Je vais m'y appliquer, mais je ne peux pas dire combien de temps ça va prendre. J'ai travaillé en Ouganda avec des traumatisés de guerre… des gens dont la vie a été totalement brisée. Tout ce qu'on peut faire, c'est tâtonner en proposant sécurité, sommeil, entretiens, exercices, médicaments…

— Et l'hypnose ? demande-t-elle avec un sourire involontaire.

— On ne doit pas s'attendre à des miracles, mais vous avez raison, parfois une légère hypnose peut aider un patient à restructurer ses souvenirs et à les restituer.

— Pour tout vous dire, là, si un coup de sabot de cheval sur le crâne pouvait l'aider et nous faire avancer, je ne dirais pas non.

— C'est un autre département qui se charge de ce genre de traitement, répond Erik sèchement.

— Pardon, je m'impatiente facilement quand je suis enceinte, s'excuse-t-elle, et il peut entendre qu'elle fait un effort pour paraître conciliante. Mais je dois trouver des parallèles avec le premier meurtre, j'ai besoin d'un schéma pour cerner le tueur, et pour l'instant je n'ai rien.

Ils ont rejoint la pièce où le patient attend. Deux policiers en tenue sont en faction devant la porte.

— Je sais que c'est important pour vous, dit Erik. Mais gardez en tête qu'il vient de trouver sa femme assassinée.

8

Erik suit Margot dans une pièce agrémentée d'un canapé, de deux fauteuils, d'une table basse blanche, de deux chaises, d'une fontaine à eau avec des gobelets en plastique et d'une corbeille à papier.

Sous le rebord de la fenêtre, le revêtement du sol est souillé de terre piétinée, tombée d'un pot de fleurs brisé.

L'atmosphère est chargée de nervosité et de transpiration. L'homme se tient dans le coin le plus reculé, comme s'il voulait s'éloigner le plus possible.

Lorsqu'Erik et Margot entrent, il se traîne le long du mur jusqu'au canapé. Il est très pâle, ses yeux injectés de sang expriment un grand affolement. Sa chemise bleu clair trempée de sueur sous les aisselles dépasse du pantalon.

— Björn, dit Margot. Je vous présente Erik, il est médecin ici.

L'homme jette un regard inquiet sur Erik puis se déplace à nouveau dans le coin.

— Bonjour, dit Erik.

— Je ne suis pas malade.

— Non, mais ce que vous venez de vivre vous donne droit à des soins, répond Erik de façon pragmatique.

— Vous ne savez pas ce que j'ai vécu, rétorque l'homme, puis il chuchote quelque chose pour lui-même.

— Je sais que vous n'avez reçu aucun calmant, constate Erik tout doucement. Sachez cependant que vous avez la possibilité de…

— Putain, pourquoi je devrais prendre un tas de médocs ? Ça aide, les médocs ? Ça règle tout ?

— Non, seulement…

— Est-ce que ça va me rendre Sanna ? crie-t-il. Bien sûr que non – vous êtes d'accord avec moi ?

— Ce qui est arrivé ne peut pas être changé, déclare Erik avec gravité. C'est votre relation avec ce qui est arrivé qui changera, quoi que vous fassiez…

— Je ne comprends rien à ce que vous dites.

— J'essaie de vous expliquer que ce que vous ressentez fait partie d'un processus, et que vous pouvez choisir d'accepter mon aide pendant ce processus.

Björn croise brièvement son regard puis s'esquive, le dos frôlant le mur.

Margot pose le magnétophone sur la petite table, énonce la date, l'heure et les personnes présentes dans la pièce.

— Cinquième entretien avec Björn Kern, dit-elle pour conclure la présentation, puis elle se tourne vers l'homme en train de tripoter le dossier du canapé. Björn, pouvez-vous raconter avec vos propres termes…

— Raconter quoi ? demande-t-il vivement. Raconter quoi ?

— Ce qui s'est passé quand vous êtes rentré chez vous.

— Pourquoi ? chuchote-t-il.

— Parce que je voudrais savoir ce qui s'est passé et ce que vous avez vu.

— Ben quoi, je suis rentré, ce n'est pas interdit que je sache ?

Il se bouche les oreilles et se met à haleter. Erik voit que les jointures de ses deux mains saignent.

— Qu'avez-vous vu ? répète Margot d'une voix fatiguée.

— Pourquoi vous me demandez ça ? Je ne sais pas pourquoi vous me demandez ça. Merde à la fin…

Björn secoue la tête et se frotte violemment la bouche et les yeux.

— Je veux que vous sachiez que vous êtes en sécurité ici, dans cette pièce, dit Erik. Vous pensez que vous n'avez pas le droit de vous détendre, vous croyez que c'est impossible, mais ce n'est pas le cas.

L'homme griffe avec l'ongle un raccord du papier peint et arrache une petite bande.

— Ce que je me dis, déclare-t-il sans les regarder… Ce que je me dis, c'est que je dois tout refaire, mais comme il faut cette fois… Je dois rentrer et franchir la porte à nouveau et alors tout sera normal.

— Qu'est-ce que vous entendez par normal ? demande Erik, et il parvient à capter le regard de Björn.

— Je sais très bien que ça paraît fou, mais imaginez que ce soit vrai, après tout, dit-il avec un geste de détresse, comme pour les faire taire. Je peux entrer, passer la porte et appeler Sanna… Elle sait que je lui apporte quelque chose, je le fais toujours, un truc du duty free… Puis j'enlève mes chaussures et j'avance dans la maison…

Il a l'air au comble du désespoir.

— C'est plein de terre, chuchote-t-il.

— Il y avait de la terre sur le sol ? interroge Margot.

— La ferme ! crie Björn, tellement fort que sa voix se brise.

Il piétine la terre sous la fenêtre, saisit l'autre plante verte et la jette contre le mur. Le pot en plastique éclate et du terreau dégringole derrière le canapé.

— Putain de merde, souffle-t-il.

Il appuie ses deux mains contre le mur, sa tête pend et un filet de glaire coule sur son menton.

— Björn ?

— Putain, ce n'est pas possible, dit-il, des pleurs dans la voix.

— Björn, répète Erik lentement. Margot est ici pour en apprendre davantage sur ce qui s'est passé. C'est son travail. Le mien, c'est de vous aider. Je suis ici pour vous… Je suis habitué à écouter des personnes qui souffrent, des gens qui ont subi de grandes pertes, qui ont vécu des événements terribles… des événements auxquels personne ne devrait être confronté, mais qui malheureusement font aussi partie de la vie de certains d'entre nous.

L'homme ne répond pas. Il pleure doucement. Ses yeux sont sombres et fiévreux.

— Vous allez rester debout là ? s'enquiert Erik calmement. Vous ne voulez pas plutôt venir vous asseoir dans le fauteuil ?

— Ça m'est égal.

— À moi aussi…

— Tant mieux, murmure Björn, et il se tourne vers Erik.

— J'ai déjà abordé le sujet et je sais ce que vous avez répondu, mais c'est mon boulot de vous proposer l'aide qui existe. Je peux vous donner des calmants. Ils ne vont pas éliminer l'horreur, mais la panique intérieure sera atténuée.

— Vous pouvez m'aider ? chuchote l'homme au bout d'un moment.

— Je peux vous aider à faire les premiers pas vers… vers l'acte de traverser les moments les plus difficiles.

— Je me mets à trembler dès que je pense au seuil de ma maison… J'ai dû franchir le seuil d'une autre maison, le mauvais seuil.

— Je comprends ce que vous ressentez.

Björn se touche doucement les lèvres comme si elles lui faisaient mal.

— Vous voulez que je m'assoie ? demande-t-il en jetant un regard prudent à Erik.

— Si c'est plus confortable pour vous.

Björn s'assied enfin et Erik sent que Margot lui lance un coup d'œil, mais il ne le lui rend pas.

— Si vous franchissez le mauvais seuil, ça ressemble à quoi ?

— Je préfère ne pas y penser.

— Mais vous vous en souvenez ?

— Pouvez-vous faire disparaître… la panique ? chuchote Björn à Erik.

— C'est vous qui décidez. Je resterai volontiers ici à vous parler en compagnie de Margot. Ou bien, vous et moi, on discute en tête à tête. On peut également essayer l'hypnose, qui aide parfois à surmonter le plus dur.

— L'hypnose ?

— Certains trouvent que ça fonctionne bien, répond Erik simplement.

— Non, sourit Björn.

— L'hypnose n'est qu'une combinaison de décontraction et de concentration.

Björn rit silencieusement, la main devant la bouche, se lève, longe le mur, s'arrête de nouveau dans le coin et se retourne vers Erik.

— Finalement, je crois qu'un cachet me ferait du bien, comme vous le disiez.

— Oui. Je peux vous donner du Valium – vous connaissez ? Vous allez vous sentir chaud et fatigué, mais aussi beaucoup plus calme.

— OK, je prends.

Du plat de la main, Björn frappe plusieurs coups sur le mur avant de s'approcher de la fontaine à eau.

— Je demande à une infirmière de vous apporter un comprimé, dit Erik.

Il quitte la pièce convaincu que Björn Kern ne va pas tarder à réclamer une séance d'hypnose.

9

L'immeuble situé au numéro 4 de la place Lill-Jans plan se distingue des immeubles voisins par sa façade sombre et ses décorations de style gothique avec encadrements, oriels, pilastres et arcs en ogive.

Au rez-de-chaussée, les rideaux sont tirés, sinon il serait possible de plonger le regard dans l'appartement.

Erik vérifie l'adresse sur le bout de papier, hésite un bref instant, puis franchit le grand portail. Il n'a parlé de ceci à personne.

Il sent son estomac se contracter en approchant de la porte d'entrée. Un air de piano paisible résonne jusque sur le palier. Il consulte sa montre, voit qu'il est un peu en avance et retourne patienter dans le passage cocher.

Ce printemps il avait trouvé dans sa boîte aux lettres un prospectus proposant des leçons de piano et, un peu à la légère, il avait inscrit son fils Benjamin à des cours accélérés comme cadeau pour ses dix-huit ans, au début de l'été.

Il n'était jamais trop tard pour apprendre à jouer d'un instrument, avait-il pensé. Lui-même avait toujours rêvé de jouer du piano, de pouvoir profiter de moments de solitude pour exécuter un nocturne mélancolique de Chopin.

Mais la veille de l'anniversaire, Nelly avait fait remarquer qu'il n'était pas nécessaire d'être psy pour comprendre qu'il avait projeté son propre rêve sur Benjamin.

Erik s'était empressé d'acheter un forfait de permis de conduire à la place. Ça avait fait plaisir à Benjamin, et Simone avait trouvé cela généreux de sa part.

Il était persuadé d'avoir annulé les cours. Mais il avait reçu un mail dans la matinée lui rappelant la première leçon.

Si Erik se sent maintenant terriblement gêné, il a quand même décidé de profiter de cette leçon lui-même, de donner une chance au projet.

L'idée de prendre la fuite, d'envoyer un SMS signalant qu'il a déjà décommandé les cours, lui traverse l'esprit quand il se présente à nouveau devant la porte, lève le doigt et sonne.

L'air de piano continue, mais il entend quelqu'un courir sur le sol d'un pied léger.

Une petite fille d'environ sept ans ouvre la porte, elle a de grands yeux clairs et des cheveux en bataille. Elle porte une robe à pois légère et tient un hérisson en peluche à la main.

— Maman est avec une élève, annonce-t-elle à voix basse.

La merveilleuse musique déferle dans tout l'appartement.

— J'ai rendez-vous à dix-sept heures… pour une leçon de piano, explique-t-il.

— Maman dit qu'on doit commencer quand on est petit, dit la fillette.

— Pour devenir bon, oui, mais ce n'est pas ce que je cherche. Je serai déjà bien content si le piano ne se bouche pas les oreilles et ne vomit pas tout son quatre-heures quand il m'entendra jouer.

La petite esquisse un sourire.

— Tu veux que je prenne ta veste ?

— Elle n'est pas trop lourde pour toi ?

Il pose sa veste sur ses bras minces et la voit disparaître vers d'immenses placards plus loin dans le hall d'entrée.

Une femme d'environ trente-cinq ans arrive dans le couloir. Elle semble plongée dans ses pensées, mais peut-être qu'elle écoute simplement la musique.

Ses cheveux noirs sont coupés court comme ceux d'un garçon et ses yeux sont dissimulés par de petites lunettes de soleil rondes. Elle ressemble à une actrice de cinéma française avec sa bouche rose pâle et son visage sans maquillage.

Il comprend que c'est elle, Jackie Federer, la professeure de piano.

Elle porte un pull noir à grosses mailles, une jupe en cuir et des ballerines plates.

— Benjamin ? demande-t-elle.

— Je m'appelle Erik Maria Bark, j'avais réservé des leçons pour mon fils, Benjamin. Un cadeau d'anniversaire, mais dont je ne lui ai finalement pas parlé. Je suis venu à sa place, parce qu'en réalité c'est moi qui souhaite apprendre le piano.

— Vous ?

— Je suis peut-être trop vieux, se dépêche-t-il d'ajouter.

— Entrez, je termine une leçon.

Il la suit dans le couloir et remarque qu'elle laisse le bout de ses doigts courir délicatement le long du mur.

— Benjamin a eu un autre cadeau, bien entendu, explique Erik au dos de la femme.

Elle ouvre une porte et la musique résonne plus fort.

— Asseyez-vous, propose la femme, et elle s'assied elle-même au bord du canapé.

La lumière entre à flots dans la pièce par de hautes fenêtres donnant sur une cour intérieure verdoyante.

Une adolescente est assise le dos bien droit devant un piano noir. Le morceau qu'elle joue est difficile, son corps oscille, elle tourne les pages de la partition, ses doigts volent sur les touches et ses pieds appuient avec application sur les pédales.

— Garde la mesure, je te prie, dit Jackie, le menton levé.

La fille s'empourpre, mais continue à jouer. Ça paraît formidable aux oreilles d'Erik, mais il voit que Jackie est mécontente.

Il se dit qu'elle est peut-être une ex-vedette célèbre dans le monde entier, une concertiste virtuose qu'il aurait dû connaître, Jackie Federer, une diva qui porte des lunettes de soleil à l'intérieur.

Le morceau s'achève, les notes s'attardent dans l'air et s'évanouissent quand la fille lâche la pédale de droite, qui prolongeait les vibrations des cordes.

— Bien, c'était beaucoup mieux aujourd'hui, déclare Jackie.

— Merci, dit la fille, puis elle ramasse ses partitions et s'en va.

Le silence se fait dans la pièce. Le grand arbre dans la cour jette des ombres vertes et ondulantes sur le parquet clair.

— Donc, vous voulez jouer du piano, constate Jackie, et elle se lève du canapé.

— J'en ai toujours rêvé, mais ça ne s'est jamais fait. Je suis bien sûr totalement incompétent, explique très vite Erik. Pas du tout musicien.

— Je suis désolée pour vous, dit-elle de sa voix assourdie, et elle pose sa main sur le mur comme pour prendre appui. On va faire une tentative.

— Maman, j'ai préparé du sirop.

La petite fille arrive dans la pièce, portant un plateau avec un verre.

— Demande au monsieur s'il a soif.

— Tu as soif ?

— Merci, oui, c'est très gentil, acquiesce Erik, et il boit une gorgée. Tu joues du piano, toi aussi ?

— Je suis plus douée que maman quand elle avait mon âge, répond la fillette, comme si c'était une question qu'on lui posait souvent.

Jackie sourit et caresse un peu maladroitement la nuque et les cheveux ébouriffés de sa fille avant de se tourner de nouveau vers lui.

— Vous avez payé pour vingt leçons.

— Je suis souvent un peu excessif, admet Erik.

— Quel est le but que vous vous êtes fixé ?

— Pour tout vous dire, je fantasme sur une sonate ou… un nocturne de Chopin, avoue Erik, et il se sent rougir. Mais je suis tout à fait conscient que je vais commencer par *Au clair de la lune*.

— On pourra travailler Chopin, mais peut-être plutôt une étude.

— S'il en existe une petite.

— Madeleine, tu peux me donner Chopin… opus 25, *Étude n° 1*.

La fillette cherche sur l'étagère juste à côté de Jackie, attrape une chemise et en sort la partition. Ce n'est que lorsqu'elle place les feuillets dans la main de sa mère qu'Erik comprend que la professeure est aveugle.

10

Erik sourit quand il se retrouve assis devant le piano laqué noir signé *C. Bechstein, Berlin* en petites lettres dorées.

— Il faut qu'il baisse le tabouret, dit la petite fille.

Erik se redresse et baisse le siège en le tournant sur lui-même.

— Nous allons commencer par la main droite et nous y consacrer, en posant seulement certaines notes avec la main gauche.

Il regarde le visage clair de Jackie, son nez droit et sa bouche à demi ouverte.

— Ne me regardez pas, moi, regardez la partition et le clavier.

Elle se penche par-dessus son épaule et pose doucement le petit doigt sur une touche noire. Une note aiguë tinte à l'intérieur du piano.

— Un *mi* abaissé s'appelle un *mi* bémol. Nous allons commencer par la première séquence qui comporte six notes, des sixtes, dit-elle, et elle les joue.

— Bien, murmure Erik.

— Montrez-moi où j'ai commencé.

Il appuie sur la touche et une note sèche se produit.

— Utilisez le petit doigt.

— Comment avez-vous su que…

— Parce que c'est naturel – jouez maintenant.

Il endure péniblement la leçon, se concentre sur les indications de Jackie, accentue la première des six notes, mais s'y perd lorsqu'elle ajoute quelques notes pour la main gauche. À un moment, elle touche sa main et lui recommande de ne pas crisper les doigts.

— Bon, vous êtes fatigué, nous allons nous arrêter là, dit Jackie sur un ton neutre. Vous avez bien travaillé.

Elle lui donne des indications pour la prochaine leçon, puis elle demande à sa fille de le raccompagner. Ils passent devant une porte garnie d'un grand panneau clamant "Accès interdit !" d'une écriture enfantine.

— C'est ta chambre ? demande Erik.

— Il n'y a que maman qui a le droit d'y entrer.

— Quand j'étais petit, même ma mère n'avait pas le droit de franchir la porte de ma chambre.

— C'est vrai ?

— J'avais dessiné une grosse tête de mort que j'avais affichée à la porte, mais je crois qu'elle y entrait quand même, parce que de temps en temps il y avait des draps propres dans mon lit.

L'air du soir est frais quand il sort. Il a l'impression d'avoir retenu sa respiration pendant toute la leçon. Il a le dos raide et douloureux tant il s'est contracté, et il se sent encore bizarrement embarrassé.

De retour chez lui, il prend une longue douche brûlante, puis il appelle la professeure de piano.

— Oui, c'est Jackie.

— Bonsoir, c'est Erik Maria Bark. Votre nouvel élève, vous savez…

— Oui ?

— Je vous appelle pour… m'excuser. Je vous ai fait perdre votre temps et… je réalise que c'est sans espoir, il est trop tard pour moi…

— Vous avez bien travaillé, je vous l'ai dit, répond Jackie. Faites les exercices que je vous ai donnés, et on se reverra bientôt.

Il ne sait pas quoi ajouter.

— Bonne nuit, dit-elle, et elle raccroche.

Avant de se coucher, il écoute l'opus 25 de Chopin pour essayer de cerner son propre objectif. En entendant les notes du pianiste Maurizio Pollini qui roulent comme des perles, il ne peut que rire.

11

Le soleil se tient haut au-dessus des arbres et la rubalise bleu et blanc vibre dans le faible vent. Une ombre translucide joue sur le bitume.

Les policiers en faction laissent passer une Lincoln Town Car noire qui roule lentement dans la rue Stenhammarsvägen. Le reflet des jardins verdoyants coule sur la peinture brillante, donnant l'illusion d'une forêt nocturne.

Margot Silverman s'arrête en souplesse le long du trottoir, juste derrière le véhicule de la brigade d'intervention, et reste un instant immobile, la main sur le frein à main.

Elle repense à leurs efforts pour identifier Susanna Kern avant qu'il ne soit trop tard. Au bout d'une heure, ils avaient compris que le temps imparti s'était écoulé, mais s'étaient quand même entêtés.

Quand l'alerte avait été donnée, Margot et Adam se trouvaient chez les experts TIC qui leur annonçaient, épuisés, que l'origine de la vidéo ne pouvait être déterminée.

Peu après deux heures du matin, les techniciens de la Rikskrim s'étaient rendus sur place et tout le quartier entre Bromma kyrkväg et Lillängsgatan avait été bouclé.

Au cours de la journée on a procédé à l'examen extrêmement difficile de la scène de crime en essayant, parallèlement, d'interroger le mari de la victime avec l'aide du psychiatre Erik Maria Bark.

Les policiers ont fait du porte-à-porte dans tout le quartier, ils ont visionné tous les films de surveillance de la circulation du secteur, et Margot a maintenant rendez-vous avec Adam et un technicien qui s'appelle Erixon.

Elle respire profondément, prend le sachet de chez McDonald's et quitte la voiture.

À l'extérieur des barrages dressés sur Stenhammarsvägen, un grand tas de fleurs s'est formé et trois bougies sont allumées. Quelques voisins sous le choc se sont retrouvés au foyer de l'église, mais la plupart n'ont pas dévié de leurs habitudes ni changé leurs projets pour le week-end.

La police ne dispose d'aucun suspect.

L'ex-mari de Susanna était avec leur fils au terrain de football de Kristineberg quand la police l'a trouvé. Ils l'ont pris à part pour l'informer de ce qui était arrivé, sachant déjà qu'il avait un alibi pour l'heure du meurtre.

Margot a entendu dire qu'après avoir été mis au courant il était retourné sur le terrain de foot pour encaisser tir au but sur tir au but de la part de son fils.

Ce matin, Margot a dressé les lignes directrices pour le groupe d'enquêteurs, en l'absence de témoignages et de résultats forensiques.

L'idée est de localiser tous les auteurs de crimes libérés d'institutions ou de cliniques ces dernières années, tous les criminels sexuels récemment sortis de prison ou en permission, et de collaborer étroitement avec le groupe d'analystes du comportement.

Margot froisse le sachet en papier pendant qu'elle mâche encore, puis elle le tend à un policier.

— Je suis obligée de manger pour cinq, explique-t-elle.

D'un geste fatigué, elle soulève le ruban de signalisation audessus de sa tête et s'avance d'un pas lourd vers Adam qui l'attend devant la grille du jardin.

— Pour ta gouverne, sache que ce n'est pas un tueur en série, ironise-t-elle, maussade.

— C'est ce que j'ai entendu dire, répond-il, et il la laisse passer la grille la première.

— Pfff, les chefs ! soupire-t-elle. Qu'est-ce qu'ils s'imaginent ? Les tabloïds vont se lâcher, c'est sûr. Quelles que soient les informations qu'on donne aux journalistes, la police, c'est une proie facile pour eux. On est contraints de suivre les règles, nous. C'est comme tirer sur un putain de tonneau.

— Sur des poissons dans un tonneau, la corrige Adam. Autrement dit, très peu d'efforts pour un résultat garanti.

— On ignore de quelle manière les médias influenceront le tueur, poursuit-elle. Il peut se sentir exposé et redoubler de prudence, se mettre en retrait… ou alors l'attention va nourrir sa vanité et lui donner le sentiment d'être invincible.

La lumière des projecteurs brille à travers les fenêtres de la maison, comme sur le tournage d'un film ou une séance de photos de mode.

Erixon, le technicien en criminalistique, ouvre une canette de Coca-Cola et se dépêche de boire comme s'il puisait une force magique dans les premières bulles. Son visage est en sueur, il a glissé le masque de protection sous son menton et la combinaison blanche semble trop petite pour son gros ventre.

— Je voudrais voir Erixon, fait Margot.

— Cherche une grosse meringue qui pleure si tu te risques à prononcer les chiffres 5 et 2, répond Erixon en lui tendant la main. Ce foutu régime commence à me taper sur le système.

Pendant que Margot et Adam enfilent les minces vêtements de protection, Erixon raconte qu'il a réussi à relever l'empreinte d'une botte en caoutchouc, taille 43, sur le perron, mais que toutes les traces à l'intérieur sont contaminées, voire détruites, puisque le mari de la victime a fait le ménage.

— Tout prend dix fois plus de temps, dit-il en essuyant la sueur de ses joues avec un mouchoir blanc. Et il n'y aura pas de reconstitution au sens habituel du terme. Cela dit, j'ai quelques idées sur le déroulement des faits, on pourra en parler.

— Et le corps ?

— On va l'examiner, mais il a été déplacé et… mais bon, vous le savez déjà.

— Elle a été couchée dans le lit, précise Margot.

Erixon l'aide avec la fermeture éclair et Adam remonte les manches de sa combinaison informe.

— On pourrait créer une émission pour enfants, il y aurait trois meringues, dit Margot, les deux mains entourant son ventre.

Ils s'inscrivent sur la liste des personnes ayant pénétré sur le lieu du crime avant de suivre le technicien jusqu'à la porte d'entrée.

— Vous êtes prêts ? demande Erixon, sérieux tout à coup. Une maison ordinaire, une femme ordinaire, de belles années passées ensemble – puis l'enfer qui s'invite pendant quelques minutes.

Ils entrent, la bâche de protection bruisse, la porte se referme derrière eux et les gonds crient comme un lièvre pris au piège. La lumière du jour disparaît et le changement brusque entre la journée de fin d'été et le vestibule sombre est aveuglant.

Ils attendent sans bouger que leurs yeux s'en accommodent.

L'air est chaud et on devine des empreintes de sang sur le montant de la porte, autour de la serrure et de la poignée, un tâtonnement de terreur.

Un aspirateur sans embout est posé par terre sur un plastique. Du sang foncé a coulé du tuyau.

Le masque d'Adam tremble devant sa bouche au rythme de sa respiration accélérée, et la transpiration perle sur son front.

Ils suivent Erixon sur les plaques de cheminement en direction de la cuisine. Des empreintes de pied ensanglantées sont visibles sur le lino du sol. Essuyées à la va-vite puis piétinées de nouveau. L'un des éviers est bouché avec du sopalin détrempé et dans l'eau trouble on aperçoit une raclette de douche.

— Nous avons relevé les empreintes de Björn, dit Erixon. Il a d'abord marché partout avec ses chaussettes pleines de sang puis pieds nus… les chaussettes ont été jetées à la poubelle.

Il se tait et ils poursuivent ensemble le long du couloir qui relie la cuisine à la salle à manger et au séjour.

Une scène de crime se modifie avec le temps, elle est ruinée à mesure que l'examen progresse. Pour ne perdre aucune preuve, les techniciens criminalistiques commencent par fouiller les poubelles et les véhicules garés dans les environs, ils enregistrent des odeurs et autres manifestations fugaces.

De façon générale, on examine toujours la scène de crime de l'extérieur vers l'intérieur, et on approche du corps et de l'endroit précis du meurtre avec beaucoup de prudence.

Le séjour est baigné d'une forte lumière. L'odeur poisseuse de sang est omniprésente. Le chaos est étrangement voilé puisque les meubles ont été essuyés et remis à leur place.

Hier soir, Margot a visionné la vidéo dans laquelle Susanna se tient dans cette pièce et mange de la crème glacée directement au pot.

Un avion atterrit dans un vacarme assourdissant à l'aéroport tout proche, l'armoire vitrée vibre. Margot note que toutes les figurines en porcelaine sont couchées comme si elles dormaient.

Des mouches bourdonnent au-dessus d'un balai à franges qui a été balancé derrière le canapé. L'eau dans le seau est rouge foncé, et le parquet strié. On peut suivre les larges traces laissées par les franges, ainsi que les éclaboussures sur les plinthes et autour des meubles.

— Il a d'abord essayé d'éliminer le sang avec l'aspirateur, raconte Erixon. Je ne suis pas certain de la chronologie, mais ensuite il a passé la serpillière, puis il a essuyé avec le chiffon éponge de la cuisine et avec du sopalin.

— Il ne se souvient de rien, dit Margot.

— Pratiquement toutes les traînées de sang initiales sont détruites, mais il en a loupé une petite ici, poursuit Erixon, et il montre une mince éclaboussure sur le papier peint.

Utilisant l'ancienne technique, Erixon a tendu huit fils sur le mur entre les taches périphériques pour trouver le point de convergence – la position d'où le sang a éclaboussé.

— Ça, c'est un endroit exact… le couteau s'enfonce en biais d'en haut, assez profondément, précise Erixon, essoufflé. Il s'agit évidemment d'un des premiers coups.

— Puisqu'elle est debout, commente Margot à mi-voix.

— Puisqu'elle est encore debout, confirme-t-il.

Margot regarde la vitrine avec les figurines couchées et se dit que Susanna a dû chanceler et heurter l'armoire en cherchant à s'échapper.

— Ce mur a été nettoyé, leur montre Erixon. Du coup, je suis obligé d'émettre des hypothèses, mais elle se tenait probablement dos au mur et s'est laissée glisser au sol… Elle a peut-être roulé sur elle-même, à moitié, donné des coups de pied… en tout cas elle y est restée un moment avec un poumon perforé.

Margot se penche lourdement en avant et voit le sang qu'une expiration a projeté sur le dossier du canapé, du bas vers le haut, peut-être quand elle a toussé.

— Mais les traces de sang continuent là-bas, on dirait, non ? Susanna a lutté comme une bête pour sa vie…

— On ne sait même pas où Björn l'a trouvée ? demande Adam.

— Non, mais il y avait une grande quantité de sang là-bas, dit Erixon en pointant le doigt.

— Et là aussi, remarque Margot avec un geste en direction de la fenêtre.

— Oui, elle s'est trouvée là, mais elle y a été traînée… une fois morte, elle a été déplacée à plusieurs endroits, sur le canapé… dans la salle de bains et…

— Et maintenant elle se trouve dans la chambre, constate Margot.

12

La lumière blanche des projecteurs remplit la chambre et crée des soleils aveuglants sur les vitres des fenêtres. Tout est éclairé, la moindre fibre, le moindre grain de poussière dans l'air. Un ruban de gouttes de sang court sur la moquette gris clair jusqu'au lit, de petites perles noires.

Margot s'arrête sur le pas de la porte, tandis que les autres continuent jusqu'au lit, elle entend le froufroutement de leurs combinaisons cesser quand ils s'immobilisent.

— Dieu du ciel, halète Adam d'une voix étouffée.

De nouveau, Margot pense à la vidéo, à Susanna qui marchait en traînant le pantalon autour de sa cheville avant de s'en débarrasser d'un coup de pied.

Elle baisse les yeux et aperçoit les vêtements qui ont été remis à l'endroit et pliés sur le fauteuil.

— Margot ? Ça va ?

Elle croise le regard d'Adam, voit ses pupilles agrandies, entend le bourdonnement paresseux des mouches et s'oblige à s'approcher du lit et à regarder la victime.

La couverture est tirée jusqu'au menton.

Le visage n'est qu'une masse rouge sombre difforme. Il a été tailladé, lacéré, poignardé, haché.

Un seul œil fixe obliquement le plafond.

Erixon retire la couverture raidie de sang coagulé. La peau colle au tissu. Un petit crépitement se produit quand le sang séché se détache et s'émiette.

Adam lève vivement une main vers sa bouche.

La violence bestiale a été concentrée sur le visage, le cou et la poitrine. La femme morte est nue et ensanglantée, couverte de plaies et d'hématomes sous-cutanés.

Erixon photographie le corps et Margot montre une teinte verdâtre du côté droit du ventre.

— C'est normal, dit Erixon.

Les poils pubiens sont en train de repousser de part et d'autre de la touffe blond-roux du mont de Vénus. Aucune marque, aucune blessure n'est visible à l'intérieur des cuisses.

Erixon fait plusieurs centaines de photos du corps, de la tête sur l'oreiller jusqu'au bout des orteils.

— Je te demande la permission de te toucher, Susanna, chuchote-t-il avant de soulever son bras gauche.

Il retourne le bras et examine les lésions défensives, les plaies qui indiquent qu'elle a essayé de se protéger des attaques.

Avec des gestes efficaces, il racle sous ses ongles, l'endroit le plus sûr pour trouver l'ADN d'un agresseur. Pour chaque ongle, il utilise une nouvelle éprouvette, colle une étiquette et tape quelques mots sur l'ordinateur qu'il a placé sur la table de chevet.

Les doigts de Susanna sont flexibles de nouveau puisque la rigidité cadavérique a commencé à décliner.

Quand il en a fini avec les ongles, il enfile précautionneusement un sac en papier autour de la main et le scelle avec de l'adhésif en vue de l'autopsie.

— Toutes les semaines, je me rends chez des gens ordinaires, dit Erixon à voix basse. Ils ont tous des meubles renversés, du verre brisé et du sang par terre.

Il contourne le lit pour faire les prélèvements sur la main droite. Au moment de la soulever, il s'arrête net.

— Il y a quelque chose dans sa main, fait-il remarquer, et il tend le bras pour attraper l'appareil photo. Vous voyez ?

Margot se penche pour vérifier. Un objet sombre brille entre les doigts de la morte. Auparavant il était fermement serré dans sa main à cause de la rigidité *post mortem*, mais à présent on le devine entre les doigts relâchés.

Erixon déplie les phalanges et saisit doucement l'objet. On dirait que Susanna voudrait résister mais qu'elle est trop fatiguée pour se défendre.

Le corps volumineux d'Erixon fait de l'ombre à Margot avant qu'elle puisse voir ce que la victime tenait caché dans sa main.

Une petite tête de chevreuil provenant d'une figurine en porcelaine.

Elle est d'une couleur châtain brillant et la cassure est blanche comme du sucre.

Est-ce le tueur ou son mari qui la lui a placée dans la main ?

Margot pense aux figurines dans la vitrine, elle est pratiquement certaine qu'elles étaient toutes intactes, même si elles étaient renversées.

Elle recule pour avoir une vue d'ensemble de la chambre. À côté de la morte, le dos courbé, Erixon est en train de photographier la petite tête brune et scintillante. Adam s'est laissé tomber sur un pouf près du placard. Il a l'air de lutter contre l'envie de vomir.

Margot retourne devant l'armoire vitrée du séjour et reste un instant face aux figurines renversées. Elles sont toutes couchées comme si elles étaient mortes, mais aucune n'est abîmée, aucune tête ne manque.

Pourquoi la victime a-t-elle une tête de chevreuil serrée dans sa main ?

Margot suit du regard la lumière éblouissante jusqu'à la chambre, elle se dit qu'elle doit aller regarder le corps une dernière fois avant qu'il ne soit déplacé à l'institut médicolégal de Solna.

13

Erik Maria Bark se tient devant la caisse à la cafétéria du département de psychologie pour s'acheter un café. En sortant son portefeuille, il sent les muscles de ses épaules endoloris par la leçon de piano.

— C'est déjà payé, dit la femme derrière le comptoir.

— Ah bon ?

— Un ami vous a payé tous vos cafés jusqu'à Noël.

— Il a dit son nom ?

— Nestor, répond-elle.

Erik sourit, prend son café et se dit qu'il faut qu'il parle à Nestor de cette reconnaissance exagérée. C'est le métier d'Erik d'aider les gens, Nestor ne lui doit rien.

Il pense aux manières aimables et prudentes de son ancien patient lorsqu'il entend des pas assourdis derrière lui. Il se retourne. C'est l'inspectrice enceinte qui arrive en se dandinant, et agite un sandwich sous plastique pour lui faire signe.

— Björn a dormi, il semble aller un peu mieux, annonce-t-elle, hors d'haleine. Il veut nous aider et il est prêt à essayer l'hypnose.

— Je dispose d'une heure si on commence tout de suite, dit Erik, et il avale d'un trait son café.

— Vous pensez que ça va marcher ? demande-t-elle pendant qu'ils se dirigent vers la salle d'entretien.

— L'hypnose n'est qu'un moyen d'aider son cerveau à se détendre pour qu'il puisse trier ses souvenirs d'une façon moins chaotique.

— Le procureur n'aura cependant pas le droit d'utiliser les déclarations faites sous hypnose, fait-elle observer.

— En effet. Mais cela peut aider Björn à témoigner plus tard, et ça fera certainement avancer l'enquête.

Quand ils entrent dans la pièce, Björn se tient derrière l'un des fauteuils, les mains posées sur le dossier. Ses yeux, éteints, semblent faits de plastique terni.

— J'ai seulement vu des gens se faire hypnotiser à la télé, déclare-t-il d'une voix cassée. Je veux dire, je ne suis pas sûr d'y croire…

— Il suffit de considérer l'hypnose comme une aide pour vous sentir mieux.

— Mais je veux qu'elle sorte, lâche-t-il en jetant un regard sur Margot.

— Pas de problème, acquiesce Erik.

— Vous voulez bien le lui dire ?

Margot, déjà installée sur le canapé, reste assise, imperturbable.

— Vous allez devoir attendre dehors, lui dit Erik d'une voix basse.

— J'ai des douleurs ligamentaires, j'ai besoin de rester assise.

— Vous savez où se trouve la cafétéria, réplique Erik.

Elle se lève en soupirant, prend son téléphone, se dirige vers la porte, mais se tourne vers Erik avant de l'ouvrir.

— Je peux vous parler un instant ? demande-t-elle aimablement.

— Bien sûr, répond-il, et il la suit dans le couloir.

— Il faut y aller franco, on n'a pas le temps pour le chouchoutage.

— Je comprends ce que vous ressentez, mais je suis médecin, c'est mon boulot de l'aider.

— Moi aussi j'ai un boulot, s'indigne Margot, la voix étranglée d'irritation. Arrêter un assassin, c'est du sérieux, et Björn a vu des choses que…

— Ceci n'est pas un interrogatoire, l'interrompt-il. Vous le savez, nous en avons déjà parlé.

L'inspectrice lutte contre sa propre impatience, puis elle opine de la tête comme si elle avait compris et acceptait ses paroles.

— Enfin, tant que ça ne lui nuit pas, sachez que de mon côté…, insiste-t-elle. Chaque petit détail peut être déterminant dans l'enquête.

14

Erik ferme la porte, déplie le trépied et installe la caméra. Björn l'observe et se frotte vigoureusement le front avec la main.

— Vous êtes obligé de filmer ?

— C'est uniquement pour garder une trace, répond Erik. Je préfère ne pas avoir à prendre de notes pendant la séance.

— Très bien, dit Björn comme s'il n'avait pas vraiment écouté la réponse.

— Pour commencer, vous allez vous allonger sur le canapé.

Erik s'approche de la fenêtre et ferme les rideaux. Une agréable pénombre envahit la pièce. Björn s'allonge, fait descendre son corps de quelques centimètres et ferme les paupières. Erik approche une chaise et s'assied, il constate à quel point l'homme est tendu. Des pensées confuses l'agitent, toutes sortes d'impulsions secouent ses membres.

— Respirez lentement par le nez. Relâchez votre bouche, le menton et les joues… Sentez l'occiput qui pèse de tout son poids sur le coussin, sentez votre nuque se détendre… vous n'êtes pas obligé de soutenir votre tête, elle repose sur le coussin… les muscles de votre mâchoire se relâchent, votre front se lisse et vos paupières s'alourdissent…

Erik prend son temps pour parcourir le corps entier, de la tête aux orteils, puis remonter jusqu'aux paupières fatiguées et à la tête lourde.

Avec une monotonie soporifique, Erik glisse vers l'induction, il parle sur un ton décroissant et s'applique à instaurer un calme intérieur en vue de ce qui va se passer.

Le corps de Björn acquiert peu à peu une décontraction quasi cataleptique. Un traumatisme psychique peut augmenter la réceptivité à l'hypnose, comme si le cerveau avait besoin d'une nouvelle directive, d'une issue pour échapper à un état intenable.

— Vous n'écoutez que ma voix… si vous entendez autre chose, cela vous servira uniquement à vous décontracter davantage et à vous focaliser encore plus sur mes paroles… Très bientôt je vais compter à rebours et à chaque chiffre, vous allez vous détendre un peu plus.

Erik pense à ce qui va suivre, à ce qui l'attend dans la villa, à ce que Björn a vu après avoir franchi la porte : l'instant éclairé quand le choc frappe de toute sa force.

— Neuf cent douze, dit-il doucement. Neuf cent onze…

À chaque expiration, Erik prononce les chiffres lentement, d'une voix monotone. Au bout d'un moment, il rompt le schéma logique, mais poursuit quand même le compte à rebours. Björn se trouve maintenant dans un état d'hypnose profond. Les plis marqués de son front se sont atténués, la bouche s'est relâchée. Erik continue de compter et s'enfonce dans la résonance hypnotique avec une sensation jouissive dans le ventre.

— Vous êtes maintenant parfaitement détendu… un repos calme et agréable. Vous allez très bientôt revenir vers le souvenir de vendredi soir… Quand j'aurai compté à rebours jusqu'à zéro, vous vous tiendrez devant la maison, mais vous êtes tout à fait calme, car il n'y a pas de danger… Quatre, trois, deux, un… Maintenant, vous êtes dans la rue devant votre maison, le taxi s'en va, les pneus crépitent contre le gravier du bitume…

Björn ouvre les paupières, ses yeux scintillent, mais il regarde vers l'intérieur, vers sa mémoire, et ses lourdes paupières se referment.

— Vous observez la maison ?

Björn se tient devant sa maison, dans la fraîcheur de l'air nocturne. Une lueur étrange illumine le ciel par lentes pulsations. On dirait que la maison se penche en avant lorsque la lumière s'élargit et que les ténèbres cèdent.

— Elle bouge, fait-il presque sans voix.

— Maintenant vous allez jusqu'à la porte d'entrée. L'atmosphère est douce, il n'y a rien de désagréable…

Björn sursaute quand quelques choucas s'envolent d'un arbre. Il les voit se dessiner contre le ciel, leurs ombres traversent l'herbe avant de disparaître.

— Vous êtes totalement calme et rassuré, poursuit Erik, et il voit la main de Björn bouger nerveusement sur le canapé.

15

Dans un état de transe, Björn avance lentement vers la porte sans dévier du chemin dallé. Quelque chose dans l'éclat noir des fenêtres attire son attention.

— Vous êtes arrivé devant la porte, vous sortez la clé et l'introduisez dans la serrure.

Björn appuie prudemment sur la poignée, mais la porte est coincée. Il tire plus fort et perçoit un bruit visqueux lorsqu'elle s'ouvre enfin.

La sueur perle sur le front de Björn, et Erik répète d'une voix soporifique qu'il n'y a aucune raison d'avoir peur.

Björn essaie d'ouvrir les yeux et chuchote quelque chose. Erik se penche vers lui, sent son haleine contre son oreille.

— Le seuil… est bizarre…

— Oui, ce seuil peut en effet être bizarre, répond Erik calmement. Mais une fois que vous l'aurez franchi, tout sera exactement comme vendredi.

Le visage de Björn est couvert de transpiration et son menton se met à trembler.

— Non, non, murmure-t-il en secouant la tête.

Erik comprend qu'il doit mener Björn plus loin dans l'hypnose, pour qu'il soit capable de pénétrer chez lui.

— Vous allez vous contenter d'écouter ma voix maintenant. Très bientôt, vous serez dans un état de repos total où rien ne pourra vous troubler… Vous y descendez pendant que je compte : quatre… vous descendez, trois… vous devenez calme, deux… un et maintenant vous êtes complètement détendu et vous voyez que le seuil n'est pas un obstacle…

Le visage de Björn est flasque, ses lèvres pendent, de la salive scintille à la commissure des lèvres, il est désormais plongé dans une hypnose plus profonde que ce qu'Erik avait planifié.

— Si vous vous sentez prêt, vous pouvez… franchir le seuil à présent.

Björn ne veut pas, il se dit qu'il ne veut pas, mais il fait quand même un pas dans le vestibule. Son regard file vers le couloir et la cuisine. Tout est comme d'habitude, un prospectus du magasin de bricolage Bauhaus a atterri sur le tapis de l'entrée, beaucoup trop de chaussures sont entassées sur l'étagère prévue à cet effet, il y a aussi le parapluie qui tombe toujours et les clés qui tintent quand il les pose sur la commode.

— Tout est comme d'habitude, chuchote-t-il. Exactement comme…

Il se tait en remarquant un étrange mouvement du coin de l'œil. Il n'ose pas tourner la tête, fixe son regard droit devant lui tandis que quelque chose bouge à la périphérie de son champ de vision.

— C'est un peu bizarre… à côté de… je…

— Qu'avez-vous dit ?

— Ça bouge à côté de…

— Ne vous en occupez pas, répond Erik. Regardez tout droit et continuez…

Björn traverse le vestibule, mais son regard est malgré lui attiré vers les vêtements qui y sont suspendus. Ils bougent lentement dans la pénombre, comme si un vent soufflait dans la maison. Les manches du trench-coat de Susanna se soulèvent sous l'effet d'un courant d'air, puis retombent.

— Regardez devant vous, l'encourage Erik.

Le traumatisme psychique est vécu par la victime comme un chaos de souvenirs qui l'assaillent de tous côtés, qui perdent leur ordre chronologique, s'esquivent puis se précipitent en avant, pêle-mêle.

Erik peut seulement tenter de guider Björn à travers les pièces jusqu'à la conviction centrale : il n'aurait pas pu empêcher la mort de sa femme.

— Je suis dans la cuisine maintenant, souffle-t-il.

— Vous pouvez avancer encore.

Un sac rempli de vieux journaux destinés au recyclage est posé dans le couloir devant la porte de la cave. Björn fait précautionneusement un pas en avant, ne regarde pas sur le côté, mais voit quand même qu'un tiroir de cuisine s'ouvre, il entend le bruit quand le tiroir s'immobilise.

— Un tiroir est ouvert, murmure-t-il.

— Lequel ?

Björn sait que c'est le tiroir des couteaux et que c'est lui qui l'ouvre après avoir lavé un gros couteau plusieurs heures plus tard.

— Oh mon Dieu… je ne peux pas le faire, je…

— Il n'y a aucune raison d'avoir peur, vous êtes en sécurité, je vous accompagnerai jusqu'au bout.

— Je dépasse la porte de la cave, j'arrive dans le séjour… Susanna doit déjà être couchée…

Tout est silencieux, la télé est éteinte, mais quelque chose est différent, les meubles semblent bizarrement agencés, comme si un géant avait soulevé la maison pour l'agiter délicatement.

— Sanna ? chuchote Björn.

Il tend la main et appuie sur l'interrupteur. La pièce ne s'éclaire pas, mais la lumière remplit les fenêtres qui donnent sur le jardin. Il se sent observé, il veut à tout prix fermer les rideaux.

— Oh mon Dieu, mon Dieu, mon Dieu, gémit-il soudain, et les muscles de son visage tressaillent.

Erik comprend que Björn est arrivé au point clé du souvenir de la situation traumatisante, mais il ne décrit pratiquement rien, il garde tout pour lui-même.

Björn s'approche, se voit dans une vitre noire. Il voit les buissons bouger au vent, dehors, loin derrière les reflets.

Il prend une brusque inspiration bien qu'il soit dans un état d'hypnose profond, son corps se tend et son dos se cabre.

— Que se passe-t-il ? demande Erik.

Björn s'arrête en apercevant un individu au visage gris sombre qui l'observe par la fenêtre. Tout près de la vitre. Il fait un pas en arrière et sent les battements rapides de son cœur dans sa poitrine. Une tige du rosier se balance et frotte le rebord métallique de la fenêtre. Il se rend compte que le visage gris ne se trouve pas à l'extérieur. Quelqu'un est assis par terre devant la fenêtre. Ils peuvent se voir *via* les reflets.

Une voix calme répète qu'il n'y a aucune raison d'avoir peur. Il se déplace latéralement et réalise que c'est Susanna. Elle est assise par terre devant la fenêtre.

— Sanna ? demande-t-il doucement, pour ne pas l'effrayer.

Il distingue son épaule, une partie de ses cheveux. Elle est adossée à un fauteuil et regarde dehors. Il s'approche en hésitant et sent que le sol est mouillé sous ses pieds.

— Elle est assise, murmure-t-il.

— Elle est assise ?

Björn s'approche davantage du fauteuil devant la fenêtre, le plafonnier s'allume brusquement et la lumière inonde le séjour. Il sait qu'il a appuyé sur l'interrupteur, mais il prend quand même peur quand cette forte lumière se déverse dans la pièce.

Tout est ensanglanté.

Il a marché dans le sang qui a aussi éclaboussé la télé, le canapé et les murs, du sang poisseux qui a souillé le parquet, s'est glissé entre les lattes.

Elle est assise dans une mare rouge foncé. Une femme morte qui porte le kimono de Sanna. De la poussière s'est déposée dans la flaque de sang autour d'elle.

Le visage de Björn se tend, ses lèvres et le bout de son nez blanchissent. Dès qu'il aura assimilé que la femme morte est Susanna, Erik va le sortir de l'hypnose.

— C'est qui, la personne que vous voyez ?

— Non… non, chuchote Björn.

— Vous savez qui c'est.

— Susanna, dit Björn lentement, et il ouvre les yeux.

— Vous pouvez revenir en arrière maintenant. Je vais bientôt vous réveiller et…

— Il y a tellement de sang, mon Dieu, je ne veux pas… Son visage est détruit, elle est assise complètement immobile avec…

— Björn, écoutez ma voix, je vais compter de…

— Elle a la main posée sur l'oreille et son coude dégouline de sang, lâche-t-il dans un souffle.

En quelques secondes, un froid glacial inonde Erik lorsque l'adrénaline remplit son système sanguin, les cheveux se dressent dans sa nuque, et les poils sur ses bras. Le cœur battant, il jette un coup d'œil sur la porte fermée de la pièce où ils se trouvent et entend le grincement d'un chariot qui disparaît dans le couloir.

— Regardez vos propres mains, suggère-t-il en s'efforçant de contrôler sa voix. Vous regardez vos mains et vous respirez tranquillement. À chaque respiration, vous devenez plus calme.

— Je ne veux pas, chuchote Björn.

Erik sait qu'il le force, mais il doit absolument connaître la position qu'occupait Susanna quand Björn l'a trouvée.

— Avant de vous réveiller, je vais vous faire descendre encore un peu, déclare-t-il en avalant sa salive. Sous la maison où vous vous trouvez, il y a une autre maison, identique… et c'est seulement dans celle-là que vous pouvez voir Susanna nettement. Trois, deux, un… vous y êtes… Elle est assise par terre dans la flaque de sang, et vous pouvez la regarder sans crainte.

— Il n'y a presque plus de visage, seulement du sang, dit Björn d'une voix traînante. Et sa main est plaquée sur l'oreille…

— Poursuivez, l'encourage Erik en regardant la porte de nouveau.

— Sa main s'est entortillée dans la ceinture de son kimono.

— Björn, je vais vous faire remonter maintenant… dans la maison au-dessus, et là, il n'y a que la conviction que Susanna est morte et que vous n'auriez rien pu faire pour la sauver. C'est la seule certitude que vous allez emporter quand je vous réveillerai ; le reste, vous le laisserez sur place.

16

Erik ferme la porte de son bureau et va s'asseoir devant l'ordinateur. Son dos est trempé de sueur.

Stressé, il chuchote pour lui-même que ce n'est rien.

Il remue la souris pour sortir l'ordinateur de son état de veille. D'une main tremblante, il ouvre le tiroir du haut, prend la plaquette de Mogadon et fait sortir un comprimé qu'il avale sans eau.

Il ouvre rapidement le fichier des patients. En attendant de pouvoir effectuer une recherche, il se rend compte que ses doigts sont froids.

Il sursaute quand Margot Silverman ouvre la porte sans frapper. Elle entre et s'arrête en face de lui, les deux mains croisées sous son ventre comme un soutien.

— Björn Kern dit qu'il ne garde aucun souvenir de ce que vous vous êtes dit.

— C'est normal, répond Erik, et il réduit la fenêtre active.

— Et l'hypnose elle-même, comment ça s'est passé ? demande-t-elle en tripotant l'éléphant en bois de Malaisie posé sur le bureau.

— Il était totalement réceptif…

— Vous avez donc pu l'hypnotiser ?

— Malheureusement, j'ai oublié de lancer l'enregistrement, prétend Erik. Autrement, vous l'auriez constaté, il est entré presque immédiatement en transe.

— Vous avez oublié ?

— Vous savez que ce n'était pas un interrogatoire, dit-il avec un peu trop d'impatience. Juste un premier pas dans ce que nous appelons la stabilisation de l'affect afin que…

— Je n'en ai rien à cirer, l'interrompt-elle.

— Afin que plus tard vous ayez un témoin, termine-t-il.

— Quand ça, plus tard ? Sera-t-il en état de dire quelque chose aujourd'hui ?

— Je pense qu'il va assez rapidement comprendre ce qui est arrivé, mais de là à en parler, c'est une autre paire de manches.

— Alors, qu'est-ce qu'il s'est passé ? Qu'est-ce qu'il a dit ? Il a forcément parlé, non ?

— Oui, mais…

— Pas de baratin de secret médical avec moi, s'il vous plaît. Je dois savoir, il y a des gens qui vont mourir.

Erik se lève, s'approche de la fenêtre et s'appuie contre le rebord. En bas, dehors, un patient est en train de fumer, maigre et voûté dans ses vêtements d'hôpital.

— Je l'ai ramené en arrière, explique Erik lentement. Dans la maison… c'était extrêmement compliqué car le choc est très récent et son cerveau rempli de fragments épouvantables.

— Mais il a vu ? Il pouvait tout voir ?

— Seulement assez pour comprendre qu'il n'aurait pas pu la sauver.

— Il a vu la scène de crime et sa femme ? Il les a vues ?

— Oui, il les a vues.

— Qu'a-t-il dit alors ?

— Pas grand-chose… il a parlé du sang… et du visage abîmé.

— Et le corps, avait-il été arrangé ? Une mise en scène sexuelle ?

— Il ne l'a pas dit.

— Était-elle assise, couchée ? Comment était sa bouche, comment tenait-elle ses mains ? Était-elle nue ? Avait-elle été violée ?

— Il n'en a pas parlé. Il faudra du temps pour arriver jusqu'aux détails.

— Je vous jure que s'il ne crache pas rapidement ce qu'il a vu, j'arrêterai le processus, je le traînerai jusque chez lui et le baladerai à l'intérieur jusqu'à ce que…, dit-elle en élevant la voix.

— Margot, la coupe Erik gentiment.

Elle lui lance un regard sombre, hoche la tête et respire la bouche à moitié ouverte, puis elle sort une carte de visite et la pose sur son bureau.

— Nous ne savons pas qui sera la prochaine victime, mais ça pourrait être votre femme, pensez-y.

Elle quitte le bureau et Erik sent son visage se détendre. Lentement il retourne s'asseoir. Le sol commence à lui paraître mou sous ses pieds. Il s'installe devant l'ordinateur quand on frappe à la porte.

— Oui ?

Nelly pointe sa tête dans l'entrebâillement de la porte.

— L'adorable inspectrice a enfin quitté la maison.

— Elle essaie juste de faire son boulot.

— Je sais. Elle a l'air vraiment sympa…

— Arrête maintenant, la coupe Erik, mais il ne peut réfréner un sourire.

— D'accord, mais elle était assez rigolote, lance Nelly joyeusement.

Erik appuie sa tête sur sa main et Nelly retrouve son sérieux, entre, ferme la porte et le regarde.

— Qu'est-ce qu'il y a ? Que s'est-il passé ?

— Rien.

— Raconte, fait-elle en s'asseyant sur le bord du bureau.

Sa robe en jersey rouge froufroute d'électricité statique contre son collant quand elle croise les jambes.

— Je ne sais pas, soupire Erik.

— Mais enfin, qu'est-ce que tu as ?

Erik se lève, respire profondément et la regarde.

— Nelly, dit-il, et sa voix sonne terriblement creux. J'ai une question à te poser concernant un patient. Avant que tu commences à travailler ici, Nina Blom avait constitué une équipe pour une expertise psychiatrique compliquée.

— Continue, l'encourage-t-elle en le regardant avec une curiosité amusée.

— Je sais que tu as étudié les dossiers de tous mes patients, mais cette affaire était peut-être en dehors de… je veux dire…

— Quel est son nom ?

— Rocky Kyrklund – tu te souviens de lui ?

— Hum, attends, hésite-t-elle.

— Il était pasteur.

— Oui, ça me revient, tu parlais beaucoup de lui. Tu avais un classeur avec des photos de la scène de crime et…

— Tu ne sais pas ce que cet homme est devenu ?

— C'était il y a mille ans.

— Je suppose qu'il est encore interné ?

— Espérons. Il avait assassiné des gens, il me semble.

— Une femme, précise Erik.

— Oui, je m'en souviens maintenant, son visage avait été complètement massacré.

17

Nelly se tient derrière Erik quand il fait défiler sur l'écran les fichiers des patients. Il tape le nom Rocky Kyrklund, lance la recherche et découvre que l'homme a été interné à l'hôpital régional de Karsudden.

— Karsudden, dit-il à voix basse.

Elle écarte une mèche blonde de sa joue, le regarde, et ses yeux rétrécissent.

— Je peux savoir pourquoi on parle de ce patient ?

— Le corps de la victime de Rocky Kyrklund avait été arrangé après la mort. Tu ne t'en souviens pas, mais elle était couchée par terre, le visage tailladé et la main autour du cou. Quand j'ai hypnotisé Björn Kern, il a mentionné des détails qui rappellent ce meurtre ancien.

— Celui que le pasteur avait commis ?

— Je ne sais pas, mais Björn Kern a dit que le visage de sa femme était complètement détruit… et qu'elle tenait la main sur son oreille.

— Qu'en pense la police ?

— Aucune idée, murmure Erik.

— Je suppose que tu as raconté tout ça à… cette adorable personne enceinte ?

— Je n'ai rien dit.

— Ah bon ? s'étonne Nelly, un sourire sceptique lui tiraillant les lèvres.

— Parce que ça a été révélé sous hypnose et…

— Mais il est d'accord pour témoigner, non ?

— J'ai pu mal entendre, élude Erik.

— Mal entendre ! rit-elle.

— C'est tellement tordu – je n'arrive plus à réfléchir.

— Erik, je crois que ce n'est pas très important, mais tu dois le dire à la police, elle est là pour ça, lui conseille doucement Nelly.

Il retourne devant la fenêtre. La zone fumeurs est déserte. Même à cette distance, il distingue les mégots, les papiers de bonbons par terre et un couvre-chaussure bleu enfoncé dans le cendrier.

— C'était il y a si longtemps, mais pour moi… Tu peux imaginer ce que furent ces semaines-là ? Je ne voulais pas que Rocky soit acquitté. Avec tout ce qui… la violence, les yeux, les mains…

— Je me rappelle avoir tout lu. Mais j'ai oublié les termes exacts de votre conclusion. Il me semble qu'elle soulignait qu'il était vachement dangereux et qu'il y avait un grand risque de récidive.

— Et si jamais il a été libéré ? Il faut que j'appelle Karsudden.

Erik prend son téléphone, consulte l'ordinateur et compose le numéro de Simon Casillas, le médecin-chef responsable.

Nelly s'installe sur le canapé d'Erik pendant qu'il parle avec le médecin. Elle croise son regard, un sourire aux lèvres, quand il prononce les politesses d'usage avant de terminer la conversation en répétant qu'il a trouvé l'article de Simon Casillas dans *Svensk Psykiatri* brillant.

Le soleil se cache derrière les nuages et la pénombre envahit la pièce comme si une gigantesque créature avait surgi devant le bâtiment.

— Rocky se trouve toujours à la section D4, annonce Erik. Et il n'a jamais eu de permissions.

— Tu te sens mieux maintenant ?

— Non, chuchote-t-il.

— Tu as perdu pied ? demande-t-elle avec tant de sérieux qu'il est obligé de sourire.

Avec un soupir, il approche ses paumes de son visage, laisse le bout de ses doigts appuyer doucement sur ses paupières puis descendre sur ses joues avant qu'il regarde Nelly à nouveau.

Elle s'étire le dos et le fixe attentivement. Une petite ride s'est creusée entre ses minces sourcils.

— OK, écoute-moi maintenant, commence Erik. Ce que je vais te raconter n'est pas bien du tout. Lors d'un des derniers entretiens que j'ai eus avec Rocky, il a soutenu qu'il avait un alibi pour la soirée du meurtre, mais j'ai eu peur qu'il soit acquitté juste parce qu'il avait réussi à acheter un témoin.

— Qu'est-ce que tu essaies de me dire, là ?

— Que je n'ai jamais transmis cette information.

— Arrête !

— Il aurait pu être disculpé de…

— Mais putain, on ne peut pas faire un truc pareil !

— Je sais, mais il était coupable, et il aurait recommencé à tuer.

— Ça ne nous regarde pas ! On est psys, pas policiers ni juges !

Elle se lève et fait quelques pas dans la pièce, indignée, puis s'arrête et secoue la tête.

— Merde alors, souffle-t-elle. C'est insensé. Tu es complètement fou.

— Tu es en colère, c'est normal.

— Oui, je suis en colère ! Je veux dire, tu comprends bien que si cette histoire s'ébruite, tu vas perdre ton travail.

— Je sais que j'ai mal agi, je n'ai jamais cessé d'y penser, mais j'ai toujours été convaincu d'avoir stoppé un assassin.

— *Shit*, murmure-t-elle.

Il prend la carte de visite sur le bureau et se met à composer le numéro de l'inspectrice.

— Qu'est-ce que tu fais ? demande-t-elle.

— Il faut que je leur parle de l'alibi de Rocky et de la main sur l'oreille et…

— Vas-y, l'interrompt-elle. Mais si jamais tu avais raison, si son alibi n'existait pas, alors le parallèle n'existe pas non plus.

— Je m'en fiche.

— Demande-toi ce que tu vas faire du reste de ta vie. Tu devras cesser d'exercer, tu perdras tes revenus, tu seras peut-être traduit en justice, l'objet d'un scandale, de polémiques…

— Je suis seul responsable.

— Vérifie d'abord si l'alibi tient la route – si c'est le cas, je te dénoncerai moi-même.

— Merci, rit-il.

— Je ne plaisante pas.

18

Erik laisse la voiture devant le garage, remonte d'un pas rapide le chemin dallé jusque chez lui, déverrouille la porte et entre. Il allume le vestibule, mais n'enlève pas sa veste et descend directement à la cave, qui abrite ses volumineuses archives.

Dans des armoires métalliques fermées à clé, il conserve toute la documentation de ses années en Ouganda, du grand projet de recherche à l'institut Karolinska et des consultations au département de psychologie. Tous ses écrits sont rassemblés dans des journaux de bord, des journaux intimes et des notes minutieuses. Les enregistrements vidéo de toutes les consultations sont transférés sur huit disques durs externes.

Le cœur d'Erik bat la chamade lorsqu'il ouvre l'une des armoires et cherche les documents de l'année où la vie de Rocky Kyrklund a croisé la sienne.

Il sort le dossier en carton noir et remonte à son cabinet de travail. Il allume la lampe, jette un rapide coup d'œil à la fenêtre sombre, défait l'élastique qui entoure la chemise et l'ouvre sur le bureau devant lui.

C'était il y a neuf ans et sa vie était différente. Benjamin était à l'école primaire, Simone rédigeait sa thèse d'histoire de l'art et lui-même venait d'ouvrir le Centre Crises et Traumatismes avec le Dr Sten W. Jakobsson.

Il ne se souvient plus du contexte : pourquoi et comment il avait été contacté pour faire partie d'une équipe d'experts judiciaires. En général, il refusait ce genre de mission, mais quand sa collègue Nina Blom lui avait demandé son aide, il avait changé d'avis en raison des circonstances si particulières.

Erik se rappelle qu'il avait passé la soirée dans son bureau tout neuf à parcourir le matériel que le procureur lui avait envoyé. L'homme qui allait subir l'expertise s'appelait Rocky Kyrklund, il était pasteur dans la paroisse de Salem. Il se trouvait en détention provisoire pour le meurtre de Rebecka Hansson, une femme de quarante-trois ans qui avait assisté au culte du dimanche matin puis était restée à l'église pour un entretien privé. Elle avait été tuée peu après.

Le meurtre avait été extrêmement brutal et haineux. Le visage et les bras totalement ravagés, la victime gisait dans sa salle de bains, la main droite autour de son cou.

Les preuves techniques étaient assez convaincantes. Rocky lui avait envoyé des messages de menace, on avait retrouvé ses empreintes digitales dans la maison de la victime, ainsi que quelques-uns de ses cheveux, et on avait prélevé du sang de Rebecka sur ses mocassins.

Un avis de recherche avait été lancé, et l'homme avait été arrêté sept mois plus tard lors d'un grave accident de la route sur la bretelle d'accès à l'autoroute de Brunnby. Il avait volé une voiture à Finsta et roulait en direction de l'aéroport d'Arlanda.

Dans cet accident, Rocky Kyrklund avait subi de graves lésions du tissu cérébral, occasionnant une activité épileptique dans les régions frontale et temporale des deux hémisphères.

Il allait souffrir de crises d'automatisme et de troubles de la mémoire le restant de sa vie.

Quand Erik avait rencontré Rocky Kyrklund, son visage était lacéré de cicatrices rouges laissées par l'accident, il avait un bras plâtré et ses cheveux commençaient tout juste à repousser à la suite des opérations. Rocky mesurait près de deux mètres, ses épaules étaient larges, il avait de grandes mains, une nuque solide et était doté d'une voix puissante.

Pendant leurs entretiens, il lui arrivait fréquemment de s'évanouir, il tombait subitement de sa chaise, entraînant dans sa chute la table frêle, le verre d'eau et la carafe, et se cognant l'épaule contre le sol. Mais la plupart du temps, l'activité épileptique était presque imperceptible. Il semblait simplement un peu ahuri et absent et ne se souvenait pas de quoi ils venaient de parler.

Erik avait établi un bon contact avec Rocky. On ne pouvait nier que le pasteur était charismatique. Étrangement, il donnait l'impression de parler avec son cœur.

Erik feuillette son journal privé dans lequel il a pris de brèves notes lors de leurs rencontres. Il peut suivre les sujets abordés et leur évolution d'un entretien à l'autre.

Rocky n'avait pas nié le meurtre, mais il ne l'avait pas avoué non plus, il disait n'avoir aucun souvenir de Rebecka Hansson et ne pouvait pas expliquer la présence de ses empreintes digitales chez elle, ni comment le sang de cette femme s'était retrouvé sur ses chaussures.

Quand les entretiens se déroulaient au mieux, Rocky tournait autour de ses petits îlots de souvenirs pour tenter d'en apercevoir d'autres.

Un jour, il avait raconté que Rebecka Hansson et lui avaient eu de brefs rapports sexuels dans la sacristie. Il se rappelait certains détails, tels que les poils rêches du tapis sur lequel ils étaient allongés. Un cadeau des jeunes filles de la paroisse. Elle avait eu ses règles et avait laissé une tache de sang comme une vierge, disait-il.

Lors de l'entretien suivant, il ne conservait aucun souvenir de cet épisode.

L'expertise arrivait à la conclusion que le crime avait été commis sous l'influence d'une grave perturbation psychique. L'équipe estimait que Rocky Kyrklund souffrait d'un trouble de la personnalité mégalomaniaque et narcissique avec des traits paranoïdes.

Sans s'y attarder, Erik survole dans le journal une note entourée, "recours aux prostituées + usage de drogue", puis quelques commentaires sur son traitement médical.

Il n'avait évidemment pas à se positionner sur la culpabilité éventuelle de Rocky, mais peu à peu Erik avait été persuadé que l'homme était coupable et que ses troubles psychiques représentaient un grand risque d'activité criminelle réitérée.

Au cours d'un des derniers entretiens, Rocky avait parlé d'une cérémonie de fin d'année scolaire dans une église décorée de verdure, et il avait soudain levé les yeux sur Erik et affirmé qu'il n'avait pas tué Rebecka Hansson.

— Je me souviens de tout, j'ai un alibi pour la soirée.

Il avait écrit le nom d'Olivia et une adresse sur un bout de papier qu'il avait donné à Erik. Ils avaient poursuivi l'entretien et Rocky s'était mis à parler par fragments entrecoupés, s'était tu, avait fixé Erik avant de faire soudain une violente crise épileptique. Une fois la crise passée, il ne se souvenait plus de rien, il n'avait pas reconnu Erik et s'était contenté de chuchoter quelques mots sur sa dépendance à l'héroïne, prétendant qu'il serait prêt à tuer un enfant pour 30 grammes de diacétylmorphine dans un flacon scellé.

Erik n'avait pas pris au sérieux cette histoire d'alibi. Dans le meilleur des cas, ce n'était qu'un mensonge, et au pire, Rocky avait graissé la patte à quelqu'un, ou l'avait menacé, pour qu'il confirme son alibi.

Erik avait jeté le bout de papier, et le tribunal de première instance avait condamné Rocky Kyrklund à des soins psychiatriques sous contrainte.

Et voilà que neuf ans plus tard, une femme est tuée à Bromma d'une manière qui rappelle le meurtre de Rebecka Hansson, se dit Erik en refermant le dossier portant le nom de Rocky.

Violences extrêmes concentrées sur le visage, le cou et la cage thoracique.

D'un autre côté, les meurtres de ce genre ne sont pas rares. Il pourrait s'agir d'un ex-mari jaloux ou d'une agressivité liée à une prise de Rohypnol et de stéroïdes anabolisants, d'un règlement de comptes ou d'un proxénète qui veut montrer l'exemple quand une prostituée quitte l'écurie.

Le seul lien concret est que Susanna Kern a été abandonnée sur le lieu du meurtre la main devant l'oreille exactement comme Rebecka Hansson avait été retrouvée par terre, la main autour de son propre cou.

Peut-être que Susanna Kern s'est seulement emmêlée dans la ceinture de son peignoir pendant l'attaque.

Ce n'est pas un parallèle évident, mais il existe et force Erik à faire ce qu'il aurait dû faire depuis très longtemps.

Il glisse le dossier dans le tiroir de son bureau et compose de nouveau le numéro de Simon Casillas, le médecin-chef à l'hôpital de Karsudden.

— Casillas, répond l'homme d'une voix qui évoque du cuir rêche.

— Erik Maria Bark de Karolinska.

— Rebonjour.

— J'ai vérifié mon emploi de temps et je m'aperçois que je pourrais y glisser une visite.

— Une visite ?

On entend au fond des bruits qui évoquent un hall de squash, des coups et des chaussures qui grincent.

— Je participe à un projet de recherche au centre Osher à l'institut Karolinska, où nous reprenons les dossiers de vieux patients, l'ensemble des pathologies… et dans ce cadre j'ai besoin d'interviewer Rocky Kyrklund.

Erik s'entend monologuer sur ce projet de recherche inventé, sur l'économie de la santé, sur l'estime de soi, sur des plates-formes internet proposant des TCC et sur un certain Dr Stünkel.

La conversation finie, il repose lentement le téléphone sur la table. Il voit le petit écran s'assombrir quand le système se met en veille. La pièce est calme. Le fauteuil grince doucement comme une barque amarrée. Par la fenêtre ouverte il entend le crépitement d'une pluie du soir qui s'approche au-dessus des jardins.

Il se penche en avant, appuie les coudes sur la table, repose son visage dans ses mains et se demande ce qu'il fabrique. Qu'est-ce que j'ai dit au fait ? Et qui est ce putain de Stünkel ?

C'est peut-être de la folie, il le sait. Mais il sait aussi qu'il est obligé d'y aller. Si l'alibi de Rocky était valable, cet homme doit retrouver la liberté, même au prix d'un lynchage médiatique et d'un scandale judiciaire.

Erik passe rapidement en revue son journal, il n'y a pas de notes concernant un alibi, mais vers la fin une page est arrachée. Il tourne les feuilles, puis s'arrête net. Après le dernier entretien avec Rocky, il y a une remarque au crayon dont Erik ne garde aucun souvenir. Au milieu de la page, en biais, il est écrit : "Un pasteur avec des vêtements sales." Le reste du carnet est vierge.

Il se lève et se dirige vers la cuisine pour trouver quelque chose à manger, tout en se répétant qu'il doit absolument découvrir si l'alibi de Rocky était valable.

Si tel est le cas, le nouveau meurtre est probablement lié à l'ancien, et alors Erik avouera tout.

19

Au volant de sa voiture, Saga Bauer traverse lentement l'énorme campus de l'institut Karolinska, s'approche du numéro 5 de Retzius väg, s'engage sur le parking désert et s'arrête devant le bâtiment vide.

Bien qu'elle soit fatiguée et pas maquillée, que ses cheveux soient sales et ses vêtements informes, la plupart des gens qui la verraient diraient probablement qu'elle est la femme la plus belle qu'ils aient jamais vue.

Ces derniers temps, elle a un sentiment d'avidité permanent, comme si elle était aux abois : la couleur bleue de ses yeux fait ressortir la blancheur de sa peau laiteuse.

Par terre devant le siège passager se trouve son sac vert, contenant des sous-vêtements, sa brosse à dents, son gilet pare-balles et cinq boîtes de munitions : .45 ACP à tête creuse.

Saga Bauer est en arrêt maladie depuis plus d'un an et elle n'est pas allée à son club de boxe une seule fois pendant tout ce temps.

Le seul moment où son travail à la Säpo* lui a manqué fut durant la visite de Barack Obama à Stockholm. Elle se tenait à distance et observait le cortège présidentiel. Toujours chercher une menace, déformation professionnelle oblige. Elle se souvient de la décharge qu'elle avait ressentie au creux de l'estomac en repérant un angle de tir possible avec un lance-roquettes depuis une fenêtre sans surveillance, mais la seconde d'après, la menace avait disparu, rien ne s'était produit.

* Säkerhetspolisen : service de la Sûreté de la Suède. *(Toutes les notes sont de la traductrice.)*

Le département de médecine légale est fermé, toutes les lampes semblent éteintes dans le bâtiment de brique rouge, mais une Jaguar blanche à l'aile avant endommagée est garée dans l'allée piétonne, juste devant l'entrée.

Saga se penche sur le côté, ouvre la boîte à gants, saisit le bocal en verre et quitte sa voiture. Une odeur de gazon fraîchement tondu flotte dans l'air tiède. Elle sent son Glock 21 sautiller sous son bras gauche à chaque pas et entend de faibles clapotis dans le récipient.

Elle est obligée de marcher dans les plates-bandes fleuries pour contourner la voiture de l'Aiguille. Les épines des églantiers se plantent dans son pantalon militaire avant de se décrocher avec un petit bruit sec. Les branches se balancent et quelques pétales roses retardataires tombent doucement sur le sol.

On a bloqué la porte de l'entrée en position ouverte à l'aide d'un dossier roulé sur lui-même.

Elle est venue ici assez souvent pour trouver son chemin. Du gravier sur le sol sommairement nettoyé crisse sous ses pieds quand elle avance dans le couloir vers la porte pivotante.

Elle ne peut retenir un sourire en regardant le bocal, le liquide trouble, les particules qui s'agitent doucement là-dedans.

Le souvenir l'envahit, et sa main libre se dirige inconsciemment sur l'une des cicatrices qu'il lui a laissées au visage, une coupure profonde en travers du sourcil.

Parfois elle se dit qu'il percevait quelque chose de spécial en elle, que c'est pour ça qu'il l'a épargnée. D'autres fois elle pense qu'il trouvait la mort trop facile – il voulait qu'elle vive avec les mensonges auxquels il lui avait fait croire, avec l'enfer qu'il avait créé pour elle.

Elle ne saura jamais où est la vérité.

La seule chose dont elle est sûre, c'est qu'il a choisi de ne pas la tuer alors qu'elle avait fait le choix inverse le concernant.

Elle pense à l'obscurité et à la neige profonde quand elle passe dans le couloir vide du département de médecine légale.

— Je l'ai eu, murmure-t-elle pour elle-même.

Elle s'humecte les lèvres et se revoit tirer et l'atteindre au cou, au bras et à la poitrine.

— Trois balles dans la poitrine…

Quand il était tombé dans le torrent, elle avait remplacé le chargeur et tiré de nouveau, elle avait brandi haut la torche éclairante et vu le nuage de sang se répandre autour de lui. Elle s'était précipitée sur la berge en visant la forme sombre, elle avait continué de tirer bien que le corps eût disparu dans le courant.

Je savais que je l'avais tué, songe-t-elle.

Mais ils n'ont jamais retrouvé son corps. La police avait envoyé des plongeurs sous la glace et la brigade canine avait arpenté le bord de la rivière.

Devant le bureau de l'Aiguille est affichée une jolie plaque métallique annonçant *Nils Åhlén, professeur de médecine légale.*

La porte est ouverte, le svelte légiste est installé devant son bureau propret et lit le journal, les mains protégées par des gants en latex. Sous sa blouse de médecin, il porte un col roulé blanc et ses lunettes aviateur scintillent lorsqu'il lève la tête.

— Tu es fatiguée, Saga, dit-il aimablement.

— Un peu.

— Et belle, évidemment.

— Non.

Il pose le journal, retire les gants et voit le regard interrogateur de Saga.

— Pour éviter l'encre d'imprimerie sur les doigts, fait-il comme si c'était une évidence.

Saga ne répond pas, elle se contente de poser le bocal devant lui. Le doigt tranché bouge lentement dans l'alcool, au milieu de particules incolores en suspension. Un index gonflé et à moitié pourri.

— Et tu crois donc que ce doigt a appartenu à…

— Jurek Walter, complète Saga laconiquement.

— Comment l'as-tu trouvé ?

L'Aiguille prend le bocal en verre et le lève vers le plafonnier. Le doigt tombe contre la paroi du récipient comme s'il voulait le désigner.

— Ça fait plus d'un an que je cherche…

Au début, Saga empruntait des chiens renifleurs et arpentait les deux rives du cours d'eau, depuis le lac Bergasjön jusqu'à son embouchure près de Hysingsvik. Elle a suivi la côte, passé les plages au peigne fin, étudié les courants marins dans l'archipel depuis Norrfjärden jusqu'au chenal de Västerfladen, visité chaque île et parlé avec tous ceux qui pêchent dans le secteur.

— Continue, dit l'Aiguille.

Elle lève les yeux et croise son regard calme derrière l'éclat des lunettes. Les gants en latex retournés forment deux petits tas sur la table. Un souffle d'air fait vibrer l'un d'eux.

— Ce matin j'ai parcouru la plage de Högmarsö, raconte-t-elle. J'y étais déjà allée, mais j'ai voulu y retourner… le terrain de l'île côté nord est assez difficile d'accès, il y a beaucoup d'arbres sur les rochers de la pointe.

Elle pense au vieil homme qui était arrivé dans l'autre sens, les bras chargés de bois flotté.

— Tu ne dis plus rien ?

— Pardon… j'ai rencontré un bedeau à la retraite… apparemment il m'avait aperçue la fois d'avant aussi et il m'a demandé ce que je cherchais.

Saga l'avait suivi jusqu'à la partie habitée de l'île. Moins de quarante individus vivaient là. Derrière la chapelle blanche avec son campanile se trouvait le logement du bedeau.

— Il m'a dit qu'il avait trouvé un homme mort au bord de l'eau, c'était fin avril…

— Un corps entier ? interroge l'Aiguille à voix basse.

— Non, le torse et un bras.

— Pas de tête ?

— On ne peut pas vivre sans torse, dit-elle, et elle entend que sa voix paraît presque fiévreuse.

— Non, répond l'Aiguille calmement.

— Le bedeau a dit que le corps avait dû rester dans l'eau tout l'hiver parce qu'il était très lourd et enflé.

— Ils ont toujours un aspect horrible, confirme l'Aiguille.

— Il l'a transporté dans la brouette à travers la forêt et l'a entreposé dans la remise à outils derrière la chapelle… mais l'odeur rendait son chien fou, si bien qu'il l'a porté à l'ancien crématoire.

— Il l'a incinéré ?

Saga hoche la tête. Le crématoire avait disparu depuis des décennies, mais sur les fondations envahies par la végétation subsistait un four en brique couvert de suie, avec sa cheminée.

Le bedeau avait l'habitude d'y brûler des vieilleries, il savait donc que le four était en état de marche.

— Pourquoi n'a-t-il pas appelé la police ? demande l'Aiguille.

Saga pense à l'odeur de graillon et de vieilles guenilles du bedeau. Son cou était noir de crasse et les bouteilles d'alcool maison, dans le réfrigérateur, étaient couvertes de traces de doigts.

— Je ne sais pas, il distille lui-même sa gnôle… Mais il a pris quelques photos avec son portable au cas où la police viendrait poser des questions… et puis il a conservé le doigt au fond du frigo.

— Tu as les photos ?

— Oui, répond-elle en sortant son téléphone. C'est forcément lui… regarde, ce sont des blessures par balles.

L'Aiguille examine la première photo. Sur le sol en béton nu de la cabane à outils gît un torse spongieux, marbré, avec un seul bras. La peau épaisse s'est détachée de la poitrine et a glissé vers le bas. Quatre plaies d'entrée de balles, aux contours imprécis, sont visibles. L'eau a formé une tache noire sur le sol gris clair – une ombre qui va en rétrécissant vers la grille d'écoulement.

— Ça m'a l'air bien, très bien même, dit l'Aiguille, et il rend le téléphone à Saga.

Son regard se crispe soudain, il se lève et s'empare du bocal posé sur le bureau. Il regarde la jeune femme comme s'il s'apprêtait à dire autre chose, puis quitte tout bonnement la pièce.

20

Saga suit l'Aiguille dans le couloir sombre au sol marqué par le passage fréquent des roues de chariot, puis ils entrent dans la première salle d'autopsie. Les tubes fluorescents clignotent quelques fois avant que la lumière se stabilise sur les murs au carrelage blanc. Sur un bureau à côté d'une des tables d'autopsie sont posés un ordinateur et une grande bouteille de soda Trocadero.

Une odeur de canalisation et de produits d'entretien flotte dans l'air. Un tuyau de rinçage orange est fixé à un robinet au mur. Du bout du tuyau, un filet d'eau coule dans le trou de vidange au sol.

L'Aiguille se dirige tout droit vers la longue table recouverte de plastique et pourvue de doubles éviers et de rigoles pour évacuer les liquides.

Il avance une chaise pour Saga et pose le bocal sur la table.

Il enfile des vêtements de protection, un masque et des gants en latex. Puis il reste complètement immobile devant le bocal, tel un vieillard qui s'est abîmé dans ses souvenirs. Saga est sur le point de parler quand l'Aiguille prend une profonde inspiration.

— Index droit d'un corps trouvé dans de l'eau saumâtre, conservé dans de l'alcool à une température de huit degrés pendant quatre mois, dit-il pour lui-même.

Il photographie le bocal sous différents angles, puis dévisse le couvercle portant l'inscription “Confiture de framboises BOB”.

À l'aide d'une petite pince en acier, il extrait le long doigt, le laisse s'égoutter un instant et le place ensuite sur le plastique de la table d'autopsie. L'ongle s'est détaché et continue de flotter dans l'alcool trouble. Une puanteur écœurante d'eau de mer corrompue et de chair putréfiée se répand dans la pièce.

— Je confirme que le doigt a été sectionné longtemps après la mort, dit-il à Saga. Avec un couteau ou peut-être des tenailles, un gros sécateur…

L'Aiguille respire bruyamment par le nez tout en roulant précautionneusement le doigt pour le photographier sous tous les angles.

— Il sera possible de prendre une empreinte digitale correcte, précise-t-il avec solennité.

Saga a reculé et plaqué sa main sur sa bouche, elle voit l'Aiguille soulever doucement le doigt et le poser sur un scanner d'empreintes.

Un signal retentit pendant le balayage biométrique.

Le tissu est gonflé et pelucheux, pourtant l'empreinte qui apparaît sur le petit écran est parfaitement nette.

Les motifs papillaires correspondent aux joints entre les formations de cellules et les pores sudoripares qui se développent dans le derme dès le stade fœtal.

Saga observe les tourbillons labyrinthiques de l'ovale.

La pièce est saturée de gravité, d'une attente fatidique.

L'Aiguille retire sa tenue de protection et allume l'ordinateur, branche le scanner à l'ordinateur et clique sur l'icône LiveScan.

— J'ai mon propre système AFIS, dit-il distraitement.

Il clique sur une autre icône et entre un mot de passe. Saga le voit faire une recherche sur "Walter" avant d'arriver en quelques clics à l'image numérique du PV de son arrestation. Les empreintes très nettes des doigts de Jurek ainsi que ses deux empreintes palmaires sont faites à l'encre de Chine.

Saga essaie de respirer plus calmement.

La transpiration coule de ses aisselles le long de son torse.

L'Aiguille chuchote tout bas et fait glisser la meilleure empreinte du LiveScan sur la fenêtre de recherche du système AFIS, clique sur le bouton *Analysis and Comparison* et reçoit immédiatement un résultat.

— Qu'est-ce qui se passe ? demande Saga, et elle avale péniblement sa salive.

Les reflets des tubes fluorescents passent sur les lunettes de l'Aiguille. Elle voit que sa main tremble quand il montre l'écran.

— Les détails du niveau 1 sont assez faibles… il s'agit de directions des crêtes et de minuties, explique l'Aiguille en se raclant brièvement la gorge. Le niveau 2 correspond aux détails de Galton… tu vois la longueur des lignes papillaires et les rapports entre elles. L'écart résulte en fait uniquement de la décomposition… et le niveau 3 concerne en premier lieu la position des pores et là, la concordance est totale.

— Tu veux dire qu'on a trouvé Jurek ? chuchote-t-elle.

— Je vais envoyer l'ADN à Linköping, mais ce n'est pas absolument indispensable, déclare-t-il avec un sourire nerveux. Tu l'as trouvé, il n'y a pas de doute, c'est lui. C'est terminé maintenant.

— Bien, dit-elle, et elle sent des larmes brûlantes lui monter aux yeux.

Au premier soulagement se mêlent des impulsions contradictoires et une sensation de vide. Son cœur bat toujours fort dans sa poitrine.

— Tu as tout le temps dit que tu étais sûre d'avoir tué Jurek – pourquoi était-ce si important de retrouver son corps ? demande l'Aiguille.

— Je ne pouvais pas me lancer à la recherche de Joona avant de l'avoir trouvé, répond-elle, et elle passe sa main sur ses joues pour essuyer les larmes.

— Joona est mort.

— Oui, sourit-elle.

La veste et le portefeuille de Joona avaient été retrouvés chez un SDF qui avait ses quartiers au bord de l'eau sur l'île Helgeandsholmen à Stockholm. Saga a maintes fois visionné la vidéo de l'interrogatoire du témoin. L'homme sans domicile fixe s'était donné le nom de Konstantin Ier. Il avait l'habitude d'emprunter l'une des deux barques de pêche traditionnelle à filet horizontal qui subsistaient encore pour y dormir devant une grille de ventilation.

Assis dans la salle d'interrogatoire, il avait une grosse barbe et des doigts sales, son regard était fuyant et ses lèvres fissurées. De sa voix rocailleuse il parlait d'un grand Finlandais qui, avant d'enlever sa veste et de partir à la nage, lui avait recommandé de se tenir à l'écart. Il l'avait vu nager en direction du pont, puis arriver dans le courant du chenal et disparaître sous l'eau.

— Tu ne penses pas qu'il soit mort ? demande l'Aiguille d'une voix maîtrisée.

— Il y a plusieurs années, il m'a appelée… il voulait que je lui trouve secrètement des informations sur une femme à Helsinki. À l'époque, je croyais que cette femme était liée à l'affaire de Birgittagården*.

— Comment allait-elle ?

— Elle était gravement malade, en attente d'être opérée… Elle s'appelait Laura Sandin, explique Saga, et son regard s'attarde sur les yeux de l'Aiguille. Mais en réalité… en réalité c'était Summa Linna, sa femme – n'est-ce pas ?

— Oui, répond-il en opinant de la tête.

— J'ai essayé de contacter Laura pour lui apprendre la mort de Joona, explique Saga. Laura était hospitalisée en oncologie, dans le service des soins palliatifs. Deux jours après le suicide de Joona, on l'a laissée quitter l'hôpital pour qu'elle puisse passer le temps qui lui restait à vivre chez elle… Seulement, ni Laura ni sa fille ne se trouvaient à leur domicile.

— Ah bon, réplique l'Aiguille, et les minces ailes de son nez pâlissent.

— Elles sont introuvables, ajoute Saga en faisant un pas dans sa direction.

— J'en suis heureux.

— Je pense que Joona a mis en scène son suicide pour aller chercher sa femme et sa fille et se cacher avec elles.

Les yeux de l'Aiguille sont rouges et il y a un tiraillement d'émotion dans les coins de sa bouche lorsqu'il raconte :

— Joona était le seul à penser que Jurek pouvait agir à l'extérieur de sa cellule d'isolement et, comme d'habitude, il avait raison… Si nous n'avions pas organisé cela, Jurek aurait tué Summa et Lumi, comme il a tué Disa.

— L'Aiguille, je dois me rendre auprès de Joona et lui annoncer que Jurek Walter est mort. Il a le droit de savoir qu'on a retrouvé son corps.

* Voir *Incurables* de Lars Kepler.

Elle pose sa main sur son bras et voit ses épaules s'affaisser quand il prend sa décision.

— Je ne sais pas où ils sont, finit-il par dire. Mais si Summa est mourante, comme tu le dis… je sais où tu peux chercher…

— Où ça ?

— Au Musée nordique, répond-il d'une voix épaisse. Tu y trouveras une petite couronne de mariée, une couronne lapone en racines tressées. Examine-la attentivement.

— Merci.

— Bonne chance, lance l'Aiguille d'un air grave, et il hésite un peu avant de poursuivre : Personne n'a envie de prendre un médecin légiste dans ses bras, mais…

Saga le serre fort contre elle, puis elle quitte la salle et traverse le couloir d'un pas rapide.

21

Saga se gare devant le grand escalier du Musée nordique, boit une gorgée de café froid dans le gobelet de Seven Eleven tout en regardant les passants dans leurs habits d'été. C'est comme si elle n'avait pas vu jusqu'alors le monde autour d'elle. Adultes et enfants, fatigués de soleil après de longs pique-niques ou bien enjoués et excités, se rendant au grand parc d'attractions ou au restaurant.

Pour elle, l'été est presque passé inaperçu. Depuis la disparition de Joona, elle s'est isolée et s'est consacrée à la recherche du corps de Jurek.

L'heure est venue de clore ce chapitre.

Saga descend de la voiture et gravit l'escalier. Les restes d'une seringue piétinée par les visiteurs traînent sur une des dernières marches.

Elle franchit les hautes portes, paie son entrée, prend un plan et monte dans le grand hall. Assis sur son énorme trône de bois, un Gustav Vasa chamarré regarde la maquette grandeur nature d'un foyer suédois d'après-guerre que le musée a fait construire.

En se dirigeant vers l'escalier, elle aperçoit le texte qui parle du concept *Folkhemmet*, l'État providence à la suédoise, et de la vision qu'avait la social-démocratie d'une Suède moderne, solidaire et égalitaire où tout le monde aurait droit à un chez-soi avec eau chaude, cuisine et salle de bains.

Elle grimpe rapidement les marches en pierre et continue vers les salles dédiées à l'artisanat lapon. Quelques rares visiteurs baguenaudent devant les vitrines qui exposent des bijoux, des couteaux aux manches en bois de renne, des objets de culte et des vêtements.

Elle s'arrête devant une vitrine contenant une couronne de mariée. Un magnifique travail d'artisan en racines de bouleau tressées, dont les pointes représentent les doigts de deux mains entrelacées. C'est forcément celle à laquelle l'Aiguille faisait allusion.

La petite serrure du meuble sera facile à crocheter, mais il y a une alarme et le gardien risque d'arriver avant qu'elle ait eu le temps d'examiner la couronne.

Une femme d'un certain âge s'arrête à côté d'elle et parle en italien à un homme un peu plus loin, équipé d'un déambulateur.

L'homme s'adresse au gardien qui l'aide à rejoindre les ascenseurs. Une fille aux cheveux blonds et raides regarde les vêtements de fête des Lapons.

Faisant crisser le velcro, Saga sort de sa fixation à l'avant-bras gauche le court poignard destiné au close-combat. Elle introduit doucement la pointe à côté de la serrure et appuie. Le verre se fissure autour de la clenche plate, des éclats tombent sur le sol et une alarme stridente se déclenche.

Abasourdie, la fille regarde Saga qui, sans se presser, range son couteau, ouvre la porte vitrée et sort la couronne de mariée.

L'objet a l'air plus petit à l'extérieur de la vitrine et ne pèse presque rien. Saga l'observe sans se soucier de l'alarme.

L'Aiguille a raconté que la mère de Summa avait tressé cette couronne pour son propre mariage, et que Summa l'avait portée lors du sien avant d'en faire don au musée régional de Luleå.

Saga voit le gardien revenir en courant, elle retourne précautionneusement la parure ouvragée, regarde à l'intérieur et découvre une inscription faite à la pyrogravure – "Nattavaara 1968" –, puis elle la remet dans la vitrine et referme la porte abîmée.

Elle ignorait que la famille avait un lien avec Nattavaara, mais suppose que c'est là que se trouve Joona.

Saga sent son cœur se gonfler à l'idée de raconter à Joona Linna que tout est terminé.

Le gardien a les joues empourprées quand il s'arrête à cinq mètres d'elle et la vise avec son talkie-walkie, sans réussir à proférer le moindre son.

22

Le train quitte la gare centrale de Stockholm, grince en passant sur les aiguillages et sort de la zone ferroviaire sale. Du côté gauche, de gros hors-bords blancs avancent sur le lac Karlbergssjön, et à droite défile un mur de béton aux graffitis sommairement recouverts de peinture.

Comme toutes les couchettes sont réservées, Saga occupe une place assise ordinaire. Elle montre son billet au contrôleur, puis mange un sandwich en regardant par la fenêtre. Quand le train a dépassé Uppsala, elle défait les lacets de ses rangers, roule sa veste autour du pistolet et s'en sert comme oreiller.

Le voyage de plus de mille kilomètres pour rejoindre Nattavaara va durer près de douze heures.

Le train fonce dans la nuit. Les lumières derrière les vitres passent telles de petites lueurs d'étoiles qui se font plus rares à mesure qu'ils filent vers le nord. La chaleur monte du radiateur brûlant fixé au mur à côté de son siège.

Bientôt, dehors, tout n'est plus qu'obscurité compacte.

Elle ferme les yeux et pense à ce que l'Aiguille lui a raconté. De nombreuses années auparavant, quand Joona Linna et son collègue Samuel Mendel avaient arrêté Jurek Walter, celui-ci avait formulé son serment de vengeance à leur encontre avant d'être isolé à l'unité sécurisée de psychiatrie médicolégale de l'hôpital Löwenströmska. Samuel pensait que la menace était bidon, mais d'une façon incompréhensible, Jurek était sorti de sa cellule et lui avait pris sa femme et ses deux fils*.

* Voir *Le Marchand de sable* de Lars Kepler.

Joona avait compris que la menace était réelle. Avec l'aide de l'Aiguille il avait organisé la mort de sa femme et de sa fille dans un accident de voiture. Summa et Lumi avaient reçu de nouvelles identités et ne devaient plus jamais avoir de contact avec Joona. Tant que Jurek était en vie, le risque que sa menace se concrétise était réel. *A posteriori*, il ne fait aucun doute que Joona les a sauvées d'une mort atroce en sacrifiant leur vie commune.

Mais aujourd'hui Saga pourra le rassurer. Elle va le dénicher et l'apaiser. Jurek Walter est mort, ses restes ont été retrouvés et identifiés.

À cette pensée, une sensation quasi érotique se répand dans son corps. Elle se renverse dans son siège, ferme les yeux et s'endort.

C'est la première fois depuis très longtemps qu'elle dort bien.

À son réveil, le train est immobilisé et un air frais matinal s'engouffre dans la voiture. Se redressant, elle voit qu'elle se trouve à Boden. Elle a dormi près de dix heures, et doit changer de train ici pour le dernier trajet vers Nattavaara.

Elle s'étire, rattache les lacets de ses rangers, remet son arme dans l'étui, prend sa veste et descend du train. Au point presse, elle achète un grand gobelet de café avant de revenir sur le quai. Elle regarde un groupe de jeunes militaires coiffés de bérets verts qui montent dans un train sur le quai d'en face.

Quelqu'un a lancé du tabac à chiquer, du *snus*, sur le verre de l'horloge de la gare.

Un convoi noir au châssis rouge sang s'approche bruyamment. Des papiers gras virevoltent au-dessus des traverses. La locomotive s'arrête devant le quai désert dans un lent chuintement. Saga est la seule personne à monter dans le train pour Gällivare, il n'y a qu'elle dans toute la voiture.

Le trajet pour Nattavaara ne dure qu'une heure. Saga boit son café, va aux toilettes, se lave le visage, puis revient à sa place et contemple le paysage, ses forêts énormes et ses maisonnettes rouges isolées.

Son plan est de trouver l'épicerie du coin ou le foyer paroissial et de se renseigner sur les habitants récemment arrivés – ils ne doivent pas être très nombreux.

Il est presque onze heures du matin quand Saga Bauer descend sur le quai. La gare n'est qu'une modeste remise avec un panneau sur le toit. Dans les herbes folles, devant le cabanon, on a posé un banc à la peinture écaillée et aux accoudoirs rouillés.

Saga commence à marcher le long de la route dans le doux murmure de la forêt vert sombre. Elle ne croise pas âme qui vive, mais perçoit par moments des aboiements de chien au loin.

Le goudron est plein de bosses et abîmé par le gel.

Alors qu'elle traverse un pont au-dessus de la rivière Pikku Venetjoki, elle entend un bruit de moteur derrière elle. C'est un vieux pick-up Volkswagen et elle lui fait signe de s'arrêter.

Un septuagénaire bronzé en pull gris baisse la vitre et la salue d'un hochement de tête. Il est accompagné d'une femme du même âge qui porte un gilet matelassé et des lunettes aux montures roses.

— Bonjour, dit Saga. Vous habitez à Nattavaara ?

— On ne fait que passer, répond l'homme.

— Nous sommes de Sarvisvaara… une autre métropole, plaisante la femme.

— Vous savez où se trouve l'épicerie ici ?

— Elle a fermé l'année dernière, explique le vieux en tripotant le volant. Mais on a un nouveau magasin maintenant.

— Tant mieux, sourit Saga.

— Ce n'est pas un magasin, le corrige la vieille.

— Moi, j'appelle ça un magasin, marmonne-t-il.

— Mais tu te trompes. C'est un point multiservice.

— Je vais arrêter d'y faire les courses alors, soupire-t-il.

— Il se trouve où, ce point multiservice ? interroge Saga.

— Dans la même maison que l'ancien magasin, répond la femme, et elle lui fait un clin d'œil. Saute donc sur le plateau.

— C'est haut, tu la prends pour une athlète ? proteste l'homme.

Saga monte sur la roue, s'agrippe au hayon arrière, grimpe et s'assied dos à la cabine.

Pendant le trajet, elle entend le vieux couple se chamailler, au point que la voiture finit presque dans le fossé. Le pare-chocs remplit sa fonction, du gravier vient frapper le dessous de la voiture et un nuage de poussière blanc s'élève derrière eux.

Ils entrent dans le village et le pick-up s'arrête devant une grande maison rouge avec un panneau publicitaire pour des crèmes glacées installé devant la porte et une enseigne indiquant que la boutique est relais poste, pharmacie, monopole des Vins & Spiritueux et Jeux suédois.

Saga descend, remercie le couple et monte les marches du petit perron. Une clochette à la porte tinte à son arrivée.

Elle dégote un sachet de chips à l'aneth sur une étagère, puis se dirige vers le jeune caissier.

— Je cherche un homme qui est venu vivre ici il y a un peu plus d'un an, dit-elle tout de go.

— Ici ? demande-t-il, et il la regarde un bref instant avant de baisser les yeux.

— Un homme grand… avec sa femme et sa fille.

— Oui, fait-il, les joues en feu.

— Ils habitent toujours là ?

— Vous n'avez qu'à suivre la route de Lompolovaara, indique-t-il en pointant le doigt. Jusqu'au virage de Silmäjärvi…

Saga quitte la boutique et part dans la direction indiquée. Des pneus de tracteur ont déformé la chaussée, même le fossé est entamé. Dans l'herbe, une canette de bière. Le chuchotement des arbres fait penser à une mer lointaine.

Elle mange des chips en marchant, glisse le reste dans son sac et s'essuie la main sur son pantalon.

Saga a fait six kilomètres à pied quand, à la sortie d'un virage, elle découvre une maison rouge à côté du lac forestier. Il n'y a pas de voiture en vue, mais de la fumée sort de la cheminée. Le jardin qui entoure la maison se résume à de hautes herbes sauvages.

Elle s'arrête et entend les insectes susurrer dans le fossé.

Un homme sort de la maison. Elle le voit bouger entre les arbres.

Joona Linna.

C'est bien lui, mais il a maigri et il s'appuie sur une canne.

Il a une barbe blonde et bouclée, et des mèches de cheveux pointent de son bonnet noir.

Saga commence à se diriger vers lui. Le gravier crisse sous ses rangers.

Elle voit Joona s'arrêter à côté d'une remise à bois, il pose la canne contre le mur, prend la hache et coupe en deux une grosse bûche, en saisit une autre et la fend, se repose un instant, ramasse les éclats de bois avant de recommencer son travail.

Elle ne dit rien, devinant qu'il a déjà perçu sa présence, probablement bien avant qu'elle ne le voie.

Il porte un pull en laine polaire vert mousse sous un blouson d'aviateur en gros cuir. Les plis sont fissurés et la fourrure de mouton à l'intérieur du col a jauni.

Elle s'avance et s'arrête à cinq mètres de lui. Il s'étire le dos, se retourne et la regarde avec des yeux gris comme de la cendre froide.

— Tu n'aurais pas dû venir ici.

— Jurek est mort, dit-elle dans un souffle.

— Oui, répond-il, et il se remet au travail.

Il prend une nouvelle bûche et la pose au milieu du billot.

— J'ai trouvé son corps, précise Saga.

Il coupe de travers, dérape et lâche la hache. Il reste immobile un instant, visage baissé. Dans le gros panier à bois, Saga voit un fusil de chasse à canon scié fixé sur un bord.

23

Joona la fait pénétrer dans un vestibule sans lumière. Il ne dit rien, mais lui ouvre la porte d'une petite cuisine où des casseroles de cuivre sont alignées le long des murs.

Une carabine avec lunette pour la chasse au gros gibier est accrochée sous le rebord de la fenêtre, et au moins trente cartons de munitions sont posés par terre.

Le soleil s'infiltre par les rideaux fermés. Sur la table, une cafetière et deux tasses.

— Summa est morte ce printemps, annonce-t-il.

— Je suis désolée, fait Saga à voix basse.

Il pose le panier à bois par terre et redresse péniblement le dos. Une douce odeur de fumée flotte dans la cuisine et derrière la porte fermée du poêle en fonte, le bois de sapin crépite.

— Alors tu as trouvé son corps ? demande-t-il en la regardant.

— Sinon je ne serais pas venue, répond-elle avec gravité. Appelle l'Aiguille, il peut te le confirmer.

— Je te crois.

— Appelle quand même.

Il secoue la tête sans rien dire, prend appui contre le plan de travail puis s'avance vers la deuxième porte, l'ouvre et prononce quelques mots en finnois, doucement, vers la pénombre.

— Voici ma fille, Lumi, dit Joona lorsqu'une jeune fille entre dans la cuisine.

— Bonjour, dit Saga.

Lumi a des cheveux bruns et raides, son sourire est amical et plein de curiosité, mais ses yeux sont gris comme de la glace. Elle est grande et mince, vêtue d'une simple chemise en coton bleu et d'un jean délavé.

— Tu as faim ? demande Joona.

— Oui, répond Saga.

— Assieds-toi.

Elle prend place et Joona sort du pain, du beurre et du fromage, puis commence à hacher des tomates, des olives et des piments. Lumi met de l'eau à chauffer et moud des grains de café dans un moulin manuel. Saga jette un regard dans la pièce sombre derrière eux et voit un canapé et des piles de livres sur une table. Une lunette de vision nocturne est suspendue à un pied à perfusion, elle est équipée d'un rail afin de pouvoir être montée sur un fusil pour une chasse nocturne.

— Il était où ? s'enquiert Joona.

— Il a fait surface sur Högmarsö.

— Qui ça ? interroge Lumi.

Elle jette un regard sur un poste de télésurveillance fixé au mur sous une étagère à épices et relié à une vingtaine de détecteurs de mouvement.

— Jurek Walter, répond Joona en cassant douze œufs dans la poêle.

— J'ai retrouvé son corps, explique Saga.

— Alors il est mort ? fait Lumi d'une voix claire.

— Lumi, tu peux prendre la relève un instant ? dit Joona, et il sort de la cuisine.

Ses lourds pas résonnent dans le vestibule, puis la porte d'entrée claque. Lumi prend un peu de basilic séché qu'elle émiette entre ses paumes.

— Papa m'a dit qu'il était obligé de nous quitter, maman et moi, raconte Lumi, et elle s'efforce de maîtriser l'émotion dans sa voix. Il disait que Jurek Walter nous aurait tuées si on avait le moindre contact avec lui.

— Il avait raison, il vous a sauvé la vie, c'était le seul moyen, confirme Saga.

Lumi hoche la tête et se tourne vers la cuisinière. Quelques larmes tombent sur la fonte noire devant elle.

Elle s'essuie les joues, baisse le feu et retourne précautionneusement l'omelette avec une spatule.

À travers les rideaux fermés, Saga voit Joona sur la route en terre battue, le téléphone serré contre son oreille. Elle comprend qu'il parle avec l'Aiguille. Son front est plissé et les muscles de ses mâchoires sont tendus.

— Je sais que tu n'es pas la petite amie de papa, reprend la fille au bout d'un moment. Il m'a parlé de Disa.

— Nous avons travaillé ensemble, sourit Saga.

— Tu ne ressembles pas à une policière.

— La Säpo, précise Saga.

— Tu n'y ressembles pas non plus, rit-elle en s'asseyant en face. Mais si tu es de la Säpo, tu dois être Saga Bauer.

— Oui.

— Mange maintenant, sinon ce sera froid.

Saga la remercie, se sert en omelette, prend du pain et du fromage et leur verse du café.

— Comment va Joona ? demande-t-elle.

— Hier, je pense que j'aurais répondu "mal", dit Lumi. Il a tout le temps froid et il ne dort pratiquement pas, il veille sur moi… je ne comprends pas comment il fait.

— Il est têtu.

— Ah bon ?

Elles rient.

— Tu sais, je n'ai pas vu mon père pendant tant d'années, raconte la jeune fille, et ses yeux deviennent tout luisants. J'ai très peu de souvenirs de lui, rien ne peut réparer ça, mais… Pendant plus d'un an, on a parlé… tous les jours, des heures durant… j'ai parlé de maman et de moi, de ce qu'on a fait et comment on allait… et il a parlé de lui… je ne pense pas qu'il y ait beaucoup d'enfants qui ont autant parlé avec leur père.

— En tout cas, pas moi, répond Saga à mi-voix.

Lumi se lève quand un détecteur de mouvement réagit à l'approche de Joona. Elle acquitte l'alarme, puis elles entendent la porte d'entrée s'ouvrir et des pas dans le vestibule.

Joona entre dans la cuisine, pose sa canne, prend appui sur la table et s'assied.

— L'Aiguille était sûr de lui, dit-il, et il se sert à manger.

— On est quittes maintenant, Joona, fait Saga en le regardant dans les yeux. Peu m'importe ce que tu en penses, on est quittes… Je l'ai tué et j'ai retrouvé son corps.

— Tu ne m'as jamais été redevable de quoi que ce soit.

Joona est assis légèrement penché en avant, les bras autour de son corps, mâchouillant quelques maigres bouchées. Lumi pose une épaisse couverture sur ses épaules avant de se rasseoir.

— Lumi va faire des études à Paris, dit Joona en souriant à sa fille.

— On n'en sait rien, réplique-t-elle rapidement.

Un sourire fugace parcourt son visage lumineux. Saga voit les mains de Joona trembler quand il lève sa tasse pour boire.

— Ce soir, je prépare du filet de cerf, annonce-t-il.

— Mon train part dans deux heures.

— Avec des girolles et de la crème.

— Il faut que je parte, sourit-elle.

24

Encore une fois, Erik arrive en avance à sa leçon de piano et s'arrête sur le trottoir en face du portail d'entrée du 4, Lill-Jans plan. Les rideaux sont ouverts au rez-de-chaussée et il aperçoit Jackie Federer dans l'appartement. Elle est dans la cuisine, elle passe sa main sur les placards en hauteur, prend un verre et place ensuite un doigt sous le robinet. Elle porte une jupe noire et un chemisier qui n'est pas boutonné. Il avance de quelques pas sur la chaussée pour mieux voir et distingue ses cheveux mouillés dont les gouttes ont imbibé le tissu de soie dans son dos. Elle boit de l'eau, s'essuie la bouche avec la main et se retourne.

Erik s'étire et a un aperçu de son ventre et de son nombril par le chemisier ouvert. Une femme avec un landau s'arrête sur le trottoir et le dévisage, et il comprend soudain de quoi il a l'air. Il traverse rapidement la rue et franchit le portail. De nouveau il se tient dans l'obscurité devant la porte et tend le doigt vers le bouton de la sonnette.

Depuis l'hypnose, il ne cesse de penser à l'alibi de Rocky qui peut effectivement être authentique, et il a été obligé de doubler la dose de Stilnox pour dormir. Il n'a pu obtenir un rendez-vous à l'hôpital de Karsudden que pour le lendemain.

Quand Jackie ouvre la porte, la mince chemise de soie est boutonnée. Elle lui adresse un sourire calme, et l'éclairage de la cage d'escalier brille dans ses lunettes de soleil rondes.

— Je suis un peu en avance.

— Erik, sourit-elle. Entrez donc.

En suivant la jeune femme dans l'appartement, il voit que la fille de Jackie a scotché un dessin de tête de mort sous le panneau d'entrée interdite.

Dans le couloir, la main droite de Jackie frôle le mur et Erik se dit qu'elle marche sans précaution apparente. La chemise lisse pend à l'extérieur de sa jupe noire, dans le bas du dos.

Quand sa main atteint le chambranle de la porte, elle allume le plafonnier et poursuit droit dans le salon jusqu'au tapis, puis se tourne vers lui en faisant un geste vers le piano.

— Faites-moi entendre les progrès que vous avez faits.

Il s'assied, installe le premier feuillet de la partition, repousse ses cheveux de son front, pose le pouce droit sur la bonne touche et écarte ses doigts.

— Opus 25, annonce-t-il avec un sérieux facétieux.

Il commence à jouer les mesures que Jackie lui a données à travailler à la maison. Bien qu'elle lui ait dit d'essayer de ne pas le faire, il regarde tout le temps sa main.

— Ça doit être pénible pour vous d'écouter ça. Je veux dire, pour quelqu'un qui est habitué à de la musique harmonieuse.

— Je vous trouve doué.

— Est-ce que les partitions existent en braille – j'imagine que oui ?

— Louis Braille était musicien, alors ça s'est fait assez naturellement… Mais on doit quand même apprendre tous les morceaux par cœur puisqu'on a besoin des deux mains pour jouer, explique-t-elle.

Il repose ses doigts sur les touches et respire profondément lorsqu'on sonne à la porte.

— Excusez-moi, il faut que j'aille ouvrir.

Jackie se lève et va dans le hall d'entrée ouvrir la porte. Sa fille se tient là, accompagnée d'une femme assez grande en tenue de sport.

— Comment s'est passé le match ? demande Jackie.

— Un partout, répond la fillette. C'est Anna qui a marqué pour nous.

— Sur une passe de toi, ajoute la femme gentiment.

— Merci d'avoir raccompagné Madde.

— Ça m'a fait plaisir… On a parlé en chemin, je lui ai dit qu'elle n'a peut-être pas besoin d'être aussi parfaite, qu'elle pourrait essayer d'être un peu moins sage.

Erik n'entend pas la réponse de Jackie, il voit la porte se refermer, puis Jackie se mettre à genoux devant sa fille et toucher doucement ses cheveux et son visage.

— Maintenant il faut que tu essaies d'être moins sage, dit-elle tendrement.

Elle revient, s'excuse pour l'interruption, se rassoit et explique ce qu'il doit faire.

L'effort pour faire concorder la motricité de ses deux mains fait transpirer Erik à grosses gouttes.

Après un moment, la petite fille arrive dans la pièce. Elle s'est changée, porte maintenant une robe décontractée souple, elle s'assied par terre et écoute.

Erik essaie de jouer la première partie, mais se trompe à la quatrième mesure, recommence en refaisant la même faute et rit de sa propre insuffisance.

— Qu'est-ce qui est si drôle ? demande Jackie calmement.

— Simplement le fait que je joue comme un robot détraqué.

— Mon hérisson aussi joue bizarrement, le console Madeleine en montrant sa peluche.

— C'est plus dur avec la main gauche, explique Erik. Les doigts refusent d'appuyer sur les boutons au bon moment.

Madde tique, mais réussit à conserver sa mine sérieuse.

— Je veux dire les touches, se corrige Erik rapidement. Ton hérisson dit peut-être "boutons", mais moi, je dis touches.

La fillette baisse la tête et affiche un grand sourire. Jackie se lève.

— Vous avez besoin de vous reposer. On va terminer la leçon avec un peu de théorie.

— Je vais lancer le lave-vaisselle, annonce Madeleine.

— Tu sais qu'il faudra bientôt aller au lit – je te laisse faire attention à l'heure.

Ils s'installent à table. Erik prend la carafe et verse de l'eau dans deux verres. Il lui est impossible de ne pas regarder Jackie en douce pendant qu'elle parle de la clé de *sol*, de la clé de *fa* et de différentes armures. Son chemisier est froissé à la taille, et son visage pensif. Il devine son soutien-gorge blanc et simple et ses seins sous la soie.

Le fait de pouvoir l'examiner sans qu'elle s'en rende compte exerce sur lui un attrait qui le rend nerveux.

Il se déplace légèrement de manière à pouvoir regarder entre ses cuisses, et il aperçoit sa culotte blanche et brillante.

Son cœur bat plus fort quand elle écarte un peu les cuisses, il a le sentiment qu'elle se sait observée.

Elle boit de l'eau.

Derrière les lunettes fumées, Erik peut seulement deviner ses yeux ouverts.

Il regarde encore entre ses cuisses, se penche précautionneusement plus près, mais la seconde d'après, elle croise les jambes et pose son verre.

Jackie sourit et dit qu'elle l'imagine en professeur à l'université ou en pasteur. Erik répond que la vérité se situe entre les deux, puis il lui parle de son travail au département de psychologie et de sa recherche sur l'hypnose.

Elle ramasse ses feuillets de théorie, aligne le bord inférieur en les tapant contre la table avant de les lui tendre.

— Je peux vous poser une question ?

— Oui, répond-elle simplement.

— Vous tournez le visage vers moi quand je parle – c'est naturel ou c'est une chose que vous avez apprise ?

— Je me conforme à ce que les voyants préfèrent, explique-t-elle franchement.

— C'est bien ce que je pensais.

— Tout comme allumer la lumière en entrant dans une pièce pour que les voyants soient avertis de ma présence…

Elle se tait et ses doigts minces touchent doucement le bord humide du verre.

— Pardon, je suis pénible, c'est vraiment impoli de ma part de vous poser toutes ces questions…

— La plupart des gens n'aiment pas parler de leur cécité. Je peux les comprendre, réplique Jackie. Ils ont envie d'être considérés comme des personnes à part entière… Moi, je trouve plus agréable de pouvoir en parler.

— C'est bien.

Il regarde son rouge à lèvres d'une nuance rose tendre, l'arrondi de ses pommettes, sa coiffure à la garçonne et la veine verte bien visible sur son cou.

— Hypnotiser des gens, avoir accès à leurs pensées secrètes et privées, vous ne trouvez pas ça étrange ? demande-t-elle.

— En tout cas, ce n'est pas comme observer quelqu'un à son insu.

— Non ?

25

Le ciel clair se reflète sur le plastique qui entoure la cartouche de cigarettes sur le siège passager lorsqu'Erik entre lentement dans le parc à l'anglaise, dépasse un panneau annonçant que l'entrée est interdite au public et que toutes les visites doivent être signalées à l'avance.

L'hôpital régional de Karsudden est le plus grand hôpital de psychiatrie judiciaire de Suède, avec cent trente lits pour des criminels qui, à cause d'une maladie psychique, ont été condamnés à des soins plutôt qu'à une peine de prison.

Une inquiétude pesante lui vrille l'estomac. Dans un instant il va essayer d'interroger Rocky Kyrklund au sujet de son prétendu alibi.

Si Rocky a été condamné alors qu'il était innocent, le nouveau meurtre est probablement lié à l'ancien et Erik racontera tout à la police Il peut parfaitement exister un parallèle entre les deux crimes, et dans ce cas la main de Susanna Kern posée sur son oreille n'est pas un simple hasard.

Je ne vais pas forcément perdre mon boulot, se rassure-t-il. Cela dépendra de la police, si elle transmet mon dossier au procureur.

Un panneau affichant un appareil photo barré est planté devant l'entrée du bâtiment administratif blanc. Et pourtant, cet endroit est rempli de caméras de surveillance, songe Erik.

Il prend les cigarettes et se dirige vers l'entrée.

Dans la lumière crue du soleil qui se déverse à l'intérieur, il voit la poussière tomber lentement sur les meubles malmenés et le sol éraillé.

Erik montre sa carte d'identité, prend le badge qu'on lui imprime et a juste le temps de s'approcher des journaux posés à côté des fauteuils avant qu'un homme aux mèches oxygénées arrive.

— Erik Bark ?

— C'est moi.

Une sorte de rictus étire les lèvres de l'homme, qui se présente : "Otto." Son visage paraît épuisé, empreint d'une tristesse qu'il ne parvient plus à masquer.

— Casillas serait venu personnellement, mais…

— Je comprends, pas de problème, dit Erik, et il sent ses joues s'empourprer quand il pense à ses mensonges sur le Dr Stünkel et le projet de recherche.

Ils se mettent en route et l'homme raconte qu'il est infirmier de jour à Karsudden depuis de nombreuses années.

— On va passer par l'extérieur… les couloirs souterrains ne sont pas très agréables, murmure Otto quand ils sortent.

— Vous connaissez Rocky Kyrklund ? demande Erik.

— Il était déjà là quand j'ai commencé à travailler dans l'hôpital, répond Otto avec un geste vers les hautes clôtures et les mornes bâtiments bruns.

— Que pensez-vous de lui ?

— Beaucoup de gens ont un peu peur de Kyrklund.

Ils franchissent le portail D et pénètrent dans la pièce des fouilles où Erik doit laisser tous les objets qu'il a dans ses poches.

— Je pourrais lui apporter les cigarettes ?

— Oui, je pense que c'est une bonne idée, fait Otto avec un hochement de tête.

L'infirmier glisse les clés, le stylo, le portable et le portefeuille dans un sachet qu'il ferme, puis il donne un reçu à Erik.

Il déverrouille une lourde porte qui mène à une autre porte munie d'une serrure à code. Ils longent ensuite un couloir au sol en PVC gris. Des portes de sécurité donnent sur de petites chambres pourvues de lits.

L'air est saturé de produits d'entretien et d'odeur de tabac froid.

On entend des bruits provenant d'un film porno dans une chambre. La porte est ouverte et Erik voit un homme corpulent sur une chaise en plastique, il est penché en avant en train de cracher par terre.

Ils passent un nouveau sas et se retrouvent dans la cour de promenade ombragée. Des clôtures de six mètres de haut relient deux façades de brique et forment une cage autour d'une pelouse jaunie sillonnée d'allées de gravier.

Un homme mince d'une vingtaine d'années au visage tendu est assis sur un banc. Deux aides-soignants discutent devant l'un des murs et tout au fond se tient un homme massif tourné vers la haute clôture d'acier.

— Vous voulez que je vous accompagne ? demanda Otto.

— Ce ne sera pas nécessaire.

L'ancien pasteur est en train de fumer. Son regard se promène sur le gazon du parc pour aller se perdre dans la forêt de feuillus. Un gobelet avec un fond de café est posé à ses pieds.

Erik emprunte le sentier de gravier jonché de mégots de cigarettes et de sachets de *snus* recrachés.

Je m'apprête à rencontrer le pasteur que j'ai abandonné parce que je l'avais déjà jugé, pense-t-il. Si Rocky Kyrklund a un alibi, j'avouerai à la police ce que j'ai fait et j'en assumerai les conséquences.

De la poussière de gravier se soulève autour de ses pieds et il comprend que Rocky l'entend arriver.

— Rocky ?

— Qui le demande ?

— Je m'appelle Erik Maria Bark.

La main de Rocky lâche la clôture et il se retourne. L'homme est grand, plus d'un mètre quatre-vingt-dix. Ses épaules sont plus larges que dans le souvenir d'Erik, il a une barbe poivre et sel et ses cheveux sont coiffés en arrière. Des yeux verts et un visage qui exprime une fierté glaciale. Il porte un pull vert militaire bouloché aux coudes usés. Ses bras puissants pendent le long de son corps et une cigarette est coincée entre ses doigts inertes.

— Le médecin-chef m'a dit que vous aimez les Camel, dit Erik, et il lui tend la cartouche de cigarettes.

Rocky tient le menton levé et le regarde de haut. Il ne répond pas et ne fait pas le moindre geste pour accepter le cadeau.

— Je ne sais pas si vous vous souvenez de moi, poursuit Erik. J'ai assisté à votre procès il y a neuf ans, je faisais partie du groupe d'experts psychiatres.

— Quelle a été votre conclusion ? demande Rocky d'une voix sombre.

— Un besoin de soins psychiatriques et neurologiques, répond Erik calmement.

D'une pichenette, Rocky envoie sa cigarette allumée sur Erik. Elle l'atteint à la poitrine avant de tomber sur le sol. Quelques étincelles tournoient dans l'air.

— Va en paix, dit Rocky doucement, et il serre ses lèvres en cul-de-poule.

Du pied, Erik éteint la cigarette et il voit deux gardes se précipiter vers eux, munis d'alarmes antiagression.

— Qu'est-ce qu'il se passe ici ? interroge l'un d'eux.

— C'était un accident, les rassure Erik.

Les hommes s'attardent un peu, mais Erik et Rocky se taisent. Les gardes finissent par retourner à leurs tasses de café.

— Vous leur avez menti, constate Rocky.

— Ça m'arrive parfois.

Le visage de Rocky reste imperturbable, mais une lueur d'intérêt s'est allumée dans ses yeux.

— Vous recevez des soins psychiatriques et neurologiques ? s'enquiert Erik. Vous y avez droit. Je suis médecin, voulez-vous que je regarde votre dossier et votre plan de réhabilitation ?

Rocky secoue lentement la tête.

— Vous êtes ici depuis longtemps sans avoir sollicité une seule fois le tribunal administratif pour une sortie.

— Pourquoi le ferais-je ?

— Vous ne voulez pas sortir d'ici ?

— J'accepte ma peine, fait savoir Rocky de sa lourde voix.

— À l'époque, vous aviez des problèmes de mémoire – c'est toujours le cas ?

— Oui.

— Moi, je me souviens de nos entretiens, parfois vous sembliez dire que vous étiez innocent du meurtre.

— Bien sûr… Je me suis drapé dans des mensonges pour échapper à l'accusation, ils me cernaient comme un essaim d'abeilles et je me suis mis à accuser une autre personne.

— Qui ?

— Ça n'a aucune importance… J'étais coupable, mais j'ai laissé les mensonges m'envahir.

Erik se penche, pose la cartouche de cigarettes aux pieds de Rocky et fait un pas en arrière.

— Voulez-vous parler de la personne que vous accusiez ?

— Je ne m'en souviens pas, mais je sais que j'ai pensé à lui comme un prédicateur, un prédicateur sale et dépravé…

Le pasteur se tait et se tourne de nouveau vers la clôture. Erik se place à côté de lui et regarde la forêt.

— Il s'appelait comment ?

— Je ne me rappelle aucun nom, je ne me rappelle pas leurs visages, répandus dans la cendre…

— Ce prédicateur – c'était un collègue à vous ?

Les doigts de Rocky serrent la grille et sa cage thoracique se soulève au rythme de sa respiration.

— Je me rappelle seulement que j'avais peur, c'est sans doute pour ça que j'essayais de lui faire porter le chapeau.

— Vous aviez peur de lui ? demande Erik. Qu'avait-il fait ? Pourquoi étiez-vous…

— Rocky, Rocky ? dit un patient qui arrive derrière eux. Regarde ce que je t'apporte.

Ils se retournent. L'homme mince tend à Rocky un gâteau à la confiture posé sur une serviette.

— Mange-le toi-même, rétorque Rocky.

— Je ne veux pas, répond vivement son codétenu. Je suis un pécheur, je suis haï par Dieu et par ses anges et…

— Ta gueule ! rugit Rocky.

— Qu'est-ce que j'ai fait ? Pourquoi tu es…

Rocky serre fort le menton de l'homme, le regarde droit dans les yeux puis lui crache à la figure. L'homme perd l'équilibre quand Rocky lâche son menton, et le gâteau glisse de sa main.

Les gardes s'approchent à nouveau sur le gazon.

— Et si quelqu'un se présentait aujourd'hui pour vous fournir un alibi ? demande Erik rapidement.

Les yeux verts de Rocky plongent dans les siens sans flancher.

— Cette personne mentirait.

— En êtes-vous certain ? Vous ne vous souvenez pourtant de rien…

— Je ne me souviens pas d'un alibi parce qu'il n'y en avait pas, l'interrompt Rocky.

— Mais vous vous souvenez de votre collègue – c'est peut-être lui qui a assassiné Rebecka.

— J'ai assassiné Rebecka Hansson.

— Vous vous en souvenez ?

— Oui.

— Connaissiez-vous une femme qui s'appelait Olivia ?

Rocky secoue la tête, tourne les yeux vers les gardes qui arrivent, et lève le menton.

— Avant de vous retrouver ici ? insiste Erik.

— Non.

Les gardes projettent Rocky contre la clôture, le frappent derrière les genoux, le forcent à tomber à terre et bloquent ses bras avec des menottes.

— Ne lui faites pas mal ! s'écrie l'autre patient.

Le plus grand des gardes appuie son genou dans le dos de Rocky tandis que l'autre plaque son bâton sur sa nuque.

— Ne lui faites pas mal, pleure le patient.

En quittant la section D4 accompagné d'un des gardes, Erik esquisse un sourire. Il n'y avait pas d'alibi, Rocky a assassiné Rebecka Hansson et il n'y a pas de lien entre les deux crimes.

Arrivé au parking, il doit faire une halte et respirer profondément, laisser le regard glisser au-dessus des arbres jusqu'au ciel clair. Un soulagement libérateur se répand dans son corps, les épaules déchargées d'un vieux fardeau.

26

Le professeur de médecine légale, Nils “l’Aiguille” Åhlén, arrive dans sa Jaguar blanche et se gare de travers sur deux places de parking.

La Rikskrim veut qu’il se concentre sur deux homicides volontaires.

Les corps ont déjà été autopsiés. L’Aiguille a lu les comptes rendus. Ils sont irréprochables et bien plus détaillés qu’on ne pourrait l’exiger. Pourtant, l’inspectrice chargée de l’enquête préliminaire a demandé qu’il fasse un examen supplémentaire des victimes. Les enquêteurs tâtonnent et espèrent qu’il saura dénicher des ressemblances surprenantes, des signatures ou des messages.

Margot Silverman pense distinguer un comportement de série narcissique, elle croit que l’assassin communique.

L’Aiguille descend de sa voiture et inspire l’air matinal. Il n’y a presque pas de vent aujourd’hui, le soleil brille et les stores vénitiens bleus sont baissés à chaque fenêtre.

En apercevant une masse sombre derrière le petit escalier en béton qui mène à la porte d’entrée, il pense d’abord qu’on a déposé un gros sac-poubelle avant de comprendre qu’il s’agit d’un être humain. Un homme barbu dort sur le bitume, adossé aux fondations du bâtiment de brique. Il s’est entouré d’une couverture et son front repose sur ses genoux relevés.

C’est une matinée chaude et l’Aiguille espère que l’homme pourra dormir tout son soûl avant d’être repéré par les vigiles de surveillance. Il remonte ses lunettes aviateur sur son nez, se dirige vers la porte, mais s’arrête en remarquant les mains propres de l’homme et la cicatrice blanche sur les jointures droites.

— Joona ? dit-il doucement.

Joona Linna lève la tête et le regarde comme s'il n'avait pas dormi mais juste attendu qu'on lui adresse la parole.

L'Aiguille fixe son vieil ami. Joona a beaucoup changé. Il porte une épaisse barbe blonde et il a maigri. Son visage grisâtre est marqué par des cernes sombres et ses cheveux en bataille mériteraient une bonne coupe.

— Je veux voir le doigt, dit-il.

— C'est bien ce que je me disais, sourit l'Aiguille. Comment vas-tu ? Tu as l'air en forme.

Joona prend appui sur l'escalier et se relève péniblement, ramasse son sac et sa canne. Il sait très bien de quoi il a l'air, mais tant pis, il vit toujours son deuil.

— Tu as pris l'avion ou tu es venu en voiture ? demande l'Aiguille.

Joona contemple la lampe fixée au-dessus de la porte. Au fond du globe en verre qui entoure l'ampoule s'est formé un petit tas d'insectes morts.

Après la visite de Saga, Joona était parti avec sa fille sur la tombe de Summa à Purnu. Ils avaient marché jusqu'à la petite plage de sable d'Autiojärvi et avaient parlé de l'avenir.

Il savait ce qu'elle voulait sans qu'elle ait besoin de le dire.

Pour ne pas perdre sa place au Paris College of Art, Lumi devait assister à la rentrée des classes deux jours plus tard. Joona s'était arrangé pour qu'elle puisse habiter chez la sœur de son amie Corinne Meilleroux dans le 8e arrondissement. Ils n'avaient pas eu le temps d'organiser davantage son séjour, mais Joona lui avait donné suffisamment d'argent pour qu'elle se débrouille.

Et un tas de connaissances utiles sur le close-combat et les armes automatiques, avait-elle plaisanté.

Il l'avait conduite à l'aéroport en prenant énormément sur lui pour paraître serein. Elle l'avait serré fort dans ses bras et lui avait chuchoté qu'elle l'aimait.

— Ou bien tu as pris le train ? continue l'Aiguille avec beaucoup de patience.

Il était retourné à la maison de Nattavaara, avait démonté le système d'alarme, enfermé les armes à double tour dans la cave et fourré des affaires dans un sac à dos. Après avoir coupé le compteur d'eau et fermé la maison à clé, il avait marché jusqu'à la gare et pris le train pour Gällivare, puis il avait marché jusqu'à l'aéroport, pris un vol pour Arlanda puis un bus pour Stockholm. Il avait parcouru à pied les cinq derniers kilomètres jusqu'au campus de l'institut Karolinska.

— J'ai marché, répond-il sans remarquer le regard étonné de l'Aiguille.

Joona attend, la main posée sur la rambarde en fer noire, pendant que l'Aiguille déverrouille la porte bleue. Ils traversent ensemble le couloir aux couleurs pâles et aux plinthes éraflées.

Joona ne peut pas avancer vite avec sa canne et il doit s'arrêter de temps en temps pour tousser.

Ils dépassent la porte des toilettes et arrivent près d'une plante verte posée sur le rebord d'une fenêtre, qui semble se composer uniquement de racines. Dehors, des graines de pissenlit duveteux se déplacent doucement dans l'air, sous le soleil. Quelque chose a bougé à l'extérieur. Joona résiste à l'impulsion de s'accroupir et de dégainer son arme et s'oblige à s'approcher de la fenêtre. Une vieille femme attend sur le trottoir tandis qu'un chien court dans tous les sens parmi les pissenlits.

— Comment vas-tu ? demande l'Aiguille.

— Je ne sais pas.

Joona sent tout son corps trembler et il va aux toilettes, se penche au-dessus du lavabo et boit de l'eau directement au robinet. Il se redresse, s'essuie la barbe, prend une serviette en papier et se tamponne le visage avant de retourner dans le couloir.

— Joona, je conserve le doigt dans l'armoire fermée à clé dans la salle d'autopsie, mais… je dois rencontrer Margot Silverman dans une demi-heure, elle veut que j'examine deux corps terriblement amochés… Tu peux attendre dans mon bureau si tu penses que ça va être…

— Ça n'a aucune importance, le coupe Joona.

27

L'Aiguille pousse la porte battante de la salle d'autopsie et laisse passer Joona. Ils entrent ensemble dans la salle lumineuse au carrelage blanc et brillant. Joona pose son bagage près du mur à côté de la porte, mais il garde la couverture sur ses épaules.

Une puanteur douceâtre de décomposition flotte dans la pièce bien que les ventilateurs soient allumés. Deux corps sont allongés sur les tables d'autopsie. Le plus récent est recouvert et du sang coule lentement dans la rigole en inox.

Ils avancent jusqu'au bureau où se trouve l'ordinateur. Joona attend en silence tandis que l'Aiguille ouvre la lourde porte d'une armoire.

— Assieds-toi, dit l'Aiguille, et il pose le bocal sur le bureau.

Il prend un dossier en carton brut, l'ouvre et étale devant Joona les résultats d'examen du SKL*, l'ancienne fiche d'identité judiciaire, l'analyse de l'empreinte digitale et les agrandissements des photos que Saga avait prises avec son téléphone.

Joona s'assied et observe le bocal pendant quelques secondes avant de le saisir, il le tourne en direction de la lumière, approche ses yeux et hoche la tête.

— J'ai gardé tout ça ici en pensant que tu allais venir, dit l'Aiguille. Tu vas voir, tout correspond, comme je te l'ai déjà raconté au téléphone. Le vieux qui a trouvé le corps a sectionné le doigt, tu peux le vérifier à l'angle… et la coupe a eu lieu longtemps après la mort, comme il l'a expliqué à Saga.

* Statens Kriminaltekniska Laboratorium, l'Institut national de la police technique et scientifique.

Joona lit attentivement les résultats d'analyse du laboratoire. Ils ont dressé un profil génétique fondé sur trente séquences du génome. Le taux de concordance est de cent pour cent, ce qui est aussi confirmé par l'analyse de l'empreinte digitale.

Même des jumeaux monozygotes n'ont pas les mêmes empreintes digitales.

Joona dispose les photos du torse amputé devant lui et observe les blessures violettes causées par les balles.

Il se renverse sur la chaise et ferme ses paupières brûlantes.

Tout colle.

Les angles de tir sont exactement comme Saga les avait décrits. La taille et la constitution du corps, la puissance des mains, l'ADN et les empreintes digitales.

— C'est lui, dit l'Aiguille à voix basse.

— Oui, chuchote Joona.

— Que vas-tu faire maintenant ?

— Rien.

— Tu es déclaré mort. Il y a eu un témoin de ton suicide, un homme sans domicile fixe qui…

— Oui, oui, l'interrompt Joona à mi-voix. Je m'en occuperai.

— Ton appartement a été vendu après l'inventaire de la succession. Il a rapporté près de sept millions, l'argent a été versé à l'État.

— Tant mieux, fait Joona laconiquement.

— Lumi, comment a-t-elle pris tout ça ?

Joona tourne le regard vers la fenêtre et contemple la lumière oblique et les ombres formées par la crasse sur la vitre.

— Lumi ? Elle est partie à Paris.

— Je veux dire, comment a-t-elle pris ton retour après toutes ces années, comment a-t-elle pris la perte de sa mère et…

Joona cesse d'écouter l'Aiguille lorsque les souvenirs se mettent à défiler devant lui. Plus d'un an auparavant, il était secrètement parti pour la Finlande. Il repense à l'après-midi où il était arrivé dans ce sinistre centre de radiothérapie et d'oncologie d'Helsinki pour récupérer Summa. Elle pouvait encore marcher avec un déambulateur. Il se rappelle exactement comment le soleil se déversait dans le hall d'entrée, brillait sur le sol, dans les vitres, sur les plinthes claires et sur les fauteuils roulants. Il se revoit avec Summa passer devant le vestiaire désert et le distributeur de confiseries, et sortir dans l'air frais de l'hiver.

Le téléphone de l'Aiguille annonce la réception d'un SMS, il remonte les lunettes aviateur sur son long nez et lit le message.

— Margot est arrivée, je vais lui ouvrir la porte, dit-il, et il sort de la pièce.

Summa avait choisi des soins palliatifs dans son appartement à Helsinki, mais Joona l'avait emmenée avec Lumi dans la maison de sa grand-mère à Nattavaara où ils avaient eu six mois heureux ensemble. Après les années de cytostatiques, de radiothérapie, de cortisone et de transfusions sanguines, il ne restait plus que les antalgiques. Elle avait des patchs de morphine à changer tous les trois jours et prenait quotidiennement 80 milligrammes d'OxyNorm.

Summa adorait la maison et la nature environnante, l'air et la lumière qui entraient à flots dans la chambre. La famille était enfin réunie. Elle maigrissait, n'avait plus d'appétit, perdait ses cheveux et tous les poils de son corps, jusqu'à avoir la peau lisse d'un bébé.

Vers la fin elle ne pesait presque plus rien, son corps la faisait souffrir, mais elle aimait que Joona la porte et la tienne sur ses genoux pour qu'ils s'embrassent.

28

Joona reste immobile à contempler le doigt sectionné dans son liquide. Les particules virevoltantes se sont déposées au fond du bocal.

Il est réellement mort.

Joona sourit tout seul en répétant mentalement la phrase.

Jurek Walter est mort.

Il se met à songer à la mise en scène de son suicide, se perdant dans ses pensées, et il est toujours assis, la couverture autour des épaules, lorsque Margot Silverman et l'Aiguille entrent dans la salle d'autopsie.

— Joona Linna, tout le monde te croyait mort, dit Margot avec un sourire. Puis-je demander ce qui s'est passé au juste ?

Joona croise son regard et se dit qu'il était obligé d'agir comme il a agi, obligé de faire chacun des pas qu'il a faits pendant ces quatorze dernières années.

Margot continue à fixer les yeux couleur métal liquide de Joona, tout en entendant l'Aiguille défaire l'emballage de protection des instruments stériles.

— Je suis revenu, répond Joona avec son accent finnois sombre.

— Mais un peu trop tard, regrette Margot. J'ai déjà repris ton boulot, et ton bureau aussi.

— Tu es une bonne policière.

— Pas suffisamment, d'après l'Aiguille, constate-t-elle sur un ton léger.

— J'ai seulement dit que tu devrais laisser Joona jeter un œil sur cette affaire, marmonne l'Aiguille, et il fait claquer les gants de vinyle sans talc avant de les enfiler.

Tandis que l'Aiguille refait l'examen extérieur du corps de Maria Carlsson, Margot tente d'exposer l'affaire à Joona. Elle lui donne tous les détails du collant et de la qualité de la vidéo, mais n'obtient pas en retour les réactions et les questions qu'elle attend, et au bout d'un moment elle n'est même plus certaine qu'il écoute.

— D'après l'agenda de la victime, elle devait se rendre à un cours de dessin, dit Margot en scrutant Joona. Nous avons vérifié et c'est exact, mais sur la même page, tout en bas, est griffonné un petit *h* que nous ne comprenons pas.

L'inspecteur légendaire a vieilli. Sa barbe blonde est épaisse et ses cheveux emmêlés pendent sur ses oreilles, formant des boucles sur le col doublé de son blouson.

— Le recours aux vidéos révèle un individu narcissique, c'est évident, poursuit-elle en s'asseyant, jambes écartées, sur le tabouret en inox.

Joona songe à l'assassin qui observe la femme par la fenêtre. Il a beau s'approcher tout près, il y a toujours une épaisseur de verre entre eux. C'est une situation intime, mais dont il est exclu.

— Il veut communiquer, explique Margot. Il veut montrer quelque chose… ou entrer en compétition, se mesurer à la police, parce qu'il se sent terriblement fort et malin alors que la police est à la traîne… Et cette sensation d'invincibilité va le mener à d'autres meurtres.

Joona lève les yeux vers la première victime et son regard s'arrête sur sa main blanche le long de la hanche, courbée en un petit bol, comme la coquille d'une moule.

Il se lève péniblement en s'aidant de sa canne, et se dit que quelque chose a attiré l'assassin chez Maria Carlsson, l'a poussé à dépasser le statut de simple observateur.

— Et cela me fait aussi penser qu'il peut y avoir des indices ou des signatures que nous n'avons pas vus, poursuit Margot. À cause de ce puissant sentiment de supériorité…

Elle se tait quand Joona la plante là et avance d'un pas fatigué vers la table d'autopsie. Il s'arrête devant le corps et s'appuie sur la canne. Le lourd blouson bombardier en cuir épais est ouvert, on peut voir la doublure en fourrure de mouton.

Quand il se penche au-dessus du corps, son Colt Combat apparaît dans son étui.

Margot se lève et sent que le fœtus s'est réveillé. Il s'endort quand elle bouge et se réveille quand elle s'assied ou se couche. Elle se tient le ventre d'une main et va rejoindre Joona.

Il observe de très près le visage abîmé de la victime. C'est comme s'il ne croyait pas qu'elle soit morte, comme s'il voulait sentir son haleine humide contre sa bouche.

— Tu en penses quoi ? demande Margot.

— Parfois je pense que le concept de justice n'arrive jamais à dépasser le stade de l'enfance, répond Joona sans lâcher la morte du regard.

— Très bien.

— Et dans ce cas, à quoi sert la loi ?

— Je peux tenter une réponse, mais je suppose que tu en as une autre.

Joona redresse le dos en se disant que la loi pourchasse la justice tout comme Lumi, quand elle était petite, essayait d'attraper les reflets du soleil.

L'Aiguille suit le premier compte rendu d'autopsie pendant qu'il en dresse un nouveau. La finalité classique d'un examen extérieur est de décrire des blessures apparentes telles qu'œdèmes, colorations, peau éraflée, saignements, griffures et plaies. Mais cette fois il cherche ce qui aurait pu passer inaperçu lors des deux observations, escamoté par ce qui sautait aux yeux.

— La plupart des coups de couteau ne sont pas mortels et n'étaient pas destinés à l'être, précise l'Aiguille à l'intention de Margot et Joona. Sinon ils n'auraient pas été portés au visage.

— La haine est plus grande que la volonté de tuer, constate Margot.

— Il voulait détruire le visage, dit l'Aiguille en approuvant de la tête.

— Ou le modifier.

— Pourquoi a-t-elle la bouche ouverte ? demande Joona à voix basse.

— La mâchoire est brisée. Et il y avait des traces de sa propre salive sur ses doigts.

— Y avait-il quelque chose dans sa bouche ou dans le gosier ?

— Rien.

Joona pense à l'assassin qui se tient devant la fenêtre et filme la femme quand elle met son collant. À cet instant-là, il est un observateur qui a besoin de la frontière que symbolise le verre mince de la fenêtre – ou du moins qui l'accepte.

Mais quelque chose l'amène à franchir cette frontière, se répète-t-il, et il emprunte la lampe stylo de l'Aiguille. Il éclaire l'intérieur de la bouche de la défunte. Les muqueuses ont séché et l'arrière-bouche est gris pâle. Aucun objet n'est visible dans la gorge, la langue s'est contractée et l'intérieur des joues s'est assombri.

Au milieu de la langue, dans la partie charnue, il y a un petit trou laissé par un bijou. Cela aurait pu être une incurvation naturelle, mais Joona est certain qu'elle avait un piercing sur la langue.

Il va prendre le premier compte rendu et lit le passage de l'examen de la bouche et de l'estomac.

— Qu'est-ce que tu cherches ? interroge l'Aiguille.

Les seuls éléments décrits sous les points 22 et 23 sont les blessures aux lèvres et aux gencives, et les dégâts causés aux dents. Sous le point 62, il est écrit que la langue et l'os hyoïde sont intacts, mais aucune observation n'est faite au sujet du trou.

Joona continue de lire, mais ne trouve aucune remarque concernant un bijou qui aurait été retrouvé dans l'estomac ou dans l'appareil digestif.

— Je voudrais voir la vidéo, dit-il.

— On l'a déjà visionnée dix mille fois, remarque Margot.

Joona s'appuie lourdement sur la canne et lève le visage, ses yeux gris s'assombrissent tout à coup comme un ciel d'orage.

29

Margot inscrit Joona comme son invité à l'accueil de la police nationale, et il doit épingler un badge de visiteur sur son blouson avant de passer les portes de sécurité.

— Je pense qu'ils seront nombreux à souhaiter te voir, dit Margot quand ils se dirigent vers les ascenseurs.

— Je n'ai pas le temps, rétorque-t-il, puis il ôte le badge et le jette dans une poubelle.

— Il vaut mieux que tu te prépares à serrer quelques mains – tu crois que tu peux faire ça ?

Joona pense au dispositif piège derrière la maison à Nattavaara. Il venait de fabriquer de l'ANFO avec du nitrate d'ammonium et du nitrométhane, pour avoir un explosif secondaire stable. Il avait déjà chargé deux mines avec trois grammes de PETN comme booster et se rendait à la remise pour confectionner la troisième amorce quand le sachet de PETN avait explosé. La lourde porte s'était ouverte à la volée et l'avait frappé à la jambe droite, lui luxant la hanche.

La douleur était comme une bande d'oiseaux noirs, des corneilles lourdes qui atterrissaient sur son corps et recouvraient entièrement le sol où il était allongé. Puis les corneilles décollaient, comme poussées par le vent, quand Lumi arrivait près de lui et lui prenait la main.

— Je les ai toujours, mes mains, répond-il.

— Ça facilite les choses.

Bloquant la porte en position ouverte, Margot l'attend devant l'ascenseur.

— Je ne sais pas ce que tu imagines trouver sur la vidéo.

— Moi non plus, répond-il en la suivant dans la cabine.

— Dis donc, tu es vachement chelou comme mec, sourit-elle. Mais je crois que ça me plaît assez.

Quand ils sortent de l'ascenseur, le couloir est déjà rempli de monde. Ses anciens collègues sortent de leur bureau, un passage se forme au milieu d'eux.

Joona ne croise pas leurs regards interrogateurs, ne rend pas les sourires et ne répond rien. Il sait de quoi il a l'air. Sa barbe est longue et ses cheveux sont en piteux état, il avance en boitant avec sa canne et n'a pas la force de redresser le dos.

Personne ne semble vraiment savoir comment gérer son retour, ils veulent le voir, mais paraissent avant tout intimidés.

Certains tiennent une pile de documents, d'autres un mug de café. Ce sont des hommes et des femmes qu'il a côtoyés quotidiennement pendant de nombreuses années. Il passe devant Benny Rubin qui mange une banane, le visage neutre.

— Je repars dès que j'ai visionné la vidéo, dit Joona à Margot en arrivant devant la porte de son ancien bureau.

— On s'est installés au 22 pour cette enquête, répond Margot en pointant un doigt plus loin dans le couloir.

Joona s'arrête quelques secondes pour respirer, sa jambe blessée lui fait mal et il s'appuie sur sa canne afin d'accorder un peu de répit à son corps.

— Tu l'as trouvé à la décharge ? demande Petter Näslund en rigolant.

— Crétin, lâche Margot.

Le chef de la Rikskrim, Carlos Eliasson, vient à la rencontre de Joona. Ses lunettes de lecture balancent sur sa poitrine, attachées à un cordon autour du cou.

— Joona, dit-il chaleureusement.

— Oui, répond Joona.

Ils se serrent la main et quelques applaudissements retentissent dans le couloir.

— Je n'y ai pas cru quand ils ont dit que tu étais dans la maison, poursuit Carlos, et il retient avec peine son sourire. Enfin… ça me semble incroyable.

— Je viens juste pour regarder un truc, dit Joona, et il essaie d'avancer.

— Passe dans mon bureau après, pour qu'on parle de l'avenir.

— Qu'est-ce qu'il y a à en dire ? demande Joona en poursuivant son chemin.

Son travail à la Rikskrim lui paraît lointain, plus lointain que son enfance. Il n'y a plus rien pour lui ici.

Il ne serait pas là à cet instant si la main de la victime n'avait pas formé comme un bol blanc le long de sa hanche.

Car ce détail avait fait rougeoyer des braises sombres en lui. Les doigts minces de la femme auraient pu être ceux de Lumi. En les voyant, une vieille habitude tenace s'était réveillée et l'avait obligé à s'approcher du corps.

— Nous avons besoin de toi, chuchote Magdalena Ronander quand ils se serrent la main.

Ce n'est plus de son ressort, mais face à la victime, il avait perçu un lien qu'il voulait vérifier. Un lien qui pourrait peut-être aider Margot à se frayer un chemin à travers les premières broussailles, jusqu'à trouver une route praticable.

Joona chancelle quand la douleur irradie dans sa jambe, il heurte le mur avec son épaule, et il entend son blouson de cuir frotter contre la texture rugueuse.

— J'ai annoncé ta venue sur notre intranet, dit Margot quand ils arrivent devant la porte 822.

Anja Larsson, qui a été son assistante depuis toujours, se tient dans l'encadrement de la porte. Elle est toute rouge. Son menton se met à trembler et les larmes lui montent aux yeux quand Joona s'arrête devant elle.

— Tu m'as manqué, Anja.

— C'est vrai ?

Joona hoche la tête et croise son regard. Ses yeux gris clair brillent comme s'il avait de la fièvre.

— Tout le monde disait que tu étais mort, que tu… Mais je ne pouvais pas le croire… je ne voulais pas, je… je me suis toujours dit que tu es trop têtu pour mourir, sourit-elle, les larmes baignant ses joues.

— Mon heure n'était pas encore venue, c'est tout.

Le couloir commence à se vider, tout le monde retourne à son poste, ils sont déjà lassés du héros déchu.

— Tu as une de ces têtes, dit Anja en s'essuyant sur la manche de son chemisier.

— Je sais, répond-il seulement.

Elle lui tapote la joue.

— Il faut que tu y ailles, Joona. Ils t'attendent.

30

Joona entre dans la salle dédiée à l'enquête et referme la porte derrière lui. Un des murs est partiellement occupé par une grande carte de Stockholm sur laquelle on a indiqué les lieux où les corps ont été découverts. À côté de la carte sont épinglées des photos prises pendant l'examen des scènes de crime, traces de pas, corps et éclaboussures de sang. Sur une grande photographie, il voit la tête de chevreuil en porcelaine, le pelage rouge luisant et les yeux comme des onyx noirs. Joona regarde les copies du Filofax de Maria Carlsson. Le jour où elle a été tuée, il est noté "cours 19.00, grille isométrique, fusain, encre de Chine", et sur la ligne en dessous, elle a griffonné la lettre *h*.

Sur l'autre mur on a essayé de cerner le profil des victimes. On a commencé à cartographier leurs liens familiaux et autres relations. Le schéma de leurs déplacements – lieu de travail, amis, supérette, salle de sport, cours de formation, lignes de bus, cafés – est indiqué avec des épingles.

Adam Youssef se lève de son ordinateur et vient à la rencontre de Joona, il lui serre la main et affiche la photo d'un couteau de cuisine au mur.

— On vient d'avoir la confirmation que c'est l'arme du crime. Björn Kern l'a lavé et l'a remis dans le tiroir… mais plusieurs coups de couteau ont traversé le sternum, il a donc été assez facile de reconstituer la lame… et on y a finalement retrouvé d'infimes traces de sang.

Adam reprend sa respiration, se gratte intensément le cuir chevelu avant de passer à l'agrandissement de la tête de chevreuil.

— Cette figurine est en porcelaine de Meissen, dit-il, et il laisse son doigt s'attarder sur l'œil sombre de l'animal. Mais le reste du chevreuil ne se trouve pas sur le lieu du crime… Björn Kern n'a toujours pas livré de témoignage cohérent et nous ne savons pas si c'est lui qui a placé l'objet dans la main de sa femme…

Joona commence à examiner les photographies du corps de Maria Carlsson. La femme morte est adossée au radiateur sous la fenêtre, vêtue d'un collant.

Il lit le rapport de l'examen de la scène de crime. Il n'y est fait mention d'aucun bijou sur la langue.

Adam jette un regard interrogateur à Margot derrière le dos de Joona.

— Il veut visionner la vidéo de Maria Carlsson.

— OK, pourquoi ?

— On a loupé quelque chose.

— Probablement, rit-il en se grattant le cou.

— Tu peux utiliser mon ordinateur, dit Margot gentiment.

Joona la remercie, s'assied à son bureau, passe en plein écran et lance la vidéo. Exactement comme Margot l'a décrit, une femme d'une trentaine d'années est filmée à son insu par la fenêtre de sa chambre au moment où elle enfile un collant noir.

Il voit le visage qui ne se doute de rien, le regard baissé, la moue calme de sa bouche qui a le temps de passer à une expression proche de l'exténuation. Les cheveux pendent autour de son visage, ils semblent lavés de frais. Elle porte un soutien-gorge noir et essaie d'ajuster son collant.

Une lampe avec un abat-jour blanc brumeux et un pied en albâtre est posée sur le rebord de la fenêtre et projette son ombre sur la commode et les fleurs du papier peint. Elle glisse sa main entre ses cuisses pour essayer de remonter le mince nylon à l'entrejambe et elle respire la bouche ouverte. Puis la vidéo prend fin.

— Tu as trouvé ce que tu cherchais ? demande Adam en se penchant par-dessus l'épaule de Joona.

Joona reste devant l'écran, relance la vidéo et voit la femme reprendre sa lutte avec son collant, mais il appuie sur pause au bout de trente-cinq secondes et poursuit la lecture image par image.

— On a fait pareil, dit Adam en étouffant un rot.

Joona s'approche encore davantage de l'écran et observe Maria Carlsson bouger avec une extrême lenteur et respirer la bouche ouverte. Elle bat des cils et les ombres frangées sur ses joues se déplacent en rythme. La main droite tombe sans poids entre ses cuisses, autour du sexe.

— C'est pas possible, là, dit Adam à Margot. On a du boulot.

— Donne-lui une chance, répond-elle.

Maria Carlsson se tourne vers la caméra dans un mouvement saccadé, l'ombre grise coule sur son visage, comme si elle était sortie d'un bain de plomb. Ses lèvres se séparent, la lampe sur le rebord de la fenêtre éclaire son visage, fait briller ses yeux et laisse apparaître un éclair dans sa bouche, juste avant que la vidéo s'arrête.

Derrière Joona, Adam et Margot parlent de l'identification des participants au cours de dessin auquel Maria devait se rendre, ils ont déjà interrogé ceux dont le nom commence par la lettre *h*, mais sans rien obtenir.

Joona déplace le curseur et regarde de nouveau les cinq dernières secondes. La lumière coule à travers ses cheveux, sur l'oreille et la joue, fait scintiller ses yeux humides et lance un éclat dans sa bouche.

Il agrandit l'image autant que possible en conservant assez de netteté, zoome sur la bouche et regarde encore une fois les dernières images. Ses lèvres séparées remplissent tout l'écran, la lumière s'y infiltre et le bout rose de la langue est visible. Il avance en cliquant, image par image. L'arrondi de la langue humide se devine, puis devient plus clair et sur l'image suivante on dirait qu'un soleil blanc remplit toute la cavité buccale. Le soleil se rétracte. Sur l'avant-dernière image, il ne reste qu'un point scintillant sur un petit rond gris.

— Il a pris le piercing, dit Joona à mi-voix.

Les deux enquêteurs se taisent, puis se tournent vers lui et l'écran d'ordinateur. Il leur faut quelques secondes pour interpréter l'image agrandie, la langue rose et la sphère floue.

— Elle avait un piercing, d'accord, on l'avait loupé, reconnaît Adam d'une voix râpeuse.

Les jambes écartées et les mains autour du ventre, Margot regarde Joona prendre appui sur le bureau et se lever.

— Tu as vu qu'elle avait un trou dans la langue et tu voulais visionner la vidéo pour vérifier si le bijou y était, dit-elle en sortant son téléphone.

— Je me suis simplement dit que la bouche était importante. La mâchoire était brisée et elle avait sa propre salive sur la main.

— Impressionnant. Je demande un agrandissement aux techniciens.

Joona reste immobile, le regard rivé sur les photos et les cartes affichées au mur pendant que Margot parle au téléphone.

— On travaille avec la BKA, explique Margot après avoir raccroché. Les Allemands sont très en avance sur ce domaine, sur toutes les formes d'amélioration d'image… Tu as déjà rencontré Stefan Ott ? Bel homme, cheveux bouclés. Il a développé ses propres logiciels, comme JLab…

— OK, on a un bijou sur la vidéo, dit Adam tout en réfléchissant. La violence est extrême, pleine de haine… probablement de jalousie aussi et…

La boîte mail de Margot émet une petite sonnerie, elle ouvre le message et clique sur l'image pour faire en sorte qu'elle remplisse tout l'écran.

Pour accentuer les contrastes, le logiciel d'amélioration d'image a modifié les couleurs. La langue et les joues de Maria Carlsson sont bleues, presque brillantes comme du verre, et le bijou est désormais nettement plus visible.

— Saturne, chuchote Margot.

Sur la pointe de la tige qui traverse la langue de Maria se trouve une bille d'argent avec un anneau autour de l'équateur, exactement comme la planète Saturne.

— Ce n'est pas un *h*, constate Joona.

Ils suivent son regard vers la photographie du Filofax de Maria, où est inscrit le cours à dix-neuf heures. Et sur la ligne en dessous, la lettre *h*.

— C'est le symbole de Saturne, explique-t-il. Il représente en réalité une faux ou une faucille. C'est pour ça qu'il est un peu courbé… et parfois on ajoute un trait ici.

— Saturne… la planète, le dieu romain, dit Margot.

31

Après avoir retiré leurs chaussures, Joona et Margot se sont avancés jusqu'à la grande vitre. La pièce de l'autre côté semble chaude et humide.

— J'ai fait un test d'hypersensibilité, je suis allergique à la *mindfullness*, dit Margot.

Au son d'une musique indienne, trente femmes luisantes de sueur bougent avec une symétrie mécanique sur leur tapis de yoga.

Margot a détaché cinq collègues pour réexaminer l'historique de navigation internet de Maria Carlsson, ses courriels, ses comptes Facebook et Instagram. On n'aperçoit son piercing que sur quelques rares photos et il n'est mentionné que par une seule de ses amies sur Facebook avant que le contact entre elles soit coupé.

"You gotta lick it, before we kick it. Me too wanna pierce my tongue."

Celle qui a posté ce message s'appelle Linda Bergman, elle est professeure de Bikram yoga dans le centre de Stockholm. Les deux femmes ont entretenu une correspondance assidue pendant six mois avant que Linda supprime Maria de sa liste d'amis, du jour au lendemain.

Linda Bergman sort d'une pièce réservée au personnel, elle porte un jean et un pull gris. Elle est bronzée, elle a pris une douche rapide et s'est maquillée.

— Linda ? Je suis Margot Silverman, dit Margot, et elle serre la main de la femme.

— Vous ne m'avez pas dit de quoi il s'agit, et franchement, je n'en ai pas la moindre idée, réplique-t-elle.

Ils sortent sur le trottoir en direction de la place Norra Bantorget pendant que Margot essaie de détendre Linda en lui posant des questions sur le Bikram yoga.

— C'est une sorte de hatha-yoga, mais qui se déroule dans une pièce à humidité élevée et chauffée à quarante degrés, raconte Linda.

Ils entrent dans ce qui était la cour de récréation de l'ancien lycée Norra Latin. La fontaine en forme de boule bouillonne d'une eau blanc argenté et le vent emporte des gouttelettes scintillantes.

— Le fondateur s'appelle Bikram Choudhury… il a créé une série de vingt-six postures qui sont ce que j'ai trouvé de mieux en la matière, je dois l'avouer, poursuit-elle.

— On va s'asseoir, propose Margot en se tapotant le ventre.

Ils prennent place sur un banc public.

— Vous étiez amie avec Maria Carlsson sur Facebook, dit Joona, et avec sa canne il trace une profonde ligne verticale dans le gravier, soulevant un fin nuage de poussière.

— Il s'est passé quelque chose ? demande Linda timidement.

— Pourquoi l'avez-vous supprimée de votre liste d'amis ?

— Parce que nous ne nous fréquentons plus.

— Mais il semble que vous vous êtes vues de façon assez intense pendant plusieurs mois, fait remarquer Margot.

— Elle est venue à quelques séances, on a commencé à parler et…

Linda se tait et son regard interloqué va de Margot à Joona.

— Vous parliez de quoi ? interroge Margot.

— Puis-je savoir si je suis soupçonnée de quelque chose ?

— Vous n'êtes soupçonnée de rien, répond Joona.

— Vous saviez que Maria avait un piercing à la langue ? poursuit Margot.

— Oui, admet Linda, et elle sourit, un peu gênée.

— Avait-elle différents bijoux ?

— Non.

— Vous vous rappelez comment était le sien ?

— Oui.

Linda laisse traîner son regard un bref instant au-delà du grand bâtiment réhabilité en centre de conférences, sur le jeu d'ombres autour des feuillus, avant de reprendre :

— Il y avait un petit Saturne au bout.

— Un petit Saturne, répète Margot doucement. Qu'est-ce que ça signifie ?

— Je ne sais pas, répond Linda d'une voix creuse.

— Est-ce qu'il s'agit d'astrologie ?

Le regard de Linda se perd de nouveau vers les feuillus et elle donne des coups de pied dans le gravier avec ses tennis.

— Savez-vous d'où elle tenait ce bijou ? Il n'est pas proposé à la vente, en tout cas pas sur les sites web habituels.

— Je ne comprends pas où vous voulez en venir. J'ai un nouveau groupe dans peu de temps et…

— Maria Carlsson est morte, l'interrompt Margot avec un calme sérieux. Elle a été assassinée la semaine dernière.

— Comment ça, assassinée ? On l'a tuée ?

— Oui, elle a été retrouvée dans…

— Pourquoi vous me dites ça à moi ? l'interrompt Linda, et elle se lève.

— Asseyez-vous, s'il vous plaît.

— Maria est morte ?

Linda s'assied puis se met à pleurer.

— Mais je… je…

Elle secoue la tête et cache son visage derrière ses mains.

— C'est vous qui lui avez donné ce bijou ? demande Joona.

— Qu'est-ce que vous me voulez, avec ce foutu piercing ? crache-t-elle. Trouvez plutôt son assassin. Ça ne rime à rien, ce que vous faites !

— C'est vous qui lui avez donné ce bijou ? répète Joona, et il ajoute une petite barre horizontale sur le trait dans le gravier.

— Non, ce n'est pas moi, réplique-t-elle en essuyant ses larmes. C'est un mec qui le lui a donné.

— Pouvez-vous nous fournir un nom ? intervient Margot.

— Je ne veux pas y être mêlée, chuchote-t-elle.

— Nous respecterons ce souhait, lui assure Margot.

En serrant les lèvres, Linda la regarde de ses yeux rougis.

— Il s'appelle Filip Cronstedt, dit-elle à voix basse.

— Savez-vous où il habite ?

— Non.

— Maria sortait avec lui ?

Linda ne répond pas, elle fixe le sol tandis que ses larmes coulent à nouveau. Avec sa canne, Joona trace la dernière ligne du signe et se laisse aller contre le dossier du banc.

— Pourquoi avait-elle Saturne comme bijou ? demande Margot prudemment. Qu'est-ce que ça signifie ?

— Je ne sais pas, parce que c'est joli, fait Linda d'une voix faible.

— Dans l'agenda de Maria, on trouve ce signe à dix endroits – le vieux symbole de Saturne, dit Margot en montrant le sol.

32

Linda rougit quand elle regarde le symbole tracé dans le gravier aux pieds de Joona. Le vent a déjà commencé à effacer la faucille stylisée. Elle ne dit rien, mais son front luit de transpiration.

— Excusez-moi, j'attends un coup de fil, dit Joona, et il s'aide de la canne pour se lever.

Margot le voit boiter en direction de l'escalier de Norra Latin et sortir son téléphone. Elle comprend qu'il les laisse seules pour lui donner la possibilité de créer une intimité entre elle et Linda Bergman.

— Linda, de toute façon j'apprendrai ce qu'il en est, mais j'aimerais bien que vous me le racontiez.

La jeune femme a des taches gris sombre de sueur sous les bras et d'un geste lent, elle écarte les cheveux de son visage.

— C'est un peu privé, c'est tout, se justifie-t-elle en s'humectant les lèvres.

— Je comprends.

— Ils appellent ça des saturnales.

— C'est comme un jeu de rôle ? avance Margot avec précaution.

— Non, c'est une orgie, explique Linda en s'efforçant de paraître calme.

— Partouze ?

— Oui, mais partouze, ça fait… je ne sais pas, je veux dire, ce n'est pas comme les anciens clubs échangistes, sourit-elle, gênée.

— On dirait que vous savez de quoi vous parlez.

— J'ai accompagné Maria quelques fois, réplique-t-elle en secouant presque imperceptiblement la tête. Je suis célibataire.

Mais ça n'a rien d'étrange, on n'est pas obligé de coucher avec tout le monde seulement parce qu'on est là.

— Mais j'imagine que c'est le but ?

— Je ne regrette pas d'avoir essayé… mais je n'en suis pas fière non plus.

— Parlez-moi de ces saturnales, demande Margot doucement.

— Je ne sais pas quoi dire, répond Linda en croisant les jambes. J'ai été emportée par… je ne sais pas… le rapport tellement libre de Maria au sexe, en tout cas c'est ce que j'ai cru sur le moment…

— Vous étiez amoureuse d'elle ?

— Je l'ai fait pour moi, poursuit Linda sans répondre à la question. Pour essayer quelque chose de nouveau, sans contraintes, pour lâcher prise et me plonger dans le sexe.

— Je peux comprendre l'idée, sourit Margot pour la mettre en confiance.

— La première fois, on tremble de tout son corps… On se dit c'est pas vrai, je ne suis pas en train de faire ça. Plusieurs hommes en même temps… et il y a un tas de drogues et on couche avec d'autres filles et ça continue pendant des heures… c'est complètement barjo.

Elle jette un coup d'œil en direction de Joona et essuie la sueur sur sa lèvre supérieure avec le doigt.

— Mais vous avez laissé tomber, observe Margot.

— Je ne suis pas comme Maria, je voulais être avec elle et j'ai essayé son truc… je me suis sentie différente et courageuse et tout… mais au bout de trois fois, je me suis mise à gamberger, ce n'est pas que je regrettais… mais je me suis retrouvée dans un raisonnement style : OK, pourquoi est-ce que je le fais, je n'ai pas besoin d'avoir honte, j'ai le droit de le faire… mais pourquoi.

— Une bonne question.

— J'avais mon libre arbitre, mais, d'une certaine façon, je ne pouvais pas imposer mes conditions… Je pense que je me suis sentie un peu exploitée malgré tout.

— C'est pour ça que vous avez arrêté ?

Linda tire sur le bout de son nez et dit à voix basse :

— J'en ai eu assez quand ils ont découvert que quelqu'un avait filmé une des saturnales. On n'a pas le droit de faire ça, les portables sont interdits… Maria m'a appelée pour me le raconter, elle était furieuse, mais moi, ça m'a surtout angoissée, j'avais envie de dégueuler… La vidéo s'est retrouvée sur un site porno de films amateurs, l'image tremblait et elle était sombre, mais je pouvais me voir, et ce n'était pas très agréable, croyez-moi.

Quelques gouttes viennent les asperger, Linda tourne le regard vers la sphère floue de la fontaine et secoue la tête.

— Je n'arrive pas à croire qu'elle est morte, chuchote-t-elle.

— Ces saturnales, elles sont organisées comment ?

— Ce sont deux mecs d'Östermalm, Filip et un autre qui s'appelle Eugene… Au début, je pense que c'étaient juste des fêtes avec de la coke et de l'ecstasy… Ensuite il y a eu aussi du spice, du monkey dust, du spanish fly et tout ce qui s'ensuit… Ça fait deux ans que ça dure en tout cas… Il y en a peut-être deux par mois… privées, seulement sur invitation.

— Toujours le samedi ?

— Comment on dit samedi en anglais ? répond Linda en la regardant droit dans les yeux.

Margot hoche la tête et Linda donne encore quelques coups de pied dans le gravier.

— J'aimerais juste préciser que je ne prenais pas de drogues.

— Tant mieux pour vous, réplique Margot de façon neutre.

— Par contre, je buvais trop de champagne.

— Ça se passait où ?

— Quand j'y suis allée, ils louaient une suite à l'hôtel Birger Jarl… Je me souviens seulement de chambres psychédéliques, hyper-bizarres.

— Parlez-moi du piercing que Maria avait dans la langue.

— Filip et Eugene donnaient des tiges aux filles qui faisaient partie du premier cercle.

— Vous pensez que Maria aussi voulait abandonner ?

— Je ne crois pas… ou je…

Elle se tait et ramasse ses cheveux sur une épaule.

— Qu'est-ce que vous alliez dire ?

— Filip est tombé amoureux d'elle, il voulait la voir seul à seul, il ne voulait pas qu'elle couche avec d'autres hommes. Elle, ça la faisait rire… Elle était comme ça, Maria.

Margot sort une photographie de Susanna Kern.

— Vous la reconnaissez ? Regardez attentivement.

Linda observe le visage rieur de Susanna Kern, ses yeux chaleureux brun clair et ses cheveux brillants, puis elle secoue la tête.

— Non.

— Est-ce qu'elle participait aux saturnales ?

— Je ne la reconnais pas, dit Linda, et elle se lève.

Margot reste assise sur le banc, en concluant qu'ils n'ont toujours pas trouvé de lien entre les femmes assassinées. Ils ont affaire à un tueur en série qui pratique le *stalking*, mais ils ignorent totalement où il trouve ses victimes et comment il les choisit.

33

Madeleine Federer marche avec sa maman dans l'allée qui traverse le parc Humlegården. Après l'école, elle l'a accompagnée à l'église Sankt Jacob où elle devait jouer. Jackie accepte tous les boulots qu'on lui propose comme organiste dans les églises, pour que sa fille et elle soient autonomes.

Madeleine bavarde et surveille en même temps le chemin, bien qu'elle sache que sa mère n'a pas besoin d'aide.

Jackie frotte avec un pied contre la bordure du gazon pour sentir les plantes contre sa jambe tout en écoutant la canne qui frappe le gravier.

Un compresseur se met en marche devant la bibliothèque et de puissants marteaux-piqueurs s'enfoncent dans l'asphalte par lourdes secousses métalliques. Le boucan fait perdre le sens de l'orientation à Jackie, et sa fille la prend par le bras.

Elles dépassent le terrain de jeux avec le toboggan-vrille que Madeleine adorait quand elle était plus petite, il sentait si bon le plastique et le sable chaud.

Quand elles arrivent dans la rue, sa mère la remercie de son aide, puis elles continuent en direction du carrefour.

Madeleine entend elle-même que le son de la canne contre la pierre du trottoir est plus dur que contre l'asphalte tout à l'heure, mais elle ne sait toujours pas comment sa mère fait pour repérer les poteaux.

— Ça fait comme une brève pause dans les bruits des voitures, explique sa mère en s'arrêtant.

Comme d'habitude, elle pose la pointe de sa canne sur le bord du trottoir pour se préparer à la différence de hauteur quand les voitures s'arrêteront et que le tic-tac du feu tricolore se fera plus rapide.

Elles marchent encore, longent un grand immeuble jaune, puis Jackie se tourne vers une porte de garage ouverte et fait claquer sa langue. Beaucoup de malvoyants font cela pour écouter l'écho et détecter des obstacles.

Dès qu'elles arrivent à la maison, Jackie referme la porte derrière elles, tourne le verrou et met la chaîne de sécurité. Madeleine accroche sa veste et voit sa mère entrer dans le salon sans allumer, puis poser les partitions sur la table.

Madde va dans sa chambre, chuchote un salut à Hérisson et a juste le temps d'enfiler des vêtements plus confortables quand elle entend la voix de sa mère qui l'appelle.

En entrant dans la chambre éclairée, elle trouve sa mère en petite culotte en train d'essayer de fermer les rideaux de la fenêtre. Dehors, un vélo d'enfant rose est posé dans l'herbe. Le rideau s'est coincé dans la porte de la penderie et sa mère suit le tissu avec les doigts et le dégage avant de se retourner.

— Tu as allumé ici ? demande-t-elle.

— Non.

— Je veux dire ce matin.

— Je ne crois pas.

— Il faut que tu penses à ne pas laisser de lampes éclairées quand on part.

— Pardon, dit Madde, bien qu'elle soit presque sûre de ne pas l'avoir fait.

Sa mère cherche sa robe de chambre bleue sur le lit, ses mains tâtonnent et la trouvent près de l'oreiller.

— C'est peut-être Hérisson qui a eu peur du noir et qui est venu allumer, suggère Madde.

— Peut-être bien.

Jackie tourne la mince robe de chambre à l'endroit, l'enfile, se met à genoux et explore le visage de Madeleine avec les deux mains.

— Tu es la plus belle enfant du monde ? Oui, tu l'es, je le sais.

— Tu n'as pas d'élèves aujourd'hui, maman ?

— Seulement Erik.

— Tu devrais peut-être t'habiller ?

— Merci pour le conseil, sourit Jackie en serrant la fine soie autour d'elle.

— Prends la jupe argentée, elle est jolie.

— Tu m'aideras à trouver quoi mettre avec.

Jackie a un identificateur de couleurs, mais demande quand même toujours à sa fille si ses vêtements sont bien assortis, si les nuances s'accordent.

— Tu veux que j'aille chercher le courrier ?

— Oui, apporte-le-moi dans la cuisine.

Madeleine passe dans le couloir et sent une odeur de terre humide et d'orties en ramassant le courrier par terre, devant la porte d'entrée. Sa mère est déjà installée à la table quand elle vient se placer à côté d'elle.

— Il y a des lettres d'amour ? demande Jackie comme d'habitude.

— Ça, c'est… de la publicité pour une agence immobilière.

— Tu peux la jeter. Jette toute la publicité. Il n'y a rien d'autre ?

— Un rappel de facture de téléphone.

— Sympa.

— Et… une lettre de mon école.

— Qu'est-ce qu'ils disent ?

Madde ouvre l'enveloppe et lit à voix haute la lettre qui a été envoyée à tous les parents d'élèves. Quelqu'un écrit des gros mots sur les murs des couloirs et dans les toilettes. Le directeur invite les parents à en parler avec leurs enfants et à leur dire que le coût de nettoyage sera imputé au budget prévu pour la rénovation de la cour de récréation.

— Tu sais quels enfants font ça ?

— Non, mais j'ai vu les graffitis. C'est vraiment stupide. Faut être un bébé pour faire ça.

Jackie se lève et ouvre le réfrigérateur, elle en sort des tomates cerises, de la crème fraîche et des asperges.

— J'aime bien Erik, dit Madeleine.

— Même s'il a appelé les touches de piano des boutons ? demande Jackie, et elle remplit d'eau une grande casserole.

— Il dit qu'il joue comme un robot détraqué, pouffe Madeleine.

— Ce en quoi il a tout à fait raison…

Madde ne peut s'empêcher de rire et elle voit sa mère sourire aussi en allumant la cuisinière.

— Un petit robot tout mignon, poursuit-elle. J'aimerais bien le garder… mon petit robot à moi, il pourrait dormir dans le lit de poupée.

— Il est mignon pour de vrai ?

— Je ne sais pas, répond Madde en pensant au visage empreint de gentillesse d'Erik. Je crois que oui, il ressemble un peu à un acteur dont tout le monde parlerait.

Jackie secoue la tête, mais son visage semble heureux quand elle ajoute du sel dans l'eau.

34

Erik se sent méritant quand il arrive à jouer d'une traite les dix-sept premières mesures de la main droite, même si la main gauche ne l'accompagne que sur six mesures. Jackie sourit pour elle-même pendant quelques secondes, mais elle ne le félicite pas, elle demande seulement s'il a fait les exercices qu'elle lui a donnés.

— Aussi souvent que j'ai pu, lui assure-t-il.

— Tu me montres ?

— Je me suis entraîné, mais ça sonne bizarre.

— Ce n'est pas grave de se tromper, fait remarquer Jackie.

— Sauf que tu ne vas plus me vouloir comme élève si je joue trop mal.

— Erik, ça ne fait rien si on…

— Et j'adore venir ici, termine-t-il.

— Ça me fait plaisir… Mais si tu veux apprendre à jouer, tu dois…

Jackie se tait au milieu de la phrase et s'empourpre avant de lever le menton.

— Est-ce que tu es en train de me draguer ? demande-t-elle avec un sourire sceptique.

— Tu crois ? rit-il.

— Je n'ai rien contre, répond-elle avec sérieux.

— Je vais jouer l'exercice si tu promets de ne pas rire.

— Que va-t-il se passer si je ris ?

— Tu auras prouvé que tu ne manques pas d'humour.

Elle affiche un grand sourire quand Madde entre en chemise de nuit et pantoufles.

— Bonne nuit, Erik.
— Bonne nuit, Madeleine.
Jackie se lève et suit sa fille dans sa chambre. Erik les regarde partir, pose sa main gauche sur les touches du piano quand il s'aperçoit que Madeleine a oublié son hérisson sur le fauteuil.
Il prend la peluche et les suit dans le couloir, tourne à droite dans le vestibule. La porte de la chambre de la fillette est entrouverte, et la lampe allumée. Il voit le dos de Madeleine, voit Jackie déplier la couverture.
— Madde, appelle-t-il, et il ouvre la porte. Tu as oublié…
C'est tout ce qu'il a le temps de dire avant que la porte lui claque au nez, pour se rouvrir aussitôt d'elle-même. Madeleine pousse des cris hystériques et la claque de nouveau. Erik est propulsé contre le mur, il lève la main vers son nez juste quand le sang se met à couler.
Madeleine continue de crier et il entend quelque chose tomber et se briser sur le sol.
Il va dans la salle de bains, pose le hérisson, pince son nez et entend la fillette se calmer. Au bout d'un moment Jackie arrive dans le vestibule et frappe discrètement à la porte de la salle de bains.
— Comment ça va ? Je ne comprends pas ce qui…
— Dis-lui que je suis désolé, l'interrompt Erik. J'ai oublié la pancarte, je voulais seulement lui rendre son hérisson.
— Elle l'a réclamé.
— Je l'ai posé là, sur le meuble, montre Erik en ouvrant la porte. Pour ne pas mettre de sang dessus.
— Tu saignes ?
— Oui, du nez, mais ce n'est rien.
Jackie prend le hérisson et retourne auprès de sa fille pendant qu'Erik se lave la figure. Il revient dans le séjour en même temps que Jackie.
— Pardon, dit-elle en écartant les mains. Je ne comprends pas ce qui lui a pris.
— Elle est formidable, répond Erik.
— C'est vrai.
— Mon fils a dix-huit ans, il n'a jamais démarré un lave-vaisselle… Mais il vit chez sa mère maintenant, elle est un peu plus stricte que moi…

Le silence se fait entre eux. Jackie se tient au milieu de la pièce, elle sent l'odeur d'Erik, un parfum de tissu propre et de bois chaud émanant de son after-shave. Elle a mis le gilet tricoté sur ses épaules comme si elle avait froid, et son visage est grave.

— Ça te dit, un verre de vin ? demande-t-elle.

35

Erik et Jackie sont assis face à face à la table de la cuisine où elle a posé la bouteille de vin, des verres et du pain.

— Tu portes toujours des lunettes de soleil ? demande-t-il.

— Mes yeux sont sensibles à la lumière, je ne vois rien, mais je peux avoir très mal.

— La pièce est presque plongée dans le noir. La petite lampe derrière le rideau est la seule allumée.

— Tu veux voir mes yeux ?

— Oui, avoue-t-il.

Elle prend un bout de pain qu'elle mâche lentement, comme si elle réfléchissait.

— Tu as toujours été aveugle ?

— Je suis née avec une rétinite pigmentaire, je voyais assez bien les premières années, mais j'étais totalement aveugle avant mes cinq ans.

— Il n'y avait pas de traitement ?

— On m'a donné de la vitamine A, mais…

Elle se tait, puis elle enlève les lunettes de soleil. Ses yeux ont une nuance bleue aussi mélancolique que ceux de sa fille.

— Tu as de beaux yeux, dit-il à mi-voix.

C'est troublant de ne pas croiser le regard de Jackie alors qu'ils sont en tête à tête. Elle sourit et ferme presque les paupières.

— Est-ce qu'on peut avoir peur du noir quand on est aveugle ?

— Dans le noir, l'aveugle est roi, répond-elle comme si elle citait quelqu'un. Mais on a peur de se faire mal, de perdre son chemin…

— Je comprends.

— Aujourd'hui, j'ai eu l'impression que quelqu'un m'observait par la fenêtre de la chambre, dit-elle avec un petit rire.

— Ah bon ?

— Tu sais, une vitre, c'est un objet étrange pour les aveugles… Une fenêtre, c'est comme un mur, un mur frais et lisse… Je sais bien que les voyants voient à travers une vitre comme si elle n'était pas là… Alors j'ai appris à fermer les rideaux, on ne sait jamais…

— Je te regarde maintenant – évidemment que je te regarde –, mais je veux dire, c'est désagréable pour toi d'être regardée ?

— C'est… ce n'est pas neutre, fait-elle avec un bref sourire.

— Tu ne vis pas avec le père de Madeleine ?

— Le père de Madde était… Ça ne s'est pas bien passé.

— De quelle manière ?

— Il n'avait pas toute sa tête… J'ai appris plus tard qu'il avait cherché de l'aide psychiatrique, mais que sa demande avait été repoussée.

— Je suis désolé.

— Pas autant que nous…

Elle secoue la tête et boit une petite gorgée de vin, essuie une goutte sur sa lèvre et repose le verre sur la table.

— On peut être aveugle de plusieurs façons, poursuit-elle. Il était mon professeur au conservatoire et je n'ai pas compris à quel point il était malade avant d'être tombée enceinte. Il s'est mis à affirmer que l'enfant n'était pas de lui, il m'a traitée d'un tas de vilaines choses, il voulait me forcer à avorter, disait qu'il rêvait de me pousser sous une rame du métro…

— Tu aurais dû porter plainte…

— Oui, mais je n'ai pas osé.

— Que s'est-il passé ?

— Un jour j'ai mis Madde dans sa poussette et je suis allée chez ma sœur à Uppsala.

— Comme ça ?

— Je suis contente que ça soit fini. Mais pour Madde… On n'imagine pas la nostalgie qu'un enfant peut porter en lui. Les fables et les pensées magiques qu'un enfant invente pour expliquer pourquoi son papa ne donne jamais de nouvelles…

— Tous ces papas absents…
— Une fois, Madde avait presque quatre ans, elle a répondu au téléphone, c'était lui… Elle a été tellement contente, il lui a promis de venir pour son anniversaire avec un petit chiot et…
Sa bouche se met à trembler et elle se tait. Erik leur sert encore du vin et guide la main de Jackie jusqu'au verre, sent sa chaleur.
— Mais toi, tu n'es pas un papa absent ?
— Non, je n'étais pas absent… mais quand Benjamin était petit, j'abusais de médicaments, ça a failli mal se terminer, répond-il sincèrement.
— Et la maman ?
— Simone et moi sommes restés mariés presque vingt ans…
— Pourquoi vous avez divorcé ?
— Elle a rencontré un architecte danois. Je ne la blâme pas, moi aussi j'aime bien John. Et je suis content pour elle.
— Ça, je n'y crois pas, sourit-elle.
Il rit.
— Parfois il ne reste qu'à faire semblant d'être adulte, faire ce qu'on doit faire, dire ce que doivent dire les adultes…
Il pense à Simone, à leur cérémonie à l'envers quand ils se sont rendu les alliances et qu'ils ont annulé leurs promesses, et à la fête qui avait suivi avec le gâteau de divorce et la valse de divorce.
— Tu as rencontré quelqu'un d'autre ? demande Jackie à voix basse.
— J'ai eu quelques relations, reconnaît-il. J'ai rencontré une femme à la salle de sport, et…
— Tu fréquentes des salles de sport ?
— Ah, si tu voyais mes muscles, plaisante-t-il.
— C'était qui ?
— Maria… Ça s'est vite terminé, je crois qu'elle était un peu trop sophistiquée pour moi.
— Mais tu n'as pas couché avec ton professeur ?
— Non, rit Erik. Mais presque. Je me suis retrouvé au lit avec une collègue.
— Aïe.
— Non, ce n'était pas un problème… On avait bu, j'étais divorcé et je me sentais abandonné… Elle et son mari avaient

fait une pause, ça ne prêtait pas à conséquence... Nelly est formidable, mais jamais je ne voudrais vivre avec elle.

— Et des patients ?

— Il m'arrive de ressentir une attirance, admet Erik avec franchise. C'est inévitable, c'est une situation terriblement intime... mais l'attirance et la séduction sont seulement un moyen pour le patient de tenter d'échapper à ce qui est douloureux.

Il pense à Sandra qui pouvait s'arrêter au milieu d'un entretien et tâter son propre visage beau et intelligent du bout des doigts pendant que ses yeux vert forêt se remplissaient de larmes. Elle voulait qu'il la serre contre lui, et quand il le faisait elle se détendait dans ses bras comme s'ils faisaient l'amour.

Il ignorait si Sandra en était consciente, mais il avait préféré demander à Nelly de se charger d'elle. La patiente l'avait déjà rencontrée et ça paraissait tout naturel.

— Tu fréquentes quelqu'un en ce moment ? demande Jackie.

Erik regarde son sourire, la forme de son visage dans la douce lumière, ses cheveux sombres coupés court et le cou blanc. Rocky Kyrklund paraît tout à coup terriblement lointain et il n'arrive pas à comprendre comment il a pu autant s'inquiéter.

— Je ne sais pas si c'est sérieux, mais... On s'est seulement rencontrés quelques fois, raconte-t-il. Je me sens bien avec elle.

— Tant mieux, murmure Jackie en rougissant.

Elle prend un autre bout de pain.

— Quand je suis chez elle, je ne veux pas rentrer chez moi... J'aime déjà beaucoup sa fille et en plus j'apprends à jouer du piano comme un robot, dit-il en posant sa main sur la sienne.

— Ta peau est douce, souffle-t-elle avec un grand sourire.

Il caresse ses mains, ses poignets et ses avant-bras, laisse ses doigts glisser jusqu'à son visage, suit les contours, se penche en avant et l'embrasse doucement sur la bouche plusieurs fois. Il la regarde, les lourdes paupières, le cou tendu et le menton.

En souriant, elle attend d'autres baisers, et ils s'embrassent, ouvrent la bouche et sentent leurs langues prudentes et leur respiration tremblante, lorsque soudain on sonne à la porte.

Ils sursautent tous les deux et restent complètement immobiles, essayant de respirer sans bruit.

Ça sonne encore une fois.

Jackie se lève rapidement et Erik la suit, mais quand elle ouvre la porte, il n'y a personne. La cage d'escalier est plongée dans l'obscurité.

— Maman ! appelle Madde dans sa chambre. Maman !

Jackie tend la main et touche le visage d'Erik.

— Je crois qu'il faut que tu partes maintenant, chuchote-t-elle.

36

Dans la queue des sans-abris, Joona Linna vacille et manque de tomber. Une vieille femme qui a enfilé des sacs plastique par-dessus ses vêtements lui jette un regard inquiet.

Il a essayé de se reposer dans la ligne verte du métro, avant de rencontrer un Rom qui lui a proposé un lieu pour dormir. Couché par terre dans une caravane à Huddinge, enveloppé d'une couverture, il a fermé les yeux et attendu le sommeil, mais ses pensées ne lui ont accordé aucun répit.

Il n'a ni mangé ni dormi depuis le départ de Lumi. Il lui a donné tout son argent, conservant juste de quoi rejoindre l'Aiguille.

Le manque de sommeil déclenche des crises de migraine de plus en plus fréquentes. Ça brûle subitement comme une épingle rougie derrière un œil, et la douleur à la hanche devient insupportable.

Un Iranien à l'air aimable sert patiemment du café aux affamés et leur tend des sandwiches. La plupart ont probablement dormi à la gare centrale ou dans les garages du quartier.

Joona ne ressent plus la faim, elle n'est plus qu'un poids qui anéantit ses jambes. Quand on lui donne son café et son sandwich, il a l'impression qu'il va s'évanouir. Il s'écarte de la file, retire le papier qui entoure le pain, croque un morceau et avale, mais son estomac se contracte, les spasmes rejettent la nourriture. Il se couvre la bouche d'une main et tourne le dos aux autres. Le vertige le met à genoux. Il renverse du café, croque encore un bout de sandwich, tousse et recrache le pain. Il sent la sueur perler sur son front.

— Ça va aller ? demande l'Iranien qui l'a vu.
— Ça fait un moment que je n'ai pas eu le temps de manger.
— Un homme très occupé, sourit l'homme gentiment.
— Oui, répond Joona en toussant encore.
— Tu n'as qu'à me dire si tu as besoin d'aide.
— Merci, je me débrouille, murmure Joona, qui prend sa canne et s'éloigne en boitant.
— À une heure, on distribue de la soupe à l'église Sankta Clara, lance l'homme derrière lui. Vas-y, tu as besoin de t'asseoir et de te réchauffer.

Joona traverse le pont Stadshusbron, jette le pain aux cygnes et monte d'un pas lourd la longue pente de Hantverkargatan. Il s'arrête et se repose un instant en contrebas du lycée de Kungsholmen, tâte le petit caillou qu'il a dans sa poche, puis reprend sa route en direction de la caserne des pompiers avant d'entrer dans le parc Kronoberg. Tout en haut, les feuillages des arbres luisent au soleil, tandis que l'herbe ombragée est d'un vert mousse sombre.

Joona gravit lentement le petit talus, défait le fil de fer à l'intérieur de la clôture, ouvre la grille et entre dans le vieux cimetière juif.

— Je te demande pardon pour mon apparence négligée, dit-il, une fois arrivé devant la tombe familiale de Samuel Mendel, sur laquelle il pose le caillou.

Du bout de sa canne, Joona écarte un papier de bonbon, puis il raconte à son vieux collègue que Jurek Walter est enfin mort. Ensuite il reste silencieux, à écouter le murmure du vent dans les arbres et les enfants qui rient sur le terrain de jeu non loin.

— J'ai vu les preuves, chuchote-t-il.

Il caresse la pierre tombale avant de quitter le cimetière et d'aller rejoindre Margot Silverman. Elle a insisté pour qu'il participe à une réunion informelle aujourd'hui. Elle veut probablement se montrer attentionnée en l'autorisant ainsi à jouer à l'inspecteur.

Joona pense aux orgies auxquelles participait Maria Carlsson.

Les saturnales, les carnavals, les beuveries ont toujours existé. Chaque respiration nous précipite vers la mort et nous nous réfugions dans le travail et la routine, mais de temps en temps nous sommes obligés de bouleverser nos règles et notre existence – peut-être pour nous prouver que nous sommes libres.

Maria Carlsson avait manifestement l'intention de participer à une saturnale le jour où elle a été assassinée. Susanna Kern avait coché dans son agenda le samedi du mois de juillet que Maria Carlsson avait réservé à la débauche. Il est cependant impossible d'affirmer que les orgies sont le lien entre les victimes.

Les deux vieux copains d'enfance Filip Cronstedt et Eugene Cassel sont copropriétaires de la société Croca Communication, dont le chiffre d'affaires de l'année précédente s'élève à quatre-vingt-quinze millions d'euros. En tant que particuliers, tous deux sont domiciliés à l'étranger, alors que de toute évidence ils séjournent en Suède la plupart du temps.

Ni l'un ni l'autre n'a mis les pieds dans les locaux de la société ces six derniers mois et ils n'ont pas assisté aux réunions du bureau depuis des lustres. Le directeur général a parlé à Eugene la semaine dernière, mais n'a pas eu de nouvelles de Filip depuis le Nouvel An.

Linda Bergman a raconté qu'elle était toujours en relation avec Maria Carlsson lorsque Filip s'était soudain retiré des saturnales.

Les orgies avaient cependant continué tant pour Maria que pour Eugene.

Il semble qu'il y ait un certain nombre de participants réguliers, tandis que quelques rares personnes sont invitées à l'essai.

D'après Linda, le ticket d'entrée est la carte magnétique de la suite d'hôtel.

Les enquêteurs ne nourrissent aucun espoir de trouver Filip à l'hôtel, mais ils pensent qu'Eugene y sera.

Le Filofax de Maria Carlsson indique qu'une orgie est programmée pour ce samedi, puis une autre dans trois semaines. Ces deux occasions sont peut-être leur seule possibilité de mettre la main sur Eugene et d'obtenir une piste pour localiser Filip.

37

Adam, Margot et Joona sont installés à une table dans la partie récente du pub The Doors. Un match de football passe à la télé. Margot mange un gros hamburger et boit de l'eau. Adam et Joona ont pris un café noir.

— Filip ne semble pas avoir quitté le pays, dit Adam en posant quelques documents sur la table. Il est dans les parages, mais il n'est pas domicilié en Suède et apparemment il ne s'est rendu dans aucun des logements dont la société est propriétaire.

Le visage de Filip Cronstedt les fixe depuis la table. La photographie montre un homme d'une quarantaine d'années aux cheveux blonds coiffés en arrière et aux sourcils clairs. Il a l'air d'un banquier aimable et patient. Le front plissé et les rides creusées sur ses joues et sa bouche indiquent une vie agitée, mais lui donnent aussi l'air sympathique.

— Je ne pense pas qu'il ait tué Maria Carlsson, ajoute Adam en touchant la photo de l'index. Ça ne colle pas… Il n'a pas d'antécédents violents, son casier est vierge, il ne figure pas dans le fichier des fortes suspicions ni dans celui des services sociaux.

— Il a les moyens de se payer de bons avocats, fait remarquer Margot.

— Oui, mais quand même.

— Nous savons que Filip Cronstedt a été jaloux de Maria, dit Margot en s'empiffrant de frites. Il voulait qu'elle arrête les saturnales, or elle a continué… et maintenant elle est morte et le piercing dans sa langue a disparu…

— Oui, mais…

— Ce que j'imagine, poursuit-elle, c'est que Maria Carlsson l'obsédait, qu'il s'effaçait pendant les saturnales pour se contenter de la regarder… Jusque-là, ça colle, mais est-ce que ça suffit à en faire un tueur en série ?

— Ou un tueur à la chaîne ? renchérit Adam. Nous n'avons que deux meurtres, ce n'est pas suffisant pour…

— C'est quand même un tueur en série que nous pourchassons.

— En fait, ça n'a pas d'importance, remarque Joona à voix basse. Cela dit, Margot a raison puisque…

Un éclair de migraine jaillit derrière son œil, il ferme les paupières et pose sa main sur son front. Le temps que la douleur se dissipe, il se tient totalement immobile, essayant de ne pas oublier ce qu'il s'apprêtait à dire au sujet des tueurs à la chaîne. Cette notion fait allusion à une personne qui commet au moins deux meurtres dans des endroits différents en très peu de temps. Le tueur à la chaîne n'a pas recours à la dramaturgie sexualisée dont fait généralement usage le tueur en série ; il commet ses meurtres en étroite liaison avec sa propre crise.

— Donc…, tente Adam au bout d'un moment.

— Il est trop tôt pour dire quoi que ce soit au sujet de Filip, précise Margot tout en mâchant. Ça peut être lui, je pense que c'est possible, mais…

— Dans ce cas, les orgies font partie de son fantasme meurtrier, remarque Joona, et il ouvre les yeux.

— Poursuivons, tranche Margot. Ce soir, c'est le seul moment où nous pouvons localiser Eugene Cassel… et si quelqu'un peut nous dire où se trouve Filip, c'est bien lui.

— Mais on ne peut pas débarquer comme ça dans une orgie privée.

— Il suffit que l'un de nous entre, qu'il trouve Eugene et parle avec lui, calmement, tranquillement, propose Margot, et elle mord dans son hamburger à pleines dents.

— Toi, tu n'as pas le droit de travailler sur le terrain, vu que tu es enceinte.

— Ça se voit ?

— OK, ça va, j'irai, grommelle Adam.

— Il ne s'agit pas d'une descente, souligne Margot. Il n'y a pas de menace… On va appeler ça une rencontre avec un informateur secret, comme ça on n'a pas besoin de prévenir la direction.

Adam soupire et se renverse sur sa chaise.

— Je vais donc me pointer parmi un tas de…

Il se tait, secoue la tête et regarde dans le vide, les yeux brillants.

— C'est évidemment un peu délicat d'aborder quelqu'un dans ce genre d'ambiance, mais comment faire autrement ? dit Margot.

— Je ne comprends pas… Comment peut-on aller à des orgies, qui sont ces gens ?

— Je ne sais pas, ça fait au moins dix ans que je n'ai pas participé à une partouze, lâche Margot.

Elle trempe une frite dans le ketchup. Adam la fixe, bouche grande ouverte, pendant qu'elle mastique, un petit sourire aux lèvres. Elle s'essuie le bout des doigts sur une serviette avant de croiser son regard.

— Je rigole, lance-t-elle avec un large sourire. Je suis une fille convenable, je te le promets, mais il se trouve que j'ai participé à une descente dans un club échangiste quand j'étais en poste à Helsingborg… Pour autant que je m'en souvienne, il n'y avait pratiquement que des hommes sexagénaires avec des gros bides et des jambes maigres qui…

— Arrête, la coupe Adam en s'enfonçant sur sa chaise.

— J'appellerai ta femme demain pour lui demander à quelle heure tu es rentré, sache-le.

— C'est bon, soupire-t-il en souriant.

— Ce n'est qu'un boulot, élude Joona. Les autres personnes n'ont aucun intérêt, tu vas juste t'approcher d'Eugene, lui faire dire où se trouve Filip et l'arrêter dès que tu es sûr qu'il détient cette information.

— L'arrêter ?

— Pour qu'il ne puisse pas prévenir Filip, explique Joona en regardant Adam dans les yeux.

— Si jamais vous apprenez quelque chose au sujet de Filip, dit Margot, il faut…

— … t'appeler, termine Adam.

— Non, je serai en train de dormir. Si vous trouvez quelque chose d'utilisable, vous passez la main au groupe d'intervention.

Les deux hommes restent au pub après le départ de Margot. Quelques consommateurs âgés se lèvent et sortent pour fumer.

— Tu habites où, au fait ? demande Adam à Joona.

— Il y a un campement de tentes du côté de Huddinge.

— Les Roms ?

Joona ne répond pas, boit une petite gorgée de café et tourne le regard vers la fenêtre.

— J'ai fait des recherches sur toi, dit Adam. J'ai vu que… l'année avant d'être blessé, tu enseignais le *krav-maga* militaire au groupe des opérations spéciales… Excuse-moi de te dire ça, mais, à te voir, on a du mal à croire que tu as été parachutiste.

Joona regarde ses mains et se souvient qu'il aimait particulièrement sauter d'une haute altitude, se précipiter dans le vide à travers vents et tempêtes.

— Tu es déjà allé à Leeuwarden ? demande-t-il à Adam.

Joona avait été le seul Suédois envoyé aux Pays-Bas pour suivre une formation de close-combat non conventionnel et de guérilla. C'était au nord de Leeuwarden. Il faisait son footing à marée basse sur les plages de sable le long de la mer des Wadden.

38

La chambre psychédélique de l'hôtel Birger Jarl, dont avait parlé Linda Bergman, est en réalité appelée "la chambre oubliée", c'est une suite ouverte à la réservation comme toutes les autres.

L'hôtel a été entièrement rénové au début des années 2000. Toutes les chambres ont été remises à neuf et le mobilier a été remplacé. Après le départ des ouvriers, on s'est aperçu que la 247 avait été oubliée.

La même chambre qui avait été négligée lors de tous les rafraîchissements depuis la construction de l'hôtel en 1974.

Elle est toujours intacte, petite capsule d'une époque révolue.

En 2013, il y a eu un meurtre à l'hôtel, après le remplacement d'un canapé dans cette chambre. Tout le monde soutient évidemment qu'il n'y a aucun lien, mais le personnel refuse désormais de modifier quoi que ce soit à la décoration.

Adam a passé cinq heures dans la voiture devant l'ancienne centrale électrique, guettant l'entrée de l'hôtel. Joona a passé autant de temps posté à côté de l'entrée, une couverture sur les épaules, et un gobelet à la main avec quelques pièces au fond.

Trente-cinq clients de l'hôtel sont entrés ou sortis pendant ce laps de temps, mais pas Eugene.

Plus loin dans la rue, un serveur aux cheveux gris est accroupi en train de fumer devant un restaurant italien. Quand la cloche de l'église sonne onze coups lents, Joona s'approche de la voiture en boitant.

— Il faut y aller maintenant, dit-il à Adam.

— J'aimerais que tu m'accompagnes.

— Non, je t'attends ici.

Adam tambourine sur le volant avec ses pouces, puis se passe plusieurs fois la main sur le menton.

— D'accord.

— Vas-y mollo là-dedans, lui conseille Joona. Ce ne sont pas des criminels juste parce qu'ils sont là. Tu verras probablement pas mal de drogues, mais ne t'en occupe pas. Tu interviens seulement si tu observes des violences sexuelles ou s'il y a des mineurs.

Adam hoche la tête et sent des papillons voleter dans son ventre quand il quitte la voiture et pénètre dans l'hôtel.

La réception est déserte, à part un homme qui parle au téléphone.

Adam s'approche du comptoir aux formes arrondies, présente sa carte d'identité, se fait remettre une clé magnétique et poursuit jusqu'aux ascenseurs. La chambre oubliée se trouve tout au fond du couloir, sur la poignée de porte est accroché un panneau en plastique souple avec l'inscription *Do not disturb*.

Adam hésite, puis baisse le zip de son blouson de cuir noir. Son tee-shirt blanc est rentré dans le jean noir et son Sig Sauer est en place sous son bras gauche.

Il va juste franchir la porte, très calmement, trouver Eugene, le prendre à part et lui poser quelques questions.

Adam s'éclaircit la gorge et introduit la carte dans la fente du lecteur. La serrure clique et le voyant vert s'allume. Il ouvre, s'engage dans une pièce sombre et referme la porte derrière lui.

Il entend de la musique mêlée de voix assourdies et de grincements de lit.

La lumière est faible, mais il ne fait pas entièrement noir. Il regarde autour de lui. Il se trouve dans un vestibule où les gens se sont débarrassés de leurs vêtements.

Une femme blonde coiffée à la garçonne sort de la salle de bains et lui fait un clin d'œil dans la pénombre. Elle ne porte qu'une petite culotte en soie noire et elle est si belle que le cœur d'Adam se met à battre fort dans sa poitrine.

Des restes de poudre blanche collent à son gloss, au coin de la bouche. Elle regarde Adam de ses énormes pupilles noires entourées d'un mince anneau bleu glacé. Avant d'entrer dans la chambre, elle s'humecte la bouche et dit quelque chose qu'il ne saisit pas.

Il la suit et ne peut s'empêcher de fixer son dos nu et scintillant.

Une odeur douceâtre de fumée flotte dans la pièce.

Adam s'arrête et voit le lit, mais il détourne aussitôt le regard. Il se déplace latéralement le long du mur, dépasse un homme nu avec un verre de champagne à la main, puis demeure planté là.

Personne ne réagit à sa présence.

Une femme aux yeux mi-clos le frôle pour se rendre dans le vestibule. Le papier peint rose dessine des vagues, le tapis est brun avec des motifs en forme de soleils. Aucune lampe n'est allumée, mais la lumière de la ville s'infiltre au-dessus des rideaux et se projette sur le plafond.

L'atmosphère est lourde d'effluves de gens excités. Où qu'Adam pose le regard, ses yeux rencontrent des organes sexuels humides, des bouches ouvertes, des seins, des langues, des fesses.

À part la musique, il n'y a pratiquement pas de bruit. Ceux qui s'adonnent au sexe s'y consacrent entièrement, ils cherchent le plaisir, le leur ou celui de leur partenaire. Les autres se reposent à côté, contemplent la débauche, une main entre les jambes.

Le sang d'Adam bat dans ses oreilles et il sent que ses joues sont en feu.

Il faut qu'il trouve Eugene.

Il passe devant une belle rousse d'une trentaine d'années qu'il ne peut s'empêcher d'observer. Assise sur le bureau, les yeux fermés, elle ne porte qu'une chemise en batik. Son sexe exhibé semble avoir été poudré. On dirait du marbre poli barré d'un trait à la craie rose.

Rien n'est aussi désespéré et sordide qu'il l'avait imaginé. C'est à la fois plus introverti et plus lucide.

Adam contourne le lit et songe que ceci fait peut-être partie du mode de vie branchée de ces gens.

Il a le même âge que la plupart des participants, mais il va seulement faire son boulot et ensuite retrouver sa femme à Hägersten et pour toujours se souvenir de ce qu'il a vu. Il sait déjà qu'il ne pourra pas en parler avec elle – pas sérieusement. Il va faire des plaisanteries là-dessus ou transformer la scène en un spectacle dégoûtant.

Il observe les personnes dans la chambre. Il pourrait se dire que ce sont des enfants gâtés, qu'il les plaint, mais ce ne serait pas vrai. Pas ici et maintenant.

Une pointe de jalousie le tenaille.

39

Adam franchit les portes coulissantes ouvertes et passe dans la chambre contiguë. Le papier peint y est plus sombre, décoré de grands motifs géométriques, comme des cristaux vert clair.

La musique est plus forte ici. Une femme aux cheveux noirs et raides est assise dans un fauteuil en plastique orange que deux hommes nus ont placé sur le lit. Ils font basculer la chaise sur le matelas et elle s'accroche comme elle peut en riant de la situation. D'autres hommes les rejoignent, l'un d'eux saisit ses pieds et elle se met à rire encore plus fort.

La blonde à la coupe garçonne est agenouillée devant une table en verre, avec l'index elle farfouille les restes d'une poudre blanche qu'elle glisse ensuite dans sa bouche.

Adam fait un pas de côté et manque de marcher sur un gros tube de lubrifiant. De la poussière et des cheveux sont collés dans la substance visqueuse répandue par terre.

Sur le rebord de la fenêtre sont disposés une dizaine de verres remplis de champagne. La condensation produit des gouttes qui coulent le long des flûtes et forment de petites flaques sur le marbre.

Plus loin dans la pièce, il y a un dégagement dépourvu de fenêtre, avec des placards et une étagère à bagages. La porte de la salle de bains est entrouverte. Une jeune femme nue est affaissée sur l'abattant des toilettes, son ventre est plissé, et le muscle de son bras contracté.

— Ça ne va pas ? lui demande-t-il à voix basse.

Elle lève la tête et le fixe. Son regard est sombre et vitreux, et Adam sent qu'il ferait mieux de quitter l'hôtel.

— Aide-moi, chuchote-t-elle.

— Tu te sens comment ?

— Je n'arrive pas à me relever.

Un homme mince sort de la chambre, il s'arrête dans l'ouverture de la porte. Son sexe dressé ballotte un peu.

— Paula est là ? interroge-t-il.

Il les regarde à travers ses paupières mi-closes avant de retourner dans la chambre.

— Aide-moi à me relever, dit la femme en respirant la bouche ouverte.

Adam prend sa main et la tire à lui. Il recule et elle titube hors de la salle de bains, arrachant un drap de bain du porte-serviette. Il s'aperçoit alors qu'elle a un gode attaché autour de ses hanches. Elle trébuche sur lui et met la main autour de sa nuque.

Son haleine est saturée d'alcool et le godemiché glisse entre les cuisses d'Adam. Les jambes de la femme cèdent, il la remet d'aplomb et sent ses lourds seins contre son corps.

— Tu arrives à tenir debout ?

— Je ne sais pas si ce truc est mis comme il faut, murmure-t-elle contre son cou. Tu peux vérifier le cordon derrière ?

Elle se retourne, prend appui avec une main sur une horloge murale marron, faisant craquer la matière plastique.

— Tu as vu Eugene ? demande Adam.

Le cordon de cuir noir entre ses fesses s'est entortillé sur lui-même, elle le tâte avec des doigts fatigués.

— Il s'est torsadé, dit Adam.

Il ne sait pas quoi faire, hésite puis essaie de l'aider, tourne la lanière deux fois sur elle-même, mais s'aperçoit qu'elle est vrillée sur toute sa longueur.

La jeune femme a la peau brûlante et humide de transpiration. Elle vacille et pose sa joue contre le mur, l'horloge en plastique balance sur son clou. Adam tremble et ses doigts sont froids quand ils suivent le cordon de cuir entre ses fesses. En essayant de le dévriller, il sent qu'il est mouillé et glissant.

Un homme nu se fraie maladroitement un passage pour entrer dans la salle de bains. Il urine sans fermer la porte ni les gratifier du moindre regard.

Quelqu'un geint dans la pièce adjacente, deux hommes apparaissent dans le dégagement, puis Adam voit la belle blonde à la coiffure de garçon dans l'ouverture entre les deux chambres. Elle ne porte plus sa petite culotte. Lorsqu'elle aperçoit Adam, elle lève vers lui son verre de champagne dont le bord est maculé de rouge à lèvres clair.

La femme devant lui se déplace en frottant son épaule contre le mur, puis elle s'affaisse sur le sol et pose sa joue sur la moquette.

La blonde s'approche d'Adam, son cou est zébré de taches enflammées et elle s'appuie contre lui, presse son front contre sa poitrine et tourne son visage vers lui avec un sourire.

Adam est incapable de s'en empêcher : il l'embrasse et, quand elle lui rend son baiser, il sent la barre de son piercing contre sa langue.

Il se dit que ce n'est pas sa faute. Ce n'est pas bien et il sait déjà qu'il va le regretter, qu'il se sentira terriblement angoissé après, mais tout ce qu'il veut, là, maintenant, c'est se glisser en elle.

La femme par terre murmure qu'elle est tombée et elle tire sur la jambe d'Adam, le faisant chanceler.

Quand la blonde ouvre son pantalon, une vague de peur glaçante l'inonde.

C'est trop facile, trop tentant.

Mais ses mains touchent les seins, ils sont chauds et tendus et poudrés d'une substance rêche et scintillante.

C'est la plus belle femme qu'il ait jamais vue.

Adam la soulève, l'appuie contre le mur et la pénètre. L'angoisse et le désir se bousculent dans sa tête. Il s'enfonce en elle et voit sa bouche s'ouvrir et Saturne briller sur sa langue. Son corps ondule et ses seins tremblent au rythme de ses allers et retours. Elle sourit, les yeux fermés, mais ne geint pas, ne soupire pas, ne semble même pas intéressée par ce qui se passe – elle est peut-être trop droguée.

La femme avec le godemiché s'est relevée, elle se tient derrière lui et ses mains sont soudain sous son tee-shirt et caressent sa taille et son dos. Il essaie de s'esquiver et ne sait pas si elle sent son arme, mais c'est comme si un courant électrique la traversait, elle s'éloigne de lui, murmure quelque chose et titube dans la chambre.

Adam sait qu'il est probablement démasqué, mais il ne peut pas s'arrêter. Sa partenaire murmure des paroles contre son cou et il sent une odeur de framboise dans sa bouche, elle essaie de le faire ralentir en posant sa main sur sa poitrine, mais il l'écarte et la plaque solidement contre le mur.

40

Quand Adam arrive dans la troisième chambre, il voit immédiatement Eugene Cassel. Entièrement nu, il est coiffé d'un haut-de-forme noir. Cinq personnes s'ébattent sur le grand lit. L'abat-jour d'une lampe de chevet est de travers et tremble au rythme des mouvements du matelas. Eugene est à genoux derrière une brune à quatre pattes.

Son collier de perles oscille entre ses seins.

Celle avec le godemiché arrive en chancelant dans la chambre sur les talons d'Adam. Elle s'assied sur le bord du lit, manque de se casser la figure, mais se redresse. Une femme saisit son dildo à pleines mains, dit quelque chose et rit. Elle répond et tousse dans le pli de son coude.

— Qu'est-ce que tu as dit ?

— Tra-la-la-laa, sourit-elle.

— D'accord.

— Il y a un flic ici, tra-la-laa, répète-t-elle en toussant de nouveau.

Eugene entend ses mots et s'arrête, s'assied sur le lit, pose un bras sur les fesses de sa partenaire et tourne le regard vers Adam.

— C'est une fête privée, tu sais, dit-il, la frustration peinte sur le visage.

— Pouvons-nous parler seul à seul ? demande Adam en montrant son insigne de police.

— Laisse-moi ta carte, tu auras des nouvelles de mes avocats lundi, répond Eugene en s'extirpant du lit.

L'homme a peut-être quarante ans, il est probablement le plus âgé de tous les participants. Son corps nu et glabre est musclé, bien que son ventre soit rond. Son érection a diminué. Sous le rebord du chapeau, un anneau d'or scintille à l'arcade sourcilière et ses pupilles sont élargies.

— Il faut que je trouve Filip Cronstedt, dit Adam.

— Bonne chance, sourit Eugene en soulevant légèrement le chapeau. Il n'est pas ici, mais je peux te filer un tuyau, suis le lapin blanc.

— Écoute : on peut quitter l'hôtel calmement ensemble, mais s'il le faut, je te menotterai et te traînerai jusqu'à la voiture.

Une fille à la peau laiteuse et aux cheveux coiffés en deux tresses qui tombent sur ses seins débarque dans la pièce et s'approche d'Eugene.

— Je fais monter quelque chose à manger ? propose-t-elle en approchant un joint de ses lèvres.

— Toujours affamée, hein ? la taquine-t-il.

Elle hoche la tête en souriant et expire un mince filet de fumée, puis elle se dirige vers le téléphone sur le bureau.

— OK, je me vois obligé de t'arrêter selon le chapitre 24 du Code de procédure pénale, paragraphe 7, déclare Adam.

— Je n'y peux rien si tout ce que tu as réussi à faire comme boulot, c'est policier, lui rétorque Eugene avec raideur. Le monde est injuste et…

— Tu connais Maria Carlsson, n'est-ce pas ? l'interrompt Adam.

— Je l'aime.

— Fais-lui un bisou alors, dit Adam, et il exhibe une photo de la scène de crime.

On y voit, éclairés par le flash puissant de l'appareil photo, le visage lacéré de la victime et la bouche grande ouverte avec la mâchoire brisée. Eugene pousse un gémissement, titube en arrière et renverse la lampe de chevet. Le pied en céramique marron se brise en mille morceaux.

41

Eugene Cassel s'est habillé et Adam a fait venir une voiture de patrouille. Ils traversent ensemble le couloir de l'hôtel.

— Je suis vraiment désolé... je suis sous le choc, dis-moi seulement ce que je peux faire, je suis à la disposition de la police, c'est une question d'honneur pour moi... mais il faut d'abord que j'appelle mon avocat.

Eugene s'est lavé le visage et ses joues ont pâli, elles sont luisantes de sueur.

— Il faut que je localise Filip, dit Adam.

— Ce n'est pas lui qui a fait ça, proteste Eugene aussitôt.

— Filip ne se trouve à aucune de ses adresses habituelles, où est-il ?

— Je sais, il n'est pas très en forme, répond Eugene, et il se gratte le front avec le chapeau. Je n'ai pas l'intention de casser du sucre sur le dos de Filip, mais telles que sont les choses en ce moment, je ne veux rien avoir à faire avec lui, je lui ai conseillé de chercher de l'aide, mais...

— De l'aide pour quoi ?

La porte de l'ascenseur s'ouvre et ils laissent entrer une femme en trench-coat orange avant d'y pénétrer à leur tour.

— Il abuse du sel, tout le temps, sourit Eugene en agitant sa main devant sa tempe.

— Il se drogue ?

— Oui, mais le problème quand on prend trop de MDPV, MDPPP, MDPBP, MDAI..., c'est qu'on tombe dans une putain de parano et puis, paf, on fait un *bad trip* et on se sent tellement mal qu'on a envie de mourir.

— Est-ce que ça rend agressif ? demande Adam quand ils sortent de l'ascenseur au rez-de-chaussée.

— Tu comprends, tu es mort de trouille en permanence et, en même temps, ton cerveau est d'une limpidité cristalline. Tu penses trop vite, tu ne dors pas… La dernière fois que j'ai vu Filip, il était dans une putain de phase maniaque, il prétendait qu'il figurait sur des milliers de photos satellites sur Google, il ressassait ses conneries sur Saturne qui était obligé de dévorer ses enfants… Il ne tenait pas en place une seule foutue seconde, il agitait sans arrêt un petit couteau, il m'a coupé à la main en criant que je devais m'en réjouir… puis il s'est tailladé lui-même, au bras. Il dégoulinait de sang quand il est descendu dans le métro.

Ils traversent le hall d'accueil de l'hôtel et sortent dans Tulegatan au moment où une voiture de police arrive.

— Pour le moment, j'ai juste besoin de savoir où je peux le trouver, répète Adam en arrêtant le flot verbal d'Eugene.

— OK, je me sens comme un traître maintenant, mais il prétendait qu'il était à l'abri dans le garde-meuble.

— Le garde-meuble ?

— Il loue un tas de box dans Vanadisvägen, c'est à deux pas d'ici, tu sais, des garde-meubles autogérés, je pense que plus de la moitié sont à lui.

Deux policiers en uniforme viennent saluer Adam. L'un accompagne Eugene et le fait monter à l'arrière de la voiture tandis que l'autre écoute les instructions de leur collègue.

— Conduisez-le dans une salle de garde à vue. Veillez à ce qu'il n'appelle personne, donnez-nous un peu de temps. Quand son avocat arrivera, on sera obligés de le laisser filer.

42

Joona conduit vite et tourne à gauche dans Odengatan sans se soucier des feux rouges.

Une femme dort dehors, assise devant la boutique Seven Eleven, avec ses deux caddies débordants.

Adam lui raconte que Filip a surdosé différentes variantes de MDPV durant une longue période et qu'Eugene pense qu'il a sombré dans une psychose paranoïde.

Cette drogue a causé la mort de plusieurs personnes en Suède, les tabloïds l'ont décrite comme "la drogue du cannibale" après qu'un homme sous son influence eut essayé de manger le visage d'un SDF.

— On a très peu de temps, ils ne vont pas pouvoir retenir Eugene pendant des heures, il sera bientôt dehors et je suis sûr qu'il va avertir Filip, dit Adam d'une voix tendue.

Joona double un taxi du mauvais côté, se rabat devant la voiture et traverse de biais les voies d'en face pour s'engager dans Vanadisvägen.

Le pare-chocs heurte le bord du trottoir quand il monte dessus pour se garer devant l'immeuble couleur moka clair aux portes de garage rouges.

Dans les parties centrales de Stockholm, les sociétés gérantes de garde-meubles ont dû se contenter d'aménager des caves déjà existantes pour ne pas dénaturer l'aspect urbain. D'énormes surfaces remplies de petites pièces verrouillées s'étendent au sous-sol, telles les cryptes anciennes des cathédrales.

Joona et Adam descendent de voiture et s'approchent du bureau fermé qui donne sur le petit parking. Dans la pénombre, derrière la fenêtre, ils devinent des piles de cartons de déménagement pliés, un comptoir d'accueil et un grand moniteur sur le mur pour les caméras de surveillance.

— Je veux voir un plan des box et examiner les caméras, lance Joona.

— C'est fermé, il faut qu'on s'adresse à un procureur, répond Adam.

Joona hoche la tête, frappe de sa canne contre un pavé du trottoir et pense à ce qu'on ressent quand on s'enfonce dans de la glace brisée. C'est lorsqu'on se réchauffe que le froid se fait véritablement sentir, songe-t-il tout en soulevant le lourd pavé pour le lancer sur la fenêtre. Ça fait du boucan, le verre cassé se répand au sol et un voyant rouge se met à clignoter à l'accueil.

— Maintenant l'alarme est donnée à la société de télésurveillance, dit Adam d'une voix faible.

Du bout de sa canne, Joona dégage quelques éclats de verre du montant de la fenêtre, puis il entre. Adam jette un regard autour de lui avant de le suivre.

Sur le mur est accroché un plan quadrillé d'allées larges et d'autres plus étroites.

Chaque box est numéroté et répertorié par quartiers. Le code d'accès à destination du personnel est soigneusement affiché à côté du plan.

Joona s'installe devant l'ordinateur. Les allées entre les box sont surveillées par des caméras. Vingt-cinq petits carrés couvrent l'écran. La nuit règne dans cet espace sans fenêtres.

— Cherche s'il y a un registre des locataires, dit Adam.

Joona réduit la fenêtre active, essaie d'ouvrir différents programmes, sans y parvenir. Tous les logiciels, à l'exception des caméras de surveillance, nécessitent un mot de passe.

Il retourne aussitôt à la vue générale, agrandit la première fenêtre, observe l'immobilité sombre comme un tissu de lin noir, agrandit l'image suivante. La caméra filme l'obscurité. Adam bouge nerveusement derrière lui. Il regarde le plan sur le mur.

Tout est calme, plongé dans la nuit.

La troisième caméra filme une issue de secours. Une veilleuse verte au-dessus de la porte répand une lueur glauque sur le sol en béton taché et sur les murs en tôle ondulée.

Il y a du bazar devant un box et la lueur sous-marine du boîtier de l'issue de secours se reflète dans un chariot abandonné.

Joona regarde le plan sur le mur, repère l'issue de secours et comprend comment la caméra est placée.

Il continue d'agrandir les images vidéo, caméra après caméra. Tout reste calme. Une vague de fatigue paralysante l'inonde et le force à fermer les yeux pendant quelques secondes.

L'obscurité identique de chaque fenêtre sur l'écran d'ordinateur est monotone. Une caméra par-ci par-là filme la lueur d'une serrure à code, c'est tout.

— Il fait sombre, constate Adam.

— Oui, acquiesce Joona, et il agrandit l'image 14.

Il s'apprête à la refermer d'un clic quand quelque chose clignote dans le coin inférieur.

— Attends, dit-il.

Adam se penche et observe le carré sombre. Il n'y voit rien, rien ne bouge, puis une petite lumière vacille de nouveau dans le coin.

— C'est quoi ? chuchote Adam, et il s'approche davantage de l'écran.

La petite lumière clignotante réapparaît. Elle est faible et frôle le sol, révélant les traces laissées par la ponceuse à béton.

En cliquant, Joona fait apparaître l'image suivante, puis la suivante, il attend un instant, mais elles restent noires. Il regarde les vingt-cinq fenêtres en même temps. La 14 clignote de nouveau, alors que les autres demeurent inanimées.

— La source lumineuse devrait se trouver ici ou ici, dit Joona en montrant le plan. Mais aucune caméra ne la révèle, ça ne colle pas.

— La 14, elle est où ? demande Adam en scrutant le plan sur le mur.

— Elle devrait se trouver assez haut dans le couloir C.

Joona agrandit les images l'une après l'autre. Elles sont noires, immobiles, mais soudain il s'arrête.

— Tu as vu quelque chose ? interroge Adam.

Tous deux fixent l'image statique.

— C'est ça, le hic, répond Joona. Où est passée la lumière verte ? La caméra est bien dirigée sur une issue de secours.

— Essaie celle-là. Elle devrait capter la lumière des serrures de la section suivante.

Joona agrandit rapidement l'image. Elle est aussi sombre que les autres. Impossible de distinguer la porte et la serrure.

Les caméras au sous-sol sont forcément détraquées, c'est la seule explication.

— Il manque toute une zone, dit Joona en regardant Adam.

— Où ça ?

— La partie éloignée le long des couloirs C, D et E… ça fait peut-être cinquante box, constate Joona, et il regarde de nouveau l'image de la caméra 14.

La faible lumière clignote sur le sol irrégulier puis se stabilise un bref instant. Les bords inférieurs des portes métalliques se devinent vaguement avant que la lumière s'éteigne puis se rallume.

— C'est un signal de détresse, déclare Joona en se levant de sa chaise.

La caméra de surveillance n° 14 filme des fragments d'un SOS. Plus loin dans le couloir, où les caméras ne fonctionnent pas, quelqu'un fait clignoter une lampe torche. L'appel au secours international selon l'alphabet morse. Trois signaux rapides suivis de trois longs puis, de nouveau, trois rapides.

43

Dans un vrombissement, la porte de garage automatique s'abaisse derrière eux. La douleur qui irradie dans sa hanche quand il descend la rampe en forte pente fait transpirer Joona. La lourde arme se balance contre ses côtes et le bruit de sa canne résonne dans le tunnel étroit qui mène aux box.

— On devrait demander du renfort, dit Adam en sortant son Sig Sauer.

Il retire le chargeur, vérifie qu'il est rempli, le remet en place et engage la première cartouche dans le canon.

— On n'a pas le temps, mais je peux y aller seul, répond Joona.

— Ce que je voulais dire, c'est que tu es censé attendre dehors, tu n'es plus flic et je ne peux pas te prendre sous ma responsabilité, explique Adam.

Ils arrivent dans un parking dont les portes en acier donnent sur la vaste zone de box. De grands tuyaux de ventilation courent sous le plafond.

— Je m'en sors en général, rétorque Joona, et il s'arrête devant une porte.

Il dégaine son pistolet à gros calibre. C'est un Colt Combat avec un nouveau guidon et un ressort plus puissant. Il a limé un côté de la crosse en bois de rose pour que l'arme s'adapte aussi à sa main gauche.

Adam avance vers le clavier du digicode et sort le bout de papier où il a noté le code. Le petit écran répand une lueur bleue sur sa main et sur le mur de béton peint en blanc.

— Reste derrière moi, chuchote-t-il.

Ils entrent, referment doucement la porte en acier et empruntent une sombre allée latérale. Les murs monotones en métal s'évanouissent dans l'obscurité.

Ils approchent de la première allée principale plus large, qui d'après le plan traverse l'ensemble du sous-sol.

Ils se déplacent sur le béton presque sans bruit. On ne perçoit que la respiration d'Adam et les faibles coups au sol frappés par la canne de Joona.

Adam marche en tête, il ralentit juste avant d'arriver à l'allée transversale. Son épaule droite frôle le mur métallique, il s'arrête puis tourne rapidement à l'angle, le pistolet levé.

Sur une dizaine de mètres devant lui, les plafonniers s'allument dans un crépitement soudain. On dirait un perroquet géant qui grimpe sur le grillage de sa cage. Adam baisse son arme et essaie de respirer par le nez.

Le canon du pistolet tremble légèrement lorsque son pouls s'accélère.

La lumière vive réveille la migraine derrière l'œil de Joona. Pas trop fort, mais il doit quand même s'appuyer au mur un instant avant de suivre Adam.

Dans les allées principales, la lumière est gérée par un détecteur de mouvement et s'allume automatiquement.

Joona lève les yeux vers une caméra de surveillance. La lentille sombre brille comme dans un rêve.

Les tuyaux qui courent sous le plafond émettent de petits bruits secs. Autrement, tout est silencieux dans le garage souterrain.

Ils atteignent une nouvelle allée latérale et de nouveau retentit le crépitement, comme des griffes rapides, lorsque la section de plafonniers suivante s'allume.

Ils tournent à gauche, longent des box fermés et passent devant deux fauteuils élimés, puis la lumière s'éteint derrière eux.

— On devrait bientôt y être, murmure Adam.

La lumière indirecte d'une serrure électronique plus loin fait apparaître les box par vagues ondulantes.

Adam s'arrête et tend l'oreille.

Quelque part résonne un tambourinement, un bruit de casserole. Comme un objet dur qui cogne sur du métal.

Puis c'est à nouveau le silence.

Ils attendent quelques secondes avant de reprendre leur marche dans l'obscurité.

Il y a un raclement et un chuintement de ferraille au loin. Joona montre une caméra au plafond : la lentille est recouverte de scotch argenté.

Adam s'arrête juste avant l'allée principale suivante, attrape son pistolet de la main gauche, essuie sa paume droite sur son pantalon, secoue un peu la main avant de saisir à nouveau l'arme. Sur la manche de son blouson, il voit des paillettes dorées laissées par la femme de la chambre d'hôtel. Il jette un rapide coup d'œil à Joona, se concentre et tourne au coin.

Le cliquetis se répand dans l'allée au rythme des néons qui s'allument par à-coups.

Les murs, le sol et le plafond sont baignés d'une forte lumière, mais au-delà des lampes, l'obscurité règne. Bien que l'allée continue sur environ cinquante mètres, seuls les dix premiers sont visibles.

— Arrête-toi, dit Joona à voix basse derrière Adam.

Tous deux restent figés dans le couloir éclairé. Une goutte de sueur tombe du bout du nez d'Adam. Joona s'appuie sur sa canne, il ressent un étrange vertige.

Plus loin, le frêle chuintement est là de nouveau, un sifflement métallique à haute fréquence.

Soudain la lumière s'éteint, les détecteurs n'enregistrant plus de mouvement. Les deux hommes contemplent l'obscurité sans bouger. Devant eux, une faible lueur balaie le sol. Elle provient d'une allée latérale.

La lueur disparaît et revient selon le même schéma. Trois signaux longs suivis de trois brefs.

L'étrange tambourinement résonne de nouveau, puis des coups frappés contre un mur de tôle, tout près maintenant.

— Qu'est-ce qu'on fait ? chuchote Adam.

Joona n'a pas le temps de répondre avant que les plafonniers dans la section au fond de l'allée principale s'allument.

Une jeune femme vacille au milieu du couloir. Elle porte des vêtements de sport sales et une doudoune. Elle est pieds nus et ses cheveux sont tout emmêlés.

Un gros fil de fer lui entoure le ventre et se déroule dans l'allée latérale à côté d'elle. Quand elle avance, le fil de fer émet un chuintement métallique contre les murs derrière elle.

Son bras droit bouge bizarrement, il tressaille puis se lève à l'oblique. Un cordon noir est enroulé autour de son poignet. On dirait que quelqu'un tire dessus.

Elle fait un pas en avant. Son bras tombe et soudain une grosse ombre apparaît. Un énorme chien avec une oreille en sang vient se placer à côté d'elle. La laisse noire accrochée au cou de l'animal pend dans sa main.

C'est un dogue allemand. Il lui arrive à la poitrine, il doit peser plus du double de son poids.

Le chien s'agite, remue la tête nerveusement.

La femme dit quelque chose et lâche la laisse. Le chien se rue en avant et fonce dans l'allée. La grosse bête s'approche de Joona et d'Adam dans une course puissante et silencieuse. Les muscles de son dos et de ses flancs travaillent tandis que les lampes s'allument section après section.

Ils reculent et lèvent leurs armes juste au moment où les lampes s'éteignent dans la partie du fond.

La jeune femme n'est plus visible.

Ils ne peuvent pas tirer tant qu'elle se trouve dans l'obscurité derrière le chien.

Ils perçoivent très nettement la respiration haletante de l'animal et ses griffes contre le sol.

Ils se réfugient dans l'allée latérale, passent devant des cadenas qui brillent à la lumière des plafonniers de l'allée principale, mais quinze mètres plus loin, le passage est bloqué par une barricade de meubles et de cartons de déménagement.

Des aboiements furieux retentissent soudain, venant d'ailleurs.

Une douleur aiguë pointe derrière l'œil de Joona. Comme si une lame de couteau brûlante s'enfonçait dans sa tête avant d'être brusquement arrachée, et il perd la vue quelques secondes.

La céphalée lui fait presque lâcher son arme.

Le chien patine sur le sol en béton, arrive au coin et accélère.

Joona lève son pistolet, cille plusieurs fois pour focaliser son regard, car le guidon ne reste pas stable.

Il fait trop sombre, mais il tire quand même. Le bruit de la détonation est multiplié par le béton et les murs en tôle. Le chien n'est pas touché et la balle ricoche entre les murs.

Le redoutable animal fonce droit sur lui.

Joona cligne des yeux et le distingue par images tremblotantes, les oreilles dressées et les muscles tendus, les cuisses et le poitrail puissants. Sa canne claque en tombant par terre quand il s'appuie de l'épaule contre la tôle ondulée d'un box pour viser une nouvelle fois.

— Joona ! s'écrie Adam.

Le guidon tremble et descend en dessous de la tête du chien. Il presse la détente. L'alignement avec la hausse descend vers le corps sombre, le coup de feu retentit et la balle atteint le chien au poitrail, juste sous la gorge. Le recul de l'arme fait tituber Joona en arrière. Il essaie de garder l'équilibre et fait un large geste de la main qui envoie le canon du pistolet heurter la tôle ondulée.

Les jambes du chien se plient. Le lourd corps s'écroule dans un bruit sourd, il glisse sur le béton et vient atterrir entre les jambes de Joona, qui tombe sur un genou en cherchant son souffle. Des éclairs passent devant ses yeux, des éblouissements déchiquetés qui palpitent et s'élargissent.

Les pattes du chien sont toujours secouées de tremblements quand Joona se relève et ramasse sa canne.

Adam grimpe sur la barricade de vieux meubles, de tapis roulés et de cartons, s'empêtre dans un vélo, bascule de l'autre côté et se cogne la tête sur une porte en tôle.

Un sommier est incliné contre le mur devant Joona. Il le renverse par-dessus le fatras et se glisse dans l'interstice ainsi obtenu. À travers des chaises empilées, des sèche-cheveux sur pied et des sacs remplis de cintres en plastique, il distingue Adam qui se relève juste au moment où l'autre chien se jette sur lui.

44

Adam pousse un cri de douleur et Joona force le passage entre le sommier et le mur. La pression qu'il exerce fait éclater un objet en verre. La lumière de l'allée principale s'éteint, mais Joona a le temps de voir que le gros chien tient l'avant-bras d'Adam dans sa gueule. Il tire violemment en arrière, sa gorge gargouille pendant que ses griffes raclent le sol.

Adam halète et tente de frapper la bête.

Joona ne peut pas tirer dans le noir, mais il essaie de les rejoindre. Ses vêtements s'accrochent à l'abat-jour déchiré d'une lampe sur pied coincée parmi les piles de chaises.

Le chien ne lâche pas prise. Le sang d'Adam ruisselle entre les mâchoires bloquées quand tous les deux vont buter contre le mur de tôle.

Les griffes du chien glissent sur le sol en béton poli qui n'offre aucune prise.

L'animal tire en arrière, cherche à faire perdre l'équilibre à Adam, mais celui-ci se maintient debout.

Joona arrache la lampe, le cordon électrique vient lui fouetter la joue, il se retrouve de l'autre côté du sommier et escalade les cartons de livres.

Le chien fait un mouvement brusque vers le bas, faisant trébucher Adam, puis il lâche le bras et cherche à le mordre à la gorge. Il rate son coup, n'attrape que le col du blouson, déchire le cuir et attaque à nouveau. Adam se jette en arrière, s'affale et donne des coups de pied. Le chien le mord à la cheville et le tire vers lui.

Un carton de livres de poche dégringole quand Joona se dégage finalement du fatras. Il se rue en avant, pistolet levé. Au même instant, le chien lâche subitement prise et s'en va.

— Impressionnant, ces molosses, dit Joona.

Il s'appuie sur sa canne et voit Adam ramasser le pistolet, puis se relever en gémissant. Joona ferme ses yeux fatigués un instant et se dit qu'il sera bientôt au bout du rouleau.

Ils poursuivent jusqu'à l'allée principale suivante. Les lampes s'allument devant eux, accompagnées du bruit cliquetant devenu familier.

— Là, indique Adam.

Ils ont juste le temps de voir quelqu'un disparaître dans une allée latérale. Le fil métallique raide qui court le long des murs en tôle vibre et grince.

— Tu as vu ? C'était la même femme ?

— Je ne pense pas, répond Joona, et il constate qu'Adam, couvert de sueur, est tout pâle. Comment tu te sens ?

Adam se tait, il se contente de secouer le poignet pour se débarrasser du sang qui coule sur le dos de sa main. Son avant-bras est blessé, mais grâce au blouson de cuir il n'a pas été complètement déchiqueté.

Ils se tiennent sur la droite pour observer l'allée de gauche. Le fil métallique frotte toujours contre la tôle.

Une jeune femme titube. Ce n'est pas la même que tout à l'heure. Son jean blanc et sa chemise à carreaux sont très sales.

— Il a dit que vous alliez venir, murmure-t-elle d'une voix brisée.

— Nous sommes de la police, dit Adam.

Elle vacille et tâte son cou à la recherche du petit sifflet à chien qu'elle porte en sautoir dans un ruban.

— Ne fais pas ça, lui conseille Adam en voyant le deuxième gros chien s'approcher, la queue basse et les oreilles pointées en avant.

Elle a pleuré, son visage est barbouillé de maquillage et ses cheveux pendent en mèches emmêlées.

La chemise à carreaux est ensanglantée à la taille.

Elle roule le sifflet entre les bouts de ses doigts et l'approche de ses lèvres.

Adam lève son pistolet, vise et tire une balle dans le front du chien. Il s'effondre et l'écho du coup de feu s'estompe.

Elle leur sourit de ses lèvres mordillées, puis vacille en arrière quand quelqu'un tire sur le fil de fer autour de sa taille.

— On a vu un SOS, dit Adam.

— Je suis futée, pas vrai ? répond-elle d'une voix fatiguée.

Elle se met en marche dans le couloir, le fil de fer qui la tient prisonnière vient racler contre les murs et le sol.

— Vous êtes combien ici ? demande Adam en la suivant.

Ils enjambent le chien et la flaque de sang noir qui se répand sur le béton.

— Tu vas où ?

Elle reste silencieuse et ils poursuivent en tournant à l'angle. Plus loin dans l'allée, ils aperçoivent une faible lumière. Ils passent devant un box ouvert où ils devinent un matelas posé sur le sol, des cartons, de vieux skis et des piles de conserves.

On tire plus fort sur le fil de fer et la jeune femme poursuit son avancée chancelante, ouvre grande la prochaine porte basculante et trébuche à l'intérieur du compartiment.

Une lueur se projette sur le mur d'en face et l'ombre de la femme danse sur la tôle ondulée et les parois lisses.

Une odeur de vieilles poubelles les prend à la gorge.

Joona et Adam la suivent, leurs armes dirigées vers le sol. La lumière vient d'une lampe de poche accrochée en hauteur qui éclaire sommairement le vaste box. Entre des cartons de déménagement et des cadres de tableaux se tient un homme décharné vêtu d'un manteau de vison ouvert.

Filip Cronstedt.

Joona et Adam lèvent leurs armes.

Il est sale et une mousse blanche lui couvre la commissure des lèvres. Sa poitrine nue est en sang, parsemée d'entailles superficielles.

La première femme qu'ils ont vue, celle à la doudoune élimée, est assise sur un carton devant lui, elle mange des champignons de Paris qu'elle pioche avec les doigts dans une boîte de conserve.

Filip ne les a pas encore vus. Il enroule méticuleusement le fil de fer autour d'une énorme bobine, se gratte la nuque et tire la fille en chemise à carreaux plus près de lui sans lever le regard.

— Filip, chuchote-t-elle.

— J'ai besoin de toi comme gardienne, Sophia… Je ne veux pas t'enfermer, mais je t'ai bien dit que la porte doit être baissée quand la lampe est allumée.

— Filip Cronstedt ? dit Adam à voix haute.

45

Filip Cronstedt tourne son visage et fixe Adam de ses yeux hagards aux pupilles dilatées.

— Je suis le chapelier, dit-il à voix basse.

La sueur coule dans le dos de Joona et il n'a plus la force de tenir son pistolet pointé.

Un courant d'air fait osciller la lampe de poche accrochée au plafond et la lumière se reflète dans un grand miroir en pied.

Joona fait quelques pas de côté, plisse les yeux et voit dans le miroir qu'un couteau est planté dans le carton devant Filip.

— On aimerait te parler, dit Adam en s'approchant doucement de l'homme.

— Tu apparais sur combien de films tous les jours ? demande Filip, le regard rivé au sol. Où se retrouve ce matériel, à quelles décisions mène-t-il ?

— On en parlera si tu relâches les filles.

— Je me fous de Snowden et des fibres optiques, déclare-t-il lentement en montrant le plafond.

— Laisse partir les filles et après…

— Ça, ce n'est pas Prism ou XKeyscore ou Echelon, l'interrompt-il d'une voix plus forte. C'est un putain de truc bien plus balaise.

Joona remet son pistolet dans l'étui et avance prudemment vers la jeune femme qui semble s'appeler Sophia. Il sent ses dernières forces l'abandonner. C'est comme lorsque l'eau glacée vous engourdit et vous brûle.

La main de Filip s'approche du couteau dans le carton.

Sophia chancelle et le fil de fer grince faiblement.

— Saturne a mangé ses enfants, poursuit Filip en pouffant. Je veux dire, la NSA est plus grande… et nous sommes leurs enfants…

Joona a le temps de voir qu'il pose sa main sur le couteau avant que des éclairs envahissent son champ de vision et qu'il soit obligé de prendre appui contre le mur pour ne pas tomber.

De petits points virevoltent toujours devant ses yeux quand il commence à libérer Sophia du gros fil de fer. Il doit poser son front sur l'épaule de la jeune femme un moment avant de continuer. Il entend sa respiration difficile.

Sans montrer le moindre stress, il défait peut-être vingt tours de fil avant qu'elle soit délivrée.

— Il y a d'autres personnes ici ? demande-t-il à mi-voix en la guidant dans le couloir.

— Seulement ma sœur et moi.

— On va vous sortir de là, chuchote Joona. Comment s'appelle ta sœur ?

— Carola.

Le fil de fer se répand sur le sol en béton dans un tintement bruyant.

Filip tire un peu mollement sur le couteau, faisant gondoler le carton, avant de le relâcher involontairement.

— On est là, maintenant, mais qui de nous va se retrouver à Guantánamo, ça, vous ne le savez pas, murmure-t-il sans les regarder.

— Carola, dit Joona sur un ton neutre. Viens par là, s'il te plaît.

La sœur referme le couvercle de la boîte de champignons et secoue la tête sans croiser son regard.

— Carola, viens près de moi, dit Sophia.

Elle reste assise, tripote la boîte, et Filip la regarde en se grattant la nuque.

— Allez, viens, répète Joona, et il sent son pistolet frotter contre ses côtes.

— Eugene est avec eux, tu sais le GCHQ… La NSA, du pareil au même… Je me suis fait avoir, pendant des années… Tout le monde est nu, ils s'amusent… mais comment peut-on se protéger si on est tout nu, si tout le monde peut filmer votre putain de dos ?

La lampe de poche suspendue tourne sur elle-même et des ombres lugubres défilent sur leur visage et leurs épaules.

— Sophia veut que tu viennes, insiste Joona.

Carola lève les yeux et sourit à sa sœur. Sophia essuie des larmes sur ses joues et tend une main.

— Est-ce qu'on peut rentrer chez nous maintenant ? chuchote Carola, et elle se lève enfin.

Elle s'apprête à s'en aller, quand Filip l'attrape par les cheveux et la tire en arrière, arrache le couteau du carton et le colle contre son cou.

— Attends, attends, on se calme ! s'écrie Adam. Regarde, je baisse mon arme.

— Va te faire foutre, hurle Filip, et il se donne un coup de couteau au front avant d'appuyer de nouveau la lame contre le cou de Carola.

— Faites quelque chose, geint Sophia.

Le sang de la plaie au front de Filip coule sur un sourcil et dégouline sur sa joue.

— Je sais que tu essaies de la protéger, dit Joona calmement.

— Oui, mais vous…

— Écoute-moi, l'interrompt Adam en respirant vite. Il faut que tu poses ce couteau.

Sophia pleure, la main plaquée sur sa bouche. Filip regarde Adam, il affiche un grand sourire.

— Je sais d'où tu viens, déclare-t-il, et il appuie plus fort sur le couteau.

— Pose ce couteau maintenant ! crie Adam, et il se déplace sur le côté pour avoir une ligne de tir dégagée.

Filip suit Adam du regard et se lèche nerveusement les lèvres. Il fait sombre, mais on voit nettement du sang couler de la lame.

— Filip, tu lui fais mal, fait remarquer Joona en essayant de maîtriser son vertige. Tu n'es pas obligé de le faire, nous ne te menaçons pas…

— Ta gueule !

— Nous sommes ici seulement pour…

— Ta gueule !

— Nous sommes ici seulement pour te poser des questions au sujet de Maria Carlsson, termine Joona.

— Maria ? Ma Maria ? demande-t-il à voix basse. Pourquoi…

Joona hoche la tête et se dit qu'il va tirer dans l'épaule de Filip, le désarmer et qu'après il s'allongera par terre. Il a attendu trop longtemps. Il ne voit presque plus rien, un feu brûle derrière ses yeux.

— Regarde, je te donne mon pistolet.

Il dégaine précautionneusement son Colt. Filip fixe sur lui ses yeux injectés de sang.

— Maria disait que la NSA avait commencé à fureter dans son jardin, explique-t-il. J'y suis allé, je l'ai vu de mes propres yeux, un homme mince en ciré jaune, comme les pêcheurs à Lofoten quand j'étais petit, il la filmait par la fenêtre et…

Joona essuie le sang qui coule de son nez, puis un claquement sec retentit dans sa tête et ses jambes se dérobent.

Sophia pousse un cri quand il tombe sur le flanc. Il essaie de se relever, mais bascule sur le dos et reste immobile, les paupières tremblantes.

Elle se précipite à son côté et se penche sur lui. Une terrible pression bouillonne derrière un œil et lui coupe la respiration. Avant que l'obscurité l'envahisse totalement, il sent qu'elle prend le pistolet dans sa main.

Elle se redresse, le dos bien droit, sa respiration est courte et haletante, et elle pointe l'arme sur Filip.

— Lâche ma sœur, articule-t-elle sur un ton tranchant. Tu la lâches !

— Pose cette arme ! lui intime Adam en se plaçant entre eux, et sa voix tremble. Je suis policier, tu peux avoir confiance en moi.

— Pousse-toi ! crie-t-elle. Filip n'a aucune intention de la laisser partir !

— Ne fais pas de conneries maintenant, dit Adam en tendant sa main.

— Ne me touche pas – je tire !

Elle serre le pistolet des deux mains, mais le canon tremble quand même.

— Donne-moi ton arme et…

La déflagration est assourdissante. La balle érafle le torse d'Adam et touche Filip au bras. Le couteau tombe de sa main et il fixe

Sophia d'un regard stupéfait tandis que le sang coule entre ses doigts.

— Pousse-toi ! crie-t-elle encore une fois.

Adam titube sur le côté, le sang chaud inonde ses vêtements. Sophia tire de nouveau et la balle atteint Filip en pleine poitrine. Le sang éclabousse les cartons et coule sur le verre du miroir. La cartouche vide rebondit sur le sol en béton.

Carola reste là, les yeux baissés, puis lève lentement la main à son cou. Sophia baisse le pistolet et fixe d'un regard vide Filip qui s'affaisse et s'assied par terre, adossé à un carton.

Il touche mollement la plaie dans sa poitrine, le sang jaillit et ses paupières frémissent quand il essaie de parler.

46

En se rendant à sa leçon de piano, Erik s'arrête au supermarché à côté de la salle omnisports Le Globe. Il sait que Madde adore le popcorn, et il a l'intention de lui en acheter quelques sachets. En traversant le magasin, il aperçoit son ancien patient Nestor au rayon des produits laitiers. L'homme grand et mince est vêtu d'un pantalon à plis marqués et d'un pull gris tricoté sans manches sur une chemise blanche. Son visage fin rasé de près et la petite tête aux cheveux blancs avec raie sur le côté n'ont pas changé.

Nestor l'a vu et il sourit de surprise, mais Erik se contente de lui adresser un signe de la main de loin avant de poursuivre son chemin dans le magasin.

Il va chercher les grains de maïs puis se dirige vers les caisses quand il aperçoit une offre sur une machine à popcorn. Il sait qu'il a tendance à exagérer, mais la machine n'est pas très lourde ni particulièrement chère.

En rejoignant le parking avec ses achats, il voit Nestor de nouveau. Le grand homme attend au passage clouté devant le métro. Autour de lui sont posés six sacs débordant de provisions. Ils sont si lourds qu'il n'arrive à les porter que sur quelques mètres.

Erik ouvre le coffre de sa voiture et y pose son carton. Il est sûr que Nestor ne l'a pas vu. L'homme discret murmure pour lui-même et soulève les sacs, fait quelques pas vacillants avant d'être obligé de les poser de nouveau.

Il est en train de souffler dans ses mains frêles quand Erik s'approche de lui.

— Ça m'a l'air bien lourd.

— Erik ? Non, ça ir-ira, sourit Nestor.

— Tu habites où ? Je te dépose.

— Je ne veux pas te déranger, chuchote-t-il.

— Tu ne me déranges pas, lui assure Erik en saisissant quatre sacs.

Nestor s'assied à côté de lui dans la voiture en répétant qu'il aurait pu se débrouiller tout seul. Erik répond qu'il le sait, puis il quitte tranquillement sa place de parking.

— Merci pour le café… mais il faut arrêter de m'acheter des choses, dit Erik.

— Tu m'as sauvé la v-vie, répond Nestor à voix basse.

Erik a gardé en mémoire que la psychose de Nestor s'est installée quand son chien gravement malade avait été euthanasié trois ans auparavant.

À l'époque où Nestor était devenu son patient, Erik avait consulté les notes du service psychiatrique fermé où il avait été hospitalisé. L'homme parlait avec les morts : une dame grise qui brossait ses longs cheveux pour les débarrasser des pellicules et un vieux bonhomme cruel qui obligeait ses bras à prendre différentes positions.

Au cours des entretiens qu'Erik avait menés avec lui, il avait appris que Nestor faisait une fixation sur l'euthanasie du chien. Il avait parlé plusieurs fois de la canule dans sa patte avant droite et du liquide létal qu'on lui injectait. Le chien avait tremblé et de l'urine avait coulé sur la table quand ses muscles s'étaient relâchés. Nestor s'était senti berné par le vétérinaire et sa femme.

Nestor répondait bien aux stabilisateurs d'humeur, mais quand il avait essayé d'espacer les prises de Risperdal, il avait recommencé à entendre des voix bizarres.

Erik n'a jamais su s'il avait réussi à hypnotiser Nestor, il appartenait peut-être au petit groupe de personnes qui ne sont pas réceptives, mais lors des moments de détente dans la pénombre de son cabinet, ils parvenaient toutefois à dégager une situation qu'ils pouvaient ensuite décortiquer morceau par morceau.

Nestor avait grandi avec sa mère, son petit frère et un labrador noir. Alors qu'il avait environ sept ans, son frère âgé de cinq ans avait contracté une pneumonie sévère aggravant son asthme déjà sévère. La mère avait dit à Nestor que son frère mourrait s'ils ne se débarrassaient pas du chien. Nestor l'avait emmené au lac de Söderby où il l'avait noyé dans un sac de sport lesté de pierres.

Mais son frère avait succombé quand même.

Dans l'esprit de Nestor, les deux situations fusionnaient. Il portait avec lui le sentiment d'avoir noyé son frère dans un sac et ne gardait aucun souvenir du chien.

Ensemble, Erik et Nestor avaient travaillé sur sa colère contre la manipulation perverse de la mère et, au bout d'un mois, il avait fini par lâcher son sentiment de culpabilité et l'idée que sa mère pouvait parfois diriger ses mains depuis sa tombe.

Aujourd'hui, Nestor vit normalement, n'a pas besoin de prendre de médicaments et voue une reconnaissance éternelle à Erik.

Ils passent devant l'église Markus à Björkhagen et arrivent au numéro 53 d'Axvallsvägen.

Nestor défait sa ceinture de sécurité et Erik l'aide à porter les provisions jusque devant son appartement de plain-pied.

— Merci pour tout, dit l'ex-patient d'Erik d'une voix prudente. J'ai des g-glaces et des sodas, j'ai le temps de…

— Il faut que je parte.

— Mais je dois bien te proposer quelque ch-chose, insiste Nestor en ouvrant la porte.

— Nestor, j'ai une réunion.

— Passent au-dessus des morts sans un b-bruit. Passent au-dessus des morts, écoutent leur ennui.

— Je n'ai pas le temps pour les devinettes, désolé, s'excuse Erik en s'en allant.

— Des feuilles mortes, lance Nestor derrière lui.

47

Jackie et Madde grignotent du popcorn, assises sur le canapé, tandis qu'Erik s'escrime à jouer son étude.

Chaque fois qu'il se trompe, Madde dit qu'il se débrouille bien. Elle a sommeil et bâille de plus en plus fort.

Jackie essaie d'expliquer les demi-soupirs et les formes rythmiques, se lève et pose sa main sur la main droite d'Erik.

Elle lui demande de commencer à la mesure 22 avec la main gauche, puis s'interrompt soudain, retourne auprès de sa fille et écoute sa respiration.

— Tu crois que tu pourrais la porter dans son lit ? suggère-t-elle. Mon coude est hors service.

Erik se lève et prend l'enfant dans ses bras. Jackie le précède, ouvre la porte de la chambre, éteint la lumière et déplie la couverture.

Erik dépose tout doucement Madeleine dans son lit et écarte les cheveux de son visage.

Jackie borde sa fille, l'embrasse sur la joue, lui chuchote quelques mots à l'oreille et allume une petite veilleuse rose sur la table de chevet.

Pour la première fois, Erik découvre les murs de la chambre. Ils sont recouverts de gros mots, de jurons et d'obscénités.

Certains mots sont écrits d'une main d'enfant à la craie et comportent des fautes d'orthographe tandis que d'autres sont tracés avec une écriture plus sûre. Erik suppose que Madeleine s'adonne à cette pratique depuis plusieurs années. Sa mère est la seule personne qui ne peut pas voir ce qu'elle a fait.

— Qu'est-ce qu'il y a ? interroge Jackie qui a remarqué son silence.

— Rien, répond-il en fermant précautionneusement la porte derrière lui.

Il se demande s'il doit dire à Jackie ce qu'il a vu ou s'il vaut mieux se taire.

— Tu veux que je parte ?

— Je ne sais pas.

Elle tend les mains et touche son visage, passe les doigts sur ses joues et son menton.

— Je vais boire un peu d'eau, dit-elle d'une voix rauque.

Elle se rend dans la cuisine et ouvre le placard. Il l'aide, se tient tout près, remplit le verre et le lui donne. Elle boit et il l'embrasse sur sa bouche fraîche avant qu'elle ait le temps de s'essuyer le menton.

Ils s'étreignent, elle se tient sur la pointe des pieds et ils s'embrassent avec avidité, front contre front.

Les mains d'Erik glissent sur son dos et ses hanches. Le tissu de sa jupe a une drôle de texture, froufroutante comme du papier fin.

Elle s'écarte un peu, détourne le visage et pose une main sur la poitrine d'Erik.

— On n'est pas obligés, lui dit-il.

Elle secoue la tête et met la main autour de sa nuque de nouveau, l'attire contre elle, l'embrasse dans le cou, essaie maladroitement d'ouvrir les boutons de son pantalon, puis s'interrompt.

— Est-ce que les rideaux sont fermés ? chuchote-t-elle.

— Oui.

Elle va à la porte, écoute dans le couloir avant de la refermer sans bruit.

— On ne devrait peut-être pas faire ça maintenant.

— Comme tu veux, dit-il.

Elle se tient le dos contre le plan de travail, une main appuyée sur le bord de l'évier et la bouche entrouverte.

— Tu me vois ? demande-t-elle en enlevant les lunettes noires.

— Oui.

Ses vêtements sont en désordre, le chemisier pend sur la jupe et ses cheveux courts sont décoiffés.

— Pardon d'être si difficile.

— On n'est pas pressés, murmure Erik.

Il s'approche d'elle, passe ses bras autour de ses épaules et l'embrasse de nouveau.

— On se déshabille, tu veux bien ? chuchote-t-elle.

Là, dans la cuisine, ils commencent à enlever leurs vêtements pendant que Jackie parle doucement d'un reportage radio sur la persécution des chrétiens en Irak.

— La France accorde l'asile politique à tous, sourit-elle.

Il déboutonne son pantalon et la regarde poser ses vêtements sur la chaise, puis dégrafer son soutien-gorge.

Erik se tient nu à côté d'elle, il se sent étrangement à l'aise. Il n'essaie même pas de rentrer le ventre.

Les dents de Jackie scintillent dans la faible lumière quand elle baisse sa culotte, remue les jambes et la laisse tomber.

— Je ne suis pas une femme timide, dit-elle à mi-voix.

Ses tétons sont brun clair et semblent luisants dans la pénombre. Sous la peau pâle se dessine vaguement un réseau de veines marbrées. Les poils sombres du pubis donnent un aspect fragile à l'aine.

Erik saisit sa main tendue et l'embrasse. Elle recule vers la chaise et s'assied. Il se penche, l'embrasse de nouveau sur la bouche, se met à genoux, embrasse ses seins et son ventre. Il la tire doucement vers le bord du siège et écarte ses cuisses. Les vêtements pliés tombent par terre.

Elle est déjà mouillée et il sent son goût de sucre chaud. Ses cuisses tremblent contre les joues d'Erik et sa respiration se fait plus lourde.

La salière sur la table se renverse et décrit un demi-cercle en roulant.

Elle tient la tête d'Erik entre ses jambes, halète de plus en plus rapidement, la chaise dérape en arrière et elle glisse sur le sol, doucement et en souriant.

— Je ne suis peut-être pas très douée pour les relations, dit-elle en appuyant inconfortablement la nuque contre le siège de la chaise.

— Je ne suis qu'un élève, murmure-t-il.

Elle bascule sur le ventre et se met à ramper sous la table. Il la suit, enlace ses fesses juste quand elle se laisse rouler sur le dos.

Elle l'attire contre elle, entre ses cuisses, l'entend se cogner la tête à la table et sent la chaleur de sa peau nue contre la sienne.

Jackie tient fermement son dos et vibre d'émotion quand il glisse lentement en elle, puis s'arrête.

— Ne t'arrête pas, chuchote-t-elle.

Son cœur bat fort et le grondement des pensées s'est enfin tu. Elle remue les hanches, se serre contre lui et sent la chaleur soyeuse de son bas-ventre.

Le sol dur disparaît sous son dos, ses cuisses s'étirent en tremblant et Erik bouge plus vite. Elle tend ses fesses et ses orteils et gémit contre l'épaule d'Erik lorsque la vague d'orgasme la submerge.

De faibles notes de piano réveillent Erik dans le noir. Elles paraissent bizarrement assourdies, comme s'échappant d'un piano enterré. D'abord il croit qu'il rêve. Il tend la main, mais ne trouve pas Jackie à côté de lui. La lune se fraie un passage à travers les fibres du rideau, jetant d'étranges ombres allongées dans la pièce. Avec un frisson, il s'extirpe du lit et sort de la chambre. Dans le salon, Jackie est assise nue sur le tabouret du piano. Elle a posé une lourde couverture sur l'instrument.

Dans la pénombre, son corps balance doucement et ses mains semblent s'enfoncer dans de l'eau. Ses pieds nus actionnent les pédales en laiton. Elle est assise tout au bord et il voit sa taille fine et le sillon ombragé de son dos étiré.

— *Nam et si ambulavero in medio umbrae mortis*, murmure-t-elle pour elle-même.

Il pense qu'elle sait qu'il est là, mais elle joue quand même le morceau jusqu'à la fin avant de se retourner.

— Les voisins se sont plaints, dit-elle à voix basse. Mais il faut que j'apprenne un morceau assez difficile pour un mariage demain.

— En tout cas, c'est fantastique, ce que j'ai entendu.

— Retourne te coucher, chuchote-t-elle.

De retour au lit, il est sur le point de se rendormir quand Björn Kern surgit dans ses pensées. La police ne sait toujours pas que sa femme assassinée tenait sa main sur son oreille. En se taisant, il complique peut-être l'enquête policière, et cette pensée le réveille complètement.

Au bout d'une heure, la musique se tait et Jackie revient dans la chambre. Il fait déjà jour quand il s'endort enfin.

Au matin, le lit est vide. Erik va dans la salle de bains, prend une douche et s'habille. En sortant, il entend Jackie et Madeleine dans la cuisine.

Il les rejoint et Jackie lui sert du café. Madeleine mange des céréales avec du lait et des framboises.

Jackie explique qu'elle doit être à l'église Adolf Fredrik dans peu de temps pour répéter avant le mariage.

Dès qu'elle a quitté la cuisine pour aller se préparer, Madeleine pose sa cuillère et se tourne vers Erik.

— Maman a dit que tu m'as portée dans mon lit.

— Elle m'a demandé de l'aider.

— Est-ce qu'il faisait sombre dans ma chambre ? demande-t-elle, et elle le fixe d'un regard sans fond.

— Je n'ai rien dit à ta maman… Il vaut mieux que tu le fasses toi-même.

La fillette secoue la tête et ses larmes commencent à couler.

— Ce n'est pas aussi grave que tu le crois.

— Maman sera tellement triste.

— Ne t'en fais pas.

— Je ne sais pas pourquoi je gâche tout, pleure-t-elle.

— Tu ne gâches pas tout.

— Si, je gâche tout, on ne peut pas effacer tout ça, dit-elle en essuyant les larmes sur ses joues.

— Je faisais des choses bien pires…

— Non, hoquette-t-elle.

— Madde, ce n'est pas grave… Écoute-moi. On pourrait… Tu veux qu'on repeigne ta chambre ?

— On peut faire ça ?

— Oui.

Elle le regarde, son menton tremble et elle hoche plusieurs fois la tête.

— Quelle couleur tu veux ?

— Du bleu… du bleu comme la chemise de nuit de maman, sourit-elle.

— Elle est bleu clair ?

— De quoi vous parlez ? demande Jackie.

Elle se tient dans l'embrasure de la porte, déjà vêtue d'une chemise rose pâle sous un tailleur noir. Elle porte des lunettes de soleil rondes et elle a mis un rouge à lèvres rose.

— Madde trouve qu'il serait temps de repeindre sa chambre, et je veux bien l'aider à le faire.

— Pourquoi pas, répond Jackie, son visage trahissant une certaine surprise.

48

Margot aperçoit Adam qui l'attend dans le dépôt souterrain de l'hôtel de police. Son tee-shirt est gonflé par le bandage autour de sa poitrine. Elle se dirige vers lui, mais doit s'arrêter en sentant le fœtus bouger. Sur des tables recouvertes de plastique sont alignés les objets trouvés dans les box de stockage de Filip Cronstedt, répartis et numérotés en vue d'être analysés.

Un collègue arrive de l'autre côté, elle l'entend complimenter Adam, puis poursuivre son chemin vers les ascenseurs.

Le visage fatigué d'Adam, assombri par sa barbe naissante, semble fragile dans l'éclairage cru.

Derrière lui, l'accumulation d'objets ressemble à un énorme inventaire de succession. Sur la première table sont posés une tête de lit dorée, une caisse en bois avec des tissus de lin amidonnés et soigneusement pliés, des livres malmenés et trois paires de chaussures de sport.

— Tu te sens comment ? s'enquiert Margot.

— Ce n'est rien, répond-il, et il pose sa main sur ses côtes. C'est plutôt mon cerveau qui ne veut pas se tenir tranquille, je revois toute la scène et je me dis que je serais mort si elle avait à peine tourné le canon, trois millimètres à gauche auraient suffi.

— Vous n'auriez pas dû descendre au sous-sol sans les renforts.

— Sur le moment, j'ai estimé qu'on pouvait… mais je n'avais pas tout à fait pigé que Joona était une épave, il s'est écroulé comme une masse et a lâché son pistolet.

— Il n'aurait pas dû être là.

— Je sais, c'est une putain de bavure. Il va y avoir une enquête interne… Normal, puisque j'ai été touché… Ça ira probablement jusqu'à l'Inspection générale de la police nationale, et il faut qu'on se mette d'accord sur ce qu'on va dire.

Margot regarde une planche éducative défraîchie sur l'anatomie féminine. Les yeux sont recouverts de craie bleue.

— Mais sans Joona, nous n'aurions pas attrapé Filip Cronstedt, fait-elle remarquer.

— C'est moi qui ai attrapé Filip, moi. Putain, Joona était à terre…

La forte lumière dispensée par les tubes fluorescents et les lampes loupes brille sur le plastique entre les objets. Margot s'arrête devant un grand carton contenant trois caméras aux objectifs brisés et des protections électrostatiques.

— Ils essaient de comparer les caméras de Filip avec les vidéos des victimes ? demande-t-elle.

— Je suppose.

— Et vous n'avez pas trouvé le piercing ou le bout manquant du chevreuil ?

— Ça va venir, sourit Adam. Ce ne sont que les objets trouvés dans les box ici. Il n'y a pas le feu, l'important, c'est que ce soit fini et qu'on le tienne.

Ils passent devant un tas de soldats de plomb peints à la main et Margot se dit que les restes du petit chevreuil en porcelaine et le bijou de Saturne devraient quand même s'y trouver, puisque Filip habitait dans le box au moment des meurtres.

— Sommes-nous vraiment sûrs que c'est lui ?

— Filip est opéré en ce moment à Karolinska, mais quand il sera en état de parler, il avouera.

— Tu as placé des gardes à l'hôpital ?

— Je ne crois pas que ce soit nécessaire, il a pris une balle dans le thorax, son poumon est déchiqueté.

— Fais-le quand même.

Une vingtaine de photos polaroïd représentant toutes des jeunes femmes torse nu sont rassemblées dans une petite chemise en plastique.

— Si ça peut te rassurer, je m'en occuperai quand on sera de retour dans les étages, répond Adam.

— J'ai parlé avec Joona à l'hôpital et il semble penser que Filip est innocent des meurtres et…

— Mais putain, l'interrompt Adam, irrité. J'ai accepté que Joona vienne parce que j'avais pitié de lui, c'était une erreur et ça n'arrivera plus, on ne peut pas le laisser jouer au policier.

— Je suis d'accord avec toi, dit-elle rapidement.

— Il a merdé et il ne touchera plus à l'enquête.

— J'essayais juste de dire que ça me paraît un peu trop simple, réplique Margot calmement en longeant la table.

— Filip était en train d'avouer quand la fille lui a tiré dessus, il racontait qu'il avait rôdé devant la fenêtre de Maria Carlsson, poursuit Adam en se tournant vers Margot avec un sourire. Il n'a pas d'alibi pour les soirs des meurtres, il est extrêmement violent, paranoïde, et il fait une fixation sur les appareils photo et les caméras de surveillance…

— Je sais, mais…

— Il s'est enfermé avec deux femmes, tu aurais dû voir ça, elles étaient attachées avec du fil de fer.

Bien que son visage soit creux et marqué par le manque de sommeil, une étrange ardeur brûle dans ses yeux, et ses joues sont rouges.

Adam marque une pause et reprend son souffle, repose les jointures de ses mains fermées sur la table un bref instant et ferme les yeux.

Les événements angoissants de la nuit passée lui reviennent comme le balancier lourd d'une pendule. Il pense à ses oreilles qui sifflaient après le dernier coup de feu, au sang qui coulait le long de son flanc et mouillait son jean quand il désarmait la fille.

Il revoit le molosse qui essayait de le renverser et songe à l'orgie à l'hôtel Birger Jarl où il a eu un rapport sexuel non protégé avec une inconnue.

Il sent les larmes lui monter aux yeux en constatant qu'il a si peu de self-control, qu'il sait si peu de chose sur lui-même.

Soudain sa femme lui manque terriblement, il a envie de se glisser dans le lit chaud derrière Katryna, de sentir l'odeur de sa crème pour les mains, il veut retrouver les vilaines chaussettes qu'elle met pour la nuit et les grains de beauté qui forment presque la Grande Ourse dans son dos.

Margot dépasse un vieux mange-disque de voyage et s'arrête devant quelques bijoux sur un bout de carton. Elle sort un stylo et farfouille parmi des bagues en argent terni, des broches, des chaînes cassées et des crucifix. Elle soulève avec le stylo un pendentif en forme de cœur juste quand son téléphone sonne.

Margot laisse le cœur retomber sur le bout de carton, sort son portable et répond par son nom de famille.

Quelque chose dans sa voix interpelle Adam.

Par la suite, Margot se souviendra de ce moment où ils se tenaient là, dans la puissante lumière, au milieu des objets de Filip, où les battements de son cœur couvrirent brièvement tout le reste.

— Qu'est-ce qu'il y a ? demande Adam.

Elle le fixe, ne peut pas encore parler, la gorge trop sèche, et elle se rend compte que son menton tremble.

— Une vidéo, souffle-t-elle. Il y a une nouvelle vidéo.

— Putain de merde, jure Adam, et il se met immédiatement à courir vers les ascenseurs.

— Appelle l'hôpital ! halète Margot derrière lui. Vérifie si Filip ne s'est pas enfui !

Adam a déjà appuyé sur le bouton d'ascenseur quand elle le rattrape. La machinerie émet un lent grondement. Elle a bougé trop vite, elle a des élancements dans le bassin.

Adam tient le téléphone contre son oreille et secoue la tête.

— Il a disparu ?

— Ça ne répond pas, fait-il, alarmé.

L'ascenseur s'arrête deux étages plus haut et Margot appuie sur le bouton en proférant des jurons à mi-voix.

Enfin quelqu'un répond à l'hôpital. Une voix traînante explique à Adam qu'il est en communication avec le service des soins intensifs.

— Je m'appelle Adam Youssef, je suis enquêteur à la Rikskrim et j'ai besoin de savoir si votre patient… si Filip Cronstedt est toujours chez vous.

— Filip Cronstedt, répond l'homme en écho.

— Écoutez, il faut que vous m'écoutiez, dit Adam, et il perçoit lui-même combien ses paroles sont décousues. Je veux que vous alliez dans sa chambre pour vérifier qu'il est bien là.

L'homme soupire comme s'il devait accéder aux caprices d'un enfant gâté, mais Adam l'entend poser le combiné sur le bureau et s'éloigner.

— Il va vérifier, dit Adam à Margot.

— Demande-leur un contrôle d'identité, répond-elle juste quand les portes de l'ascenseur se referment de nouveau.

Ils sont comme des bêtes en cage pendant que la cabine grimpe les étages. L'épaule d'Adam froisse une affichette annonçant un concert de la chorale de la police.

— Filip Cronstedt n'est pas encore sorti d'anesthésie, dit enfin la voix lente à l'oreille d'Adam.

— Filip n'est pas sorti d'anesthésie, répète Adam.

49

Adam court devant Margot dans le couloir. Filip Cronstedt a été endormi d'urgence dès son arrivée au service de traumatologie tôt le matin et il est sous anesthésie depuis.

Le véritable tueur en série est toujours en liberté.

Margot suit Adam dans leur bureau commun, elle voit les arbres du parc Kronoberg dans la pâle lumière du jour.

— On a reçu la copie ?

— On dirait, répond-il.

Margot est essoufflée et s'affale sur la seconde chaise placée devant l'ordinateur. Elle ressent des brûlures dans les reins et quand elle se penche en arrière, sa chemise remonte sur son gros ventre.

— La vidéo a été postée il y a deux minutes, chuchote-t-il en démarrant la lecture.

La caméra se déplace assez rapidement à travers les branches d'un cerisier à grappes. Les feuilles masquent la vue un bref instant avant qu'on découvre la fenêtre d'une chambre, dont la partie inférieure de la vitre est couverte de buée.

Le jardin est ombragé, mais le ciel blanc se reflète sur le rebord métallique de la fenêtre.

La caméra glisse en arrière quand une femme en sous-vêtements entre dans la pièce. Elle suspend sur le dossier d'une chaise une serviette éponge blanche constellée de vieilles taches de teinture pour cheveux, s'arrête et s'appuie de la main contre le mur.

— Il reste une minute, dit Adam.

Le plafonnier répand une lumière douce dans la pièce. On aperçoit des empreintes de doigts sur le miroir et une affiche encadrée de l'exposition Picasso au Moderna Museet accrochée un peu de travers.

La caméra bouge latéralement et ils peuvent voir un chevreuil roux en porcelaine sur la table de chevet.

— Le chevreuil, souffle Margot, et elle s'incline tellement près de l'écran que sa tresse tombe devant son épaule.

La tête de chevreuil sectionnée que Susanna Kern tenait dans sa main doit venir d'une figurine identique.

La femme dans la chambre tient une main devant sa bouche, s'approche lentement de la table de chevet, ouvre le tiroir et en sort un objet. À la lueur de la lampe de chevet, son visage apparaît plus nettement. Les sourcils sont clairs et le nez est droit, le regard disparaît derrière le reflet de ses lunettes aux montures noires et sa bouche est détendue. Son soutien-gorge est rouge et usé, et un protège-slip ou une mince serviette hygiénique dépasse de sa culotte blanche. Elle étale une substance sur l'une de ses cuisses, puis sort un petit bâton blanc qu'elle appuie droit sur le muscle.

— Qu'est-ce qu'elle fait ? demande Adam.

— C'est une seringue à insuline.

La femme applique une compresse sur sa cuisse et serre fort les yeux un instant avant de les rouvrir. Elle remet la seringue dans le tiroir, pousse par mégarde le chevreuil qui se renverse sur le côté. De petits éclats volent dans la lumière de la lampe de chevet quand la tête se sépare du corps et tombe par terre.

— C'est quoi, ces conneries ? chuchote Adam.

D'un air las, la femme ramasse la tête de porcelaine, la pose sur la table de chevet, contourne le lit et se dirige vers la fenêtre pleine de buée. Quelque chose l'arrête, elle regarde, scrute l'extérieur.

La caméra recule précautionneusement et quelques feuilles viennent frôler l'objectif.

La femme a l'air inquiète. Elle tend la main, attrape le cordon du store vénitien et défait le frein en tirant sur le côté. Les lamelles tombent, mais de biais, et elle tire sur le cordon, donne du mou puis abandonne. À travers le store endommagé, on la voit se retourner tout en se grattant la fesse droite, avant que la vidéo s'arrête soudain.

— OK, je suis un peu fatigué, reconnaît Adam d'une voix tremblante en se levant. Mais ça, c'est dément, non ?

— Oui, c'est complètement tordu, répond Margot, et elle se frotte le visage.

— On fait quoi ? On la regarde encore une fois ?

Le téléphone sur la table vibre, Margot le retourne : c'est un des techniciens qui appelle.

— Qu'est-ce que vous avez ? interroge-t-elle.

— Comme les autres, impossible de pister la vidéo ou le lien.

— Alors on n'a plus qu'à attendre que quelqu'un trouve le corps, réplique Margot, et elle raccroche.

— Elle mesure peut-être un mètre soixante-dix, pèse moins de soixante kilos, dit Adam. Ses cheveux sont probablement blond cendré, quand ils sont secs.

— Elle a un diabète de type 1, a visité l'exposition Picasso l'automne dernier, est célibataire, se teint les cheveux, complète Margot d'une voix monotone.

— Stores vénitiens en mauvais état, ajoute Adam.

Il imprime une grande photo couleur où le visage de la femme est éclairé, puis va l'épingler sur le mur, aussi haut que possible. Une photographie seule, pas de nom, pas de lieu.

— Victime n° 3, dit-il d'une voix étouffée.

À gauche de ce nouveau portrait sont affichées des photos des deux premières victimes, imprimées à partir des vidéos postées sur YouTube. La différence est que sous les deux premières photos figurent des noms, les clichés des lieux des meurtres et les rapports de l'enquête forensique et de l'autopsie médicolégale.

Maria Carlsson et Susanna Kern.

Multiples plaies et coupures au visage, au cou et à la poitrine, à travers l'artère carotide, les poumons et le péricarde.

50

Sandra Lundgren sort de la chambre et sent un frisson lui parcourir le dos comme si quelqu'un l'observait par-derrière.

Elle serre la ceinture de son peignoir, qui descend jusqu'aux pieds. À cause des médicaments, elle reste somnolente une bonne partie de la journée. Elle va dans la cuisine, ouvre le réfrigérateur et sort les restes d'un gâteau au chocolat qu'elle pose sur le plan de travail.

Elle ajuste ses lunettes et le peignoir s'ouvre à nouveau, dévoilant son ventre et l'ample culotte en soie. Elle grelotte brusquement, retire le couteau large du bloc de rangement, coupe un petit bout de gâteau qu'elle engouffre directement de la main.

Elle a commencé à porter la robe de chambre rayée de Stefan bien que ça la rende triste. Elle aime sentir son poids sur ses seins, les épaules qui tombent, les manches effilochées.

À côté du bougeoir sur la table à rabats est posée la lettre de l'École supérieure de Södertörn. Elle la regarde, alors qu'elle l'a déjà lue trente fois. Elle est sur liste d'attente pour un cursus d'écriture créative. Sa mère l'avait aidée à remplir le formulaire d'inscription. Sur le moment, elle n'en avait pas eu la force elle-même, mais sa mère savait combien cette école comptait pour elle.

Elle avait pleuré ce printemps en apprenant qu'elle n'était pas prise. C'était peut-être exagéré. Rien n'avait réellement changé. Elle allait poursuivre simplement son quatrième semestre du programme de conseiller d'orientation.

Elle ne sait pas combien de temps la lettre est restée sur le tas de courrier dans le hall d'entrée, mais maintenant elle l'a lue et elle est posée sur sa table de cuisine.

Elle décide d'appeler sa mère et de lui annoncer la nouvelle.

Sandra jette un œil par la fenêtre et voit deux hommes qui marchent en direction de Vinterviken de l'autre côté de la rue. Elle habite au rez-de-chaussée et n'arrive pas à s'habituer à ce que certaines personnes s'arrêtent parfois et regardent droit dans son appartement.

Le vieux plancher du vestibule grince. On dirait que quelqu'un rampe sur le sol.

Sandra compose le numéro en s'asseyant. Elle pince les bords de la lettre en écoutant les sonneries à l'autre bout du fil.

— Salut, maman, c'est moi.

— Salut, ma puce, j'allais justement t'appeler… Tu y as pensé, pour ce soir ?

— Quoi ?

— Si ça te dit de venir manger avec moi.

— Ah oui, c'est vrai… euh, je ne suis pas très en forme.

— Mais il faut que tu manges, je peux venir te chercher avec la voiture, et te ramener après.

Sandra entend soudain un bruit et jette un coup d'œil vers le vestibule sombre, les vêtements et les chaussures.

— Tu veux bien ? Hein, ma puce ?

— D'accord, chuchote-t-elle en regardant la lettre dans sa main.

— Qu'est-ce qui te ferait envie ?

— Je ne sais pas…

— Tu veux que je prépare du bœuf à la Rydberg ? Tu aimes ça d'habitude, tu sais, avec des morceaux de filet de bœuf et…

— D'accord, maman, l'interrompt-elle, et elle file dans la salle de bains.

La plaquette de Prozac est posée sur le bord du lavabo. Les rangées de gélules vert et blanc brillent.

Sandra croise son regard dans le miroir. Derrière elle, la porte de la salle de bains est ouverte et elle voit le vestibule. On dirait qu'il y a quelqu'un. Son cœur s'emballe bien qu'elle sache que ce n'est que son manteau noir.

— Les trois mousquetaires ont déjeuné ensemble aujourd'hui…

Sandra sort de la salle de bains pendant que sa mère raconte qu'elle a retrouvé ses sœurs à l'hôtel Waxholm, où elles ont mangé du hareng de la Baltique frit avec de la purée mousseline, des airelles et du beurre clarifié, le tout arrosé d'une bière sans alcool bien fraîche.

— Comment va Malin ?

— Elle est incroyable. Je ne comprends pas comment elle peut rester si positive tout le temps… Elle vient de finir sa radiothérapie et elle ne se sent pas trop mal… On peut se féliciter de vivre en Suède… elle n'aurait jamais pu payer un tel traitement de sa poche…

— Et alors, il n'y a plus rien à faire maintenant ?

— Karolina trouve qu'on devrait partir à la Jamaïque toutes les trois, fumer du cannabis et manger des bonnes choses jusqu'à ce qu'on n'ait plus un rond.

— Je viens avec vous, sourit Sandra.

— Je vais le lui dire, rit sa mère.

Le téléphone est chaud et collant contre sa joue. Sandra change d'oreille et va dans la chambre, mais reste plantée au milieu de la pièce. Elle n'arrive pas à lâcher la fenêtre du regard. Le grand prunier bouge derrière le store défectueux.

— J'ai regardé la liste de livres pour le quatrième semestre, poursuit la mère. Ça va tourner autour de la politique de marketing.

— Oui, acquiesce Sandra sans entrain.

Elle ne sait pas pourquoi elle ne parle pas à sa mère de sa place en liste d'attente pour l'École supérieure de Södertörn.

Lentement elle s'oblige à détourner les yeux de la fenêtre pour se regarder dans le miroir. Le peignoir s'est encore ouvert. Elle se tient là en sous-vêtements et s'observe, la peau claire, l'arrondi de ses seins, le ventre plat et la longue cicatrice rose sur la cuisse droite.

Stefan et elle avaient loué une maison à Åre pour les vacances de Pâques. Elle conduisait et Stefan dormait. Il faisait nuit, ils approchaient d'Östersund et les skis sur le toit de la voiture chantaient. Depuis plusieurs kilomètres, ils roulaient à travers une forêt de sapins sombres derrière un camion chargé de bois. Les larges roues arrière de la remorque qui tanguait faisaient gicler la neige. Elle avait fini par se préparer à le doubler, mais en voyant les lumières d'un bus en face, elle s'était rabattue.

Après le bus venaient trois voitures, puis la route était libre. Sandra s'était engagée de nouveau sur la gauche en accélérant. Ils arrivaient dans une descente et le camion roulait plus vite. Elle conduisait parallèlement à l'énorme poids lourd, tenait le volant des deux mains et sentait les vents violents, les secousses latérales.

Elle appuyait un peu trop sur l'accélérateur pour dépasser le semi-remorque, et les roues avaient dérapé sur la bande neigeuse. Elle avait perdu le contrôle de la voiture qui avait été aspirée sous le camion.

Ils avaient été happés et entraînés, hurlant, tremblant. Du sang dans les yeux, elle avait quand même vu les grosses roues s'approcher du flanc de la voiture. La carrosserie avait cédé et s'était comprimée au-dessus de Stefan. Des éclats de verre avaient jailli, le poids lourd s'était couché quand le conducteur freinait, et la remorque avait glissé vers l'avant dans un épouvantable grincement.

Elle vivait, mais Stefan était mort. Elle avait vu les photographies et lu le peu qui avait été écrit sur le soir où son existence avait basculé.

— Tu prends bien tes médicaments ? demande sa mère prudemment, et Sandra comprend qu'elle a dû rester silencieuse un peu trop longtemps.

— Arrête avec ça, je n'ai plus le temps de parler.

— Mais tu viens ce soir ?

Sa mère ne parvient pas à dissimuler son inquiétude.

— Je ne sais pas, répond Sandra, qui s'assied sur le lit et serre les paupières aussi fort que possible.

— J'aimerais vraiment, je viens te chercher et, si tu changes d'avis, je te ramène tout de suite, tu n'auras qu'un mot à dire.

— On parlera plus tard, dit Sandra, et elle raccroche.

Elle pose le téléphone sur la table de nuit à côté de son lecteur de glycémie.

Derrière la fenêtre, le feuillage des buissons ondule.

Sandra enlève le peignoir et le pose sur le lit, elle enfile son jean et ouvre le tiroir de la commode. Le chevreuil cassé est posé à côté du tas de vêtements pliés. C'est bizarre que la petite tête ait tout simplement disparu. Elle retire ses lunettes et enfile un tee-shirt propre. De nouveau elle a l'impression d'être observée, et elle tourne le regard vers le store abîmé, le jardin rempli d'ombres, les feuilles qui bougent au vent.

Un bruit sourd dans l'entrée la fait sursauter. Probablement encore de la pub glissée par la fente du courrier, malgré l'écriteau sur la porte. Elle prend le téléphone pour rappeler sa mère et s'excuser, et essayer d'expliquer qu'en fait elle est contente, mais que la joie a aussi réveillé un tas de chagrin.

Elle retourne dans la cuisine, regarde la lettre sur la table et va couper un autre morceau de gâteau sur le plan de travail, mais le couteau n'est plus là.

Elle a le temps de penser que les médicaments lui ont troublé l'esprit, qu'elle a dû poser le couteau dans la salle de bains ou dans la chambre, lorsqu'un individu éblouissant de jaune surgit du hall d'entrée et fonce sur elle à grands pas.

Sandra reste immobile, la scène est trop irréelle.

Elle n'arrive pas à proférer le moindre mot, lève seulement sa main gauche comme pour se protéger.

Le couteau arrive obliquement et la frappe à la poitrine.

Ses jambes se dérobent et le couteau se retire quand elle s'affaisse lourdement sur le sol. Sa tête va heurter la table, le bougeoir se renverse et la bougie tombe par terre.

Du sang chaud éclabousse son ventre. La douleur dans sa cage thoracique est épouvantable, elle a l'impression que son cœur tremble.

Elle reste là, incapable de bouger, de comprendre, puis sent un coup sur sa tête, une vive brûlure à la joue. Elle tombe à la renverse et perd connaissance. Une agréable obscurité l'enveloppe, elle entend un doux clapotis d'eau avant que le feu envahisse ses poumons. Elle se réveille et se met à tousser du sang, fixe le plafond quelques secondes. La lame du couteau remue dans sa poitrine.

Son cœur tressaille deux, trois fois avant de s'arrêter. Tout devient calme, c'est comme si elle marchait dans une eau chaude peu profonde. Un fleuve gris argenté qui coule lentement dans la nuit.

51

La police détient la troisième vidéo depuis seulement quatre-vingts minutes lorsque SOS Alarme reçoit un coup de téléphone. D'une voix monocorde, une femme raconte que sa fille a été assassinée.

Il est seize heures quarante-cinq quand Margot gare sa Lincoln Town Car devant la rubalise de la police.

Le policier qui était entré vérifier si la victime pouvait être sauvée est assis sur la marche de la porte d'entrée voisine. Son visage est pâle et son regard sombre. Des ambulanciers posent une couverture sur ses épaules et mesurent sa tension artérielle pendant qu'Adam parle avec lui. La femme qui a trouvé sa fille est à l'hôpital avec sa sœur. Margot la verra plus tard, quand les calmants auront raboté la couche brûlante de douleur et de choc.

Pendant le trajet pour Hägersten, Margot a appelé Joona à l'hôpital pour lui annoncer le troisième meurtre. Il paraissait très fatigué, mais il écoutait tout ce qu'elle disait, et pour une raison insondable, cela l'a réconfortée.

Elle franchit les rubans de gel des lieux et pénètre dans l'immeuble. La lumière des puissants projecteurs arrive jusque dans la cage d'escalier et pose ses reflets sur le verre du tableau où sont affichés les noms des habitants.

Margot enfile des surchaussures et passe devant les techniciens qui disposent des plaques de cheminement en silence.

Elle reste immobile dans la lumière crue. Le métal de plus en plus chaud des spots émet des crépitements. L'odeur de sang frais et d'urine est puissante et dense. Un technicien de la police scientifique filme la pièce selon un schéma déterminé. Sur le sol plastifié gît une femme au visage totalement détruit et au sternum découpé. Ses lunettes sont tombées dans la flaque de sang qui s'étale à côté de la table.

Elle est couchée, la main sur son sein gauche. La chair souple brille d'un éclat blanc nacré sous sa main noircie par le sang.

Elle a de toute évidence été placée dans cette position après la mort, mais la scène ne paraît pas sexualisée.

Margot observe le carnage pendant un moment, les traces de violence, le sang provenant du couteau qui a frappé, le jaillissement du sang artériel sur la porte lisse d'un meuble de cuisine et le sang répandu par la lutte de la victime et les mouvements spasmodiques du corps.

Ils en savent encore trop peu sur le deuxième meurtre, mais celui-ci suit sans aucun doute le même schéma que le premier. La violence est inouïe et a continué bien après l'instant du décès.

Une fois la rage du tueur évanouie, le corps a été un peu arrangé avant d'être abandonné sur le lieu du crime.

Dans le premier cas, les doigts ont été introduits dans la bouche ; cette fois, la main est posée sur la poitrine.

Margot fait un pas de côté pour céder le passage à un technicien accroupi qui continue de poser des plaques de cheminement.

La main autour de son gros ventre, elle va dans la chambre et voit le chevreuil brun roux en porcelaine dans le tiroir ouvert de la commode, et la cassure là où la tête aurait dû se trouver. Elle demeure un instant dans la chambre avant de retourner auprès de la victime.

Elle observe de nouveau la main placée sur le sein, un geste si artificiel, et une brève pensée lui traverse l'esprit sur des ailes de papillon avant de s'effacer.

Il y a quelque chose ici qu'elle a déjà vu.

Margot réfléchit un moment avant de quitter l'appartement pour rejoindre sa voiture. Elle démarre le moteur puis tient une main sur le volant et l'autre sur son ventre, qu'elle glisse plus bas, où elle sent, du bout des doigts, les mouvements rapides du fœtus, les petits coups venus de l'autre côté, des origines de la vie.

Elle essaie de s'installer plus confortablement, mais le volant appuie sur son ventre.

Pourquoi je ne m'en souviens pas ? se demande-t-elle. C'était peut-être il y a cinq ans, dans un autre district de police, mais je sais que je l'ai lu quelque part.

Quelque chose en rapport avec les mains, ou avec le chevreuil.

Elle sent qu'elle ne pourra pas dormir cette nuit si le souvenir ne lui revient pas.

Margot tourne dans Polhemsgatan, roule le long de la paroi rocheuse, où elle trouve une place de stationnement.

Son téléphone sonne et Margot voit sur l'écran la photo de Jenny avec le chapeau de cow-boy de Tucson.

— Rikskrim.

— Je voudrais signaler un crime, dit Jenny.

— Si c'est urgent, vous devez appeler le 112, répond Margot en manœuvrant pour se garer. Sinon, il faut…

— Il s'agit d'un attentat à la pudeur, l'interrompt Jenny.

— Pouvez-vous être un peu plus précise ?

— Venez ici, je pourrai vous montrer…

Margot doit éloigner le téléphone de son oreille quand elle ouvre la portière et sort de la voiture.

— Pardon, tu disais ?

— J'appelle simplement pour savoir où tu es passée, dit Jenny sur un autre ton.

— Je suis à Kungsholmen pour…

— Tu n'as pas le temps – il faut que tu rentres tout de suite.

— Qu'est-ce qui se passe ?

— Sérieusement, Margot… Ce n'est pas possible, tu vois, c'est toi qui as voulu qu'on le fasse dimanche, ils seront là d'un moment à l'autre…

— Ne m'en veux pas… Je ne peux pas lâcher cette affaire avant de…

— Tu ne viendras pas ? C'est ce que tu es en train de me dire ?

— Je croyais que c'était le week-end prochain.

— Putain, comment tu as pu croire ça ?

Margot avait totalement oublié le repas de famille. L'idée était que Jenny et elle remercient tout le monde pour leur soutien pendant la Gay Pride. Tous ceux qui avaient défilé avec des banderoles disant : “Fierté des parents, des frères et des sœurs.”

— Tu leur expliqueras que je serai un peu en retard, dit-elle, et elle s’arrête à dix mètres de l’entrée de l’hôtel de police.

— Écoute… ça ne peut pas durer, soupire Jenny. J’ai l’impression de m’être fait avoir… Toi, tu as eu la possibilité de poursuivre ta carrière et je t’ai soutenue et je t’ai dit…

— Tu devais t’occuper des enfants et moi je devais bosser – et maintenant je bosse exactement comme…

— Mais putain, tu bosses tout le temps…

— C’est ce qu’on avait décidé, la coupe Margot.

Elle se dirige vers l’entrée, et voit un collègue sortir du bâtiment et défaire le lourd cadenas protégeant la roue arrière de sa moto.

— D’accord… c’est ce qu’on avait décidé, reconnaît Jenny à voix basse.

— Je dois y aller là, mais je rentre dès que je…

Margot se tait en comprenant que Jenny a raccroché, elle continue son chemin jusqu’au hall d’accueil, franchit les portes de sécurité et entre dans un des ascenseurs.

Maria Carlsson, la première victime, avait la main dans la bouche, se répète Margot.

Cela n’avait pas suffi pour qu’elle distingue un schéma. Mais en voyant Sandra Lundgren la main sur le sein, elle avait eu le sentiment d’un lien fugace.

Ça n’avait pas l’air naturel, c’était une mise en scène.

Elle traverse le couloir vide, ferme la porte de son bureau derrière elle, s’installe devant l’ordinateur et lance une recherche sur des mises en scène *post mortem*.

Des sirènes de véhicules de secours retentissent.

Margot se débarrasse de ses chaussures tout en cliquant sur différents liens. Nulle part il n’y a de ressemblance avec les meurtres de son enquête. Elle sent des contractions dans son ventre et défait complètement sa ceinture.

Elle élargit l’exploration au pays entier et lorsque le résultat s’affiche, elle sait qu’elle a trouvé ce qu’elle cherchait.

Un meurtre à Salem.

La victime avait été retrouvée la main autour de son propre cou.

Le corps avait été arrangé après la mort.

L'enquête préliminaire dépendait du district de police de Södertälje.

En lisant, elle se souvient également des détails. Beaucoup trop d'éléments avaient fuité dans les médias. La violence avait été extrême, et concentrée sur le visage et le haut du corps.

La victime, qui s'appelait Rebecka Hansson, avait été retrouvée dans sa cuisine, la main autour de son cou.

Elle était vêtue d'un pantalon de pyjama et d'un pull, et d'après l'autopsie médicolégale, elle n'avait pas subi de viol ni de tentative de viol.

Le cœur de Margot bat fort quand elle trouve l'information sur le pasteur Rocky Kyrklund. Elle apprend qu'un mandat d'arrêt avait été émis contre lui et qu'il avait finalement été arrêté à l'occasion d'un accident de voiture. Rocky Kyrklund avait subi un examen psychiatrique judiciaire et avait été interné à l'hôpital régional de Karsudden avec des mesures spéciales préalables à toute libération.

J'ai trouvé l'assassin, pense Margot, et sa main tremble quand elle attrape le téléphone et appelle l'hôpital de Karsudden.

En apprenant que Rocky Kyrklund est enfermé et qu'il n'a bénéficié d'aucune permission, elle demande à rencontrer immédiatement la personne responsable de la sécurité.

Moins de deux heures plus tard, Margot se trouve dans le bureau de Neil Lindegren, chef de la sécurité, dans le bâtiment principal de Karsudden pour discuter du niveau de sécurité de la section D4.

Neil est un homme corpulent au front bombé et aux mains dodues soignées. Bien calé dans son fauteuil, il lui dévoile toutes les informations sur le périmètre de protection, la protection anti-intrusion, le système d'alarme, les sas et les passes.

— Ça me paraît très bien, tout ça, dit Margot quand Neil se tait. Mais la question est de savoir si Rocky Kyrklund a pu s'évader quand même.

— Allez donc lui rendre visite, si cela peut vous rassurer, sourit-il.

— Vous êtes sûr que vous le sauriez, s'il s'évadait et revenait le jour même ?

— Personne ne s'est évadé.

— Mais supposons qu'il s'évade aujourd'hui immédiatement après la visite de huit heures, insiste Margot. À quelle heure doit-il être de retour pour ne pas se faire repérer ?

Le sourire de Neil s'éteint et ses mains retombent lentement sur ses genoux.

— Aujourd'hui, c'est dimanche, dit-il lentement. Il suffit qu'il soit de retour avant dix-sept heures, mais vous savez… les portes sont fermées à clé et pourvues d'alarmes, et toute l'enceinte de l'hôpital est sous vidéosurveillance.

52

Sur un grand moniteur, trente fenêtres affichent ce qui a été filmé par les trente caméras de surveillance de l'établissement hospitalier.

Un technicien sexagénaire montre à Margot le système de caméras CCTV, caméras avec détecteur de mouvement, caméras fixes sur poteaux, détecteurs de rayonnement et barrière infrarouge.

Selon la loi sur la vidéosurveillance, les enregistrements ne peuvent être conservés au-delà de trente jours.

— Voici la section D4, dit-il. Le couloir, la salle commune, la promenade, la clôture, l'extérieur de la clôture, la façade de la section… et ici vous voyez le parc et les grilles d'accès.

Le moniteur montre l'hôpital tel qu'il était à cinq heures du matin. La lueur statique de l'éclairage extérieur confère un aspect étrangement inanimé au parc. Le compteur au coin de l'image égrène les secondes, tout le reste est immobile.

Lorsque l'homme accélère la vitesse de lecture, certains arbres tremblent au gré du vent. Le garde de nuit parcourt les couloirs, puis disparaît dans une pièce réservée au personnel.

Soudain le technicien arrête l'image et désigne une surface herbacée qui s'étend tel un bras de mer gris. Margot se penche et distingue quelques taches sombres entre les buissons arrondis et les feuillus.

Le technicien agrandit l'image et relance la lecture. Trois chevreuils apparaissent à la lumière d'un lampadaire. Ils traversent le gazon, s'arrêtent tous en même temps, restent figés, le cou tendu, avant de poursuivre leur chemin.

Il réduit l'image et reprend la lecture accélérée. Le jour se lève, et les ombres transparentes se font plus tranchantes.

Des voitures arrivent, des membres du personnel entrent et s'éparpillent dans les couloirs et les passages souterrains.

Le technicien ralentit le flot d'images pour examiner le personnel de nuit qui s'en va. Margot suit en silence la visite du matin dans les différents services.

Il n'y a pratiquement aucune activité dans les zones à l'extérieur, puisqu'on est dimanche. Rocky Kyrklund n'est pas dans l'espace de promenade avec les patients qui ont choisi de sortir.

La vidéo s'arrête par moments pour qu'ils puissent observer les personnes dans les couloirs, mais tout reste tranquille au fil des heures.

— Et là, c'est vous qui arrivez, sourit le technicien.

Il agrandit une image où elle s'extirpe péniblement de sa voiture. La jupe portefeuille remonte et on aperçoit sa culotte rose.

— Oups, murmure-t-elle.

Margot se voit traverser le parking, son gros sac de cuir sur l'épaule et les mains autour du ventre, puis prendre une allée piétonne en direction du bâtiment principal. En tournant au coin de la bâtisse, elle disparaît de l'image et surgit sur la fenêtre suivante devant l'entrée. En même temps, elle est filmée sous un autre angle par une caméra installée au-dessus du comptoir de l'accueil.

— J'ai disparu pendant quelques secondes quand j'ai contourné le bâtiment.

— Non, répond-il calmement.

— C'est l'impression que j'ai eue, insiste-t-elle.

Il revient à l'image où elle sort de la voiture, montrant sa culotte, la suit de nouveau sur le parking et arrête la vidéo quand elle disparaît de l'image.

— Nous avons une caméra fixe ici qui devrait…

Il agrandit une autre fenêtre, on voit le mur pignon du bâtiment, le feuillage des arbres, mais pas Margot. Il continue la lecture plus lentement et elle émerge devant l'entrée.

— Oui, vous disparaissez quelques secondes, finit-il par admettre. Tous les systèmes ont leurs failles.

— Peut-on les exploiter pour s'évader ?

Le technicien s'incline en arrière et le petit sachet de *snus* sous sa lèvre vient couvrir une dent quand il secoue la tête.

— Même pas en théorie, affirme-t-il avec fermeté.

— Vous en êtes sûr ?

— En principe, cent pour cent sûr.

— Très bien, dit Margot, et elle se lève et le remercie de son aide.

Si Rocky ne peut pas s'évader, elle est obligée de réviser son scénario. Le meurtre qu'il a commis a forcément un lien avec les nouveaux crimes.

Des coïncidences de ce type, ça n'existe pas.

Le pasteur doit avoir un acolyte ou un disciple à l'extérieur.

Soit c'est un *copycat* indépendant, soit c'est une personne avec qui Rocky Kyrklund communique.

Le technicien l'accompagne à travers des couloirs déserts jusqu'au bureau de Neil Lindegren. Le chef de la sécurité est en train de parler avec une femme en blouse blanche quand Margot entre.

— Il faudrait que je voie Rocky Kyrklund, déclare-t-elle.

— D'accord, mais sachez qu'il est fort peu probable qu'il se rappelle ce qu'il a fait aujourd'hui, l'informe Neil avec un geste vers le médecin.

— Kyrklund souffre d'une grave lésion neurologique, explique la femme. Ses souvenirs n'apparaissent que par petits fragments… et parfois il accomplit des actes dont il n'a pas conscience.

— Est-il dangereux ?

— Il aurait déjà entamé son retour dans la société s'il avait montré la moindre envie d'y retourner, répond Neil.

— Il ne veut pas sortir, c'est ce que vous voulez dire ?

— Nous mettons assez rapidement en place un entraînement social pour la plupart des patients… Ils peuvent rencontrer des personnes à l'extérieur de l'hôpital, ils bénéficient de permissions surveillées, mais Rocky reste dans son coin et n'accepte pas de visites… Il n'appelle personne, n'écrit pas de lettres et ne va pas sur internet.

— Parle-t-il avec les autres patients ?

— J'ai cru comprendre que ça lui arrive.

— J'ai besoin de connaître le nom des patients qui sont sortis de la section D4 pendant l'internement de Rocky Kyrklund, dit-elle, et elle se réinstalle sur la même chaise.

Pendant que Neil cherche sur son ordinateur, elle observe son bureau propret. Il n'y a pas de photographies, pas de livres ni d'objets d'art.

— Vous trouvez quelque chose ? demande-t-elle, et elle entend combien sa voix est tendue.

Neil tourne l'écran pour qu'elle puisse voir.

— Pas grand-chose. Ce service a une toute petite rotation de patients. Certains ont été déplacés dans d'autres hôpitaux de psychiatrie judiciaire, et nous n'avons eu que deux sorties définitives pendant tout le temps que Rocky a passé ici.

— Deux en neuf ans ?

— C'est normal, répond le médecin.

Margot ouvre son sac, sort son carnet et note les noms.

— Maintenant j'aimerais rencontrer Rocky Kyrklund.

53

Deux gardes équipés d'alarmes antiagression à la ceinture, de matraques et de pistolets à impulsion électrique accompagnent Margot dans les sas jusqu'au couloir où est située la section de Rocky Kyrklund.

Il est assis sur le lit dans sa chambre et regarde une course de formule 1 sur une télé fixée tout en haut du mur.

Les voitures rutilantes évoluent sur le circuit telles des libellules avec leurs mouvements saccadés et leurs couleurs métallisées.

— Je m'appelle Margot Silverman, je suis inspectrice à la Rikskrim, dit-elle en s'appuyant sur la chaise de son bureau.

— Adam baisa Ève et elle se trouva enceinte et donna naissance à Caïn, réplique Rocky en regardant son ventre.

— Je suis venue de Stockholm pour vous parler.

— Vous ne respectez pas le jour de repos, constate Rocky, puis il se retourne vers la télé.

— Et vous, vous le respectez ? riposte-t-elle en tirant la chaise pour s'asseoir. Qu'avez-vous fait aujourd'hui ?

Le visage de l'homme est calme, le nez semble avoir été fracturé, ses joues sont recouvertes d'une barbe grisonnante, la peau de sa nuque épaisse forme des plis.

— Vous êtes sorti aujourd'hui ? demande-t-elle, et elle attend sa réponse un instant avant de poursuivre. Vous n'êtes pas allé dans l'espace de promenade – mais il y a peut-être d'autres moyens de sortir.

Rocky Kyrklund ne montre aucune réaction. Ses yeux suivent les voitures à l'écran. Un des gardes près de la porte déplace son poids sur l'autre pied et les clés à sa ceinture s'entrechoquent.

— Avec quelles personnes à l'extérieur êtes-vous réellement en contact ? Des amis, des membres de votre famille ou d'autres patients ?

Les moteurs turbo tournent à plein régime. Le bruit évoque une scie circulaire qui mord dans du bois sec, encore et encore.

Margot regarde l'homme en chaussettes, les talons usés et le reprisage grossier.

— J'ai cru comprendre que vous ne voulez pas de visites ?

Rocky ne répond pas. Son ventre se soulève calmement sous la chemise en jean. Une de ses mains repose entre ses jambes et son dos est calé contre deux oreillers.

— Mais avez-vous un contact personnel avec les gens qui travaillent ici ? Certains sont là depuis de nombreuses années… vous devriez avoir fait connaissance. Je me trompe ?

Rocky Kyrklund ne dit toujours rien.

À la télé, un pilote de Ferrari fait un arrêt éclair au stand. Avant que sa voiture soit immobilisée, l'équipe technique est déjà sur place pour changer les roues.

— Vous mangez avec les patients des autres services et vous partagez l'espace de promenade… Y en a-t-il un que vous préférez aux autres ? S'il fallait n'en citer qu'un ?

Une bible avec peut-être une soixantaine de marque-pages sous forme de cordelettes rouges est posée sur la table de chevet à côté d'un verre de lait sale. Une lumière filtrée par les feuilles des arbres tombe entre les grilles verticales de la fenêtre.

Margot change péniblement de position sur la chaise et sort de son sac le carnet avec les noms des patients libérés.

— Jens Ramberg et Marek Semiovic… ces noms vous disent quelque chose ? Vous les connaissez, n'est-ce pas ?

Une voiture en tamponne une autre et tournoie dans un nuage de fumée tandis que des morceaux du véhicule s'éparpillent sur la piste.

— Est-ce que vous vous rappelez ce que vous avez fait plus tôt dans la journée ?

Elle attend, puis se relève, regarde la reprise de l'accident et la lueur de la télévision sur le torse et le visage de Rocky.

Les gardes n'échangent pas un regard avec elle quand ils quittent la chambre ensemble. Rocky ne semble absolument pas réagir à son départ.

Quand elle marche en direction du parking, elle se doute que le technicien dans la salle de surveillance l'observe à travers l'une des trente caméras.

Avant de reprendre la route, elle reste assise dans la voiture et lit le dossier du meurtre de Rebecka Hansson. Rocky Kyrklund est forcément mêlé d'une façon ou d'une autre à ces nouveaux homicides, à distance, comme une sorte de *rodef*, un poursuivant.

Margot constate qu'Erik Maria Bark faisait partie de l'équipe d'experts psychiatriques qui l'ont examiné à l'époque. Leur rapport, sur lequel repose le jugement, est le fruit de longs entretiens entre lui et Rocky. Erik avait apparemment gagné sa confiance. Elle voit qu'il a réalisé près d'une centaine d'expertises psychiatriques judiciaires et qu'il a été appelé à témoigner en tant qu'expert dans quarante procès.

54

La nuit tombe et la circulation est calme sur Valhallavägen. Au volant de sa voiture, Adam Youssef jette un regard à sa femme Katryna à côté de lui. Elle étale de la crème sur ses mains et l'odeur de cosmétique se répand dans l'habitacle. Elle s'est trop épilé les sourcils, ça lui donne un air cruel. Ils reviennent du Dramatiska Institutet où ils ont regardé le travail de fin d'études de Fuad, le frère de Katryna, sur le groupe post-punk The Cure.

On y voyait Robert Smith, le chanteur quinquagénaire, assis sans le moindre maquillage sur un cheval de manège, racontant les années passées à Notre-Dame Middle School.

— Tu ne dis rien, constate Adam en s'arrêtant au feu rouge.

Elle hausse les épaules. Il observe ses ongles. Elle les a vernis d'une couleur qui passe du violet au rose à l'extrémité. Il devrait sans doute faire un commentaire.

— Katryna. Qu'est-ce que tu as ?

Elle le regarde droit dans les yeux avec un sérieux qui lui fait peur.

— Je ne veux pas garder le bébé, annonce-t-elle.

— Tu ne veux pas le garder ?

Elle secoue la tête et la lumière rouge disparaît de son visage. Il tourne les yeux vers le feu tricolore qui est passé au vert, mais il n'arrive pas à démarrer.

— Je ne suis pas sûre de vouloir d'enfant du tout, chuchote-t-elle.

— Tu viens de tomber enceinte, dit-il, désemparé. Tu ne peux pas attendre un peu, voir si tu ne changes pas d'avis ?

— Je ne changerai pas d'avis, répond-elle avec raideur.

Il hoche la tête et avale sa salive. Une voiture klaxonne deux fois avant de le doubler par la droite, puis le feu repasse au rouge. Il regarde le bouton des warnings, mais est trop découragé pour appuyer dessus.

— Très bien, dit-il.

— J'ai pris ma décision, j'ai rendez-vous pour une IVG la semaine prochaine.

— Tu veux que je t'accompagne ?

— Ce ne sera pas nécessaire.

— Mais je pourrais attendre dans la voiture pendant…

— Je préfère pas, tranche-t-elle.

Il regarde les voitures qui roulent dans la rue perpendiculaire, suit des yeux le vol de quelques oiseaux noirs, leur trajectoire oblique qui décrit un large demi-cercle devant le stade olympique de Stockholm.

Il est en train de la perdre, ça se passe maintenant.

Ces derniers temps, il a essayé de lui manifester son amour tous les jours. Ils s'aiment, c'est vrai, en tout cas c'est ce qu'il croyait.

Elle ment peut-être quand elle dit qu'elle sort avec ses collègues de Sephora tous les jeudis après le boulot. Elle ne lui raconte jamais ce qu'elles font, et il n'a jamais été suffisamment curieux pour poser des questions ou les accompagner.

Le feu passe au vert de nouveau, il déplace son pied sur l'accélérateur et démarre. Ils approchent de Sveavägen quand son téléphone sonne.

— Tu peux regarder qui c'est ?

Elle prend le téléphone dans le compartiment à côté du levier de vitesse et le retourne.

— C'est ton chef.

Adam quitte la circulation du regard pendant quelques secondes pour saisir le téléphone.

— Allô, Margot ?

— C'est le même chevreuil.

La cassure sur le chevreuil dans la chambre de Sandra a été comparée avec la petite tête dans la main de Susanna Kern, les deux correspondent à cent pour cent.

— On a trouvé ça dément en regardant la vidéo, dit Margot, et sa respiration est saccadée. Mais tout ce que ça veut dire, c'est que les meurtres sont planifiés longtemps avant d'être mis à exécution, que quelqu'un les a filmées et a ensuite attendu – peut-être des semaines – avant de passer à l'acte.

— Mais pourquoi ? demande Adam, et il sent sa main sur le volant devenir moite.

Les meurtres se suivent comme les grains d'un rosaire, pense-t-il. L'ordre des victimes est là bien avant que les doigts commencent à égrener le chapelet. Cela nous donne plus de temps en théorie, mais pas dans la pratique, puisque le tueur ne poste la vidéo que lorsqu'il est trop tard pour qu'on puisse identifier le lieu ou la femme.

— J'ai trouvé des ressemblances avec une ancienne affaire, dit Margot.

— Hein ?

— Tu m'écoutes ?

— Oui, pardon…

Il regarde le visage détourné de Katryna pendant qu'il écoute Margot évoquer les similitudes avec un ancien meurtre à Salem, le pasteur arrêté, le visage détruit de Rebecka Hansson et sa main placée artificiellement autour de son cou.

Elle explique qu'elle a vérifié la sécurité à Karsudden et qu'il semble totalement impossible à quiconque de s'évader sans être immédiatement repéré.

— Il doit donc avoir un complice, un disciple… ou alors nous avons affaire à un *copycat*.

— Je vois…, fait Adam d'une voix hésitante.

— Tu trouves que j'exagère ?

— Peut-être, dit-il sincèrement.

— Je te comprends, mais je m'en fous, tu verras quand tu regarderas ce cas de plus près.

— Tu veux qu'on aille voir le pasteur ? demande Adam.

— J'en viens à l'instant.

— Vous n'étiez pas censées avoir un grand repas de famille aujourd'hui, Jenny et toi ?

— C'est le week-end prochain, répond-elle, laconique.

— Et qu'est-ce qu'il a dit ?

— Rien, pas un mot, il ne m'a même pas regardée. Apparemment, je lui étais totalement indifférente.

— Sympa, commente Adam.

— Il paraît que c'est caractéristique de lui, dit-elle patiemment. C'est pour ça qu'à l'époque ils avaient intégré Erik Maria Bark à l'équipe de psychiatres judiciaires. Lui, il réussit à faire parler les gens…

— À part notre témoin, fait remarquer Adam.

— Presque toute l'enquête repose sur les entretiens qu'il a menés avec Kyrklund, explique Margot. C'est un matériel énorme, il faut qu'on détache des gens pour examiner ça en détail.

— Mais ça va prendre un temps fou.

— C'est pour ça que je me rends chez Erik Maria Bark, déclare Margot.

— Maintenant ?

— De toute façon, j'étais déjà en voiture…

— Moi aussi, rit Adam. Mais je n'envisage pas une seconde de…

— En fait, ce serait vraiment bien que tu viennes aussi, l'interrompt-elle gentiment.

55

Erik est installé dans son fauteuil de lecture avec un numéro de la revue de la Société suédoise de psychiatrie sur les genoux, il pense au récent repas chez Nelly et Martin. Ils l'invitent assez souvent dans leur énorme villa de style fonctionnaliste avec son oriel arrondi et sa terrasse qui rappelle la passerelle de navigation d'un yacht.

Après le repas, Martin avait défait sa cravate et les avait guidés à travers les pièces jusqu'à son cabinet de travail, un verre de calvados à la main. Il voulait leur montrer une petite peinture à l'huile que venait de lui donner sa tante de Westphalie. Elle représentait un ange triste, Nelly la trouvait désagréable et voulait en faire cadeau à Erik. Martin était de son avis, ce tableau était déplaisant, mais de toute évidence il y tenait et avait envie de le garder, si bien qu'Erik avait décliné l'offre.

Martin avait reçu un appel téléphonique de Sydney qu'il devait absolument prendre et Erik et Nelly s'étaient installés dans la salle de billard. Nelly leur avait encore servi du vin, alors qu'elle était déjà ivre. Les coudes appuyés sur le bord surélevé de la table, ses yeux brillaient.

— Martin mate du porno, déclara-t-elle d'une voix traînante.

— Qu'est-ce qui te fait dire ça ? demanda Erik en faisant rouler une boule sur le tapis vert.

— Je m'en fiche en fait, ce ne sont pas des trucs tordus.

— Ça te rend triste ?

— Non… même pas jalouse, mais… Je ne sais pas, tu aurais vu les nanas… Elles sont jeunes et belles et font des choses que je n'oserais jamais faire, dit-elle en tendant la main pour toucher les lèvres d'Erik.

— Parles-en avec lui.

— Est-ce qu'il n'y a que la jeunesse qui compte ?

— Pas pour moi.

— C'est quoi alors qui compte ? Qu'est-ce que tu veux, toi ? Que veulent les hommes, en fait ? demanda-t-elle en vacillant.

Il l'avait aidée à rejoindre sa chambre, mais était parti avant qu'elle retire sa robe couleur moka.

Lorsque Nelly l'avait appelé pour discuter des deux patients iraniens reçus à l'unité des blessés par torture à l'hôpital de Danderyd, il avait saisi l'occasion de la remercier pour le dîner. Elle s'était contentée de rire en disant qu'il devait surtout s'estimer heureux qu'elle n'ait pas été soûle et pénible.

Erik se renverse dans le fauteuil et pense à la bouteille de champagne dans le réfrigérateur qu'il a ouverte, dans sa solitude, plus tôt dans la soirée. Il l'a refermée en injectant du gaz argon, et s'il se servait un verre maintenant, ce serait comme s'il venait de l'ouvrir.

Ça fera partir le mal de tête, pense Erik au moment où il voit les phares d'une voiture balayer les grandes fenêtres.

Avec un petit soupir il se lève, pose la revue sur la table de fumeur, laisse ses pantoufles devant le fauteuil et va ouvrir la porte. Il voit Margot sortir laborieusement de sa voiture et lui faire un signe, puis une autre voiture arrive et s'arrête devant son garage.

Un homme jeune aux cheveux châtains rejoint Margot et échange quelques mots avec elle. Derrière eux s'avance une belle jeune femme à l'œil limpide et au visage grave.

Erik serre la main de Margot et du jeune homme qu'elle présente comme son collègue dans l'enquête en cours.

La jeune femme hésite sur le pas de la porte. Les gouttes de bruine scintillent sur son manteau noir, elle a l'air frigorifiée.

— Je n'ai pas eu le temps de déposer ma femme, explique Adam, qui semble mal à l'aise. Voici Katryna.

— Adam ne voulait pas que j'attende dans la voiture.

— Mais entrez donc, dit Erik en lui serrant la main.

— Merci.

— Quels ongles ! Fantastiques ! s'exclame-t-il, et il retient ses doigts entre les siens pour les regarder quelques secondes.

Elle affiche un sourire surpris et ses yeux sombres se remplissent de chaleur.

Erik les prie de se débarrasser de leurs manteaux, puis met le nez dehors et tend le bras pour fermer la porte. La pluie fine produit un tic-tac mécanique sur les feuilles du lilas. Les rues luisent sous les réverbères et il a soudain l'impression de voir une haute silhouette dans son jardin. Il allume l'éclairage extérieur. Peut-être n'étaient-ce que les contours du genévrier pointu à côté de la brouette.

Erik referme la porte et fait passer la petite troupe par la bibliothèque, mais Katryna s'arrête, l'air gêné.

— Je ne suis sans doute pas censée entendre votre conversation, déclare-t-elle.

— Vous pouvez rester ici si vous préférez, dit Erik, et il sort un in-folio des rayonnages. Je ne sais pas vous, mais moi, je ne peux pas vivre sans le Caravage.

Il pose le livre d'art sur la table de lecture, puis fait entrer les policiers dans son cabinet de travail. Adam ferme la porte derrière eux.

— Il y a eu une troisième victime aujourd'hui, annonce immédiatement Margot.

— Une troisième victime, répète Erik.

— On s'y attendait, mais c'est quand même lourd.

Elle baisse le visage sur son ventre et les commissures de ses lèvres tressaillent légèrement, comme d'épuisement. Un profond sillon lui barre le front entre les sourcils.

— En quoi puis-je vous aider ? demande Erik de façon neutre.

— Est-ce que vous connaissez un homme qui s'appelle Rocky Kyrklund ? interroge Margot en levant les yeux vers lui.

— Je devrais ?

— Vous devriez savoir qu'il a été condamné à des soins psychiatriques à la suite d'une expertise judiciaire il y a neuf ans.

— Non, mais c'est sûrement exact, admet Erik tranquillement.

Dès qu'elle a mentionné le nom de Rocky, il s'est dit qu'elle était au courant de tout, qu'il était démasqué.

— Vous faisiez partie du groupe d'experts, précise Margot.

— Si vous le dites.

Erik a passé des heures à imaginer des scénarios où on le met au pied du mur, et à échafauder différentes attitudes et réponses plausibles qui le dédouaneraient sans qu'elles puissent être considérées comme des mensonges.

— Nous avons compris qu'il s'était confié à vous…

— Je ne m'en souviens pas, mais…

— Il a tué une femme à Salem d'une manière qui rappelle les meurtres sur lesquels j'enquête, dit Margot sans ambages.

— S'il est dehors en train de tuer à nouveau, c'est apparemment que quelque chose a cloché au niveau de la révision de son jugement, répond Erik exactement comme il avait planifié.

— Il n'est pas sorti, il est interné à Karsudden et il n'a bénéficié d'aucune permission. J'en viens à l'instant, j'ai rencontré le chef de la sécurité.

56

Margot ouvre son sac en cuir et tend à Erik une copie du jugement et de l'expertise psychiatrique judiciaire.

La chaude lumière de la lampe à pied brille sur le vernis du parquet de chêne et les reliures en peau sur les étagères encastrées. La nuit derrière les fenêtres serties de plomb est tellement noire que les branches épaisses du verger sont invisibles.

Erik prend place en face d'Adam à la petite table octogonale, jette un coup d'œil aux documents, hoche la tête et lève les yeux.

— Je me souviens de lui, tout à fait…

— Nous pensons qu'il a un complice ou un disciple… peut-être un *copycat.*

— C'est possible… si les ressemblances sont aussi grandes… Je ne peux pas me prononcer là-dessus.

Margot secoue son poignet pour remettre en place sa montre-bracelet.

— J'ai parlé avec Rocky Kyrklund aujourd'hui. Je lui ai posé pas mal de questions, mais il n'a pas dit un mot, il fixait juste la télé, assis sur son lit.

— Il souffre d'une grave lésion au tissu cérébral, dit Erik avec un geste désignant la vieille expertise.

— Il a entendu et compris ce que je disais, mais il ne voulait pas répondre, sourit Margot.

— C'est souvent un peu difficile au début avec des patients de ce type.

Elle se penche vers lui et son ventre pèse sur ses cuisses.

— Pouvez-vous nous aider ?

— De quelle manière ?

— En lui parlant, il vous a fait confiance autrefois, vous le connaissez.

Le cœur d'Erik se met à battre fort. Il ne doit pas montrer ses sentiments, et il croise lentement ses mains pour cacher leur tremblement.

Maintenant ils vont sûrement trouver l'enregistrement de l'expertise psychiatrique où Rocky parle de son alibi.

Mais comme Rocky est coupable, Erik pourra argumenter qu'il n'avait pas pris son alibi au sérieux, si cet aspect est évoqué.

— Quelle information cherchez-vous ?

— Nous voulons savoir avec qui il collaborait.

Erik hoche la tête et se dit qu'il sera soulagé après, qu'il n'aura plus à traîner le fardeau d'une donnée impossible à transmettre. Il pourra parler de la personne que Rocky a incriminée, que Rocky se taise ou non. Il pourra même hypnotiser Björn Kern encore une fois et évoquer la main sur l'oreille.

— Ce que vous me demandez se situe légèrement en dehors de mon travail habituel, commence-t-il.

— Nous vous payerons évidemment pour…

— Ce n'est pas ce que je voulais dire… J'ai besoin de savoir en quoi consiste la mission, comment je dois la présenter à mon employeur.

Margot hoche la tête, les lèvres à moitié ouvertes comme si elle s'apprêtait à dire quelque chose, mais y renonçait.

— Je dois aussi savoir ce que je peux révéler au patient, poursuit Erik. Je veux dire, dois-je lui annoncer que vous pensez que son ancien bras droit s'est remis à tuer ?

Margot agite la main. Erik note que le regard de son collègue, assis les bras croisés, s'est un peu figé.

— Nous pouvons tout à fait étudier la possibilité de vous accorder un espace de négociation, dit Margot. Il sera peut-être aussi envisageable que vous lui proposiez des permissions sous surveillance.

Elle se tait comme si elle était hors d'haleine. Sa main part vers son ventre. La mince alliance sur son annulaire serre le doigt gonflé.

— Que lui avez-vous dit aujourd'hui ? demande Erik.

— Je voulais savoir avec quelles personnes il se sentait en confiance.

— A-t-il su pourquoi vous demandiez ça ?

— Non… il n'a réagi à aucune de mes questions.

— Son cerveau présente une activité épileptique qui agit sur sa mémoire et, selon l'expertise, il souffre d'un trouble narcissique et paranoïde… Mais tout indique qu'il est intelligent…

Erik se tait.

— Qu'en pensez-vous ? demande Margot.

— J'aimerais avoir un mandat pour lui dire pourquoi je pose ces questions.

— Lui parler du tueur en série ?

— Sinon il va probablement se rendre compte que je lui mens.

— Margot, intervient Adam. Je dois…

— Quoi ?

Il a l'air embarrassé et baisse la voix.

— Il s'agit d'un travail policier.

— Nous n'avons pas le choix, tranche-t-elle sèchement.

— Mais je trouve que tu vas trop loin, là.

— Ah bon ?

— D'abord on mêle Joona Linna à l'enquête et maintenant tu t'apprêtes à laisser un hypnotiseur faire le travail de la police.

— Joona Linna ? s'étonne Erik.

— Je ne m'adressais pas à vous, dit Adam.

— Il est de retour, répond Margot.

— Où ?

— De retour n'est peut-être pas le mot qui convient, précise Adam. Il loge apparemment chez les Roms à Huddinge, il est devenu alcoolique et…

— On n'en sait rien, l'interrompt-elle.

— D'accord, c'est lui le meilleur, rétorque Adam.

Margot croise le regard interrogateur d'Erik.

— Joona s'est évanoui et s'est retrouvé aux urgences de Sankt Göran, lui dit-elle.

— Quand ça ?

— Hier.

Sans hésiter, Erik prend son téléphone, compose le numéro d'un collègue au service des soins intensifs de l'hôpital et attend.

— Quand seriez-vous disponible pour cet entretien avec Rocky ? demande Margot en se levant.

— Je peux y aller demain matin, dit Erik, puis il entend son collègue répondre.

57

Après la brève conversation avec le médecin à l'hôpital Sankt Göran, Erik accompagne les deux policiers à la porte. Katryna et Adam n'échangent pas un regard quand ils se rejoignent dans le vestibule et Erik a le net sentiment qu'ils se sont disputés.

Ils quittent tous les trois la maison et se font avaler par la nuit dès qu'ils s'éloignent de la lumière dispensée par la lampe au-dessus de la porte. Erik entend leurs pas sur le gravier de l'allée, puis il les voit de nouveau à la faveur de l'éclairage intérieur des voitures. Il retourne dans son cabinet de travail : le fax des urgences est arrivé. Le nom et le numéro de Sécurité sociale sur le dossier sont masqués comme il se doit.

Joona est arrivé en ambulance après un appel avec priorité 1 du logisticien. Erik lit rapidement l'évaluation de ses signes vitaux : la tension artérielle, les fréquences cardiaque et respiratoire, la saturation en oxygène, la température et le degré de conscience.

Il souffrait de sous-nutrition, avait de la fièvre, était en état de confusion et de choc.

L'infirmière de triage avait correctement interprété les constantes, soupçonnant un choc septique.

Après avoir fait des prélèvements pour une gazométrie artérielle et un dosage d'acide lactique, elle avait attribué au patient le niveau orange, deuxième priorité sur la liste de classification de Manchester.

Au vu de ses paramètres fondamentaux instables, Joona Linna avait été placé dans une chambre avec surveillance sur moniteur.

En attendant les résultats des analyses sanguines, on lui avait administré un antibiotique à large spectre et un soluté macromoléculaire de remplissage afin de traiter l'hypovolémie.

Mais Joona a disparu avant que l'antibiotique n'ait pu agir.

Il n'a pas indiqué d'adresse.

Avec ces symptômes, en l'absence de traitement, sa vie est gravement menacée.

Erik quitte son cabinet de travail et prend sa veste dans l'entrée. Il ne se donne pas la peine d'éteindre la lumière.

Il ne pleut plus. L'air nocturne est frais et les vitres de sa voiture sont couvertes de condensation. Il laisse les essuie-glaces balayer l'humidité du pare-brise avant de partir.

Il est près de minuit et les rues sont quasi vides. Au-delà de la lueur jaune de l'éclairage public, au-delà des radars automatiques, des rails de sécurité cabossés et des murs antibruit, la nuit de fin d'été est sombre comme du velours dense.

À Huddinge, il tourne dans Dalhemsvägen, et s'engage dans une vaste zone industrielle entourée de hauts grillages, pour déboucher ensuite dans un secteur boisé.

Il n'y avait pas de mendiants en Suède auparavant, mais depuis quelques années, on voit des émigrés de l'Union européenne partout dans les villes. Ils ont gagné le pays pour demander de l'aide, à genoux, dans les tourbillons de neige, devant les magasins d'alimentation, en tendant la main ou un gobelet en carton.

Erik se dit souvent que les Suédois d'aujourd'hui se sont montrés particulièrement généreux vis-à-vis de ce changement, en considération de la sombre histoire de discrimination et de stérilisations forcées qu'a connue le pays.

Une lumière diffuse apparaît à travers les arbres. Il ralentit et s'approche, bifurque sur une piste, et le petit singe accroché à la clé de contact commence à se balancer.

Dans une clairière, des tissus volettent sur une corde à linge. Des lames de contreplaqué ont été assemblées et recouvertes avec des bâches et des bouts de plastique.

Erik fait demi-tour sur une aire de manœuvre et se gare à moitié dans le fossé. Il ferme la voiture à clé, s'éloigne en jetant un regard derrière les arbres.

Ça sent la pomme de terre et le butane. On a construit des cabanes en bois bancales entre quatre caravanes fatiguées. La fumée monte d'un tonneau bosselé, des escarbilles s'envolent et une odeur de plastique brûlé flotte dans l'air.

Joona Linna doit se trouver ici. Il a une septicémie à un stade avancé et va mourir s'il ne reçoit pas rapidement le bon antibiotique. Personne n'a fait autant pour Erik que cet inspecteur de haute taille.

Une femme à la tête recouverte d'un foulard lui lance un regard farouche et s'éloigne rapidement.

Il poursuit jusqu'à la caravane la plus proche et frappe à la porte. Sur un beau tapis sous la caravane sont alignées cinq paires de chaussures de sport usées de différentes pointures.

— Joona ? dit Erik d'une voix forte, et il frappe de nouveau.

La caravane tangue un peu, puis la porte s'ouvre sur un homme âgé aux yeux opacifiés par la cataracte. Derrière lui, un enfant est assis sur un matelas. Par terre, une femme dort tout habillée, en bonnet et manteau d'hiver.

— Joona, répète Erik d'une voix assourdie.

Un homme robuste en veste militaire doublée surgit derrière lui et demande en mauvais suédois ce qu'il veut.

— Je cherche un ami qui s'appelle Joona Linna, lui explique Erik.

— On ne veut pas de problèmes, dit l'homme, le visage impassible.

— D'accord, répond Erik.

Il va frapper à la porte de la deuxième caravane qui est couverte de traces de brûlures rondes, comme si on avait éteint des cigarettes dessus.

Une jeune femme portant des lunettes ouvre prudemment. Elle est vêtue d'un gros pull et d'un pantalon de jogging informe aux genoux mouillés.

— Je cherche un ami malade, dit Erik.

— *Next house*, chuchote-t-elle, les yeux remplis de crainte.

Un enfant à l'air épuisé s'est approché, il chatouille Erik avec un crocodile en plastique.

Erik enjambe deux béquilles et s'approche de la troisième caravane. Les fenêtres brisées sont recouvertes de bouts de carton.

Plus loin dans l'obscurité, une cigarette tremble entre les lèvres d'un homme mal rasé aux traits éreintés.

Erik frappe à la porte et ouvre, sans avoir reçu de réponse. À la lumière d'un radio-réveil, il voit son ami. Joona Linna est allongé sur un matelas humide, une couverture pliée faisant office d'oreiller. Une vieille femme en veste matelassée démodée est assise à côté de lui et essaie de lui faire avaler de l'eau à l'aide d'une cuillère.

— Joona, murmure-t-il.

Le sol craque quand Erik monte dans la caravane. Le mouvement fait clapoter l'eau d'un bidon en plastique. Le tapis devant la porte est mouillé de pluie et une forte odeur de tissu humide et de fumée de cigarette flotte dans l'air. Devant les fenêtres couvertes de cartons sont suspendues des draperies bleu-gris. Un crucifix balance sur le mur quand Erik fait un pas de plus.

Le visage de Joona est décharné, couvert d'une barbe grisonnante, et sa cage thoracique paraît étrangement creuse. Le blanc des yeux est jaunâtre et le regard si éteint qu'Erik n'est pas sûr qu'il soit conscient.

— Je vais te faire une injection tout de suite, avant qu'on s'en aille, dit Erik en posant son sac sur le sol.

Joona réagit à peine quand Erik remonte sa manche, lave le pli du coude avec une compresse, cherche une veine et injecte le mélange de pénicilline G et d'aminosides.

— Tu tiens debout ? demande-t-il pendant qu'il colle un sparadrap sur la piqûre.

Joona lève un peu la tête et tousse faiblement. Erik le soutient afin qu'il se redresse. Une boîte en fer-blanc roule sur le sol. Joona tousse encore, montre la femme et essaie de parler.

— Je ne comprends pas.

— Il faut payer Crina, souffle Joona en se levant. Elle a... elle m'a aidé.

Erik hoche la tête et sort son portefeuille. Il donne un billet de cinq cents couronnes à la femme et elle sourit, la bouche fermée.

Erik ouvre la porte et aide Joona à descendre les marches. Dehors, un homme chauve en costume froissé leur tient la porte de la caravane ouverte.

— Merci, dit Erik.

De l'autre côté, un homme blond en blouson noir s'approche d'eux. Il cache quelque chose derrière son dos.

Près de l'autre caravane se tient un troisième homme, une casserole noircie à la main. Il porte un jean et une veste en jean, des runes tatouées s'étalent sur ses bras nus.

— T'as une belle voiture, lance-t-il à Erik avec un sourire.

Erik et Joona commencent à marcher en direction de l'aire de manœuvre quand l'homme blond leur bloque le chemin.

— Il faut nous payer le loyer.

— J'ai déjà payé, riposte Erik.

Le chauve crie quelque chose dans la caravane et la vieille femme apparaît à la porte en brandissant l'argent qu'Erik lui a donné. L'homme arrache le billet de ses mains, lui lance quelques mots impatients avant de lui cracher dessus.

— Tout le monde paie ici, explique le blond, et il montre clairement la barre de fer dans sa main.

Erik émet un murmure approbateur, il veut juste rejoindre la voiture, quand Joona s'arrête.

— Rends-lui son argent, dit-il en pointant un doigt sur le chauve.

— C'est moi, le propriétaire des caravanes, se vante le blond. Tout est à moi ici, chaque matelas, chaque foutue casserole.

— Je ne te parle pas, à toi, réplique Joona, et il tousse en tournant son visage vers le pli du coude.

— C'est trop risqué, ça ne vaut pas le coup, chuchote Erik, et il sent son cœur tonner dans sa poitrine.

— On a un accord avec eux, bordel, crie l'homme tatoué.

— Erik, va t'asseoir dans la voiture, lui intime Joona, et il s'approche des hommes en boitant.

— Le prix vient d'augmenter, annonce le blond.

— J'ai un peu plus d'argent, déclare Erik en sortant son portefeuille.

— Ne fais pas ça, dit Joona.

Erik donne quelques billets supplémentaires au blond.

— Il en manque encore.

— Tu vas tout lui rendre, ordonne Joona d'une voix faible.

— Ce n'est que de l'argent, répond vivement Erik, et il sort les derniers billets.

— Ce n'est pas rien pour Crina, dit Joona.

— Courez vite vous cacher avant qu'on change d'avis, sourit le blond en leur montrant de nouveau la barre de fer.

58

Les bras serrés autour de son corps, légèrement penché en avant, Joona ne bouge pas. Il voit l'homme blond changer la barre de fer de main et se décaler sur la droite. Le chauve enlève sa veste et la suspend sur le dossier d'une chaise en plastique.

Joona lève lentement la tête et regarde le chauve droit dans les yeux.

— Rends l'argent à Crina, répète-t-il, têtu.

Le chauve ricane de surprise et se déplace vers l'obscurité. Un petit clic se fait entendre quand il sort la lame d'un couteau pliant.

— Je vais te faire mal si tu ne jettes pas ce couteau immédiatement, prévient Joona avec son accent finnois mélancolique, et il avance d'un pas.

Le chauve s'approche, il tient le couteau en prise marteau classique, le pointe et tente de petites attaques, genoux fléchis.

— Fais gaffe, dit Joona avec un faible toussotement.

Le couteau acéré brille dans la lumière chiche, Joona suit la lame du regard et essaie de lire les mouvements arythmiques.

— Tu veux mourir ? souffle l'homme.

— J'ai l'air lent. Mais je vais prendre le couteau et casser ton bras au niveau du coude… et si tu ne restes pas au sol, je te crèverai le poumon droit.

— T'as qu'à le suriner, ce putain de Finnois, crie le blond.

— Je te descendrai tout de suite après, quand j'aurai pris le couteau, répond Joona, et il titube droit dans un vélo rouillé.

Le chauve fait un geste inattendu, la lame frappe le dos de la main de Joona et le sang se met à couler.

Le blond recule, un sourire stressé aux lèvres.

Joona essuie le sang sur son pantalon. Le chauve crie quelque chose au blond. Un nourrisson se met à pleurer dans une des caravanes.

Le blond vient se placer derrière Joona, qui s'en rend compte mais n'a pas le temps de se pousser.

Le chauve passe à l'attaque au moment où il jette un regard par-dessus son épaule. Il vise bas, vers les reins. La lame blanche jaillit telle la langue d'un lézard.

Tout va très vite, mais le corps de Joona se souvient. Il ne réfléchit pas quand il détourne le mouvement, attrape la main de l'homme et referme ses doigts autour de ses jointures froides.

Les étapes se suivent avec un automatisme expéditif. Joona tord le poignet de l'homme, place son autre main sous son coude et tire vers le haut.

L'articulation du coude se rompt dans un "clac" comme lorsqu'on marche sur une branche enfouie dans la neige profonde. Des éclats du radius traversent les ligaments et les tissus, et un jet de sang gicle sur un seau crasseux. L'homme tombe à genoux en hurlant, et se plie en deux.

— Derrière toi, lance Erik.

Joona se retourne, est pris de vertige, marche dans une flaque d'eau, voit les cimes des pins glisser dans le ciel, mais parvient à conserver son équilibre.

Il tourne le couteau entre ses doigts, change de prise et le dissimule derrière son dos en s'approchant du blond.

— Ne me touche pas, crie l'homme, et il frappe dans le vide avec la barre de fer.

Joona lui fonce dessus, encaisse un coup sur l'épaule, lui balafre le front et le frappe à l'aisselle avec l'avant-bras, lui déboîtant l'épaule. La barre de fer tombe par terre.

Le blond se tient le bras, haletant, puis recule, mais il est aveuglé par le sang qui lui coule dans les yeux, il trébuche sur un tas de bois et reste allongé sur le dos.

L'homme avec la casserole a disparu dans le noir, derrière les cabanes. Joona s'avance, se penche et reprend l'argent aux deux hommes.

Il frappe à la porte de la caravane et s'appuie sur le chambranle pour ne pas tomber. Erik accourt et le soutient quand il vacille.

— Donne l'argent à Crina, souffle Joona, et il s'assied sur le marchepied.

Erik ouvre la porte, aperçoit la femme tout au fond dans l'obscurité, croise son regard et lui montre qu'il cache l'argent sous le tapis.

Joona s'affaisse dans l'herbe, la tête sur un bloc de béton cellulaire qui sert à caler la caravane.

L'homme au tatouage revient à l'angle de la première caravane. Il est armé d'un fusil à plomb et s'approche à grands pas.

Comprenant que Joona est hors d'état de courir, Erik se faufile sous la caravane, et tente de l'y traîner avec lui.

— Essaie de m'aider, chuchote-t-il.

En donnant des coups de pied, Joona se glisse lentement dans l'espace étroit. Le gravier frotte contre son blouson. Il entend des pas devant lui.

L'homme au fusil ouvre la porte et crie quelque chose à la vieille femme. Le plancher craque au-dessus de leurs têtes quand il entre dans la caravane.

— Viens, murmure Erik.

En rampant plus loin, il se cogne la tête à une goulotte à câbles. Joona se traîne derrière lui, mais son blouson se coince dans une poutrelle transversale. Erik sort du côté opposé et se cache parmi les orties.

De sa cachette, Joona voit l'homme tatoué redescendre dans la cour de gravier.

Des voix s'élèvent et tout à coup l'homme s'agenouille, appuie ses mains au sol et regarde Joona qui est toujours sous la caravane.

— Attrape-les ! crie le blond.

Joona tente de se dégager et les coutures de son blouson craquent. Le tatoué se lance parmi les buissons denses pour faire le tour de la caravane.

Erik se précipite pour aider Joona à se dégager.

Ils roulent sur le côté, rampent parmi les blocs de béton cellulaire et débouchent dans les herbes folles, font basculer une tôle rouillée et arrivent en trébuchant à côté d'une remise.

L'homme au tatouage tourne à l'angle, dérape sur les petits cailloux du gravier, lève l'arme et vise.

Erik tire Joona hors de la ligne de mire.

L'homme les suit, le fusil brandi. Ils s'accroupissent derrière un meuble de cuisine calée entre deux arbres.

L'homme fait feu et une pile d'assiettes sur l'évier explose. Des bouts de porcelaine pleuvent sur eux.

Des cris et des voix s'élèvent entre les arbres. Erik guide Joona derrière la remise. L'homme tatoué les suit. Les éclats de porcelaine crissent sous ses chaussures. Le canon émet un petit soupir lorsque l'homme retire la cartouche vide et en engage une nouvelle.

Erik sent ses jambes trembler quand il entraîne Joona dans la forêt.

Ils courent tant bien que mal sur le terrain accidenté, se fraient un passage à travers d'épais sapins et s'égratignent sur des branches pleines d'aiguilles.

La sueur coule dans le dos de Joona, sa hanche brûle et un de ses pieds a perdu toute sensibilité. Il n'arrive pas à focaliser son regard et la vague de fièvre l'assaille, lance un froid glacial dans ses veines et le fait claquer des dents.

Erik tient fermement son avant-bras tandis qu'ils longent la lisière de la forêt opaque pour regagner la voiture. Entre les arbres, des faisceaux de lampes de poche dansent et une dizaine d'immigrés parlementent après avoir désarmé l'homme tatoué.

Joona a besoin de se reposer un instant avant de suivre Erik sur l'aire de manœuvre.

Ses jambes ne le portent plus, il tombe presque sur le siège passager et ferme les yeux, tousse violemment, les poumons en feu.

Erik contourne la voiture en courant, s'assied derrière le volant et verrouille les portières en même temps qu'il entend un fracas sur le pare-brise. L'homme blond, le visage en sang, surgit dans la lumière des codes. Il tient une lourde branche et la lève de nouveau quand Erik démarre le moteur et accélère. La roue avant tourne dans le vide dans le fossé, du gravier et de petits cailloux crépitent sous la voiture.

Le pare-brise prend un autre coup, le rétroviseur extérieur se détache et reste pendu par ses câbles quand la voiture remonte sur la piste. Ils entendent déjà les sirènes des voitures de secours derrière la zone forestière.

59

Erik a pris une double dose de somnifère pour s'endormir, mais s'est quand même réveillé tôt. Il est debout aux premières lueurs de l'aube. Il ne retrouve plus la chemise bleue qu'il avait posée sur le dos d'une chaise avant de se coucher, en vue de sa visite à Karsudden ; il doit retourner à la penderie en chercher une nouvelle.

Les trois nouveaux meurtres rappellent l'ancien, mais Rocky est resté enfermé et la police pense qu'il avait un partenaire, un disciple, qui pour une raison inconnue s'est remis à l'œuvre. Erik va tenter de sonder la mémoire de Rocky et lui poser des questions au sujet du prédicateur qu'il qualifie de sale.

Joona dort toujours lorsqu'il quitte la maison. Avant de démarrer la voiture et de partir, il fixe le rétroviseur cassé avec du gros scotch.

Erik double un van, il repense à la veille, quand il a aidé Joona à se déshabiller, l'a mis sous la douche puis installé dans la chambre d'amis. La serviette était toute tachée de sang après qu'il eut lavé la coupure sur sa main et suturé la plaie avec du Stéri-Strip. Joona était resté éveillé tout le temps, le regardant calmement. Erik lui avait fait une injection de vaccin contre le tétanos, une autre de pénicilline par voie intraveineuse, il avait réussi à lui faire boire de l'eau et avaler un fébrifuge et avait ensuite examiné sa blessure à la hanche. Un ancien trauma avait provoqué une grosse hémorragie interne dans toute la jambe. Aucun signe de fracture. Erik lui avait administré de la cortisone dans le muscle au-dessus du col de fémur, avant de le mettre au lit.

En revenant de l'hôpital de Karsudden, il passera à la pharmacie chercher du Topiramate pour les céphalées de Joona.

Il y a peu de circulation sur les routes et il est encore tôt quand il passe Katrineholm et s'approche du grand complexe hospitalier.

Casillas se tient sur le perron devant l'accueil et vide sa pipe en la tapotant contre la rambarde. Il lève la main pour saluer Erik quand il le voit sur l'allée piétonne.

— Nous avons fait plusieurs explorations neurologiques, explique-t-il pendant qu'ils se dirigent vers les mornes bâtiments en brique. Ce n'est pas tout à fait mon domaine, mais les experts estiment que la chirurgie est à exclure, les lésions du tissu cérébral sont irréversibles… Il s'en sort au quotidien, mais il doit accepter d'avoir des black-out et des souvenirs assez inconstants.

Après la fouille à la section D4, une gardienne de jour les accueille, elle a des pattes-d'oie sympathiques au coin des yeux.

— Rocky Kyrklund vous attend dans la salle d'apaisement, dit-elle après avoir serré la main d'Erik.

Quoi qu'il ressorte de cet entretien, Erik pourra parler à Margot de l'homme que Rocky avait tenté d'incriminer neuf ans auparavant, celui qu'il appelle le prédicateur sale.

Ils s'arrêtent et Casillas explique à la gardienne qu'elle doit attendre devant la salle d'apaisement et qu'elle devra raccompagner Erik quand il aura terminé.

Erik écarte le rideau de perles et entre. Rocky est assis au milieu d'un des canapés, les bras étalés de part et d'autre du dossier, tel un crucifié. Un gobelet de café et un roulé à la cannelle sont posés devant lui sur la table basse. Les haut-parleurs fixés au mur diffusent une douce musique classique.

Rocky se frotte l'arrière de la tête contre le mur et contemple ensuite Erik tranquillement.

— Pas de cigarettes aujourd'hui ? demande-t-il au bout d'un long moment.

— Je peux m'en occuper, répond Erik.

— Donne-moi plutôt une plaquette de Mogadon, dit Rocky en repoussant ses cheveux derrière ses oreilles.

— Du Mogadon ?

— Comme ça Jésus te pardonnera tes péchés.

— Je vais en parler avec un médecin qui…

— Toi, tu carbures au Mogadon, l'interrompt Rocky. À moins que ce ne soit du Rohypnol ?

Erik cherche dans sa poche intérieure et lui donne une plaquette entière de comprimés. Rocky en fait sortir un qu'il avale sans eau.

— La dernière fois que je suis venu, je t'ai posé des questions sur une personne, un collègue à toi, dit Erik en prenant place dans un fauteuil.

— Je n'ai pas de collègues, répond Rocky d'une voix sombre. Car Dieu m'a perdu en chemin… et il n'est pas revenu me récupérer.

Il déplace le gobelet en plastique blanc et attrape un grain de sucre perlé du bout de l'index.

— Mais est-ce que tu gardes un souvenir d'un complice pour le meurtre ?

— Pourquoi tu demandes ça ?

— On en a parlé la dernière fois.

— J'ai dit que j'avais un complice ?

— Oui, ment Erik.

Rocky ferme les yeux et hoche lentement la tête pour lui-même.

— Tu sais… Je ne peux pas faire confiance à ma mémoire, dit-il en rouvrant les paupières. Je peux me réveiller au milieu de la nuit, me rappeler un événement d'il y a plus de vingt ans et tout noter, et quand je lis ce que j'ai écrit une semaine plus tard, ça me paraît une invention, comme si ça n'avait jamais eu lieu… Du coup je ne sais pas… C'est pareil pour la mémoire proche, j'ai des moitiés de journée qui disparaissent, j'ai pris mes médicaments, j'ai joué au billard, je me suis disputé avec quelques crétins, j'ai mangé du steak haché, mais tout a disparu.

— Tu n'as pas répondu à ma question : avais-tu un complice pour le meurtre de Rebecka ?

— Je m'en fous, toi tu dis que tu étais ici, mais je ne t'ai jamais rencontré…

— Je crois que tu te souviens de ma visite.

— Ah oui ?

— Et je crois que tu mens parfois, ajoute Erik.

— Tu me traites de menteur ?

— Tout à l'heure tu as fait référence aux cigarettes que je t'ai données la dernière fois.

— Je voulais seulement voir si tu suivais, réplique Rocky avec un sourire.

— Alors tu te souviens de quoi ?

— Pourquoi devrais-je te répondre ? demande-t-il, et il boit une gorgée de café et se lèche les lèvres.

— Ton complice a commencé à tuer par ses propres moyens.

— Tant pis pour vous, marmonne Rocky avant de se mettre soudain à trembler.

Le gobelet lui échappe, le fond de café gicle quand il heurte le sol, le menton de Rocky frémit. Ses yeux roulent, les paupières se ferment et tressaillent un peu. L'activité épileptique ne dure que quelques secondes, puis Rocky se redresse, s'essuie la bouche, lève les yeux et semble se souvenir de la situation.

— Avant tu m'as parlé d'un prédicateur, dit Erik.

— J'étais seul quand j'ai assassiné Rebecka, affirme Rocky à voix basse.

— Dans ce cas, qui est ce fameux prédicateur sale ?

— Quelle importance ?

— Contente-toi de dire la vérité.

— Qu'est-ce que j'y gagne ?

— Qu'est-ce que tu veux y gagner ?

— Je veux de l'héroïne pure, déclare Rocky en regardant Erik droit dans les yeux.

— Tu pourras commencer à avoir des permissions, si tu coopères, lui promet Erik.

— De toute façon je ne me rappelle pas, tout est parti, ça ne sert à rien.

Erik se penche en avant dans le fauteuil mou.

— Je peux t'aider à te souvenir, finit-il par dire.

— Personne ne peut m'aider.

— Pas d'une manière neurologique, mais je peux t'aider à te souvenir de ce qui s'est passé.

— Comment ?

— Je peux t'hypnotiser.

Rocky reste immobile, la tête inclinée en arrière, contre le mur. Ses yeux sont mi-clos, sa bouche légèrement en cul-de-poule.

— Sache que l'hypnose n'a rien d'extraordinaire, c'est juste un niveau de conscience qu'on peut atteindre en situation de détente très profonde.

— Je lis la revue *Cortex*, je me souviens d'un long article sur la neuropsychologie et l'hypnose, dit Rocky en agitant la main.

60

Ils se sont installés dans la chambre de Rocky, porte fermée et éclairage tamisé. La faible lumière fait briller un calendrier Playboy. Erik a ouvert le trépied, placé la caméra dans le bon angle, ajusté la luminosité et orienté le microphone.

Un petit voyant rouge indique que l'enregistrement a commencé.

Kyrklund est assis sur une chaise, ses larges épaules sont détendues et arrondies, faisant penser à un ours. Sa tête pend en avant. Il a tout de suite plongé dans un état de relaxation profonde et a très bien répondu à l'induction.

Ce qui exige un véritable savoir-faire n'est pas l'acte d'hypnotiser, mais la capacité à trouver la profondeur exacte et à mener le cerveau à un niveau de détente maximale, mais où il peut aussi faire la distinction entre les souvenirs réels et les rêves.

Erik se tient de biais derrière Rocky et compte lentement à rebours pendant qu'il le prépare à extraire ses souvenirs.

— Deux cent douze, dit-il d'une voix monotone. Deux cent onze… tu vas bientôt te trouver devant la maison de Rebecka Hansson…

Quand un patient est plongé dans une hypnose profonde, l'hypnotiseur entre lui-même dans une sorte de transe parallèle, ce qu'on appelle l'hypnorésonance.

Erik doit se scinder en un moi absolument présent et un moi clairement observateur.

Dans sa transe personnelle, le moi observateur se trouve toujours sous l'eau. C'est devenu son image intime de l'immersion hypnotique.

Pendant que ses patients sont guidés vers leurs souvenirs, Erik s'enfonce dans une mer chaude, passe devant des rochers escarpés ou des récifs de corail.

De cette manière, il peut rester totalement présent dans le parcours du patient tout en conservant une distance protectrice.

— Quatre-vingt-huit, quatre-vingt-sept, quatre-vingt-six, poursuit-il d'une voix soporifique. La seule chose qui existe est ma voix et ta volonté de l'écouter… À chaque chiffre, tu t'enfonces encore davantage dans la détente… tu es de plus en plus calme… quatre-vingt-cinq, quatre-vingt-quatre… il n'y a rien de dangereux ici, rien de menaçant…

Pendant le compte à rebours, Erik coule dans une eau étrangement rose en compagnie de Rocky Kyrklund. Ils suivent une chaîne d'ancre vers les profondeurs. Les chaînons rouillés sont pleins d'algues filandreuses. Au-dessus d'eux flotte un grand navire, les hélices immobilisées sous la surface argentée.

Ils tombent.

Les yeux de Rocky sont fermés et de petites bulles d'air se dégagent de sa barbe. Il tient les bras le long de son corps, mais le courant de l'eau fait onduler ses vêtements.

— Cinquante et un, cinquante, quarante-neuf…

Émergeant de l'obscurité violette, le sommet d'une immense montagne sous-marine s'étire, il est gris-noir, comme un tas de cendre.

Rocky lève le visage et essaie de concentrer son regard, mais on ne voit que le blanc de ses yeux. Sa bouche s'ouvre et ses yeux se referment. Les cheveux sur sa tête ondoient et des bulles sortent de ses narines.

— Onze, dix, neuf… Tu vas raconter tous tes véritables souvenirs de Rebecka Hansson quand je te le dirai…

En même temps qu'Erik s'enfonce dans l'eau, il observe Rocky sur la chaise dans la chambre. Un filet de salive coule de la bouche de l'homme. Son débardeur blanc est usé aux coutures près des aisselles.

— Trois, deux, un… Maintenant tu ouvres les yeux et tu vois Rebecka Hansson telle que tu l'as vue la dernière fois…

Rocky se tient devant lui sur le sommet de la montagne des abysses, ses vêtements bougent au gré du doux courant, ses cheveux sont comme des flammes au ralenti sur sa tête, il ouvre la bouche et de grosses bulles en jaillissent, qui remontent le long de son visage.

— Raconte ce que tu vois, dit Erik très calmement.

— Je la vois… Je suis dans le jardin à l'arrière de la maison… Par les portes de la terrasse je vois qu'elle est assise sur le canapé, elle tricote en regardant la télé. Les mouvements des aiguilles font bouger une pelote de laine bleue à côté de sa hanche… Elle a dit qu'elle ne voulait pas me voir, je crois qu'elle va quand même écarter les jambes.

— Qu'est-ce qui se passe ?

— Je frappe à la porte vitrée, elle enlève ses lunettes et me fait entrer… Elle dit qu'il faut qu'elle dorme parce qu'on est en semaine… mais que je peux passer la nuit là si je veux…

Erik ne l'interrompt pas, il se contente d'attendre le segment suivant du souvenir, d'attendre que les images s'enchaînent.

— Je m'assieds sur le canapé et tripote un peu son collier… Un vieux modèle de tricot découpé dans *Husmodern* est posé par terre… Rebecka déplace son ouvrage sur la table et je glisse une main entre ses cuisses, elle recule, dit qu'elle ne veut pas… je remonte quand même sa chemise de nuit…

Rocky respire lourdement.

— Elle résiste, mais je sais qu'elle a basculé, je le vois dans ses yeux, elle en a envie maintenant… Je l'embrasse et réussis à introduire ma main entre ses jambes.

Il esquisse un petit sourire pour lui-même avant de reprendre avec gravité.

— Elle dit qu'on va aller dans la chambre et je mets un doigt dans sa bouche et elle le suce et… Dehors.

Rocky s'interrompt et ouvre de grands yeux.

— Il y a quelqu'un dehors ! J'ai vu un visage. Il y avait quelqu'un à la fenêtre.

— À l'extérieur de la maison ? demande Erik.

— C'était un visage, je m'approche des portes vitrées, mais je ne vois rien… Il fait sombre, la pièce se reflète dans la fenêtre… et alors je vois quelqu'un derrière moi… Je pivote, je suis prêt à frapper, mais c'est seulement Rebecka… Elle prend peur et veut que je parte… Elle est sérieuse. Je vais dans l'entrée, je prends tout l'argent qu'elle a dans son sac et…

Il se tait, respire plus lourdement. L'énergie qui circule dans la pièce se modifie, devient lentement plus dangereuse.

— Rocky, je veux que tu t'attardes chez Rebecka, dit Erik. C'est le même soir, tu es chez elle et…

— Je suis allé à la Zone, l'interrompt-il d'une voix molle.

— Plus tard dans la soirée, tu veux dire ?

— Je me fous des strip-teaseuses sur la grande scène, chuchote-t-il. Je me fous des dealers, parce que je cherche…

— Tu retournes chez Rebecka ?

— Non, on reste dans les toilettes pour handicapés pour avoir la paix.

— De qui tu parles ?

— De ma nana… que j'aime. Tina, qui… Elle me suce sans capote, elle s'en fout, parce qu'elle est pressée maintenant, tout son corps est moite de transpiration.

Erik se demande s'il doit sortir le patient de l'hypnose, il sent que Rocky évolue trop rapidement parmi ses souvenirs, il ne sait plus s'il est possible de le maintenir au niveau approprié.

— Tina tousse au-dessus du lavabo, elle me regarde dans le miroir, ses yeux ont peur… Je sais qu'elle est vachement mal en point, mais…

— Tina est ta complice ? demande Erik en regardant le visage nu de Rocky.

— Putain, ils me doivent un paquet de tunes, cent mille, je les aurai la semaine prochaine, murmure-t-il. Mais là, je ne peux me payer qu'une saloperie de cirage à godasse que je dois dissoudre dans de l'acide pour pouvoir me shooter.

Rocky secoue la tête d'un mouvement angoissé et son souffle se fait saccadé, il respire par le nez.

— Il n'y a aucun danger ici, dit Erik aussi calmement que possible. Tu es en sécurité totale, tu peux raconter tout ce qui se passe.

Le corps de Rocky se détend un peu, mais la sueur coule sur son visage raviné.

— Je reste assis, je la laisse prendre la cuillère… Je ne ressens plus de flash, mais je me sens super-bien et je commence à piquer du nez, je vois qu'elle se fait un garrot au pli du coude… Le fermoir se retourne et se bloque et après, elle n'arrive plus à l'ouvrir… Je suis trop défoncé pour l'aider, j'entends qu'elle réclame du secours, des larmes dans la voix…

Rocky geint faiblement et l'atmosphère de la pièce se tend.

— Qu'est-ce qui se passe maintenant ? interroge Erik.

— La porte s'ouvre. C'est un connard qui a crocheté la serrure… Je ferme les yeux, je dois me reposer, mais je percute que c'est le prédicateur qui m'a trouvé…

— Comment tu peux le savoir ?

— Je le reconnais à l'odeur crade de vieille came chauffée. Et à l'abstinence, ça sent comme quand on vide un poisson, un relent minéral de viscère…

Rocky secoue la tête de nouveau, sa respiration se fait trop rapide et Erik se dit qu'il devrait le sortir de l'hypnose, mais il s'en abstient.

— Que se passe-t-il ?

— J'ouvre les yeux, le prédicateur a vraiment une sale gueule. Il a dû choper une hépatite, il a les yeux tout jaunes… Il renifle sa morve et sa voix devient soudain bizarrement fluette.

Rocky souffle en respirant, gigote sur sa chaise et beugle d'angoisse entre les mots.

— Il s'approche de Tina… Elle s'est fait son fixe, mais elle n'arrive pas à détacher le garrot… Dieu du ciel, aie pitié de mon âme, Dieu du ciel…

— Rocky, je vais commencer à te réveiller et…

— Le prédicateur tient une machette, ça fait un bruit comme quand on enfonce une pelle dans de la boue…

Rocky a des régurgitations, il suffoque, mais continue de parler.

— Le prédicateur tranche le bras de Tina à l'épaule, il défait le garrot et boit…

— Écoute ma voix maintenant.

— Et boit le sang qui coule du bras… pendant que Tina saigne à mort par terre… Dieu du ciel… Mon Dieu…

— Trois, deux, un… maintenant tu te trouves au-dessus des toilettes pour handicapés, tu es haut au-dessus et rien de ce que tu vois n'a d'importance…

— Mon Dieu, pleure Rocky, et sa tête pend sur sa poitrine.

— Tu restes profondément détendu et tu vas revenir sur ce que tu viens de me raconter et me préciser ce qui était des visions imaginaires… Tu t'es beaucoup drogué et tu fais souvent des cauchemars… Tu te regardes, là, sur le sol des toilettes. Qu'est-ce qui se passe réellement ?

— Je ne sais pas, répond Rocky lentement.

— Qui est-il ?

— Le prédicateur a du sang sur le visage et il montre un polaroïd de Rebecka… exactement comme de Tina la semaine d'avant et…

La voix éraillée disparaît, mais la bouche remue un peu avant de s'immobiliser. Il incline sa lourde tête sur le côté et ses yeux vides regardent droit à travers Erik.

— Je n'ai pas entendu ce que tu as dit.

— C'est ma faute… je devrais m'arracher l'œil s'il est une occasion de péché, plutôt s'arracher l'œil que vivre ça.

Rocky essaie de se relever, mais Erik le retient d'une main douce sur l'épaule et il sent le grand corps vibrer, trembler de peur.

— Tu te trouves dans un repos profond, poursuit Erik, le dos ruisselant de sueur. Mais avant que tu te réveilles, je voudrais que tu regardes le prédicateur bien en face et… que tu me racontes ce que tu vois.

— Je suis couché par terre et je vois ses bottes… Je sens l'odeur de sang et je ferme les yeux.

— Reviens un peu en arrière.

— Je n'en peux plus, dit Rocky, et il commence à sortir de l'hypnose.

— Reste encore un peu… Il n'y a rien de grave, tu es décontracté et tu me racontes la première fois que tu as vu le prédicateur sale.

— C'est dans l'église…

Il ouvre les yeux un instant, les referme et murmure des paroles inaudibles.

— Parle-moi de l'église. Qu'est-ce qui s'y passe ?

— Je ne sais pas, souffle Rocky. Il n'y a pas de prêche…

— Qu'est-ce que tu vois ?

— Il s'est mis du fond de teint sur la figure, sur sa barbe naissante… et ses bras sont tellement labourés de piqûres que…

Rocky tente de se lever, mais la chaise se renverse, il tombe et se cogne la tête par terre.

61

Rocky roule sur le côté et Erik l'aide à se redresser. Il s'étire le dos, passe la main sur sa bouche, repousse Erik, va à la fenêtre et regarde dehors entre les barreaux verticaux.

— Tu te souviens de quelque chose de l'hypnose ? demande Erik en relevant la chaise.

Rocky se retourne et lui lance un regard oblique.

— J'étais drôle ?

— Tu as beaucoup parlé du prédicateur à nouveau, mais en réalité tu sais comment il s'appelle, pas vrai ?

Rocky fait la moue et secoue lentement la tête.

— Non.

— Je crois que tu le sais et je ne comprends pas pourquoi tu le protèges…

— Le prédicateur n'est qu'un bouc émissaire, un…

— Donne-moi quand même un nom, insiste Erik.

— Je ne me rappelle pas.

— Alors un lieu, il se trouve où ? Où est située la Zone ?

La lumière du soleil éclaire la barbe sur les joues ridées de Rocky.

— Est-ce que c'est la première fois que tu m'as hypnotisé ? demande-t-il.

— Je ne t'ai jamais hypnotisé auparavant.

— En ce qui me concerne, l'expertise psychiatrique judiciaire n'avait pas de sens, dit Rocky sans écouter. Mais j'aimais bien parler avec toi.

— Tu t'en souviens ? C'était il y a presque dix ans…

— Je me souviens de ta veste en velours côtelé brun, elle devait être vachement rétro déjà à l'époque… On était assis face à face à une table… C'était un plateau en aggloméré plaqué hêtre, ça se reconnaît à l'odeur… Deux gobelets d'eau, un dictaphone, un carnet de notes… et j'avais mal au crâne, en fait j'avais besoin de morphine, mais je voulais d'abord te parler de mon alibi…

— Je ne me souviens pas de ça, élude Erik, et il fait un pas en arrière.

Rocky tâte la fenêtre entre les barreaux.

— J'ai noté l'adresse d'Olivia, mais ça n'a pas été évoqué au tribunal.

— Mais tu as avoué que c'est toi qui avais tué…

— Dis-moi seulement ce qui est arrivé à l'alibi, l'interrompt-il.

— Je ne l'ai pas vraiment pris au sérieux.

Rocky se retourne, s'approche, se baisse un peu et incline la tête comme pour mieux regarder Erik.

— Alors tu n'as jamais rien dit à mon avocat ?

Erik jette un rapide coup d'œil par-dessus son épaule et constate que la gardienne devant la porte a disparu. Du pied, Rocky repousse la chaise qui les sépare.

— Je n'ai aucun souvenir d'avoir eu une adresse, rétorque Erik rapidement. Mais si tel est le cas, je suis certain de l'avoir transmise à la défense.

— Tu l'as jetée, pas vrai ? dit Rocky d'une voix sombre tout en continuant à avancer.

— Calme-toi, répond Erik, et il se déplace vers la porte.

— Tu m'as condamné à l'internement ! crie Rocky. C'est toi ! C'est toi qui m'as fait ça !

Erik est dos contre la porte, les bras tendus devant lui pour tenir Rocky à distance, mais il n'a aucune chance d'y parvenir. D'un seul geste, Rocky repousse ses bras et lui donne un coup de poing dans la poitrine. C'est un coup puissant comme donné par une massue. Ses poumons se vident, il ne peut plus respirer. Le coup suivant le touche exactement au même endroit et sa tête part cogner la porte dans un bruit sourd.

Erik lutte pour rester debout. Les boucles métalliques de sa veste frottent contre le revêtement en tissu du mur quand il se déplace pour échapper aux coups. Il lève une main pour se défendre, tousse et inspire.

— Tu veux que je vérifie l'alibi ? réussit-il à articuler.

— Menteur ! rugit Rocky, et il saisit la mâchoire d'Erik et lui comprime la bouche.

Il l'attire à lui et lui administre une gifle tellement forte que la vue d'Erik se brouille. Il titube, trébuche sur la chaise et entend un craquement dans le dos quand il s'effondre sur le dosseret en acier du lit. Il entraîne la couverture avec lui sur le sol où il reste assis, la joue en feu.

— Ça suffit maintenant, souffle Erik, et il se traîne en arrière.

— Tu la fermes ! crie Rocky en écartant violemment la chaise en plastique.

Quand il se penche vers lui, Erik donne un coup de pied et l'atteint à la poitrine. Rocky attrape son pied et Erik balance l'autre jambe. Sa chaussure se défait, Rocky bascule en arrière juste au moment où un garde surgit dans la chambre, muni de son pistolet à impulsion électrique.

— Contre le mur, Rocky ! Mains derrière la nuque, pieds écartés !

Erik se relève lourdement, arrange ses vêtements. D'une main tremblante, il ramasse la couverture et la remet sur le lit.

— Ça va vous paraître un peu bizarre, dit-il à bout de souffle – et il sent le goût du sang dans sa bouche –, mais j'ai eu une crampe à la jambe et Rocky m'a aidé à retirer ma chaussure.

Le garde le dévisage.

— Une crampe ?

— C'est passé maintenant.

Rocky se tient immobile devant le mur, les doigts croisés derrière la nuque. Le dos de son débardeur blanc est trempé de sueur.

— Qu'est-ce que tu as à dire, Rocky ?

Il baisse les mains et se retourne lentement, se gratte la barbe et hoche la tête.

— J'aidais le docteur à enlever sa chaussure, dit-il de sa voix rocailleuse.

— On a appelé à l'aide, mais personne ne nous a entendus, explique Erik. J'ai essayé de m'allonger sur le lit, et puis je me suis retrouvé par terre.

— Ça va mieux ? demande Rocky en ramassant la chaussure.

— Beaucoup mieux, merci.

Le garde a toujours son pistolet électrique à la main, il les dévisage et hoche la tête, bien que de toute évidence, quelque chose cloche.

— La visite est terminée, annonce-t-il.

— Donne-moi juste le nom de famille d'Olivia, et je la retrouverai, dit Erik en croisant le regard de Rocky.

— Elle s'appelle Olivia Toreby, répond-il laconiquement.

Erik se fait raccompagner par le garde. En passant dans le couloir, il voit Casillas qui parle avec le chef de service dans la salle commune.

— Ça s'est bien passé ? lance Casillas.

Erik s'arrête devant la porte et sent sa joue encore brûlante.

— Je dois dire que vous avez fait un travail remarquable avec ce patient.

— Merci, sourit Casillas. Je pense qu'il aurait déjà rejoint la société s'il avait demandé une révision au tribunal administratif… mais il semble estimer qu'il n'a pas encore suffisamment expié sa faute.

Erik rejoint sa voiture en boitant, sort son téléphone et compose le numéro de Margot pour lui parler d'Olivia Toreby.

62

Joona ouvre les yeux sur un plafond blanc. La lumière du jour filtre dans la chambre autour du store bleu marine. La fenêtre est légèrement ouverte, de l'air froid entre à flots et rafraîchit les draps propres.

Des merles chantent dans le jardin.

Il regarde le réveil et constate qu'il a dormi treize heures. Erik lui a laissé un téléphone, et sur la table de chevet sont posés deux gélules roses et trois comprimés avec un verre d'eau et un bout de papier où il est noté : "Avale-nous maintenant, bois beaucoup d'eau et fouille dans le frigo."

Joona avale les médicaments, vide le verre d'eau et pousse un gémissement en se mettant debout. Mais il peut appuyer sur sa jambe. La douleur est toujours là, mais pas insupportable. Les nausées et les douleurs au ventre ont disparu, comme si elles n'avaient jamais existé.

Il va à la fenêtre et regarde les pommiers pendant qu'il compose le numéro de Lumi.

— C'est papa, dit-il, et il sent son cœur se serrer.

— Papa ?

— Comment tu vas ? Paris te plaît ?

— C'est plus grand que Nattavaara, répond sa fille d'une voix qui pourrait être celle de Summa.

— Et l'école, elle est bien ?

— Je suis encore un peu chamboulée, mais je crois, oui…

Joona s'assure qu'elle a tout ce qu'il lui faut et Lumi lui dit de se raser la barbe et de reprendre son boulot de policier, puis elle raccroche.

Erik lui a préparé un pantalon de sport noir et un tee-shirt blanc. Les vêtements sont trop petits, le pantalon volette autour de ses mollets et le tee-shirt lui comprime la poitrine. Une paire de pantoufles blanches est posée devant le lit, du genre qu'on trouve dans les hôtels.

Joona se dit que les mystères n'existent que jusqu'à ce qu'on les ait purgés de leur part inconcevable.

Ils savent maintenant que les vidéos ont été tournées bien avant que les meurtres soient commis.

Maria Carlsson ne possédait que des sous-vêtements noirs, y compris les collants, mais les coutures de celui qu'elle portait le jour où elle est morte étaient légèrement différentes de celui de la vidéo. La cuillère retrouvée dans le pot de crème glacée chez Susanna Kern n'était pas identique à celle de la vidéo et l'autopsie a révélé que Sandra Lundgren ne s'était pas injecté d'insuline dans la cuisse le jour où elle a été tuée.

Il s'agit d'un *stalking* classique. Ces femmes ont été observées et analysées pendant une longue période.

Joona s'appuie aux murs quand il traverse la maison pour se rendre dans la cuisine. Dès qu'il aura avalé quelque chose, il a l'intention d'appeler la police de Huddinge pour être informé de la suite des événements de la veille.

Il boit de l'eau, prépare du café et ouvre le réfrigérateur où il trouve une demi-pizza et un pack de yaourts.

Sur la table de la cuisine, à côté de la tasse de café vide d'Erik, sont posés des documents concernant un cas vieux de presque dix ans qui avait été jugé au tribunal de première instance de Södertälje.

Joona mange de la pizza froide pendant qu'il lit les comptes rendus du jugement, de l'examen médicolégal et de l'enquête préliminaire.

Le meurtre possède des ressemblances frappantes avec les affaires récentes.

On avait arrêté et jugé le pasteur de la paroisse de Salem, Rocky Kyrklund, pour le meurtre d'une femme nommée Rebecka Hansson.

Joona était sonné quand Erik s'était occupé de lui la veille, mais il se souvient de ce qu'il lui a dit. Margot Silverman lui avait demandé d'aller parler avec un homme condamné à des soins psychiatriques judiciaires. Elle voulait qu'Erik essaie d'apprendre s'il avait des complices ou des disciples.

Elle parlait forcément de Rocky Kyrklund.

Le raisonnement de Margot est correct, se dit Joona, et il prend appui sur la table pour se lever. Il sort pieds nus dans le jardin à l'arrière de la maison, s'assied sur la balancelle où manquent les coussins, se balance un moment avant de se rendre à la remise.

Sur le petit côté extérieur est accrochée une cible de fléchettes parsemée de taches de moisissure. Joona ouvre la porte et prend les coussins de la balancelle.

Après les avoir installés, il retourne à la remise pour fermer la porte, mais s'arrête et jette un regard sur le mur où sont méticuleusement suspendus des outils de toutes sortes.

Devant la maison, un camion de crème glacée se signale par sa petite mélodie. Joona saisit un vieux couteau Mora à manche en bois rouge, il en vérifie l'équilibre, choisit aussi un couteau plus petit dans un fourreau en plastique, puis il referme la porte derrière lui.

Il pose le petit couteau par terre à côté de la balancelle, se place au milieu de la pelouse et soupèse le couteau Mora dans sa main. Il change de prise, essaie de trouver un équilibre, une légèreté, dissimule le couteau près de sa hanche, étend l'autre bras et sent que ça tire dans la plaie.

Il tente précautionneusement un kata avec couteau et deux attaquants. Il ne développe pas pleinement les mouvements, mais ses jambes sont quand même d'une lourdeur exaspérante quand il marque.

Joona vrille son corps et bouge ses jambes à l'envers de sorte que le torse de l'attaquant se trouve sans défense. Il marque une entaille en diagonale, de bas en haut, bloque la main de l'autre attaquant, dévie la poussée pendant que le couteau décrit un mouvement descendant, puis il s'extirpe de la situation.

Il répète la suite de mouvements, lentement et de façon équilibrée. En dépit de sa hanche qui le fait souffrir, il a retrouvé sa concentration d'autrefois.

Les différentes parties du kata sont compliquées uniquement parce qu'elles ne paraissent pas naturelles, mais dans la rencontre avec des attaquants non entraînés, elles s'avèrent terriblement efficaces. En neuf suites de mouvements, les agressions sont écartées et les attaquants neutralisés. Ça fonctionne comme un piège – pour peu qu'on lance l'assaut, il se referme.

Même si le kata et le tai-chi-chuan ne peuvent jamais remplacer le sparring et les situations réelles, c'est malgré tout une façon d'habituer le corps aux mouvements, de lui apprendre par la répétition que certaines séquences se suivent obligatoirement.

Joona fait rouler ses épaules, s'équilibre, frappe quelques coups souples, suit avec le coude, puis répète le kata sur un tempo plus rapide. Il marque l'entaille verticale, écarte l'attaque imaginée, change de prise et perd le couteau dans l'herbe.

Il s'arrête et redresse le dos, écoute le chant des oiseaux et le murmure du vent dans les arbres. Il respire profondément, ramasse le couteau, souffle pour enlever quelques brins d'herbe, retrouve le point d'équilibre. Il fait passer rapidement le couteau dans la main droite, le lance sur la cible, où la lame se plante avec un soupir, envoyant les vieilles fléchettes dans l'herbe.

Quelqu'un applaudit, il se retourne et voit une femme dans le jardin. Grande et blonde, elle le regarde avec un sourire tranquille.

63

La femme qui observe Joona a une allure à la fois décontractée et pleine d'assurance qui fait penser à un mannequin. Ses bras sont minces, et ses mains recouvertes de taches de rousseur. Son maquillage est discret et de bon goût. On dirait qu'une petite rougeur est en train d'envahir ses joues.

Joona se penche et ramasse l'autre couteau, le soupèse dans sa main et le jette par-dessus son épaule en direction de la cible. Il passe dans les branches du bouleau pleureur et tombe dans l'herbe à côté de la remise. Elle frappe de nouveau dans ses mains et s'approche de lui, un sourire aux lèvres.

— Joona Linna ?

— Difficile à identifier derrière une telle barbe, mais il me semble que oui, répond-il.

— Erik m'a dit que vous étiez alité et…

Les portes de la terrasse s'ouvrent et Erik arrive dans le jardin, le visage soucieux.

— Tu devrais faire attention à ta hanche avant de passer un scanner.

— Ça ira, répond Joona.

— Je lui ai fait une injection de cortisone dans…

— Tu me l'as dit, oui, l'interrompt la femme en souriant. Ça a été efficace apparemment.

— Je te présente Nelly, dit Erik. C'est ma collègue la plus proche… habile psychologue, la meilleure dans le pays pour les enfants traumatisés.

— Ça, c'est de la flatterie, sourit-elle en serrant la main de Joona.

— Tu te sens comment ? demande Erik.

— Bien, chuchote-t-il.

— Demain, la pénicilline aura fait son effet, tu te sentiras en bien meilleure forme, promet Erik, et il sourit en voyant les habits beaucoup trop petits.

Joona pousse un gémissement en s'asseyant sur la balancelle. Les autres prennent place à côté de lui et ils se balancent doucement ensemble. Les ressorts grincent et une odeur de renfermé typique des maisons de campagne se dégage des coussins.

— Tu as lu le compte rendu de l'ancienne enquête préliminaire ? interroge Erik après un moment.

— Oui.

— Je suis allé voir Rocky ce matin… Il a de très gros problèmes de mémoire depuis l'accident, mais il a bien voulu essayer l'hypnose…

— Tu l'as hypnotisé ?

— Je n'étais pas certain que ça marche, vu les lésions au tissu cérébral et l'activité épileptique…

— Il s'est montré réceptif ?

Le sujet intéresse Joona, qui penche la tête en arrière et fixe le ciel.

— Oui, mais c'était difficile de discerner les véritables souvenirs… Rocky avait de graves problèmes de toxicomanie à cette époque-là et certaines choses qu'il a racontées pendant l'hypnose, censées être de vrais souvenirs, ressemblaient plutôt à des cauchemars… des délires.

— Purée, c'est d'une telle complexité…, soupire Nelly en s'étirant les chevilles.

Erik se lève brusquement, et la balancelle se met à bouger toute seule.

— En fait je devais seulement le questionner au sujet du meurtre de Rebecka Hansson pour essayer d'apprendre s'il avait un complice. Mais pendant l'hypnose j'aurais plutôt dit qu'il était totalement innocent.

— Pourquoi ?

— Il a mentionné plusieurs fois un homme qu'il appelle le prédicateur… le prédicateur sale, répond Erik à voix basse.

— Ouh là, j'en ai des frissons, se moque Nelly.

— Et puis d'un coup il s'est rappelé qu'il avait un alibi pour le soir du meurtre.

— Il a révélé ça sous hypnose ? intervient Joona.

— Non, il était éveillé.

— Y a-t-il quelqu'un pour confirmer cet alibi ?

— Elle s'appelle Olivia Toreby… Il s'en est souvenu sur le moment, mais il l'a probablement déjà oublié, fait remarquer Erik en détournant le visage.

— Un alibi…, répète Nelly.

— En tout cas, ça vaut le coup de vérifier, soutient Erik.

— As-tu parlé de cette histoire à Margot ? demande Joona.

— Bien sûr.

— Les psys mènent un à zéro, sourit Nelly, et elle tapote le coussin à côté d'elle pour qu'il se rassoie.

Erik se laisse tomber et ils se balancent encore un moment, se laissent bercer par le lent craquement des ressorts métalliques, le chant des oiseaux et quelques enfants excités qui jouent dans un jardin plus loin.

Le téléphone d'Erik vibre sur le siège. C'est Margot. Joona prend la communication.

— Je suppose que vous avez vérifié dans tous les fichiers, les fortes suspicions, les suspicions simples, les personnes à risques, dit-il en se dispensant de dire bonjour.

— Je suis contente d'entendre que tu vas mieux, répond Margot de sa voix rêche.

— Le tueur peut avoir été coffré, mais il peut aussi avoir passé tout ce temps à l'étranger, poursuit Joona. J'ai des contacts solides à Europol et à…

— Joona, je n'ai pas le droit de discuter de l'enquête préliminaire avec toi, l'interrompt-elle.

— Je voulais juste dire que neuf ans, c'est une période d'inaction très longue pour un…

— D'accord, je comprends… je vois ce que tu veux dire… mais l'alibi de Rocky Kyrklund n'a pas tenu la route.

— Vous avez trouvé Olivia Toreby ?

— Elle ignore totalement de quoi on parle… Elle habitait à Jönköping à l'époque et nous ne voyons pas le moindre lien entre elle et Rocky Kyrklund.

— Alors tu penses toujours qu'il avait un disciple ? Qui serait impliqué dans les meurtres ?

— C'est pour ça que j'appelle Erik, réplique Margot sur un ton maîtrisé. Je veux qu'il retourne voir Rocky pour l'interroger sérieusement au sujet d'un complice.

— Je te le passe, dit Joona, et il tend le téléphone à Erik.

Pendant qu'Erik parle avec Margot, Joona va ramasser les couteaux et les range dans la remise. Il prend appui sur la poignée d'une tondeuse à gazon et se repose un instant. Près du plafond il voit un nid de guêpes et, tout au fond, une caisse à savon de fabrication maison derrière quelques chaises pliables.

Quand il ressort, Erik a terminé la conversation téléphonique et s'est allongé sur la balancelle à côté de Nelly.

— Ça vous arrive souvent de contacter des témoins par téléphone pour vérifier des alibis ? demande Erik.

— Ça dépend, répond Joona.

— Je me dis que… Les gens n'ont pas vraiment envie d'être mêlés à ce genre d'histoire. Ils ne disent pas forcément la vérité quand la police appelle si longtemps après.

— Effectivement.

— Il faut que je parle d'abord à cette femme, si je veux pouvoir regarder Rocky dans les yeux quand je l'interroge, déclare Erik.

64

Joona veut accompagner Erik pour l'entretien avec Olivia Toreby, mais accepte l'idée qu'il est trop tôt. Erik lui donne encore de la pénicilline, lui fait une nouvelle piqûre de cortisone dans la hanche et veille à ce qu'il prenne 50 milligrammes de Topiramate en prévention des crises de migraine.

Nelly s'installe sur le siège passager et, en démarrant, Erik aperçoit Joona dans le rétroviseur, qui se laisse retomber sur la balancelle.

— Je te ramène chez toi ? demande Erik.

— Tu dis qu'elle habite à Jönköping ?

— Apparemment elle a déménagé à Eskilstuna il y a cinq ans.

— C'est un trajet d'une heure environ, c'est ça ?

— Oui.

— Martin travaille tard aujourd'hui. Et j'éviterais volontiers de rester seule à la maison, avec toutes ces fenêtres… J'ai l'impression que quelqu'un m'observe… C'est à force de t'entendre parler de ce tueur, je sais, mais quand même.

— Tu penses réellement que quelqu'un te regarde ?

— Non, rit-elle. J'ai simplement peur du noir.

Ils empruntent Enskedevägen en direction de Södertälje et gardent le silence en roulant le long d'un interminable mur antibruit gris.

— Tu as dit que tu étais sûr que le pasteur était coupable, dit Nelly en le regardant.

— Il le disait lui-même, il affirmait qu'il avait tué Rebecka… mais après l'hypnose, il s'est soudain souvenu.

— Il s'est souvenu de quoi ? Il s'est soudain souvenu d'une femme qui pouvait confirmer son alibi ? interroge-t-elle, sceptique.

— D'abord il s'est souvenu qu'il avait parlé de cet alibi avec moi.

— *Shit*. Et que s'est-il passé ? Il s'est fâché ?

— Oui, j'ai un peu mal à la poitrine…

— Vous vous êtes battus ? Fais voir…

Elle essaie de remonter sa chemise, il tient le volant de la main gauche et se défend de la droite.

— On va finir dans le fossé, plaisante-t-il.

Elle défait la ceinture de sécurité d'Erik et se tourne sur son siège, pour pouvoir l'examiner.

— Tu as mal ? demande-t-elle en ouvrant sa chemise. Mon Dieu, tu as un énorme bleu. Qu'est-ce qu'il t'a fait, ce salaud ? Ça doit faire vachement mal…

Elle se penche et pose ses lèvres sur la poitrine d'Erik, l'embrasse dans le cou et rapidement sur la bouche avant qu'il détourne le visage.

— Pardon.

— Je ne peux pas, Nelly.

— Je sais, je ne voulais pas… mais parfois je pense à ce jour, quand on a couché ensemble.

— On était complètement soûls, lui rappelle Erik.

— Je ne regrette rien, affirme-t-elle doucement, le visage tout près du sien.

— Moi non plus, répond-il, et d'une main il reboutonne sa chemise et la remet dans son pantalon.

Ils roulent en silence un moment sur la route européenne 20 en direction de Göteborg. Quelques véhicules de secours les dépassent, sirènes hurlantes. Nelly prend son sac à main, rabat le pare-soleil vers le bas, jette un coup d'œil dans le miroir le temps de se repoudrer et de remettre du rouge à lèvres.

— On peut le refaire si on veut, déclare-t-elle tout à coup.

— Ça ne marcherait pas.

— Non, je sais… Je ne pense pas toujours ce que je dis. Là, je fantasmais sur un monde parallèle où tout serait différent.

— Toutes ces vies qu'on n'a pas vécues, philosophe Erik à voix basse.

— C'est sûrement un signe de vieillesse, quand on commence à avoir ce genre d'idées.

— Le moindre petit choix ferme mille portes et en ouvre mille autres. J'ai menti sur l'alibi et neuf ans plus tard le mensonge me rattrape et je risque…

— Oui, tu as fait l'imbécile, l'interrompt Nelly. Je ne crois pas à cet alibi, mais si cette femme devait le confirmer, je serais tenue de te dénoncer.

Il lui jette un regard en biais.

— Si tu veux me dénoncer, vas-y.

— Rocky est enfermé à l'hôpital psy depuis neuf ans, il est sous médocs et…

— Je t'en prie, Nelly, la coupe Erik. Je suis désolé, mais je ne peux pas poursuivre cette conversation, je n'ai pas l'intention de te demander quoi que ce soit, tu fais ce que tu veux, ce que tu estimes juste.

— Alors je te dénoncerai, déclare-t-elle.

— Je m'en fous, ça m'est égal, marmonne-t-il.

— Mais ce serait considérablement plus facile si tu n'étais pas si trognon quand tu te vexes.

— Je crois que j'aurais besoin d'une bonne thérapie, soupire Erik.

— Tu as d'abord besoin d'un bon médicament, dit-elle, et elle sort une plaquette de Mogadon de son sac.

Elle libère deux comprimés, en prend un et donne l'autre à Erik. Il murmure “Santé”, incline la tête en arrière et avale.

65

Quand Erik se gare à côté de l'école où Olivia Toreby enseigne, Nelly hésite, la main sur la portière.

— Je t'accompagne ? Qu'est-ce que tu en penses ?

— Je ne sais pas… Non, il vaut peut-être mieux que tu attendes ici.

— Comme ça tu pourras user de ton charme, sourit-elle.

— N'est-ce pas…

— Je reste avec ta femme idéale, dit-elle en touchant le petit singe en jupe rose accroché à la clé de contact.

Erik traverse la cour de récréation et demande au concierge où il peut trouver Olivia Toreby. L'homme la lui désigne.

Olivia a une cinquantaine d'années, c'est une femme mince au visage pâle et fatigué. Les bras croisés sur la poitrine, elle observe les enfants qui grimpent sur le portique d'escalade. De temps en temps un bambin l'appelle, parfois ils viennent la solliciter pour un problème quelconque.

— Olivia ? Je m'appelle Erik Maria Bark, je suis médecin, se présente Erik en lui donnant sa carte de visite.

— Médecin, répète-t-elle en glissant la carte dans sa poche.

— J'ai besoin de discuter avec vous à propos de Rocky Kyrklund.

Le visage maigre se durcit une seconde, avant de retrouver son expression impassible.

— Encore la police.

— J'ai vu Rocky Kyrklund et il…

— J'ai déjà dit que je ne connais personne de ce nom-là.

— Je sais, répond Erik patiemment. Mais il vous a citée.

— J'ignore totalement comment il a pu trouver mon nom.

Elle remarque quelques enfants qui jouent au cheval et qui ont mis la corde à sauter autour du cou d'un de leurs camarades, elle s'approche d'eux, enlève la corde et la noue autour de la taille du garçon.

— En fait, j'ai fini ma journée, annonce-t-elle en venant retrouver Erik.

— Accordez-moi quelques minutes.

— Je suis désolée, il faut que je rentre chez moi, je dois préparer des entretiens d'évaluation pour vingt-deux élèves, dit-elle, et elle se dirige vers le bâtiment de l'école.

— Je crois que Rocky Kyrklund a été condamné pour un meurtre qu'il n'a pas commis, déclare Erik en se lançant à sa suite.

— C'est regrettable…

— Il était pasteur, mais à l'époque il était aussi héroïnomane, il se servait de gens dans son entourage…

Elle se fige à l'ombre devant l'escalier et se tourne vers Erik.

— Il était dénué du moindre scrupule, lâche-t-elle d'une voix creuse.

— C'est ce que j'ai fini par comprendre. Mais il ne mérite pas pour autant d'être condamné pour un crime qu'il n'a pas commis.

Les cheveux grisonnants d'Olivia lui tombent sur le front, elle les écarte en soufflant.

— Est-ce que je peux avoir des problèmes parce que j'ai menti à la police ?

— Seulement si vous avez menti sous serment au tribunal.

— Oui, bien sûr, acquiesce-t-elle, et ses lèvres fines frémissent.

Ils s'assoient sur les marches de l'escalier. Olivia regarde ses chaussures de sport, enlève du bout des doigts quelque saleté de son jean et s'éclaircit la gorge.

— J'étais différente à l'époque et je ne veux pas être mêlée à tout ça aujourd'hui, explique-t-elle à mi-voix. Mais, effectivement, je le connaissais.

— Il prétend que vous pouvez lui fournir un alibi.

— C'est vrai, reconnaît-elle en déglutissant.

— En êtes-vous sûre ?

Elle hoche la tête et baisse de nouveau le regard.

— Neuf ans se sont écoulés, fait remarquer Erik.

Elle essaie d'avaler la boule dans sa gorge, se frotte sous le nez, lève sur lui ses yeux brillants et déglutit de nouveau.

— On était au presbytère de Rönninge… il y habitait, dit-elle d'une voix cassée.

— On parle de la soirée du 15 avril, lui rappelle Erik.

— Oui, répond-elle en essuyant rapidement quelques larmes sur ses joues.

— Comment pouvez-vous vous en souvenir ?

Sa bouche tremble plus fort et elle se mord la lèvre inférieure pour se calmer avant de poursuivre.

— On voulait décrocher ensemble, chuchote-t-elle. On avait commencé le sevrage le vendredi et… le pire, ça a été dans la nuit du dimanche au lundi…

— Vous êtes sûre de la date ?

Elle hoche la tête et perd le contrôle de sa voix :

— Mon bébé est mort dans son lit le 15… Je l'ai découvert le lendemain, c'était une mort subite du nourrisson, ça a été prouvé, ce n'était pas ma faute, mais si je l'avais eu avec moi, ça ne serait peut-être pas arrivé…

— Je suis désolé de…

— Oh mon Dieu, pleure-t-elle en se relevant.

Olivia se détourne de la cour de récréation, tient ses bras serrés autour de son corps et s'oblige à se taire pour empêcher le chagrin de jaillir. Erik tente de lui donner un mouchoir, mais elle ne le voit pas. Elle suffoque et essuie ses larmes avec la main.

— Pendant de nombreuses années je ne voulais que mourir, raconte-t-elle en avalant de nouveau sa salive. Mais je n'ai pas touché à la drogue, je n'ai couché avec personne… Je ne dois plus jamais tomber enceinte, je n'ai pas le droit, je… Il a tout emporté… Je le hais de m'avoir fait goûter à l'héroïne, je le hais pour tout…

Ils sont interrompus par un ballon qui roule vers l'escalier. Un élève arrive en courant pour le ramasser et Erik tend son mouchoir à Olivia.

— Ne t'inquiète pas, Marcus, dit-elle gentiment à l'enfant qui la regarde, le ballon sous le bras. J'ai juste besoin de me moucher.

L'enfant hoche la tête et s'éloigne avec son ballon. Erik pense à la mémoire erratique de Rocky. À certains moments, durant toutes ces années à Karsudden, il devait savoir qu'il était condamné à tort à cause de la défection d'Erik.

— Olivia, reprend Erik à voix basse. Je comprends que ce n'est pas facile, mais seriez-vous prête à jurer que vous étiez avec Rocky à l'heure du meurtre ?

— Oui, dit-elle en le regardant droit dans les yeux.

Erik la remercie et il s'aperçoit que Nelly les observe derrière le portique d'escalade. Il se dirige vers elle en se demandant si elle va le dénoncer à présent. Il devrait peut-être faire lui-même un signalement *Lex Maria**, avant qu'elle s'en charge.

* Obligation imposée aux prestataires de soins de signaler au Conseil national de la santé et de la protection sociale tous préjudices et maltraitances subis par des patients.

66

Avant que la peinture ait complètement séché, Erik et Madde retirent précautionneusement le scotch de masquage des baguettes et des bordures, ils replient le carton de protection et enlèvent les bâches en plastique des meubles qu'ils avaient regroupés au milieu de la pièce. Bien qu'il ait pris deux tranquillisants, l'angoisse gronde toujours en lui quand il pense au pasteur resté enfermé pendant plus d'années que Madde n'a vécu, à cause de sa défection.

Ils font le ménage jusqu'à ce que le livreur de pizzas sonne à la porte. Madeleine prend la main d'Erik en allant ouvrir.

— C'est beau maintenant ? demande Jackie quand ils arrivent dans la cuisine.

— Super-beau, répond Madde en regardant Erik.

Dehors, une pluie fine tombe à travers des rayons de soleil diaphanes et la journée semble d'une agréable lenteur, comme sortie de l'enfance. Erik coupe des parts de pizza qu'il pose sur leurs assiettes.

— Les robots mangent de la pizza, fait Madde, satisfaite.

Son visage est totalement détendu, elle est si soulagée qu'elle se met à chanter une chanson du dessin animé *La Reine des neiges*, bien que Jackie lui ait maintes fois dit de ne pas chanter à table.

— Bon robot, répète Madde sans arrêt à Erik.

— Mais imagine qu'il se mette à rouiller, sourit Jackie, et elle sent quelque chose contre son pied.

— Il ne va pas rouiller, répond la fillette.

— Madde, c'est quoi, ça ? s'étonne Jackie en secouant lentement une plaquette d'Oramorph qui a dû tomber de la veste d'Erik.

— C'est à moi, dit Erik. C'est du Dafalgan.

Il prend la plaquette de ses mains et la glisse dans sa poche.

— Erik, j'ai un service à te demander, déclare Jackie. Madde a un match mercredi et je joue à l'église de Hässelby pour le culte du soir… Je ne voulais pas t'en parler, ce n'est pas à toi de le faire, mais Rosita qui raccompagne Madde d'habitude est malade.

— Tu veux que j'aille la chercher ?

— Je peux rentrer toute seule, maman, ce n'est pas loin, proteste Madde immédiatement.

— Je ne veux pas que tu rentres seule, objecte Jackie sévèrement.

— J'irai la chercher.

— Tu sais, c'est un trajet hyper-dangereux, explique Jackie avec un grand sérieux.

— Je suis d'accord avec toi, renchérit Erik.

— Elle a sa propre clé et tu n'es pas obligé de rester à la maison si tu es pris ailleurs. Je serai de retour vers vingt heures.

— J'aurai peut-être le temps de regarder le match aussi, souffle Erik à Madde.

— Erik, je t'en serai éternellement reconnaissante, et je ne te le demanderai plus jamais.

— Arrête, il n'y a pas de problème, ça me fait plaisir.

Jackie lui chuchote un merci inaudible et il se lève pour débarrasser la table lorsque son téléphone sonne dans la poche de sa chemise.

C'est Casillas, de l'hôpital de Karsudden. Après l'entrevue avec Olivia Toreby, Erik l'avait appelé pour discuter de la possibilité pour Rocky Kyrklund d'obtenir des permissions et d'entamer son retour dans la société.

— J'ai contacté le tribunal administratif aujourd'hui, raconte Casillas. Il n'y a aucun obstacle si toi et moi sommes d'accord.

— Tant mieux.

— Le seul problème, c'est que Rocky refuse de signer les papiers… Il dit qu'il a assassiné une femme et qu'il ne mérite pas sa liberté.

— Je peux lui parler, propose Erik vivement.

— Il ne faut vraiment pas traîner si on veut que son dossier soit examiné ce trimestre.

Une heure et demie plus tard, Erik franchit les portes de sécurité de la section D4, on le fait passer dans le couloir et sortir dans la cour de promenade grillagée. Les patients qui sont dans le service de Rocky ont tous commis des crimes odieux sous l'emprise de graves troubles psychiques, mais le traitement qu'on leur donne les calme et la plupart ne sont plus réellement dangereux.

De l'autre côté de la haute clôture court une haie basse. Les buissons se serrent contre le grillage comme s'ils cherchaient à le franchir.

Rocky Kyrklund plisse les yeux vers lui pour contrer la lumière diffuse du soleil quand il approche sur l'allée de gravier.

— Pas de bonbons magiques aujourd'hui, docteur ?

— Non.

Un peu plus loin, un homme crie quelque chose à l'intention de Rocky, mais celui-ci n'y prête aucune attention.

— J'ai parlé avec Olivia Toreby, commence Erik.

— C'est qui ?

— Nous avons parlé d'elle la dernière fois… et elle confirme ton alibi.

— Mon alibi pour quoi ?

— Pour le meurtre de Rebecka Hansson.

— Bien, sourit Rocky, et il passe son énorme paluche dans ses cheveux gris acier.

— À cette époque-là, elle était dépendante à l'héroïne, et je ne pense pas que ses déclarations auraient influencé ta condamnation, mais je voulais que tu saches que tout indique que tu es innocent.

— Tu veux dire que c'est pour de vrai ? dit-il, sceptique.

— Oui.

— Un alibi, répète Rocky pour lui-même.

— Olivia Toreby n'est pas la même personne aujourd'hui et elle est sûre de ce qu'elle affirme. Vous étiez ensemble à l'heure du meurtre.

Rocky plonge ses yeux dans ceux d'Erik.

— Alors je n'ai pas tué Rebecka Hansson ? articule-t-il doucement.

— Je pense que non, répond Erik sans dévier du regard.

— Elle est vraiment sûre ? demande Rocky, et ses mâchoires se tendent.

— Elle le sait parce que vous étiez en plein sevrage la nuit du meurtre… et que cette même nuit son fils a été victime de la mort subite du nourrisson.

Rocky hoche la tête et fixe le ciel blanc.

— Ce qui est confirmé par le fichier sur les causes médicales de décès, termine Erik.

— Toute cette merde pour rien…

Rocky sort un paquet de cigarettes froissé de sa poche.

— Olivia était toxicomane, je ne pense pas que le tribunal aurait accordé une grande attention à son témoignage à l'époque, répète Erik.

— Je me serais retrouvé ici quoi qu'il en soit, mais je me serais senti mieux si j'avais su…

Le vent souffle entre les corps de bâtiment et soulève de la poussière et de fines particules que le soleil illumine. L'homme qui criait tout à l'heure traverse la cour et vient vers eux. Son visage est gonflé par les médicaments, ses joues et son front sont recouverts de tatouages malhabiles et il chuchote pour lui-même quand il les dépasse.

— Il est temps que tu donnes ton accord pour une révision du jugement…

— Peut-être.

— Que vas-tu faire quand tu seras dehors ?

— Qu'est-ce que tu crois ? sourit Rocky, et il sort une demi-cigarette du paquet.

— Je ne sais pas.

— Je vais tomber à genoux et remercier Dieu, ironise-t-il.

— Tu seras libéré, mais ton alibi signifie aussi autre chose dont je dois te parler.

— Sympa.

— Si je suis venu ici plusieurs fois, c'est parce que la police pourchasse un tueur en série dont la violence rappelle celle que Rebecka Hansson a subie.

— Répète ce que tu viens de dire.

Un souffle d'air s'engouffre dans un sac en plastique vide et le fait voler dans la cour de promenade comme s'il était détaché du temps.

67

Rocky serre les mâchoires et s'adosse au grillage, modifiant ainsi la lumière entre les mailles sur plusieurs mètres.

— La police pourchasse un tueur en série, répète Erik. Et les meurtres rappellent celui de Rebecka Hansson.

— Je suis en train d'assimiler la nouvelle de mon innocence, dit Rocky en élevant la voix. J'essaie de comprendre que je n'ai pas tué d'être humain…

— Je comprends que…

— Putain de merde, j'ai vécu avec un assassin pendant neuf ans, termine-t-il en montrant son cœur.

— Rocky ? crie le gardien en s'approchant.

— C'est interdit de se réjouir ?

— Qu'est-ce qui se passe ? demande le gardien en s'arrêtant devant eux. Tu veux rentrer ?

— Tu sais que j'ai été condamné à tort ?

— Alors on a atteint les cent pour cent d'innocents ici, à Karsudden, réplique le garde, et il s'en va.

Rocky le regarde, un sourire aux lèvres, range le paquet de cigarettes dans sa poche et courbe les mains autour d'une allumette.

— Explique-moi pourquoi je devrais aider la police.

— Des innocentes meurent.

— Ça se discute, murmure-t-il.

— Le véritable assassin t'a laissé croupir ici. Tu comprends ça ? C'est lui, et personne d'autre, qui t'a fait ça.

Rocky inspire la fumée et se frotte les commissures des lèvres avec son gros pouce jauni de nicotine. Erik regarde son visage usé et les yeux enfoncés.

— Tu pourrais être réhabilité par la cour d'appel, suggère Erik en hésitant. Et peut-être retrouver ta fonction de pasteur.

Rocky fume un moment avant de donner une pichenette au mégot en direction d'un autre patient qui le remercie et le ramasse.

— Qu'est-ce que je pourrais faire pour la police ?

— Tu es peut-être un témoin. Il est possible que tu aies connu le tueur. À t'entendre, on dirait que c'est un de tes confrères.

— Comment ça ?

— Tu as parlé d'un prédicateur, explique Erik en observant Rocky. Un prédicateur sale et dépravé qui était peut-être dépendant à l'héroïne, comme toi.

Le pasteur se perd dans la contemplation des bosquets. Un des véhicules de transport de l'administration pénitentiaire apparaît au loin entre les troncs d'arbres.

— Je ne m'en souviens pas, dit Rocky lentement.

— Tu semblais avoir peur de lui.

— Les seuls dont on a peur, ce sont les dealers… Certains étaient de vrais malades, j'en ai connu un qui avait la gueule remplie de dents en or… Je me souviens de lui parce qu'il adorait le fait que je sois pasteur… J'étais toujours obligé de faire un tas de saloperies… Pour me vendre la came, il ne se contentait pas d'empocher le fric, il voulait que je me mette à genoux et que je renie Dieu, ce genre de truc…

— Il s'appelait comment ?

Rocky secoue la tête et remonte les épaules.

— Ça a disparu, répond-il à voix basse.

— Est-ce ça pourrait être ce dealer que tu appelais le prédicateur ?

— Aucune idée… Mais je me sentais poursuivi à cette époque, sans doute à cause de l'abstinence, et pourtant… Un jour, je devais recevoir de nouveaux tissus liturgiques… C'était le matin et la lumière entrait par la fenêtre baptismale… Ça faisait mille couleurs au-dessus de la balustrade d'autel et jusque dans l'allée centrale…

Rocky se tait et reste immobile, les bras ballants le long du corps.

— Qu'est-ce qu'il s'est passé ?

— Quoi ?

— Tu parlais de l'église.

— Oui, c'est ça, les tissus étaient éparpillés devant l'autel… totalement trempés de pisse, ça avait coulé partout sur le sol jusque dans les joints des dalles.

— On dirait que tu avais un ennemi.

— Je sais que je croyais que des gens rôdaient autour du presbytère la nuit, j'éteignais les lampes, mais je n'ai jamais vu personne. Quoique… une fois il y avait des empreintes dans la neige devant la fenêtre de ma chambre.

— Mais est-ce que tu avais des ennemis qui…

— Qu'est-ce que tu crois ? demande Rocky avec impatience. Je connaissais des milliers de crétins, presque tous auraient tué père et mère pour deux kep's… et moi, j'avais fait venir des amphétamines de Vilnius et j'attendais mon fric.

— Oui, mais là on parle d'un tueur en série, s'entête Erik. Le motif n'est ni l'argent ni la drogue.

Les yeux vert clair de Rocky le fixent.

— J'ai peut-être rencontré l'assassin, comme tu dis. Mais comment veux-tu que je le sache ? Tu ne me dis rien… donne-moi un détail, ça dérouillera peut-être ma mémoire.

— C'est que je ne participe pas à l'enquête préliminaire.

— Mais tu en sais plus que moi, insiste Rocky.

— Je sais qu'une des victimes s'appelait Susanna Kern… Avant de se marier, elle s'appelait Susanna Ericsson.

— Ça ne me parle pas.

— Elle a été poignardée… à la poitrine, au cou et au visage.

— Comme ils ont raconté que j'avais fait avec Rebecka, constate Rocky.

— Et le corps a été arrangé, la main posée sur son oreille, poursuit Erik.

— C'est pareil pour les autres ?

— Je ne sais pas…

— Je ne peux pas aider si on ne m'en dit pas plus. Il faut donner à ma mémoire quelque chose à quoi s'accrocher.

— Je comprends, mais je n'ai pas…

— Comment s'appellent les autres victimes ?

— Je n’ai pas accès à l’enquête préliminaire, termine Erik.

— Dans ce cas, qu’est-ce que tu fous ici ?! rugit Rocky, et il s’éloigne sur la pelouse à grandes enjambées.

68

Il est déjà cinq heures de l'après-midi quand Erik passe dans le couloir du département de psychologie, une tasse de café à la main. Il voit un individu, complètement immobile, adossé au panneau de verre gaufré de la cage d'escalier. Il sort ses clés et, en s'arrêtant devant sa porte, il réalise que cette personne est son ancien patient Nestor, encore une fois.

— Tu m'attends ? demande Erik en s'approchant de l'homme.

— Merci de m'avoir ramené en voiture.

— Tu m'as déjà remercié.

La main fine qui frotte la poitrine de Nestor s'arrête, grise comme de la soie.

— Je voulais seulement dire que j-je crois que je vais me trouver un autre chien, fait-il à mi-voix.

— Je suis content pour toi, mais tu sais que tu n'es pas obligé de me le raconter.

— Je sais, répond Nestor, les joues légèrement roses. Mais j'étais juste à côté, je suis venu sur la tombe de maman et du coup…

— Ça s'est bien passé ?

— Tu crois qu'on peut l'enterrer encore plus profond ?

Il se tait et fait un pas en arrière quand Nelly arrive dans le couloir. Elle agite la main à l'intention d'Erik, un sourire aux lèvres, mais en voyant qu'il est occupé, elle s'arrête devant son propre bureau et cherche les clés dans son sac.

— On peut prendre rendez-vous pour un entretien, si tu veux, propose Erik en lorgnant sa porte.

— Ça ne sera pas n-nécessaire, refuse aussitôt Nestor. Un chien, c'est un grand pas pour moi… alors…

— Tu es guéri maintenant, tu fais ce que tu veux.

— Je sais comment j'étais q-quand je suis arrivé chez toi, je… Demande-moi n'importe quoi, Erik.

— Merci.

— Tu es pressé.

— Oui.

— Je suis rond et jaune, dit Nestor avec une intensité inattendue dans la voix. Et je cours vite, vite…

— Pas de devinettes maintenant, l'interrompt Erik.

— Non, pardon, s'excuse l'homme élancé, et il s'en va.

Erik consulte sa montre. Il ne reste que quelques minutes avant son rendez-vous avec Margot Silverman, mais il a peut-être le temps de bavarder un peu avec Nelly avant. Il va frapper à son bureau et ouvre la porte.

Elle est déjà devant son ordinateur et, comme d'habitude, elle a chaussé ses lunettes de lecture. Elle porte une chemise cache-cœur blanche à pois noirs et une jupe bordeaux moulante.

— Qu'est-ce qu'il voulait ? demande-t-elle sans quitter son écran du regard.

— Il va s'acheter un chien et il avait besoin d'en parler.

— Tu devrais peut-être lui raconter l'histoire du cordon ombilical et des ciseaux ?

— Il est gentil.

— Je n'en suis pas si s-sûre.

Erik ne peut pas s'empêcher d'esquisser un sourire. Il s'approche de la fenêtre et lui dit que son idée concernant la nouvelle structure incluant des groupes de crise fonctionne déjà très bien.

— Oui, j'en suis contente, dit-elle en ôtant ses lunettes.

— J'ai un rendez-vous avec la police maintenant, mais…

— Dommage que je n'aie pas le temps de t'accompagner, sourit-elle.

— Nelly, je voulais juste te dire que tu as raison. Ça crée toujours des problèmes quand on commence à mentir.

— On pourra discuter de ça plus tard ?

— C'est seulement que… Sache que je fais tout mon possible pour sortir Rocky de Karsudden au plus vite et…

— Attends un peu, le coupe-t-elle. Je ne veux surtout pas te vexer, mais j'ai parlé avec Martin et, tu sais qu'il t'aime bien, vraiment, mais il trouve que je devrais te dénoncer à la police et aussi au Conseil national de la santé.

— Parfait, répond-il, et il se dirige vers la porte.

— Erik, je ne sais pas ce qu'il convient de faire…

Il quitte la pièce et voit Margot Silverman et son collègue l'attendre devant son bureau. Ils lui disent bonjour et le suivent à l'étage inférieur.

La salle de réunion a une cloison vitrée donnant sur le couloir et de nouvelles chaises qui sentent le plastique. Erik ouvre la fenêtre pour faire entrer un peu d'air avant de les inviter à prendre place. Margot remplit d'eau un gobelet à la fontaine, boit et le remplit de nouveau.

— Bon, vous savez donc qu'Olivia Toreby a changé sa version, commence-t-il.

— Rocky se souvient d'un alibi vieux de neuf ans, mais pas du moindre petit truc qui pourrait nous servir, résume Margot en s'asseyant lourdement.

— Vous voulez que je le questionne au sujet d'un complice, alors que la situation s'est inversée… Rocky a été condamné à tort et…

— Et si son amnésie était simulée ?

— Rassurez-vous, elle est bien réelle.

— Il est mêlé à l'affaire. D'une façon ou d'une autre, il y est mêlé.

— Laissez-moi poursuivre, dit Erik en passant la main sur le plateau de la table. Le véritable assassin se balade en liberté et il a soudain recommencé à… Pendant les entretiens, et aussi quand il est sous hypnose, Rocky évoque souvent un prédicateur qui…

— Un pasteur ? commente Adam.

— Un prédicateur qu'il y a tout lieu de prendre au sérieux, vu son alibi.

— Seulement, vous n'avez pas de nom, pas de localisation…

— Il faut du temps pour faire le tri dans son chaos… Sous hypnose, il a quand même raconté que le prédicateur a tué une femme en lui coupant le bras… Le problème, c'est que je ne sais pas ce qui relève de ses cauchemars ou de véritables souvenirs.

— Vous considérez qu'il y a une part de vérité dans son histoire ? demande Adam.

— Il a parlé du prédicateur plusieurs fois sans hypnose.

— Mais pas du meurtre ?

— Rocky se dit prêt à aider la police s'il le peut, en tout cas il était prêt à le faire. Cela dit, la situation était vraiment absurde, j'essaie de l'aider à se souvenir, mais je n'ai aucun élément sur lequel m'appuyer.

— L'enquête est sous le sceau du secret, explique Margot.

— Si vous voulez son aide, suggère Erik, allez le voir et fournissez-lui des détails, des noms, des éléments qui peuvent relancer le processus de mémoire.

— Je pense qu'il vaut mieux que ce soit vous qui continuiez les entretiens.

— Je peux le faire, mais…

— Qu'avez-vous besoin de savoir pour progresser ? demande Margot.

— À vous de voir.

— Nous essayons de tenir les médias éloignés, même si notre attaché de presse dit que le black-out ne tiendra pas bien longtemps, précise Adam.

— Le hic… c'est que nous ignorons totalement comment le tueur en série va réagir si l'affaire prend de l'ampleur dans la presse, dit Margot. Il pourrait disparaître, purement et simplement, ou…

— Ce qui signifie qu'il y a urgence, ajoute Adam.

— Je vais vous fournir des photos des victimes que vous pourrez montrer à Rocky. Nos analystes comportementaux ont établi un profil psychologique : je peux vous parler un peu du mode opératoire et des signatures spécifiques.

— Allez-vous y inclure de fausses informations ?

— Bien entendu.

Margot inspire profondément et commence à rendre compte du *modus operandi* de l'assassin et de son choix des victimes.

— Jusque-là, il ne s'est attaqué qu'à des femmes qui sont seules chez elles. Il commence par les filmer à travers une fenêtre, puis il planifie son crime et une fois qu'il s'est décidé à passer à l'acte…

— Il nous envoie la vidéo, complète Adam, et sa voix se fait grave. L'assassin trouve l'arme du crime sur place et l'y abandonne chaque fois.

Il sort trois photographies de son sac, qu'il pose à l'envers sur la table.

— Dès que vous aurez montré celles-ci à Rocky, il faudra les détruire.

Erik regarde les versos des photos où sont notés les noms des victimes : Maria Carlsson, Susanna Kern, Sandra Lundgren.

— Sandra Lundgren ? dit Erik, et il retourne la photo en inspirant profondément.

— Qu'est-ce qu'il y a ? demande Margot.

— C'est une de nos patientes… Mon Dieu… Elle est morte ?

— Vous la connaissiez ?

69

Fixant l'image couleur imprimée en grand format, Erik sent sa bouche devenir toute sèche. La photo est récente, et Sandra s'efforce visiblement d'avoir l'air joyeux. Il y a un reflet dans ses lunettes, mais il distingue nettement ses yeux verts. Ses cheveux d'un blond triste ont poussé et tombent sur ses épaules.

— Mon Dieu, répète-t-il. Elle avait eu un accident de voiture… qui avait coûté la vie à son compagnon et… Elle a été mise sous traitement tardivement… Elle avait sombré dans une dépression sévère, avec culpabilité du survivant et trouble panique…

— Elle était votre patiente, dit Margot lentement.

— Au début… mais une collègue a pris la relève.

— Pourquoi ?

Il force ses yeux à quitter le visage symétrique de Sandra Lundgren et croise de nouveau le regard de Margot.

— Ça se passe souvent ainsi, tente-t-il d'expliquer. Il s'agit de différentes phases dans le traitement.

Il retourne la photo suivante et son cœur se met à battre plus vite quand il voit Maria Carlsson. Il la connaît aussi. Avant de rencontrer Jackie, il avait eu une brève relation avec Maria. Elle fréquentait la même salle de sport que lui et ils s'étaient mis à attendre le bus ensemble, ils étaient allés quelques fois au cinéma, puis s'étaient retrouvés au lit un soir. Il se souvient de sa langue percée et de son rire rauque qu'il trouvait si attirant.

Une boule de malaise l'empêche presque de respirer et il sait que s'il n'avait pas pris du Mogadon, ses mains auraient tremblé et il n'aurait pas pu dissimuler son trouble.

— Écoutez… Il me semble que je l'ai déjà vue aussi, dans une salle de sport… Ça commence à devenir inquiétant, remarque-t-il en adressant un maigre sourire à Margot.

— Vous fréquentez quelle salle ? demande Adam, en sortant un calepin.

— SATS dans Mäster Samuelsgatan, répond-il, et il essaie d'avaler sa salive, mais la boule d'angoisse ne fait que s'accroître.

Adam le fixe d'un regard inexpressif.

— Et vous l'avez vue là-bas ? dit-il en désignant la photo de Maria Carlsson.

— J'ai une bonne mémoire des visages, explique Erik d'une voix creuse.

— Le monde est petit, commente Margot sans le lâcher du regard.

— Avez-vous rencontré Susanna Kern aussi ? interroge Adam, et il tend le bras vers la dernière photo.

— Non, rit Erik.

Mais quand Adam retourne la photo, Erik est sûr d'avoir déjà vu ce visage. Il ne sait pas où. Le nom, Susanna Kern, ne lui dit rien, mais il reconnaît ces traits.

Il secoue la tête et tente de comprendre. On l'a fait venir pour parler avec son mari après le meurtre. Il a hypnotisé Björn Kern et l'a accompagné mentalement dans la villa ensanglantée, mais on ne lui a jamais montré de photo de sa femme.

— Vous êtes sûr ? insiste Adam en brandissant la photographie.

— Oui.

Le feuillet imprimé se courbe autour de la main d'Adam. Erik le prend, observe le visage souriant de Susanna et secoue la tête à nouveau, tandis que les pensées se bousculent dans sa tête et que la pièce se resserre autour de lui.

Il comprend que la panique est en train de le gagner. La sécheresse s'installe dans sa bouche et il pose lentement ses mains sur ses genoux pour les empêcher de se mettre à trembler.

— Parlez-moi de… du profil de l'assassin, dit Erik avec une voix qui lui semble appartenir à quelqu'un d'autre.

Il s'oblige à rester complètement immobile pendant qu'ils expliquent qu'*a priori* le meurtrier est divorcé, avec un statut socio-économique assez élevé.

Il essaie de se concentrer sur leurs paroles, mais son cœur tonne et les pensées tournoient dans sa tête à la recherche d'une sorte de schéma ou de sens.

Comment est-ce possible ? se demande-t-il en essayant de comprendre le mécanisme. Il a eu une brève aventure avec Maria Carlsson, Sandra Lundgren était sa patiente et il sait qu'il a croisé Susanna Kern.

Trois photos. Trois femmes qu'il a rencontrées.

C'est comme dans un rêve récurrent, il n'arrive pas à atteindre ce qu'il a l'impression de reconnaître dans cette situation cauchemardesque. En face de lui, Margot sort son téléphone qui sonne. Adam se lève et se tient devant la fenêtre. Quelqu'un a oublié une tasse de café sur le rebord.

Soudain Erik comprend que l'impression de similitude qu'il ressent est liée à Rocky.

Pendant l'hypnose, Rocky racontait que le prédicateur sale lui avait montré des photos de Tina et de Rebecka.

Rocky s'accusait du meurtre, beuglait d'angoisse en répétant les paroles de la Bible : *Je devrais m'arracher l'œil s'il est une occasion de péché*.

De nouveau, l'inconcevable l'inonde. C'est de la folie. Il a rencontré les trois victimes.

Et il a menti à la police encore une fois. Ça lui paraissait totalement impossible de leur dire qu'il les avait rencontrées, toutes les trois.

Quand Erik sent qu'il est en mesure de maîtriser sa voix et son corps, il se lève.

— Je dois partir, j'ai un rendez-vous avec un patient, dit-il à voix basse.

— Quand pouvez-vous retourner parler avec Rocky ? demande Margot en le fixant.

— Demain, je crois.

— N'oubliez pas les photos, lui rappelle Adam.

En tendant la main pour prendre les photographies, il vacille et se dit qu'il est un reflet de Rocky. La malédiction passe tel le vent qui précède l'orage et pendant une seconde c'est lui qui regarde par la clôture haute de six mètres qui entoure la cour de promenade de Karsudden.

70

Joona s'entraîne à différentes techniques de combat au couteau, à des séries de coups de poing et de coude, à la corde à sauter, il fait de la musculation et de la course à pied. Il est encore loin de son ancien niveau, mais il ne cesse de s'améliorer. Il a eu un peu mal à la hanche après avoir couru cinq kilomètres et a fini en marchant.

Il est sept heures du soir quand il voit la BMW d'Erik s'engager sur l'allée. Joona enfourne la viande, verse du pomerol dans deux verres à bordeaux et entend la porte d'entrée se refermer et le bruit des clés qu'on pose sur la commode.

Joona prend les verres, va dans la bibliothèque, ouvre la porte avec le pied et entre.

Erik a jeté sa veste par terre. Il est déjà dans son cabinet de travail à farfouiller parmi les documents sur son bureau.

— Le repas sera prêt dans quarante minutes, annonce Joona, et il s'avance jusqu'à la porte.

— Magnifique, murmure Erik, en levant des yeux stressés. Tu t'es rasé… c'est bien.

— Il était temps.

— Tu te sens comment ? demande Erik en allumant son ordinateur.

— Bien, répond Joona, et il pénètre dans le bureau.

— Et la hanche ?

— J'ai pu m'entraîner et j'ai…

— Est-ce qu'on peut parler ? l'interrompt Erik en le regardant droit dans les yeux. Je sors d'une réunion avec Margot et Adam et… je ne suis pas parano… mais j'ai rencontré les trois victimes… C'est de la folie, je n'y comprends rien, mais ça ne peut quand même pas être un hasard, n'est-ce pas ?

— Tu les connais de quelle manière ?

— Quelle est la probabilité pour qu'une telle chose arrive ? réplique Erik.

— De quelle manière est-ce que tu connais les victimes ? répète Joona, et il pose les verres de vin sur le bureau.

— J'ai l'impression d'être visé, je me fais peut-être des idées, mais si c'est ça…

— Assieds-toi, dit Joona calmement.

— Pardon, je suis seulement… je suis complètement déstabilisé, bredouille Erik en se laissant tomber sur la chaise et en reprenant son souffle.

— De quelle manière est-ce que tu connais les victimes ? demande Joona pour la troisième fois.

Les doigts d'Erik tremblent quand il dégage une mèche de son front.

— J'ai eu une brève relation avec Maria Carlsson cet été… Sandra Lundgren a été ma patiente… et je reconnais Susanna Kern… je l'ai rencontrée, mais je ne sais pas où.

— Qu'en pense Margot ?

— Tu comprends, j'ai été tellement surpris que je n'ai pas parlé de Susanna Kern… mais je vais le faire, évidemment…

Erik sursaute quand son téléphone se met à sonner.

— C'est le boulot. Je ne réponds pas, murmure-t-il.

Il refuse l'appel et le téléphone lui glisse entre les doigts.

— Et je ne pouvais pas raconter que j'ai couché avec Maria, poursuit-il en ramassant son mobile par terre. J'ai seulement dit que nous fréquentions la même salle de sport.

— Autre chose ?

— J'ai dit que Sandra était ma patiente, mais pas que… Je trouve encore que ça n'a rien à voir, sourit-il en se grattant le front. Enfin, je te le dis quand même… Il n'est pas rare que des patients veuillent prendre le contrôle de la situation en essayant de séduire leur thérapeute… Il y a toujours un lien fort qui se crée, c'est normal, mais dans le cas qui nous occupe, la patiente est allée tellement loin que j'ai laissé Nelly prendre la relève.

— Et il ne s'est rien passé entre vous ?

— Non…

La main d'Erik tremble quand il saisit le verre de vin, l'approche de sa bouche et boit quelques grandes gorgées.

— C'est peut-être un patient qui se venge sur toi à cause d'un…

— Je ne travaille plus avec des patients dangereux, l'interrompt Erik.

— Mais quand tu faisais de la recherche sur…

— C'était il y a quinze ans.

— Les vieux dossiers existent encore ?

— Je filme et j'archive tout.

— Tu peux examiner tout ça ?

— À condition de savoir ce que je dois chercher.

— Un parallèle, un lien, n'importe quoi – le *stalking*, la violence sur le visage, le fait que les corps ont été arrangés… Il est question de trophées, probablement.

Erik s'est levé et arpente la pièce de long en large. Il passe la main dans ses cheveux tout en murmurant pour lui-même :

— C'est de la folie, tout ça, complètement tordu…

— Assieds-toi et raconte ce que…

— Je ne veux pas m'asseoir, le coupe Erik. Je dois…

— Écoute-moi maintenant. Tu peux rester debout si tu veux, mais j'ai besoin de savoir un maximum de choses… et, sérieusement, je crois que tu as vraiment besoin d'être assis.

Erik tend la main pour prendre son verre, boit debout et sort ensuite une plaquette de comprimés de sa poche intérieure, en dégage deux et les avale avec du vin.

— Et puis merde, soupire-t-il.

— Tu as recommencé les médocs ? Ça m'étonne de toi, dit Joona en le scrutant de ses yeux gris acérés.

— Je gère, t'inquiète.

— Tant mieux.

Erik se laisse tomber dans son fauteuil de bureau, s'essuie le front et s'efforce de respirer plus calmement.

— Je n'arrive pas à rassembler mes idées, souffle-t-il. J'ai essayé d'apprendre si Rocky avait un complice ou un compagnon de route.

— Je sais, tu viens de lui parler.

— Discerner les souvenirs authentiques fait partie de mon expertise… mais hypnotiser Rocky a été particulièrement compliqué. J'ai pu dépasser son amnésie organique et je me suis retrouvé dans un univers de trips d'héroïne et de délires…

— Que s'est-il passé ?

— Je ne sais pas comment l'interpréter, raconte Erik d'une voix cassée. Mais tout à l'heure, quand j'étais avec Margot et Adam et que je venais de comprendre que j'avais rencontré toutes les victimes, quand j'ai regardé les photographies… j'ai repensé à l'hypnose… C'est tellement barge…

— Je t'écoute, dit Joona avant de goûter enfin son vin.

Erik hoche la tête et plisse les yeux en tentant de rendre compte de la séance.

— Rocky était plongé dans une hypnose profonde quand il a raconté que le prédicateur lui avait montré la photo d'une femme qu'il avait ensuite tuée devant ses yeux… puis il lui avait montré une photo de Rebecka Hansson… J'aurais pu jurer qu'il ne s'agissait que d'un cauchemar.

— Mais c'est le même assassin, rétorque Joona. Le prédicateur est de retour, c'est le même schéma.

Le visage d'Erik vire au gris.

— Dans ce cas, c'est moi qui joue le rôle de Rocky cette fois, chuchote-t-il.

— Rocky avait eu des relations avec les deux filles ?

— Oui.

— Appelle Simone tout de suite, ordonne Joona avec un grand sérieux.

Erik prend le téléphone, s'éclaircit la gorge et se lève, angoissé.

— Simone, dit la voix familière dans son oreille.

— Salut Sixan, c'est Erik.

— Il s'est passé quelque chose ? Tu as une drôle de voix.

— Je dois te demander un service… Est-ce que Benjamin et John sont à la maison ?

— Oui, mais pourquoi tu veux savoir…

— Je pense qu'un patient me poursuit et je veux simplement que toi et Benjamin, vous ne restiez jamais seuls à la maison jusqu'à ce que cette affaire soit résolue.

— Qu'est-ce qui est arrivé ?

— Je ne peux pas te le dire.

— Tu es en danger ?

— Je ne veux pas prendre de risques, c'est tout. S'il te plaît, fais ce que je te demande…

— D'accord, je vais essayer de le garder en tête.

— Promets-le-moi.

— Tu me fais peur, Erik.

— Tant mieux, répond-il, et il entend le rire las de Simone.

71

Erik s'est aspergé le visage d'eau froide, il se tient dans la cuisine et raconte tout ce que Rocky a dit au sujet du prédicateur sale – qu'il avait du fond de teint sur sa barbe naissante, qu'il se shootait à l'héroïne et montrait des photos – pendant que Joona dispose les plats sur la table.

Il a préparé de l'agneau au four avec des légumes racines et de l'ail. Il parsème le plat d'herbes aromatiques et leur sert encore du vin.

— C'est royal, s'exclame Erik en s'installant.

— J'aimerais juste te dire que... les derniers mois de Summa..., commence Joona en croisant son regard. Nous avons vécu six mois ensemble, toute la famille... Cela n'aurait pas été possible sans toi, Erik, sans les médicaments que tu lui as prescrits, tout... Je savais que je pouvais te faire confiance et je ne l'oublierai jamais.

Ils trinquent, boivent et se mettent à évoquer leur première rencontre, mais la conversation bifurque rapidement sur Rocky et les photographies.

— Il faut que Margot prenne le prédicateur au sérieux.

— Elle le fera, lui assure Joona. Le groupe d'analyse comportementale a construit un profil psychologique qui...

— Je l'ai vu.

— Je ne suis pas associé à l'enquête, mais Anja m'a raconté qu'ils ont fait un premier tri... Elle a commencé avec la paroisse de Salem et toutes les paroisses avoisinantes, dit Joona, et il pousse le plat devant Erik. Catholiques, orthodoxes syriaques, russes et grecques... l'Église de scientologie, l'Église missionnaire évangélique, l'Armée du Salut, les Jéhovah, les Saints des

Derniers Jours, les méthodistes, les pentecôtistes… Actuellement ils élargissent les cercles et examinent particulièrement tous les aumôniers du pays qui travaillent avec les toxicomanes et les exclus, dans les prisons, les institutions et les hôpitaux.

Les mains d'Erik ont presque cessé de trembler, mais ses mouvements sont prudents quand il se sert, comme s'il ne se faisait pas vraiment confiance.

— Ils ont combien de noms sur la liste ? demande-t-il, et il passe le plat à Joona.

— Plus de quatre cents, déjà. Mais si tu arrivais à raviver la mémoire de Rocky pour qu'il se souvienne de ce prédicateur… un prénom, un signalement, une paroisse…

— C'est tellement difficile, tu sais, l'interrompt Erik. Ses lésions au cerveau, sa toxicomanie…

— On peut en parler demain, si tu préfères, propose Joona tout en commençant à manger.

— Ses souvenirs empruntent leurs propres chemins, médite Erik.

— Mais pendant les séances d'hypnose, son cerveau fonctionne plutôt bien ?

— Oui, mais alors la porte entre cauchemars et souvenirs semble grande ouverte.

— Pourtant, il y a forcément de véritables souvenirs dans ce qu'il dit ?

— En fait, tout devrait être véridique, mais ça paraît tellement psychotique…

— Si Rocky accepte d'être hypnotisé encore une fois, fonce… Essaie de faire surgir des détails concrets, des noms, des lieux.

— Je peux le faire, je suis sûr que je peux le faire.

— Dans ce cas, j'arrêterai notre tueur en série.

— J'y vais demain matin.

Ils mangent en silence. Les légumes racines glacés sont d'une douceur terreuse qui contraste agréablement avec l'acidité du vin rouge, la salade est relevée avec du vinaigre balsamique et de l'huile de truffe et l'agneau est assaisonné de poivre du moulin et coupé en tranches légèrement rosées.

— Tu as déjà l'air plus en forme, dit Erik en voyant Joona se resservir. Six piqûres de pénicilline et un peu de cortisone…

Il se tait quand le téléphone sonne dans sa poche, il le sort et voit sur l'écran que c'est Margot.

— Oui, c'est Erik.

— Est-ce que Joona est là ? interroge-t-elle d'une voix affolée.

— Qu'est-ce qui se passe ?

— Rocky Kyrklund s'est évadé.

Erik tend le mobile à Joona, puis joint les mains devant son visage, dans un effort pour rassembler ses idées.

Joona écoute Margot lui raconter que le médecin-chef de Karsudden avait décidé de commencer dès ce soir l'entraînement de Rocky en vue de sa réinsertion.

Il devait manger à la pizzéria Primavera à Katrineholm en essayant de passer la commande lui-même. Deux gardiens étaient installés à une autre table, un peu plus loin pour ne pas le déranger. Rocky avait mangé sa pizza, bu un grand verre d'eau, commandé un café, puis il était allé aux toilettes et était sorti par la fenêtre.

Quelques adolescents l'avaient vu courir le long de la voie ferrée en direction de la forêt de Lövåsen, avant de disparaître.

— Nous n'allons pas lancer d'avis de recherche, conclut Margot. Le tribunal administratif a déjà décidé de le libérer et Karsudden prend les choses en main.

— Comment ? demande Joona.

— En ne levant pas le moindre petit doigt. J'ai parlé avec le médecin-chef, mais il était tellement tranquille que j'ai failli m'endormir… Apparemment, c'est assez fréquent que des patients s'évadent la première fois qu'ils en ont l'occasion. Ils reviennent presque toujours de leur plein gré quand ils s'aperçoivent que tout a changé, que leurs amis ne sont plus là… que leur travail a disparu, leur appartement, leur femme.

Joona termine la conversation et raccroche, s'essuie la bouche avec la serviette, la pose sur son assiette et croise le regard fatigué d'Erik.

— C'est moi qui avais préconisé les permissions, dit Erik, décontenancé. Mais il va revenir, ils reviennent presque toujours.

— On ne peut pas rester là, à attendre, déclare Joona. Il faut qu'on le trouve et qu'on le fasse parler avant que le prédicateur tue à nouveau.

— Il n'a pas de famille, n'a pas mentionné d'amis… Le presbytère n'existe plus en tant que tel…

— Est-ce qu'il peut se cacher dans l'église ou dans les environs ?

— Je suis presque sûr qu'il va tenter de rejoindre assez rapidement un endroit qu'il appelle la Zone. C'est là qu'il se fournissait en héroïne, et il semble penser qu'une belle somme d'argent l'y attend.

— Je ne connais pas d'endroit qui s'appelle la Zone.

— On dirait un repaire à drogues dures… un endroit assez grand, puisqu'il y a une scène et des prostituées en pagaille.

— Je vais me renseigner, annonce Joona, laconique, et il se lève aussitôt pour partir.

— Merci pour le dîner.

— Il y a de la glace pour le dessert.

Après le départ de Joona, Erik commence à débarrasser, mais la fatigue l'envahit avec une telle force qu'il laisse tout en plan et se rend dans son cabinet de travail. Son étui à lunettes argenté n'est plus sur la table de fumeur à côté de la pile de livres. Il frissonne et tourne le regard vers la fenêtre qui tremble sous les assauts du vent. Il fait encore jour, mais la nuit ne va pas tarder à tomber, songe-t-il en s'écroulant dans le fauteuil. Il ferme les yeux.

Il faut qu'il se concentre et qu'il essaie de comprendre ce qui lui arrive.

Sans ouvrir les yeux, il sort un Imovane du blister sur la table, garde un instant le comprimé dans la moiteur de sa main avant de le porter à sa bouche.

Une quiétude laiteuse vide son esprit, mais au moment même où le sommeil se dresse telle une vague puissante, le téléphone sonne. Il ne parvient pas à focaliser le regard pour voir qui l'appelle, manque de faire tomber le mobile, et le rattrape au vol.

— Allô ? dit-il d'une voix rauque en collant le téléphone contre son oreille.

— Tu n'oublies pas Madde, j'espère ?

— Quoi ?

— Erik, qu'est-ce que tu as ? demande Jackie d'une voix grave.

— Rien, j'étais seulement en train de… et…

Il perd le fil, se tait et s'éclaircit la gorge.

— Tu es censé aller chercher Madde, tu te rappelles ?

— Absolument, ne t'inquiète pas… c'est sur mon agenda.

— Merci, dit-elle du fond du cœur.

— J'ai fait mes exercices, bredouille-t-il, puis il ferme les yeux.

— Appelle-moi s'il y a le moindre problème, je viendrai, et ils se passeront de pianiste. Promets-moi de m'appeler.

72

Joona conduit la voiture d'Erik en direction du centre de Stockholm, et attend l'appel d'Anja Larsson de la Rikskrim. Il a mal à la hanche de nouveau, et il a apporté sa canne. Il vient de dépasser le Globe et s'approche de l'entrée des tunnels quand son téléphone clignote.

Les ongles d'Anja continuent de crépiter sur le clavier de son ordinateur pendant qu'elle l'informe qu'elle n'a toujours rien trouvé.

— La Zone ne figure pas dans nos fichiers, n'y a jamais figuré, annonce-t-elle sur un ton résigné.

— Ça a peut-être un autre nom, un vrai nom.

— J'ai harcelé les services de contrôle frontalier, le renseignement criminel, le département des TI et les unités d'investigation… J'ai commencé à poser des questions sur un tas de forums ultra-distingués et de sites pornos sympas.

— Est-ce que tu peux joindre Milan ?

— J'aimerais mieux pas, répond Anja avec honnêteté.

Les vitres de la voiture émettent un soupir quand Joona s'engage dans l'étroite ouverture du tunnel. L'éclairage au plafond et le long des parois se précipite vers lui et la voix d'Anja disparaît.

— Je dois absolument retrouver Rocky Kyrklund, dit-il sans savoir si la communication est coupée.

La voix d'Anja lui parvient, lointaine :

— Attends devant les portes. Je descendrai et…

Le silence s'installe et Joona s'enfonce plus profondément encore dans le tunnel. Il repense à tout ce qu'Erik lui a raconté.

Dix minutes plus tard, il se gare dans la pente raide donnant sur le parc et descend à pied vers l'entrée lumineuse de la police nationale.

À travers plusieurs cloisons en verre, il voit Margot passer les sas et sortir d'un pas lourd.

— C'était malgré moi, mais j'ai entendu Anja te fixer un rendez-vous avec Milan dans l'escalier sous le pont Barnhus-bron, dit-elle.

— Tu resteras à distance.

Ils marchent ensemble dans Bergsgatan, longeant la piscine de Kronoberg, fermée depuis plusieurs années, et la large grille de la maison d'arrêt. Joona s'appuie sur la canne à chaque pas.

— Quand est-ce qu'on va me rendre mon pistolet ?

— Je n'ai même pas le droit de te parler, précise Margot.

En passant devant les parties les plus anciennes du grand bâtiment, où se trouvent les bureaux du chef de la police départementale, Margot raconte que Björn Kern a commencé à parler. Apparemment, l'hypnose a donné le résultat escompté par Erik, une clé pour percer le choc et structurer sa mémoire.

— Björn dit que sa femme était assise par terre, la main sur l'oreille, quand il l'a trouvée.

— Même schéma, constate Joona.

— Tout ce qu'on a, ce sont les homicides et une façon d'agir récurrente. On a accumulé un tas de foutues énigmes, mais sans en tirer aucune réponse.

Ils coupent en diagonale par le parc. Joona boite et Margot tient les deux mains autour de son ventre volumineux.

— Il les filme par les fenêtres, ça c'est central, affirme Joona au bout d'un moment.

— C'est quoi, ton sentiment ? Moi, je suis enlisée, reconnaît-elle en le regardant du coin de l'œil.

Les arbres sont gris et scintillants d'humidité, leurs feuilles ont commencé à jaunir.

Joona estime que le tueur est un voyeur, un *stalker* qui apprend à connaître sa victime et qui choisit de conserver une situation banale de la vie quotidienne en la filmant.

— Les mains aussi, murmure-t-il.

— Mais enfin, c'est quoi ce putain de truc avec les mains ?

— Je ne sais pas, répond-il, en songeant que les mains marquent des endroits sur le corps.

Ce n'est pas Filip Cronstedt qui a pris la tige avec Saturne dans la langue de Maria, mais l'auteur du crime que Filip avait aperçu dans le jardin sous la pluie, muni d'une caméra.

Le bijou dans la langue était peut-être le prétexte qu'il fallait au prédicateur pour entrer, l'aiguillon nécessaire pour franchir le pas.

Ils dépassent un Seven Eleven et les affiches d'un journal qui proposent un test : "Votre chef est-il un psychopathe ?"

Joona imagine que le prédicateur tue la femme, prend le bijou, marque l'endroit avec les mains de la victime, pour que la police apprenne le pourquoi, pour qu'elle comprenne éventuellement ce dont il accuse la victime.

C'est une sorte d'écriteau annonçant le grief, comme celui suspendu sur la croix au-dessus de Jésus.

Rebecka Hansson avait la main sur son cou, Maria Carlsson la main dans sa bouche, Susanna Kern la main sur son oreille, et Sandra Lundgren la main sur son sein.

— Il leur prend quelque chose, à chacune d'elles… Parfois des bijoux, peut-être d'autres objets aussi.

— Mais pourquoi ? demande Margot.

— Parce qu'elles ont enfreint le règlement.

— Joona, je sais que tu suis ton propre chemin. Mais si tu trouves Rocky et que tu en tires quelque chose, n'hésite pas à le partager.

— Je t'appellerai en privé, assure-t-il au bout d'un moment.

— Je me fous des moyens utilisés. Mais je veux arrêter ce putain de tueur avant d'avoir d'autres victimes… et de préférence sans perdre mon boulot.

Après avoir dépassé Fleminggatan, ils s'approchent de l'endroit où Joona a rendez-vous avec Milan. Il dit à Margot de s'arrêter.

— Tiens-toi à distance maintenant, répète-t-il.

— C'est qui, ce Milan ?

Milan n'a pas approché de l'hôtel de police depuis six ans. Joona ne l'a vu qu'une fois, sur la vidéo d'une caméra de surveillance. Il apparaissait furtivement lors d'un règlement de comptes du crime organisé, il avait un comportement étrange et tirait dans le dos d'un homme.

Milan Plašil travaille à la brigade des stups, il fait de longues missions d'investigation et d'infiltration, et il possède le plus grand réseau d'informateurs de tout Stockholm.

— Il est assez doué, dit Joona.

La rumeur court qu'il a un enfant avec une femme de la mafia bosniaque, mais en vérité personne n'en sait rien. Milan est devenu une surface grise. La double vie perpétuelle des agents infiltrés, son agenda constamment caché ont fait de lui un étranger aux yeux de tous.

— Il n'aura pas l'air armé, mais il aura probablement un Beretta Nano fixé à la cheville, prévient Joona.

— Pourquoi tu me racontes ça ?

— Parce qu'il n'hésitera pas à nous sacrifier si on fait courir des risques à sa couverture.

— Suis-je censée avoir peur maintenant ?

— Milan est un peu spécial et tu dois rester à bonne distance, insiste Joona.

Il la laisse sur le trottoir, traverse la rue et poursuit seul devant les grands immeubles, jusqu'à la culée du pont, puis il descend l'escalier en pierre et s'arrête au premier palier, qui sert souvent de QG aux toxicomanes.

Une forte odeur d'urine flotte dans l'air et le sol est couvert de mégots et d'éclats de verre d'une bouteille de vin brisée.

Le long des poutrelles en acier du pont courent des bandes de clous dressés pour empêcher les pigeons de se poser, mais la fondation en béton est quand même largement recouverte de fiente.

Une ombre s'approche le long de la voie piétonne. Joona comprend que c'est Milan, il pose sa canne contre le mur et attend que l'homme arrive sur le palier.

Milan Plašil a trente ans, des yeux de chien sombres et le crâne rasé. Il est mince comme un adolescent et porte un survêtement noir et brillant et de coûteuses chaussures de sport.

— J'ai entendu parler de toi, Joona Linna, fait-il en regardant l'eau.

— J'ai besoin de trouver un lieu appelé la Zone.

— D'habitude tu portes un .45.

— Colt Combat.

— Elle ne peut pas rester là-haut, déclare Milan en levant le menton vers l'escalier.

Joona soupire en réalisant que Margot l'a suivi, il se retourne et l'appelle.

— Margot ? Descends !

Elle se penche par-dessus le garde-corps, hésite, puis descend les marches, la main sur la rampe.

— La Zone, répète Milan.

— C'est un lieu qui existe depuis plus de dix ans, probablement au sud de Stockholm, mais nous ne savons pas…

— Tu peux t'arrêter là, dit Milan lorsque Margot est presque sur la plate-forme.

— On peut y acheter des drogues dures et du sexe.

— Si tu veux que je parle, il faut me faire un bisou sur la bouche, sourit Milan.

— D'accord.

— Elle aussi.

— Quoi ? demande Margot en plissant les yeux.

— Je veux un bisou, précise Milan en montrant sa bouche.

— Non, rit-elle.

— Alors il faut que tu regardes ma bite, déclare-t-il sur un ton sérieux, et il baisse son pantalon et son slip.

— Mignonne, dit-elle sans broncher.

— Merde, je te fais marcher là, tu comprends, je te teste. Tu es de la Rikskrim, c'est ça ?

— Oui.

— Arme de service ? interroge-t-il en remontant son pantalon.

— Glock.

Milan rit sans un bruit et jette un regard sur la voie piétonne. Une nuée d'insectes volette à côté de l'escalier.

— La seule chose qui correspondrait à ce que tu me décris, c'est un lieu qui se trouvait à Barkarby, dit-il en jetant un bref regard à Joona. Ça s'appelait le Club Noir. Mais ça n'existe plus… On n'est pas au pays des grands bordels, et ce n'est pas l'époque non plus. La forme la plus courante est un appartement avec quelques nanas d'Europe de l'Est, tout se passe par internet, à travers un tas d'intermédiaires, personne n'est plus coupable de rien…

— Mais cet endroit a existé, insiste Joona.

— Oui, mais avant moi. Aujourd'hui ça n'existe plus, ça ne peut pas exister, personne n'en parle…

— À qui doit-on poser la question ?

Milan fait face à Joona. Un mince trait de moustache donne un aspect encore plus fin à ses lèvres. Ses petits yeux noirs sont rapprochés et enfoncés dans leurs orbites.

— À moi. Si on peut y acheter de l'héro, je le connais forcément… à moins qu'il ne s'agisse d'une enclave russe.

— Où achète-t-on de l'héroïne ? demande Margot.

— Sans contacts, c'est toujours Plattan à Sergels torg qui est en vigueur, il n'y a rien de changé… Medborgarplatsen et le centre de Rinkeby sont de bons spots… Ces derniers temps, l'offre a été assez grande… de l'afghane, mais reconditionnée plusieurs fois dans différents pays. Encore une fois, personne n'est coupable…

Milan se frotte vigoureusement sous le nez, crache devant les pieds de Margot et répète que la Zone n'existe pas.

73

Erik a eu une terrible migraine pendant deux jours. Il a passé la matinée à lire des poèmes de Rainer Maria Rilke, pendant qu'un homme austère s'appliquait à accorder le piano à queue qui venait d'être introduit dans son séjour par les portes de la terrasse.

Erik lève les yeux quand Joona Linna sort du cabinet de travail. Il a mis un survêtement et disparaît dans le vestibule en même temps qu'on sonne à la porte.

— Erik a acheté un piano à queue, explique une voix de fillette enjouée.

— Tu dois être Madeleine, dit Joona.

Erik pose son livre en entendant leurs voix et se rend rapidement aux toilettes pour se rafraîchir le visage. Ses mains tremblent et l'angoisse le saisit quand il croise son propre regard injecté de sang. Les trois photographies, l'odeur de plastique dans la salle de réunion, les yeux verts de Sandra et le sourire généreux de Maria Carlsson hantent ses pensées.

Quand il revient, Jackie et Madde se tiennent déjà dans le séjour, elles chuchotent et pouffent de rire. Jackie replie sa canne blanche et pose sa main sur l'épaule de sa fille lorsqu'il entre.

— Tu cherches à m'impressionner ? demande-t-elle.

— Il est super ! s'exclame Madeleine.

— Essaie-le, propose Erik d'une voix éraillée.

— Il a été accordé après le transport ?

— C'était inclus dans le prix d'achat, répond-il.

Madde s'installe au piano et exécute un nocturne de Satie. Elle bouge en souplesse ses doigts, et son petit corps est droit et concentré. En jouant les dernières notes, elle se retourne avec un grand sourire. Erik applaudit, il a presque les larmes aux yeux.

— Incroyable… comment peux-tu être aussi douée ?

— Il va falloir l'accorder de nouveau dans peu de temps, prévient Jackie.

— OK.

Elle sourit et laisse ses doigts glisser sur l'éclat noir du couvercle fermé. Sa main se reflète sur le vernis, on dirait une main de pierre.

— Mais il a un très bon son.

— Tant mieux, se réjouit Erik.

Madde le tire par le bras.

— Maintenant on veut entendre le robot jouer.

— Non ! proteste Erik.

— Si ! rient Madde et Jackie en cœur.

— D'accord, je sais à quelle hauteur la barre est placée, murmure Erik en s'asseyant.

Il pose ses doigts sur les touches, sent qu'il tremble et s'interrompt avant même d'avoir commencé.

— Donc Madde… Je suis vraiment impressionné, répète-t-il.

— Toi aussi tu es doué.

— Tu es aussi douée en foot ?

— Non…

— Je pense que si, dit Erik chaleureusement. J'ai l'intention d'arriver tôt demain, pour te voir marquer des buts.

La fillette se renferme et semble toute gênée.

— Quoi ? demande Jackie.

— Je suis censé aller chercher Madde après le match, non ?

Jackie pâlit et son visage se durcit.

— C'était hier, rétorque-t-elle d'une voix tendue.

— Maman, je… je sais aller…

— Tu es rentrée toute seule ? interroge Jackie.

— Je ne comprends pas, s'étonne Erik. Je croyais que…

— Tais-toi ! le coupe-t-elle. Madde, Erik n'est pas venu après le match ?

— Ça s'est bien passé quand même, maman, dit la fillette, et elle se met à pleurer.

Erik reste assis, les bras ballants, et sent revenir les nausées et le martèlement dans sa tête.

— Je suis terriblement désolé. Je n'arrive pas à comprendre comment…

— Tu m'avais promis !

— Maman, arrête ! s'écrie Madde.

— Jackie, j'ai été terriblement pris par un tas de…

— Je m'en fous, rugit-elle. Je ne veux pas le savoir.

— Arrêtez de crier ! pleure Madde.

Erik s'agenouille devant la petite fille et la regarde dans les yeux.

— Madde, je croyais que c'était demain, je me suis trompé.

— Ce n'est pas grave…

— Ne lui parle pas ! crache Jackie.

— Je t'en prie, je voulais seulement…

— Je le savais, dit-elle, et ses lunettes noires luisent froidement. Les comprimés, si ce n'était pas du Dafalgan, c'était quoi ?

— Je suis médecin, tente d'expliquer Erik en se relevant. Je sais ce que je fais.

— Très bien, murmure Jackie en traînant Madde avec elle vers la porte.

— Mais cette fois, ça a…

Elle heurte une table qui a été déplacée pour faire de la place au piano. Le vase rempli de fleurs séchées se renverse et se brise en trois gros morceaux.

— Maman, tu as cassé…

— Je m'en fous, la rabroue Jackie.

Madeleine semble effrayée, elle est secouée de sanglots derrière sa mère.

— Jackie, attends, la supplie Erik. J'ai toujours un problème avec les médicaments, j'ignore comment ça a pu déraper ainsi, mais…

— Qu'est-ce que tu veux que ça me fasse ? Tu voudrais peut-être que je te plaigne, tant qu'on y est ? Parce que tu te drogues et que tu mets ma fille en danger ? Je ne peux plus te faire confiance, c'est une évidence, je ne te laisserai plus l'approcher.

— J'appelle un taxi, dit Erik, le cœur lourd.

— Maman, ce n'était pas sa faute. S'il te plaît, maman…

Jackie ne répond pas, les larmes coulent le long de ses joues quand elle sort avec sa fille.

— Pardonne-moi, je gâche tout, sanglote Madde.

74

Au croisement de Mäster Samuelsgatan et de Malmskillnadsgatan, les grands immeubles créent un goulot d'étranglement qui oblige le vent à souffler par violentes rafales. Poussière et papiers tourbillonnent sans trêve autour de la petite fille en bronze assise les yeux baissés sur le trottoir, qui depuis plus de trente ans tient compagnie aux prostituées.

Erik a accompagné Joona pour lui donner un coup de main s'ils réussissent à pister Rocky. Il l'attend au restaurant Mozzarella devant un café.

Il a déjà appelé Jackie et laissé deux messages sur son répondeur, s'excusant et lui expliquant qu'il est sans doute poursuivi par un patient.

Il lui a conseillé de partir chez sa sœur avec Madde, mais il se doute bien que sa demande a dû paraître irrationnelle.

Il sirote son café, croise le reflet soucieux de son visage sur la vitre. Il est complètement désemparé à l'idée d'avoir tout gâché. Après la rupture avec Simone, il n'avait pas eu peur de la solitude, puis la vie lui avait soudain offert une nouvelle chance, Cupidon s'était placé au bord de son nuage et avait décoché pour lui une autre flèche.

Il prend son téléphone, vérifie l'heure et appelle Jackie pour la troisième fois. Quand sa voix enregistrée l'invite à laisser un message, il ferme les yeux et parle :

— Jackie… je suis si terriblement désolé, je l'ai déjà dit, mais tout le monde peut se tromper… Je n'ai aucune excuse, mais je suis là… je t'attends, je joue mon étude… et je suis prêt à tout pour regagner ta confiance.

En même temps qu'Erik pose son téléphone sur la table à côté de sa tasse, Joona s'arrête devant deux femmes adossées à une façade aveugle. Il s'appuie sur sa canne et essaie d'engager la conversation, mais en comprenant qu'il n'est pas un client, elles lui tournent le dos et parlent à voix basse entre elles.

— Connaissez-vous un lieu qui s'appelle la Zone ? demande-t-il. Je suis prêt à payer une belle somme si vous me dites où ça se trouve.

Elles s'en vont et Joona clopine derrière elles tout en essayant de leur expliquer que la Zone a peut-être un autre nom.

Il laisse tomber et commence à marcher dans la direction opposée. Plus loin, du côté des tours du Roi, une femme maigre entre dans une camionnette blanche.

Joona dépasse quelques échafaudages. Des gants en latex et des préservatifs usagés traînent par terre.

Devant l'immeuble suivant est assise une femme d'une quarantaine d'années. Ses cheveux sont ramassés en une queue de cheval négligée et elle est engoncée dans un blouson épais. Elle porte un short rouge, ses jambes sont nues et constellées de plaies.

— Excusez-moi, dit Joona.

— C'est bon, je m'en vais, bafouille-t-elle.

Elle se lève comme une personne habituée à être chassée, le blouson s'ouvre sur un tee-shirt trop court et elle lève la tête.

— Liza ?

Le regard de la femme est aqueux, son visage ridé et fatigué.

— Ils ont dit que t'étais mort, fait-elle d'une voix rauque.

— Je suis revenu.

— Tu es revenu, rit-elle. C'est bien ce qu'ils font tous, non ?

Elle se gratte vigoureusement le coin de l'œil et son maquillage s'étale.

— Ton fils, dit Joona en s'appuyant sur la canne. Il était dans une famille d'accueil, tu avais commencé à le revoir.

— Je te déçois, hein ? demande-t-elle en détournant le visage.

— C'est juste que… je croyais que tu avais arrêté.

— Moi aussi, mais merde quoi…

Elle fait quelques pas titubants, s'arrête et prend appui sur une poubelle débordant de détritus.

— Je peux t'offrir un café, un sandwich ? propose Joona.

Liza secoue la tête.

— Il faut que tu manges, tu sais.

Elle lève les yeux et souffle pour écarter quelques mèches de son visage.

— Dis-moi simplement ce que tu veux savoir.

— Est-ce que tu connais un lieu qui s'appelle la Zone ? J'ai l'impression que beaucoup de filles y travaillent, c'est peut-être russe, il existe depuis une dizaine d'années, on y trouve de l'héro assez facilement…

— Autrefois il y avait un endroit à Barkarby – merde, ça s'appelait comment déjà ?

— Le Club Noir… il n'existe plus.

Une bande de moineaux s'envole des arbres.

— Il y a toujours l'Institut du dos, à Solna, mais…

— C'est trop petit.

— Cherche sur le Net, suggère-t-elle.

— C'est ce que je vais faire, merci, dit-il, et il s'apprête à partir.

— Les hommes, ils sont OK pour la plupart, murmure-t-elle.

Joona s'arrête et la contemple de nouveau. Elle tangue, la main sur le bord de la poubelle, et se lèche les lèvres.

— Est-ce que tu sais où Peter Dahlin crèche ces temps-ci ? demande-t-il.

— En enfer, j'espère.

— Je sais… mais s'il n'a pas eu le temps d'y arriver ?

Elle se penche et se gratte la jambe.

— J'ai entendu dire qu'il est retourné dans l'appartement de sa mère dans Fältöversten, lâche-t-elle à voix basse tout en examinant ses ongles.

75

Erik se gare dans le parking souterrain de Fältöversten, complexe d'habitations avec sa galerie marchande au rez-de-chaussée, et quand ils arrivent vers les ascenseurs, Joona annonce qu'il n'a pas le droit d'être là.

— Je suis interdit de visite, explique-t-il, et son sourire fait frémir Erik.

Au niveau 6, ils passent dans un couloir triste avec des paillassons sales et des noms sur les clapets à courrier des portes, encombré de poussettes et de chaussures de sport.

Joona sonne à une porte qui se démarque. Le nom Dahlin est gravé en lettres gracieuses sur une petite plaque en laiton.

Au bout d'un moment, une femme d'une vingtaine d'années vient ouvrir. Elle a une vilaine peau, des yeux craintifs, et ses cheveux sont enroulés sur des bigoudis à l'ancienne.

— Peter est devant la télé ? demande Joona.

Il pénètre dans l'appartement, Erik le suit et referme la porte derrière eux. Il jette un coup d'œil sur l'entrée morne aux murs décorés de broderies à motifs floraux et de photos en couleurs d'une petite vieille qui tient deux chats dans ses bras.

Joona ouvre la porte vitrée du séjour avec le bout de sa canne, avance dans la pièce et s'arrête devant un homme plus tout jeune assis sur un canapé de cuir marron et entouré de deux chats tigrés. Il porte des lunettes aux verres épais, une chemise blanche avec une cravate rouge, et ses cheveux ondulés sont coiffés de manière à couvrir son crâne d'œuf.

La télé diffuse la vieille série *Columbo*. Peter Falk glisse les mains dans son imperméable froissé et sourit pour lui-même.

L'homme sur le canapé jette un rapide regard à Joona, pioche une friandise pour chat dans un vieux sachet, la lance sur le tapis et renifle ensuite ses doigts.

Sans enthousiasme, les deux chats sautent par terre et flairent le biscuit. La jeune femme retourne dans la cuisine en boitant et se remet à la vaisselle.

— Tu n'as pas changé tes habitudes avec elle ? demande Joona.

— Tu ne sais rien, répond Peter Dahlin de sa voix nasale.

— Et elle, est-ce qu'elle sait que ça, ce n'est que le début ?

Peter Dahlin lui sourit, mais la nervosité fait légèrement tressaillir ses paupières.

— J'ai été castré volontairement, tu le sais. J'ai été acquitté par le tribunal, j'ai obtenu des dommages et intérêts, tu n'as pas le droit de m'approcher.

— Je m'en vais dès que tu auras répondu à ma question.

— Attends-toi quand même à ce que je signale ta visite, prévient-il en se grattant l'aine.

— Il faut que je trouve un endroit qui s'appelle la Zone.

— Bonne chance.

— Peter, tu connais tous les endroits où il ne faut pas aller et…

— Je suis tellement vilain, ironise l'homme.

La fille dans la cuisine pose une main sur son ventre et ferme les yeux un instant.

— Elle est cul nu sous sa jupe, déclare Peter, et il pose les pieds sur l'accoudoir du canapé. Sa culotte trempe dans du vinaigre sous le lit.

— Erik, dit Joona. Fais-la sortir d'ici, explique-lui qu'on est de la police, je pense qu'elle a besoin d'un médecin.

— J'en trouverai une autre, réplique Peter avec indifférence.

Erik accompagne la fille dans le vestibule. Elle se tient le ventre et chancelle quand elle enfile ses bottes et prend son sac.

Avant même qu'ils aient refermé la porte, Joona attrape la cheville de Peter et l'entraîne vers la cuisine. L'homme âgé parvient à s'agripper à l'accoudoir, tout le canapé est emporté et le tapis oriental se plisse.

— Lâche-moi, tu n'as pas le droit de…

Le canapé bute sur le seuil et Peter passe par-dessus l'accoudoir dans un gémissement. Joona le traîne sur le lino de la cuisine.

Les griffes des chats crissent sur le sol quand ils s'écartent de leur chemin. Peter tente en vain d'attraper un des pieds de la table.

Joona pose sa canne dans un coin, ouvre la porte du balcon et fait sortir l'homme sur le gazon synthétique.

— Qu'est-ce que tu me fais, je ne sais rien et tu…

Joona le saisit violemment, le bascule par-dessus la balustrade, le faisant rebondir contre la protection en tissu rouge à l'extérieur du balcon. Il ne le lâche qu'une fois assuré que Peter est solidement agrippé.

— Je vais tomber, je vais tomber ! crie Peter.

Les jointures de ses doigts blanchissent et ses lunettes dégringolent jusqu'en bas.

— Dis-moi où se trouve la Zone.

— J'ai jamais entendu parler de cet endroit.

— Un grand établissement, peut-être russe… avec des prostitués, une scène, beaucoup de drogues qui circulent.

— Je ne sais pas, pleure Peter. Il faut que tu me croies !

— Bon, alors je m'en vais, réplique Joona, et il se retourne.

— D'accord, j'ai déjà entendu ce nom ! Je ne tiens plus, je vais lâcher, je ne sais pas où ça se trouve, je ne sais rien.

Joona le regarde de nouveau, puis il le remonte sur le balcon. Peter tremble de tout son corps et essaie d'entrer dans la cuisine.

— Ce n'est pas suffisant, dit Joona, et il le pousse de nouveau vers le garde-corps.

— Il y a plusieurs années… il y avait une nana, elle parlait de mecs de Volgograd, raconte-t-il rapidement en se déplaçant le long de la balustrade pour atteindre la façade. Mais ce n'était pas un bordel, plutôt un genre de cercle, tu sais, avec une discipline de fer, tout le monde qui surveille tout le monde…

— Ça se trouvait où ?

— Je n'en ai aucune idée, je te jure, chuchote-t-il. Je te le dirais si je le savais.

— Où est-ce que je peux trouver la femme qui t'a parlé de ce lieu ?

— C'était dans un bar à Bangkok, elle avait passé quelques années à Stockholm, je ne sais pas comment elle s'appelle.

Joona retourne dans la cuisine. Peter Dahlin le suit et referme la porte du balcon.

— Tu n'as pas le droit de faire ça, dit-il imperturbablement, et il essuie ses larmes avec du sopalin. Tu seras viré et…

— Je ne suis plus policier, lui annonce Joona en attrapant sa canne. Du coup j'ai plein de temps pour te surveiller.

— Comment ça, me surveiller ? Qu'est-ce que tu veux ?

— Si tu fais ce que je dis, tu t'en sortiras, répond Joona en retournant la canne entre ses mains.

— Qu'est-ce que je dois faire ?

— Après ton passage à l'hôpital, tu iras voir la police et…

— Pourquoi veux-tu que j'aille à l'hôpital ?

Joona frappe Peter Dahlin au visage avec sa canne. L'homme titube, lève ses mains à son nez, trébuche sur une chaise, tombe sur le dos et se cogne la tête par terre. Le sang éclabousse les gamelles des chats.

— Après ton passage à l'hôpital, tu iras voir la police pour reconnaître toutes les agressions, reprend Joona, et il appuie la canne sur le cou de Peter. Mirjam avait quatorze ans quand elle s'est suicidée, Anna-Lena a perdu ses ovaires, Liza est tombée dans la prostitution et la fille qui était ici tout à l'heure…

— D'accord, crie Peter. D'accord, je te dis !

76

Erik vient chercher Joona dans Valhallavägen après avoir conduit la jeune femme chez un gynécologue de sa connaissance.

— À présent nous savons que la Zone existe, déclare Joona en entrant dans la voiture. Mais il semblerait que ce soit un cercle russe… On paie son adhésion en contribuant soi-même à la criminalité.

— Donc on fait gaffe de ne pas trop parler, ajoute Erik en tambourinant des pouces sur le volant. C'est pour ça que personne ne sait rien.

— On ne le trouvera jamais, et il faudrait des années pour l'infiltrer.

Joona vérifie son mobile et voit que l'Aiguille l'a appelé trois fois au cours de l'heure passée.

— Il ne nous reste qu'une piste pour trouver la Zone, dit Joona. La femme que Rocky appelait Tina.

— Mais elle n'existe pas, non ?

— Pas dans les fichiers, personne n'a été tué en Suède de cette manière. La police ne passe pas à côté d'un bras sectionné.

— Ce n'était peut-être qu'un cauchemar.

— C'est ce que tu crois ? demande Joona.

— Non.

— Alors on va voir l'Aiguille.

L'institut médicolégal possède de nombreuses salles de conférences, mais seulement une pièce pour la dissection des cadavres. La salle rappelle un théâtre anatomique. Elle est circulaire avec des gradins concentriques qui s'élèvent autour de la petite scène où se dresse la table d'autopsie.

Dès leur arrivée dans le hall d'entrée, ils entendent la voix tranchante de l'Aiguille derrière les portes fermées. Il est en train de terminer une conférence.

Ils entrent et s'assoient en silence. L'Aiguille est vêtu de sa blouse blanche, il se tient à côté du corps noirci d'un homme mort de froid.

— Dans tout ce que je vous ai dit aujourd'hui, il y a une chose que vous ne devez pas oublier, déclare l'Aiguille en guise de conclusion. Personne n'est mort avant d'être à la fois mort et chaud.

Il pose une main gantée sur la poitrine du cadavre et s'incline face aux applaudissements des étudiants en médecine.

Joona et Erik attendent que les élèves aient quitté la salle avant de descendre sur la scène. Une forte odeur de levure et de vase émane du corps.

— J'ai vérifié dans nos fichiers, dit l'Aiguille. Il n'est jamais fait mention d'une femme avec ces blessures-là… J'ai parcouru tous les crimes violents, les accidents, les suicides… Elle n'y figure pas.

— Mais tu as essayé de me joindre, constate Joona.

— La réponse évidente est que le corps n'a pas été retrouvé, marmonne l'Aiguille, et il enlève ses lunettes et commence à les nettoyer.

— Bien sûr, sinon…

— Certains ne sont jamais retrouvés, l'interrompt l'Aiguille. Certains sont retrouvés de nombreuses années plus tard… et parmi ceux qu'on retrouve certains ne sont jamais identifiés… On essaie l'identification odontologique et l'analyse d'ADN, et on conserve les corps pendant quelques années… Les employés de la médecine légale judiciaire font du bon boulot et pourtant, chaque année, ils sont obligés d'enterrer plusieurs corps inconnus.

— Les blessures devraient quand même être notifiées quelque part, s'obstine Joona.

Les yeux de l'Aiguille brillent d'une lueur étrange quand il baisse la voix.

— J'ai pensé à une autre possibilité, précise-t-il. Autrefois il existait un groupe de légistes qui coopéraient avec des policiers…

On les appelait les Réducteurs d'impôt, ils prétendaient pouvoir déterminer à l'avance quelles enquêtes n'aboutiraient jamais.

— Tu ne m'en as jamais parlé, dit Joona.

— C'était dans les années 1980… Ils voulaient éviter aux contribuables suédois les coûts inutiles des tentatives d'identification stériles et des enquêtes policières dénuées de sens. Pas un scandale énorme, juste un blâme pour certains, mais je me suis dit… Quand tu as décrit Tina, héroïnomane, prostituée, peut-être victime de trafic d'êtres humains…

— Tu penses qu'ils existent encore, ces Réducteurs d'impôt ?

— Pas de rapport à écrire, résume l'Aiguille en faisant claquer ses doigts. Pas d'enquête, pas d'Interpol, le corps se retrouve dans une tombe anonyme, la vie continue et les ressources budgétaires peuvent être employées ailleurs.

— Mais dans ce cas, Tina figure dans le fichier de la médecine légale judiciaire.

— Cherche un corps non identifié, mort naturelle, maladie, suggère l'Aiguille.

— Je dois m'adresser à qui ?

— Parle avec John en génétique médicolégale, dis-lui que tu viens de ma part. Ou alors je l'appelle moi-même, ce sera plus simple…

Il cherche le contact et colle le téléphone à son oreille.

— Bonjour, c'est le professeur Nils Åhlén qui… oui, je vous remercie, c'était sympa… un peu farfelu, peut-être, mais très bien…

L'Aiguille tourne autour du cadavre pendant qu'il parle. À la fin de la conversation, il reste muet un instant. Les commissures de sa bouche tressaillent légèrement. Les gradins vides s'étendent autour d'eux tels d'énormes cercles de croissance d'une souche.

— Il n'y a qu'une inconnue de Stockholm qui correspond à l'âge de Tina à cette époque, finit par dire l'Aiguille. Soit c'est elle, soit le corps n'a jamais été retrouvé.

— Est-ce que ça peut correspondre ? demande Erik.

— Le certificat de décès indique un infarctus… et fait référence à un compte rendu qui n'existe nulle part…

— Rien d'écrit au sujet du corps ?

— On a évidemment pris son ADN, ses empreintes digitales et dentaires, répond l'Aiguille.

— Elle se trouve où maintenant ? demande Joona.

— Enterrée au cimetière des Bois, sourit l'Aiguille. Pas de nom, mais un numéro de tombe : 32 2 53 332.

77

Le cimetière des Bois au sud de Stockholm est inscrit au Patrimoine mondial de l'Unesco et abrite plus de cent mille tombes. Erik et Joona suivent des allées bien entretenues, passent devant la chapelle des Bois. Quelques roses jaunes ont été déposées devant la pierre tombale rouge de Greta Garbo.

Le quartier n° 53 se trouve au fond, près de la clôture côté Gamla Tyresövägen. Les ouvriers du cimetière ont déchargé une tractopelle à chenille d'un camion municipal et ont déjà eu le temps de dégager toute la couche de terre jusqu'au cercueil. La plaque de gazon ôtée est posée à côté d'un tas de terre humide regorgeant de racines enchevêtrées et de vers de terre luisants.

L'Aiguille et Frippe, son assistant, viennent à leur rencontre, tous les quatre se saluent sobrement. Frippe a coupé ses longs cheveux et son visage est un peu plus rond, mais il porte la même vieille ceinture cloutée et un tee-shirt délavé avec HammerFall, le groupe de power metal de Göteborg, imprimé en noir.

La partie cabine de la tractopelle décrit une lente rotation et le système hydraulique siffle quand le bras est abaissé et étiré. La pelle rouillée racle doucement le couvercle du cercueil.

Comme d'habitude, l'Aiguille dispense un cours à Frippe sur l'ammoniac, l'hydrogène sulfuré et les hydrocarbures qui se dégagent lors de la décomposition des protéines et des glucides.

— La phase finale de la putréfaction suintante est atteinte lorsque la totalité du corps est réduite au stade présquelettique.

L'Aiguille fait signe au conducteur de la tractopelle de reculer. De grosses mottes de terre argileuses tombent du godet. Il se laisse glisser dans la tombe en s'agrippant au bord. Le milieu du couvercle du cercueil a cédé sous la pression de la terre.

Avec une pelle, il gratte les contours du cercueil, chasse les restes de terre avec ses mains, glisse la lame de la pelle sous le couvercle et essaie de le soulever, mais la plaque de contreplaqué se brise. Elle n'a plus aucune tenue, comme du carton mouillé.

L'Aiguille chuchote quelques mots pour lui-même, se débarrasse de la pelle et commence à enlever le couvercle morceau par morceau. Il tend les bouts à Frippe jusqu'à ce que les restes du cadavre dans la tombe deviennent visibles.

La dépouille n'est pas horrible à voir, juste vulnérable et sans défense.

Le squelette dans le cercueil a l'air petit, comme celui d'un enfant, mais l'Aiguille confirme qu'il s'agit d'une femme adulte.

— Environ un mètre soixante-cinq, murmure-t-il.

Elle a été enterrée en tee-shirt et culotte, le tissu a pris la forme du squelette, suit l'arrondi des côtes qui est intact, mais s'affaisse sur le bassin.

On devine un ange bleu cobalt imprimé sur le tee-shirt.

Frippe fait le tour de la tombe et photographie le squelette sous tous les angles. L'Aiguille a sorti une petite brosse pour balayer la terre et les fragments de contreplaqué venus se coller aux os.

— L'humérus gauche est tranché près de l'épaule, établit l'Aiguille.

— Voici le cauchemar, commente Joona à mi-voix.

Avec précaution, l'Aiguille retourne la tête. À part la mâchoire inférieure qui s'est détachée, le crâne est entier.

— Entailles profondes faites avec une pointe large sur la face, constate l'Aiguille. L'os du front, les os malaires, les pommettes, les mâchoires supérieures… Les entailles se poursuivent aux clavicules et au sternum…

— Le prédicateur est de retour, dit Erik avec un sentiment de mauvais augure au creux du ventre.

L'Aiguille continue à ôter la terre des ossements avec sa brosse. À côté de l'ischion, il trouve une montre-bracelet au verre rayé. Le bracelet en cuir s'est désagrégé en poussière grise.

— On dirait une montre pour homme.

Il la saisit et la retourne. Le dos est gravé de caractères cyrilliques. L'Aiguille sort son téléphone et prend l'inscription en photo.

— Je l'envoie à Maria à l'Institut slave, marmonne-t-il.

78

Joona vient de recevoir une autre injection de cortisone à la hanche et s'exerce au combat avec un long bâton de bois dans le jardin derrière la maison d'Erik.

L'Aiguille essaie de retrouver son collègue qui a rédigé le certificat de décès pendant qu'ils attendent la traduction de la gravure sur la montre, dans l'espoir qu'elle leur permettra de progresser.

Erik est assis au piano et voit les mouvements répétitifs de son ami, blocages et attaques, former des ombres sur le mince rideau de lin.

Comme un théâtre d'ombres chinoises, songe-t-il, puis il regarde les touches devant lui.

Il avait réellement l'intention de travailler l'étude de Chopin, mais n'en est pas capable. Ses pensées sont trop fragmentées. Il n'a toujours pas réussi à joindre Jackie, et Nelly a appelé du bureau une heure plus tôt, elle voulait passer.

Lentement il pose le petit doigt sur la touche et frappe la première note lorsque le téléphone sonne.

— Erik Maria Bark, répond-il.

— Bonjour, fait une voix claire d'enfant. Je m'appelle Madeleine Federer et…

— Madde ? souffle Erik. Comment tu vas ?

— Bien. J'ai pu emprunter le mobile de Rosita… Je voulais seulement te dire que c'était sympa quand tu étais chez nous.

— J'adorais passer du temps avec toi et ta maman.

— Tu manques à maman, mais elle est bête, elle fait semblant que…

— Tu dois l'écouter et…

— Madde ! crie quelqu'un. Qu'est-ce que tu fiches avec mon téléphone ?

— Pardon d'avoir tout gâché, s'excuse la fillette rapidement avant de raccrocher.

Erik se laisse glisser sur le sol où il reste assis, le visage caché entre ses mains. Après un moment il s'allonge sur le dos, fixe le plafond, et décide que l'heure est venue de reprendre sa vie en main et d'arrêter les psychotropes.

C'est son boulot de montrer le chemin à ses patients.

Quand il fait nuit noire autour de vous, ça ne peut que s'éclaircir, leur dit-il souvent.

Il se relève en soupirant, passe se rafraîchir dans la salle de bains, puis va s'asseoir sur les marches des portes vitrées.

Joona se retourne en gémissant, donne un coup bas avec le bâton avant de le propulser en arrière, puis il s'arrête et croise le regard d'Erik.

La sueur coule sur son visage, ses muscles sont gorgés de sang et sa respiration est profonde sans qu'il semble pour autant essoufflé.

— Tu as eu le temps de vérifier les dossiers de tes anciens patients ?

— J'en ai trouvé certains qui sont enfants de pasteur, dit Erik, et il entend une voiture arriver et s'arrêter dans la rue.

— Donne les noms à Margot.

— J'ai à peine commencé, mes archives sont énormes.

Nelly arrive à l'angle de la maison, agite la main et les rejoint. Elle porte une veste d'équitation très seyante et un pantalon noir moulant.

— En ce moment, on devrait être à la conférence de Rachel Yehuda, fait-elle remarquer en s'asseyant à côté d'Erik.

— C'était aujourd'hui ?

Le téléphone de Joona sonne et il s'éloigne en direction de la remise avant de répondre.

Nelly semble fatiguée et pensive. La fine peau sous ses yeux est grise et son front forme des plis.

— Tu ne peux pas faire toi-même un signalement *Lex Maria* ? suggère-t-elle.

— J'y ai pensé.

Elle secoue la tête et lui lance un regard lourd.

— Tu trouves que ma bouche est vilaine ? demande-t-elle. Les lèvres deviennent plus minces avec l'âge. Et Martin… il est très sensible aux bouches.

— Et lui, il est comment ? Il n'a pas vieilli ?

— Tu vas rire, mais je songe à la chirurgie esthétique… Je ne suis pas prête à devenir vieille, je ne veux pas qu'un homme s'estime généreux parce qu'il couche avec moi.

— Tu es attirante, Nelly.

— Je ne le dis pas pour entendre des compliments, mais j'ai l'impression que je ne le suis plus, justement…

Elle se tait quand son menton se met à trembler.

— Qu'est-ce qui s'est passé ?

— Rien, dit-elle, et elle se frotte doucement sous les yeux avant de lever la tête.

— Il faut que tu parles à Martin des films pornos, si ça te tracasse.

— Ça ne me tracasse pas, sourit-elle.

Joona a fini sa conversation téléphonique et revient.

— L'Institut slave a interprété les caractères sur la montre… Apparemment c'est du biélorusse.

— Et ça dit quoi ?

— À Andrej Kaliov pour ses contributions extraordinaires, faculté militaire de l'université Yanka Kupala.

Ils suivent Joona dans le bureau. Il trouve le nom en moins de cinq minutes. Interpol a plus de cent quatre-vingt-dix pays membres, et l'unité de collaboration policière internationale le met en relation avec son bureau national à Minsk.

On lui apprend qu'il n'y a aucun avis de recherche émis pour Andrej Kaliov, mais qu'une femme du nom de Natalia Kaliova de Gomel est recherchée.

Dans un anglais britannique, la femme au téléphone explique que Natalia – la femme que Rocky appelait Tina – est censée avoir été victime du trafic d'êtres humains.

— La famille a déclaré qu'une amie l'avait appelée de Suède pour l'inciter à y venir, *via* la Finlande et sans permis de séjour.

— C'est tout ? demande Joona.

— Vous pouvez toujours voir avec sa sœur, répond la femme au téléphone.

— Sa sœur ?

— Elle s'est rendue en Suède pour retrouver Natalia et apparemment elle y est toujours. Je vois une note ici indiquant qu'elle nous appelle encore régulièrement pour demander s'il y a du nouveau.

— Comment s'appelle-t-elle ?

— Irina Kaliova.

79

Ça sent les pommes de terre bouillies dans la cuisine centrale de NBA sur Kungsholmen à Stockholm. Devant les postes de cuisson, le personnel travaille en habit de protection blanc, les cheveux recouverts d'une charlotte. Le bruit d'une trancheuse industrielle résonne entre les murs carrelés et les plans de travail en inox.

Erik a proposé à Nelly de les accompagner chez Irina Kaliova. La présence d'une psychologue peut être déterminante quand elle apprendra que sa sœur a été victime du commerce du sexe avant d'être assassinée.

Comme les autres, Irina porte une charlotte et une blouse blanche. Elle se tient devant un alignement d'énormes marmites suspendues sur des axes dans des dispositifs fixes. Le visage concentré, elle regarde un écran, tape une commande et tire sur un levier pour faire basculer un récipient.

— Irina ? demande Joona.

Intriguée, elle lève les yeux et observe les trois inconnus. Ses joues sont rouges et son front est baigné par les vapeurs d'eau bouillante, une mèche s'est échappée de son bonnet et tombe sur son visage.

— Vous parlez suédois ?

— Oui, dit-elle en poursuivant son travail.

— Nous sommes de la Rikskrim.

— J'ai un permis de séjour, réplique-t-elle immédiatement. C'est tout dans l'armoire, mon passeport et les papiers.

— Est-ce qu'il y a un endroit où on peut se voir en privé ?

— Je dois demander à mon chef d'abord.

— Nous lui avons déjà parlé, répond Joona.

Irina dit quelques mots à l'une des femmes et obtient un sourire en réponse. Elle glisse la charlotte dans sa poche et les guide à travers le local bruyant, devant l'alignement de chariots de repas, jusqu'à une petite pièce réservée au personnel, dont l'évier est encombré de mugs sales. Six chaises entourent une table où des pommes sont disposées dans un compotier.

— Je croyais que j'allais être licenciée, dit-elle avec un sourire nerveux.

— On peut s'installer ici ?

Irina hoche la tête et s'assied. Elle a le visage rond et mignon d'une adolescente. Joona regarde ses épaules étroites sous la blouse blanche, puis il pense au petit squelette de sa sœur dans la tombe.

Natalia se faisait appeler Tina comme prostituée, elle a été assassinée et enterrée comme un déchet parce qu'elle était seule, sans papiers et vulnérable. Elle a été traitée comme une marchandise en Suède et, une fois morte, elle ne valait même pas le prix d'une véritable identification.

Rien dans le métier de policier n'est aussi difficile que l'obligation d'annoncer la mort d'un proche au cours d'une enquête.

Il n'y a aucune méthode pour s'habituer à la douleur qui remplit les yeux et aux joues qui blêmissent. Toute velléité de se montrer social, de sourire et de plaisanter disparaît. Ce qui domine, c'est un effort pour paraître rationnel, pour poser les bonnes questions.

D'une main tremblante, Irina ramasse des miettes sur la table. Un espoir mêlé de crainte parcourt son visage.

— Nous sommes là pour vous annoncer une bien triste nouvelle, commence Joona. Votre sœur Natalia est décédée, on vient de retrouver sa dépouille.

— Maintenant ? demande-t-elle d'une voix creuse.

— Elle est morte depuis neuf ans.

— Je ne comprends pas…

— Elle n'a été retrouvée que maintenant.

— En Suède ? J'ai cherché, je ne comprends vraiment pas.

— Elle est enterrée, mais elle n'a pas pu être identifiée avant, voilà pourquoi ça a pris tant de temps.

Les petites mains bougent autour des miettes avant de tomber sur les genoux d'Irina. Ses yeux sont toujours grands et vides.

— Que s'est-il passé ?

— Nous ne savons pas encore, avoue Erik.

— Son cœur a toujours… elle ne voulait pas nous effrayer, mais parfois il cessait simplement de battre, ça durait une éternité avant que…

Son menton se met à trembler, elle cache sa bouche derrière sa main, baisse les yeux et avale sa salive.

— Vous avez quelqu'un à qui parler après votre travail ? demande Nelly.

— Comment ?

Elle essuie rapidement les larmes de ses joues, déglutit de nouveau et lève les yeux.

— Bon, dit-elle plus calmement. Qu'est-ce qu'il faut faire, je dois payer quelque chose ?

— Non, rien, mais nous avons quelques questions à vous poser, dit Joona. Vous êtes en état d'y répondre, vous croyez ?

Elle hoche la tête tout en tripotant encore les miettes sur la table. On entend des bruits métalliques dans la cuisine industrielle et quelqu'un essaie d'ouvrir la porte.

— Étiez-vous en contact avec votre sœur quand elle était en Suède ?

Irina secoue la tête, remue un peu les lèvres et finit par lever les yeux.

— J'étais la seule à savoir qu'elle se rendait en Suède, j'avais promis de ne rien dire, j'étais petite, je ne comprenais pas… Elle était sévère avec moi, elle disait qu'elle voulait faire la surprise à maman en lui envoyant son premier salaire… Il n'y a jamais eu de salaire, mais je lui ai parlé au téléphone une fois, elle m'a juste dit que tout allait s'arranger…

Irina se tait et se perd dans ses pensées.

— A-t-elle dit où elle habitait ?

— Nous n'avons pas de frère, répond-elle. Papa est mort quand nous étions petites, je n'ai aucun souvenir de lui, mais Natalia s'en souvenait… et quand elle est partie, il ne restait plus que maman et moi… Elle nous manquait tellement, maman pleurait et s'inquiétait pour son cœur, elle sentait que quelque chose de terrible était arrivé. Moi je me disais que si seulement je retrouvais ma sœur et la ramenais à la maison, tout irait bien… Maman ne voulait pas que je parte, et elle est morte toute seule.

— Je suis vraiment désolée pour vous, compatit Joona.

— Merci, maintenant je sais donc que Natalia est morte, dit Irina en se levant. Je l'avais sans doute deviné, mais maintenant c'est une certitude.

— Savez-vous où elle habitait ?

— Non.

Elle fait un pas vers la porte, de toute évidence sa seule envie est de fuir cette situation, d'être ailleurs.

— Asseyez-vous encore un petit moment, lui demande Erik.

— Oui, mais je dois reprendre mon travail.

— Irina, insiste Joona, et l'intonation de sa voix grave interpelle la jeune femme. Votre sœur a été assassinée.

— Non, je vous ai dit que son cœur…

La blouse d'Irina se prend dans le dossier de la chaise quand elle revient vers la table. Elle commence à réaliser pleinement ce que vient de dire Joona, et son visage se décompose. Ses joues blanchissent, sa bouche tremble et ses pupilles s'élargissent.

— Non, geint-elle.

Elle se cogne le dos au plan de travail, secoue la tête, cherche un appui sur la porte du réfrigérateur. Nelly essaie de la calmer, mais elle se dégage violemment.

— Irina, vous devez…

— Mon Dieu, pas ça, pas Natalia, hurle-t-elle. Elle avait promis…

Elle est agrippée à la poignée du réfrigérateur et la porte s'ouvre quand elle tombe, une étagère avec du ketchup et de la confiture se détache. Nelly se précipite vers elle et serre ses minces épaules.

— *Nje maja ciastra*, halète-t-elle. *Nje maja ciastra.*

Elle se blottit dans les bras de Nelly et tient la main contre sa bouche en pleurant, elle crie derrière la main et tremble de tout son corps.

Au bout d'un moment, elle se calme et se met en position assise, mais sa respiration est encore irrégulière après la violente crise de larmes. Elle essuie ses joues, se racle un peu la gorge, et tente de retrouver son souffle.

— Est-ce qu'on lui a fait mal ? demande-t-elle d'une voix indistincte. Ils l'ont frappée, est-ce qu'ils ont frappé Natalia ?

Son visage se tord de nouveau quand elle essaie de retenir ses larmes, qui se remettent à couler.

Joona prend quelques serviettes en papier d'une boîte sur le plan de travail et les lui donne, tire une chaise et s'assied en face d'elle.

— Si vous savez quelque chose, il est extrêmement important que vous nous le disiez, insiste-t-il.

— Que voulez-vous que je sache ? dit-elle, perplexe.

— Nous essayons de trouver celui qui a fait ça, c'est tout, réplique Nelly, et elle écarte les cheveux du visage d'Irina.

— Vous avez parlé avec votre sœur au téléphone, poursuit Joona. Elle n'a pas dit où elle habitait, l'endroit où elle travaillait ?

— Il existe des hommes qui font venir des filles des pays pauvres, ils leur font miroiter un bon boulot, mais Natalia était futée, elle disait que ce n'était pas ce genre de chose, que c'était un vrai travail. Elle me l'avait certifié. Mais je suis allée dans cette fabrique de meubles… et personne n'avait entendu parler de Natalia, *durnaja dziaŭtjynka*… Ils n'embauchent pas, ils n'ont embauché personne depuis des années.

Ses yeux sont injectés de sang et des taches rouges marbrent la peau blanche de son front.

— Comment s'appelle cette fabrique ? demande Erik.

— La Zone-Canapés, répond-elle d'une voix vide. C'est dans Högdalen, au sud de Stockholm.

Nelly reste accroupie par terre avec Irina, elle lui caresse la tête et promet de ne pas la laisser seule. Erik échange un regard rapide avec Nelly avant de suivre Joona dans l'effervescence de la cuisine industrielle.

80

Assise devant un des ordinateurs dans la salle des enquêteurs, Margot Silverman visionne une nouvelle fois la vidéo de la séance d'hypnose de Rocky.

La grande tête de l'homme pend en avant quand il raconte d'une voix molle qu'il est allé à la Zone. Il parle des dealers et des strip-teaseuses et de l'argent qui l'y attend.

Pendant que Margot écoute, son regard glisse sur les murs de la pièce. Le schéma des déplacements des victimes est marqué par trois couleurs différentes sur la grande carte.

Chaque lieu et chaque trajet où des contacts avec le prédicateur ont pu se produire sont signalés.

Sur l'écran de l'ordinateur, Rocky secoue la tête en disant que le prédicateur a une odeur de viscères de poisson.

Margot voit l'épingle sur la carte qui indique le domicile de Rebecka Hansson à Salem.

Les tueurs en série ne sortent en général pas de leur périmètre personnel, mais dans cette affaire, les lieux sont éparpillés sur toute l'agglomération urbaine la plus peuplée de la Scandinavie.

— *Il renifle sa morve et sa voix devient soudain bizarrement fluette*, dit Rocky, et sa respiration s'emballe.

Margot frissonne et voit l'homme massif gigoter sur la chaise et meugler d'angoisse entre les mots qui décrivent comment le prédicateur tranche le bras de la femme.

— *Ça fait un bruit comme quand on enfonce une pelle dans de la boue...*

Après la découverte au cimetière des Bois, plus personne ne doute que le prédicateur est le tueur en série que tout le monde cherche. Margot sait que c'est Joona qui a convaincu l'Aiguille d'ordonner l'ouverture de la tombe. Tout aurait été tellement plus facile si elle avait pu travailler ouvertement avec lui, alors que maintenant Benny Rubin et Petter Näslund se sont joints à Adam pour lui faire barrage.

Margot n'a aucune autorité pour intégrer Joona dans l'équipe d'enquêteurs, mais elle n'a pas non plus l'intention de l'empêcher de mener ses propres investigations.

Rocky secoue encore la tête et son ombre passe sur la Playmate en papier glacé sur le mur derrière lui.

— *Le prédicateur tranche le bras de Tina à l'épaule*, halète Rocky. *Il défait le garrot et boit…*

— *Écoute ma voix maintenant*, dit Erik.

— *Et boit le sang qui coule du bras… pendant que Tina saigne à mort par terre… Dieu du ciel…*

Dans l'utérus de Margot, le fœtus bouge tellement fort qu'elle doit se caler contre le dossier et fermer les yeux un moment.

L'enquête préliminaire se poursuit systématiquement selon le support méthodologique dont ils disposent, mais personne ne croit vraiment que ce procédé donnera des résultats rapides.

La police a fait du porte-à-porte et interrogé des centaines de voisins, elle a examiné toutes les caméras de sécurité routière autour des lieux des crimes.

Si Rocky ne revient pas rapidement à l'hôpital de Karsudden pour qu'Erik puisse l'interroger dans les règles, ils n'auront plus le choix, ils devront faire appel à la population *via* les médias.

Margot arrête la vidéo, soudain frappée par la sensation d'être observée, et ferme les rideaux de la fenêtre donnant sur le parc.

Elle ouvre son sac, sort son poudrier et s'observe dans le miroir. Son nez luit et les cernes sous ses yeux sont sombres. Elle se repoudre, remet du rouge à lèvres, mord dans une lettre du Conseil national de la police pour l'estomper, fait passer sa natte devant l'épaule et appelle Jenny sur Skype.

Elle voit sa propre image sur l'écran et, pendant que ça sonne, elle défait un bouton de sa chemise et recule légèrement pour que la lueur embrasse ses joues.

Jenny répond presque immédiatement. Elle a l'air de mauvais poil, mais elle est belle avec ses cheveux noirs en désordre.

Ses épaules sont minces sous le débardeur délavé et le cœur doré brille au creux de sa gorge.

— Salut bébé, dit Margot doucement.

— Ça y est, tu l'as attrapé, le méchant ?

— Je croyais que c'était moi, la méchante, réplique Margot.

Jenny sourit un peu et étouffe un bâillement.

— Est-ce que tu as appelé la banque pour ce relevé incompréhensible que…

— Oui, mais apparemment tout était normal, répond Jenny.

— Ce n'est pas possible.

— Appelle-les toi-même.

— Je veux seulement dire que… Bon, je m'en fiche… mais c'est tellement agaçant de penser qu'ils font payer les… laisse tomber.

— Qu'est-ce que tu voulais ? demande Jenny en se grattant l'aisselle.

— Comment vont les filles ?

— Oh, ça va, dit Jenny avec un regard de côté. Quoique, Linda est toujours en train de se morfondre. Il faut qu'elle apprenne à se faire plus d'amis… elle est beaucoup trop gentille.

— C'est pourtant bien d'être gentille, objecte Margot.

— Mais elle ne sait pas quoi faire quand sa meilleure copine lui annonce qu'elle ne veut plus être sa copine. Ça la rend triste et elle reste là, à l'attendre.

— Elle apprendra.

Margot aurait aimé parler à Jenny de l'enquête préliminaire, de l'impression d'une haine absurde et du sentiment que le prédicateur est tout près et qu'il les observe tous.

Elle a peur d'elle-même, peur d'avoir oublié tout ce que les gens normaux savent, c'est-à-dire qu'elle attend un bébé et qu'on peut être heureux et insouciant.

— Tu es jolie, déclare-t-elle en inclinant la tête.

— Pas du tout, rigole Jenny dans un formidable bâillement. Je vais continuer à regarder mon émission, c'est une rediffusion du *Stockholm Horse Show*.

— D'accord, je t'appelle plus tard.

Jenny envoie un baiser volant un peu flou, la liaison est coupée et Margot reste assise, fixant son propre visage. Le nez de papa et les épais sourcils pâles. J'ai l'air d'une bonne femme, se dit-elle. Comme mon père, s'il avait été une bonne femme.

Le sentiment que quelque chose ne va pas entre Jenny et elle la taraude, quand Adam Youssef arrive dans la pièce et ouvre les rideaux et la fenêtre.

Il sort d'une réunion avec Nathan Pollock et Elton Eriksson du groupe d'experts Riksmordkommissionen où ils ont tenté de restreindre le nombre de suspects pour faire progresser l'enquête.

— J'avais Pollock comme prof quand je me suis spécialisée, dit Margot.

— Oui, il l'a mentionné, répond Adam en s'asseyant et en feuilletant la pile de documents.

— Tu as le nouveau profil ?

D'un geste de dépit, Adam passe les mains dans ses cheveux épais.

— Ils ne font que répéter ce qu'on sait déjà...

— C'est comme ça qu'il faut faire, poser des évidences comme paramètres.

— Les meurtres sont caractérisés par une grosse prise de risques, une connaissance élevée en criminalistique et une violence extrême, lit-il. Les victimes sont des femmes en âge fertile, le lieu des crimes est leur domicile... le motif est de type instrumental, et la violence probablement de type expressif.

Margot écoute les termes de profilage classiques et se dit que la liste de noms d'Anja a encore grandi.

Pour le pays le plus sécularisé du monde, on se trimballe quand même un nombre incroyable de pasteurs et de prédicateurs, pense-t-elle.

Ils ont répertorié pas loin de cinq cents personnes ayant un lien concret avec des congrégations dans la région de Stockholm et correspondant au profil dans son ensemble.

L'enquête préliminaire s'enlise.

Si seulement ils avaient une seule observation, un seul vrai renseignement sur lequel s'appuyer.

Il faut resserrer davantage les critères.

Ils n'ont pas assez de temps pour passer au crible plus de cinq cents noms. Car, selon le rythme de l'assassin, sa vidéo suivante devrait arriver d'un moment à l'autre.

Pour restreindre la liste à ce stade, on est obligé d'inclure des paramètres incertains, songe-t-elle. Tels que des crimes antérieurs avec violence et des troubles de la personnalité.

— Quarante-deux personnes figurent dans le fichier des suspicions simples, neuf sont condamnées pour des crimes de violence, aucune pour *stalking*, aucune pour homicide et aucune pour des actes de violence qui rappellent ceux de notre tueur, énumère Adam. Onze sont condamnées pour des crimes sexuels, trente ont des problèmes de toxicomanie…

— Donne-moi simplement quelqu'un sur qui tirer, dit Margot, fatiguée.

— J'ai les noms de trois prédicateurs… aucun des trois n'est blanc comme neige, deux figurent dans des enquêtes pour violences graves envers plusieurs femmes…

— Très bien.

— L'un est Sven Hugo Andersson, pasteur principal à la paroisse de Danderyd… L'autre, Pasi Jokala, était actif chez les pentecôtistes. Il a maintenant son propre mouvement religieux qu'il appelle le Réveil de Gärtuna…

— Et le troisième ?

— J'hésite, c'est le seul des cinq cents qui correspond au critère du trouble de la personnalité. Un syndrome borderline frôlant la psychose diagnostiqué il y a vingt ans. Mais cet homme-là n'a pas d'antécédents criminels, il ne figure pas dans les fichiers de la police ni dans ceux des services sociaux… et il est marié depuis dix ans, ce qui ne colle pas non plus avec le profil.

— C'est mieux que rien.

— Il s'appelle Thomas Apel, il est président de pieu à l'Église de Jésus-Christ des Saints des Derniers Jours à Jakobsberg.

— On va commencer par les violents, dit-elle en se levant.

Adam passe dans son bureau pour appeler sa femme et la prévenir qu'il est obligé de faire des heures sup, pendant que Margot fait un tour dans la kitchenette. Elle ouvre le placard et glisse la boîte de biscuits à la confiture de Petter Näslund dans son sac avant de partir.

L'analyse comportementale rapportée par Adam lui fait penser au *stalker* et tueur en série Dennis Rader, sur lequel elle a écrit un article pendant sa formation. Il appelait la police et les médias pour raconter ses meurtres. Il faisait même parvenir aux enquêteurs des objets qu'il avait pris sur ses victimes.

Dans son cas, le profilage avait totalement échoué. Ils cherchaient un homme solitaire, divorcé et impuissant alors qu'en réalité Rader était marié, avait des enfants et était actif au sein de l'Église et chez les scouts.

81

Ils ont pris la Lincoln confortable de Margot. Elle a tellement reculé le siège pour laisser de la place à son ventre que ses pieds touchent à peine les pédales.

Des trois noms sur la liste, il n'en reste que deux. Il s'est avéré que Sven Hugo Andersson était hospitalisé pour un by-pass gastrique le jour du meurtre de Sandra Lundgren.

Après Södertälje, ils prennent la route 225, longent d'immenses champs de colza, puis une vaste zone industrielle dominée par les installations gris clair d'AstraZeneca, passent sous des lignes à haute tension et traversent un secteur boisé.

Margot croque un bout de biscuit, mâche et sent le goût friable de sucre et de beurre ainsi que le petit morceau élastique de confiture acidulée.

— Ce sont les biscuits de Petter, non ? demande Adam.

— Il me les a donnés, affirme-t-elle, et elle en enfourne un autre.

— Il ne les offrirait même pas à sa femme.

— Mais là, il aimerait beaucoup que tu en prennes un, dit-elle en lui tendant la boîte.

Adam prend un biscuit qu'il mange en souriant, une main sous le menton pas ne pas laisser de miettes dans la voiture de Margot.

La route rétrécit, le gravier vole derrière eux et Margot est obligée de ralentir. Ils distinguent des maisonnettes isolées au bord du lac.

Pasi Jokala a été condamné pour violence aggravée, viol et tentative de viol.

Margot n'est évidemment pas en service opérationnel depuis qu'elle est enceinte, mais elle choisit de voir cette excursion comme une extension du travail de bureau, puisque Pasi Jokala n'a pas de numéro de téléphone.

— Tu crois qu'il est dangereux ? demande Adam.

Tous deux savent que, s'ils pensaient réellement avoir trouvé le prédicateur sale, ils ne seraient pas venus ici sans renforts. Par précaution, Margot a quand même emporté son Glock et quatre chargeurs supplémentaires.

— Il a tendance à être agressif et ne maîtrise pas ses impulsions, répond-elle. Mais merde, quoi, c'est le cas de pratiquement tout le monde.

Pasi Jokala est domicilié à la même adresse que l'Église du Réveil de Gärtuna.

Margot s'engage sur une piste étroite à travers une forêt moins dense et ils aperçoivent le lac de nouveau. Une quinzaine de voitures sont garées le long de la route, mais elle avance quand même jusqu'à la clôture avant de s'arrêter.

— Rien ne nous oblige à le faire, dit Adam.

— Je vais juste jeter un coup d'œil, réplique Margot, et elle vérifie son arme avant de la remettre dans l'étui et de s'extirper de la voiture.

Ils se trouvent devant une maison de campagne en bois rouge de Falun avec une croix blanche formée par des LED s'étalant sur tout le mur pignon. On dirait que la lumière de l'intérieur s'extrait à travers les murs par de minces fentes. Derrière le bâtiment une pente recouverte d'herbes folles descend jusqu'au lac.

Les fenêtres sont masquées de l'intérieur.

Le son d'une voix forte traverse les murs.

Un homme crie quelque chose et Margot ressent un malaise lancinant.

Elle continue d'avancer, gênée par l'étui du pistolet. Il est placé trop haut depuis que son ventre a gonflé.

Ils dépassent un tonneau d'eau, des chardons hauts d'un mètre et une tondeuse à gazon rouillée. Des limaces espagnoles se déplacent à l'ombre des herbes contre le mur.

— On ferait peut-être mieux d'attendre ici qu'ils aient fini, suggère Adam.

— J'y vais, dit seulement Margot.

Ils ouvrent la porte et pénètrent dans le vestibule, tout est silencieux maintenant, comme si on attendait leur arrivée.

Sur le mur, une affiche annonce des réunions d'été au bord du lac et un voyage organisé en Alabama. Une pile de flyers imprimés maison est posée sur une table à côté d'une caisse cabossée, ils présentent une souscription en faveur de la nouvelle Église du Réveil de Gärtuna. Il y a aussi une vingtaine d'exemplaires du recueil de cantiques *Chants de victoire*.

Adam hésite, mais Margot lui fait signe de venir. Elle sait que ce n'est qu'une église, mais elle veut quand même qu'il soit bien placé s'il devait y avoir un échange de tirs.

Elle tient une main autour de son ventre en franchissant la porte suivante.

Elle entend maintenant des voix qui murmurent.

Le reste de la maison consiste en une unique salle d'église blanche. Les poutres du toit sont soutenues par des piliers et tout est recouvert d'une peinture blanche brillante.

Des chaises blanches sont alignées sur le sol blanc et tout au bout se trouve une estrade.

Une vingtaine de personnes se sont levées. Leurs regards sont rivés à l'homme sur scène.

Margot comprend que c'est Pasi Jokala. Il porte une chemise rouge sang aux manchettes ouvertes qui recouvrent ses mains, ses cheveux en pagaille sont ramenés sur un côté de sa tête et la transpiration luit sur son visage. Sa chaise est renversée à côté de lui. La petite chorale garde le silence et l'observe, tous ont la bouche ouverte. Pasi lève son visage fatigué et contemple l'assemblée.

— J'étais la boue sous ses pieds, la poussière dans son œil, la saleté sous ses ongles, clame-t-il. J'ai péché et je l'ai fait exprès… Vous savez ce que j'ai fait envers moi-même et envers autrui, vous savez ce que j'ai dit à mes propres parents, à ma mère et à mon père.

L'assemblée soupire et s'agite un peu.

— La maladie du péché faisait rage en moi…

— Pasi, gémit une femme en posant sur lui ses yeux humides.

Tout le monde se met à prier, en murmurant.

— Vous savez que j'ai dévalisé un homme, que je l'ai frappé avec une pierre, poursuit Pasi en redoublant d'intensité. Vous savez ce que j'ai fait à Emma… et quand elle m'a pardonné, je les ai quittés, elle et Mikko, vous savez que j'ai bu de l'alcool jusqu'à me retrouver à l'hôpital…

L'assemblée remue, ébranlée, des chaises grincent contre le sol et se renversent, un homme tombe à genoux.

L'ambiance se fait plus dense et la voix de Pasi est rauque à force de prêcher. La réunion semble aller crescendo. Margot recule vers la porte et voit deux femmes se tenir par les mains et prononcer sans répit les mêmes mots incompréhensibles, de plus en plus rapidement, comme en transe.

— Mais j'ai remis ma vie entre les mains de Dieu et j'ai été baptisé par le Saint-Esprit. Aujourd'hui je suis la goutte de sang qui coule sur la joue de Jésus, je suis la goutte de sang…

L'assemblée crie et applaudit.

La petite chorale commence à chanter à pleins poumons : "La chaîne du péché est brisée, je suis libre, je suis libre, de ma faute je suis affranchi, je suis libre, affranchi et libre, alléluia, alléluia, Jésus est mort pour moi ! Alléluia, alléluia, je suis libre…"

L'assemblée se joint au chant et bat la mesure, et Pasi Jokala se tient devant ses ouailles, les yeux fermés, trempé de sueur.

82

Margot et Adam attendent devant l'église et regardent les fidèles sortir. Une sorte de soulagement tranquille se dégage d'eux à présent. Ils bavardent gaiement, pianotent sur leurs téléphones et vérifient leurs messages, vont rejoindre leur voiture, se saluent en agitant la main.

Au bout d'un moment, Pasi sort, seul.

Sa chemise rouge est déboutonnée sur la poitrine et la sueur a assombri le tissu aux aisselles. Il tient un sac plastique de Statoil à la main et ferme soigneusement la porte à clé.

— Pasi Jokala ? demande Margot en faisant quelques pas vers lui.

— Les palettes sont dans le garage… moi, je dois aller à la Coop avant la fermeture, dit-il, et il poursuit son chemin vers la grille du jardin.

— Nous sommes de la Rikskrim, annonce Adam.

— Arrêtez-vous, s'il vous plaît, déclare Margot d'une voix plus tranchante.

L'homme s'arrête, une main posée sur le montant de la grille, et il se retourne vers Margot.

— J'ai cru que c'était pour l'annonce… J'ai cinq palettes de Mr. Propre polonais, d'habitude j'en vends à un magasin discount, mais ils ont réduit…

— Vous habitez ici ?

— J'ai une maison plus petite près du lac.

— Et un garage, ajoute Margot.

Il ne répond pas, se contentant de faire bouger un tuyau rouillé qui est enfoncé dans le sol.

— Vous pouvez nous faire entrer ? demande Adam.

— Non, ricane Pasi.

— Nous allons vous demander de nous suivre…

— Je n'ai pas vu vos plaques, chuchote-t-il presque.

Adam exhibe son insigne à Pasi qui le regarde à peine. Il hoche seulement la tête et retire le tuyau de la terre.

— Lâchez ça, ordonne Margot.

Pasi tient le tuyau des deux mains et s'approche lentement de Margot. Adam se déplace sur le côté et sort son Sig Sauer.

— J'ai péché, dit-il doucement. Mais je…

— Arrêtez-vous, lance Adam.

Le corps tendu de Pasi se détend tout à coup. Il s'arrête et lâche le tuyau dans l'herbe.

— J'ai emprunté le chemin du péché, mais je suis pardonné, poursuit-il d'une voix lasse.

— Peut-être de Dieu, répond Margot. Mais moi, j'ai besoin de savoir où vous étiez ces deux dernières semaines.

— J'étais en Alabama, explique-t-il calmement.

— Aux États-Unis ?

— On a visité une église à Troy, on est restés deux mois, je suis rentré avant-hier… Ils tenaient des réunions de réveil sur un pont en bois couvert. Comme un canon rempli de prières et de chants, ça a justifié tout le voyage.

Margot et Adam retiennent Pasi pendant qu'ils vérifient ses dires avec la police aux frontières. Tout concorde et ils s'excusent pour le dérangement, montent dans la voiture et repartent à travers la verdure sombre.

— Tu as trouvé le salut ? demande Adam à Margot après un petit moment.

— Presque.

— Il faut que je rentre chez moi.

— D'accord. Je peux aller voir Thomas Apel toute seule.

— Non, dit Adam.

— Tu sais qu'il n'est pas violent.

Thomas Apel est président de pieu dans la section de Jakobsberg de l'Église de Jésus-Christ des Saints des Derniers Jours. C'est le seul parmi les cinq cents suspects qui ait des antécédents de syndrome borderline frôlant la psychose.

— On ira demain, la supplie Adam.
— D'accord, ment-elle.
Il lui jette un regard en coin.
— C'est juste que Katryna trouve pénible d'être tout le temps seule à la maison, avoue-t-il.
— C'est vrai que tu as été beaucoup absent.
— Ce n'est pas ça…
Elle conduit lentement sur l'étroite piste forestière qui serpente devant eux. Le fœtus dans son ventre bouge et elle s'étire.
— Je peux appeler Jenny, propose Margot. Elle serait sûrement d'accord pour rendre visite à Katryna.
— Je ne crois pas, répond-il avec un sourire.
— Quoi ? rigole-t-elle.
— Non, arrête…
— Tu as peur que Katryna perde sa virginité ?
— Arrête, répète Adam en se tortillant sur son siège.
Margot prend un biscuit et attend qu'il en vienne au fait.
— Je connais ma Katta, elle ne veut pas que je fasse venir quelqu'un pour lui tenir compagnie, elle veut juste que je lui montre que notre relation est importante pour moi… Je rentrerai dès qu'on aura parlé avec Thomas Apel.
— OK, dit Margot.
Elle ne peut pas s'empêcher de ressentir un petit soulagement à l'idée que, finalement, Jenny ne dormira pas chez Katryna.

83

La société anonyme La Zone-Canapés est située dans le quartier industriel de Högdalen, près de Högdalsdepån, un des ateliers du métro de Stockholm.

Erik et Joona longent une trentaine de camions-poubelles stationnés derrière une clôture de fil de fer barbelé. Une bruine grise tombe, scintillante comme du sable.

La petite fille-singe à la clé de contact oscille.

Un peu plus loin, une cheminée crache de la fumée blanche au-delà de pylônes de lignes à haute tension.

Ils dépassent de larges rues vides entre des bâtiments industriels bas arborant des drapeaux d'entreprises en lambeaux et des panneaux publicitaires pour des sociétés d'alarme, de protection et de vidéosurveillance.

Des parkings grillagés abritent des remorques de poids lourds, des chariots élévateurs et des conteneurs.

Les essuie-glaces balaient mécaniquement la pluie, dessinant un triangle sale hors de la portée des balais.

— Arrête-toi là, dit Joona.

Erik évite un pneu de voiture éclaté au bord de la chaussée, ralentit et se gare.

De l'autre côté de la rue, des rejets d'arbres et des pissenlits en graines poussent devant une haute clôture couronnée de quatre rangées de barbelés.

Ils contemplent le grand bâtiment en tôle ondulée. La rouille a coulé des trous de vis de la grande enseigne portant l'inscription “La Zone-Canapés”.

— C'est ça, la Zone, n'est-ce pas ? dit Erik sur un ton grave.

— Oui, fait Joona avec un hochement de tête avant de s'égarer dans ses pensées.

La pluie recouvre le pare-brise dès que les essuie-glaces sont à l'arrêt. Les petites gouttes s'organisent rapidement en filets d'eau.

La façade avant du bâtiment est pourvue d'une fenêtre unique, manifestement celle du bureau. Elle est poussiéreuse et munie de barreaux. Neuf voitures et deux motos occupent les places de stationnement réservées face à la clôture.

— On fait quoi ? finit par demander Erik.

— Si Rocky se planque ici, on va tenter de le faire sortir avec nous. Et s'il n'est pas d'accord, tu essaieras de l'interroger sur place, mais… le truc, c'est qu'il ne suffit pas qu'il nous dise que le prédicateur se drogue, qu'il se maquille et…

— Je sais, je sais.

— On a besoin d'une adresse, d'un nom.

— Et comment on fait pour entrer ?

Joona ouvre la portière et un air frais fleurant l'herbe mouillée s'engouffre dans la voiture. Le bourdonnement de l'imposant poste électrique haute tension fend le bruissement de la pluie qui s'intensifie.

Ils sortent de la voiture et traversent la rue. Une vapeur brumeuse se dégage du bitume refroidi par les gouttes d'eau.

— Comment va ta hanche ? s'inquiète Erik.

— Bien.

Ils pénètrent dans l'enceinte d'usine par les grilles. Des cartons mouillés jonchent le sol, ils peuvent lire un texte à moitié dissous décrivant un canapé trois places et un canapé convertible double couchage. Par la fenêtre sale, ils constatent que le bureau est éteint.

Une voiture s'arrête sur le parking, un homme en costume gris sombre descend et disparaît à l'angle du bâtiment.

Ils attendent un moment avant de le suivre le long de la façade aveugle. Joona sort son téléphone et filme en passant les numéros d'immatriculation des voitures sur le parking.

Sur le petit côté du bâtiment se trouvent un quai de chargement en béton avec un escalier métallique et, jouxtant la porte à enroulement destinée aux marchandises, une porte cabossée en acier.

Ils poursuivent, l'asphalte est noir et trempé, il y a des piles de palettes.

L'homme a disparu.

Erik et Joona se regardent avant de tourner à l'angle.

Des fragments de polystyrène d'emballage virevoltent au-dessus du sol mouillé.

À l'arrière du bâtiment, des liserons et des chardons poussent autour d'un gros conteneur à déchets. De petits tas de sable coniques se sont formés jusqu'à la clôture.

Leurs pieds laissent des empreintes claires sur le sable humide. De toute évidence, l'homme qu'ils suivaient n'est pas venu jusqu'ici.

L'entrée doit se faire par la porte en acier sur le quai de chargement.

Ils poursuivent dans le sable le long de la façade arrière et sentent la pluie couler dans leur nuque. Près de l'autre mur pignon, ils voient une autre porte métallique en contrebas, avec des rails pour un diable destiné aux poubelles.

Joona envoie le film avec les numéros d'immatriculation à Anja, puis il s'approche de la porte et appuie sur la poignée.

— Donne-moi tes clés.

Erik lui tend le trousseau et Joona défait l'anneau, redonne le petit singe et les clés à Erik, étire le fil de fer et forme une petite boucle au bout. Il sort un stylo-bille de sa poche, arrache l'agrafe de métal et l'introduit dans la serrure, il y glisse aussi le fil de fer, puis repousse la goupille du fond en appliquant une légère rotation avec l'agrafe.

84

L'ampoule qui pend du plafond dans le local à poubelles est grillée. Des ordures ont coulé et maculé le sol, et les quatre conteneurs dégagent des relents d'aliments avariés. Un papier à moitié arraché annonçant le règlement est affiché au mur. Dans la faible lumière venant de l'extérieur, Joona distingue une autre porte tout au fond.

— Viens, dit-il à Erik.

Il l'ouvre prudemment, elle donne sur une petite cuisine avec un plan de travail bosselé. Des battements sourds et rythmiques traversent les murs. La lampe au plafond est allumée, mais il n'y a personne. Sur une table est posé un sachet en papier taché de gras à côté d'une planche à découper avec des miettes et du sucre perlé.

Tout au bout, il y a deux portes en bois fermées. L'une est verrouillée, l'autre n'a pas de serrure.

Joona appuie sur la poignée et, tous sens en éveil, ils pénètrent dans un vestiaire vide. Il y a de la musique plus loin.

La porte des toilettes est fermée.

Ils passent devant trois cabines de douche posées directement sur le sol en béton, une coiffeuse avec miroir et des penderies.

Quelqu'un tire la chasse d'eau, et ils traversent rapidement le local pour arriver dans un étroit couloir bordé d'une dizaine de portes qui desservent de petites chambres. Elles sont dépourvues de fenêtres et meublées de lits à une place garnis de matelas avec des housses en plastique brillant.

Des gémissements répétitifs s'entendent derrière une porte fermée.

Le seul éclairage provient de guirlandes lumineuses au plafond. Des petits cœurs et des fleurs illuminent les murs nus de couleurs pâles et vacillantes.

Le couloir aboutit à un grand local de stockage où des tuyaux de ventilation recouverts de papier d'aluminium courent sous le haut plafond.

Dans l'éclat clignotant d'une scène, ils voient une trentaine d'hommes et peut-être dix femmes. Partout sont disposés des canapés et des fauteuils. Des meubles sous plastique chargés sur palettes scintillent le long d'un mur.

Il fait tellement sombre dans la salle qu'il est difficile de distinguer les visages.

Les haut-parleurs martèlent le même thème musical encore et encore.

Sur la scène, une danseuse nue s'enroule autour d'une barre de métal verticale.

Joona et Erik cherchent avec prudence leur chemin dans la lumière ténue. Une odeur de vêtements humides et de cheveux mouillés flotte.

Ils tentent de repérer la grande silhouette de Rocky. L'éclairage de la scène devrait leur permettre de le reconnaître.

Ils savent qu'ils risquent de faire chou blanc. Rocky a pu venir pour repartir aussitôt. Mais s'il a réussi à se procurer de l'argent, il a probablement acheté de l'héroïne et peut très bien toujours se trouver à la Zone.

Un homme ivre tâche de marchander le prix avec une femme et un des gardes rapplique en vitesse et lui glisse quelques mots à l'oreille.

La musique change sans transition et roule sur un autre rythme. La danseuse sur la scène s'accroupit, les cuisses écartées de part et d'autre du poteau.

Au bar, un videur surveille le local, le visage impassible.

Joona aperçoit un berger allemand noir qui slalome en habitué entre les canapés, mange quelque chose par terre, renifle et poursuit son chemin.

Un grand gaillard sort du couloir. Il se mouche et se dirige vers le bar. Joona se déplace sur le côté et essaie de le suivre du regard.

— Ce n'est pas lui, dit Erik.

Ils s'arrêtent près de la scène. L'obscurité est presque totale, mais les chemises et les visages capturent la lumière des lampes accrochées au cordage sous le plafond.

Un garde portant des lunettes aux montures noires est assis dans un fauteuil rouge dont l'étiquette pend encore de l'accoudoir. Sur le dos de sa main se distingue le tatouage d'une croix avec une étoile brillante au milieu.

Au rythme de la musique, deux bouteilles s'entrechoquent sur une table basse. Pratiquement aucune drogue n'est visible. Un mec sniffe de la cocaïne, des cachets disparaissent entre les lèvres de certains, mais c'est le commerce du sexe qui domine.

Une jeune femme blonde portant un bikini de latex noir et un collier clouté s'arrête devant Erik, sourit et prononce des mots qu'il n'arrive pas à saisir. Elle passe une main dans ses cheveux courts et le regarde avec des yeux brillants. Quand il secoue la tête, elle va tranquillement s'adresser au suivant.

L'écran télé derrière le bar diffuse un film : un individu au comportement agressif arpente une chambre, donne des coups de poing aux portes et fouille des tiroirs. Une femme est poussée dans la pièce, elle fait immédiatement demi-tour et essaie de rouvrir la porte. Le type se dirige droit sur elle, lui tire les cheveux en arrière et la frappe au visage avec une telle violence qu'elle s'effondre.

De biais devant Erik et Joona, un homme au visage lourd et au front proéminent s'arrête. Les épaules de sa veste grise sont trempées par la pluie.

— Anatolij ? J'ai laissé l'argent au contrôle, dit-il d'une voix râpeuse.

— Je sais, tu es le bienvenu, répond une jeune voix qui mue. Elle appartient à un adolescent de haute taille à la peau jaunâtre et aux cernes sombres.

— Je pensais aller dans la pièce – je pourrais avoir deux kepas ?

— Tu peux avoir ce que tu veux, assure le jeune. On vient d'entrer de la bonne du sud d'Helmand, on a du brown d'Iran, on a du Tramadol, on a…

Leur conversation s'évanouit parmi les canapés et les gens quand ils s'éloignent.

Le chien court après eux et lèche la main du jeune. Joona leur emboîte le pas et les voit tourner à droite à côté de la scène.

Erik heurte par mégarde une table basse. Une bouteille de bière se renverse et roule par terre. Il choisit un autre chemin, marche sur un parapluie mouillé et contourne un canapé en cuir.

Le garde devant la scène le suit des yeux.

Une jeune femme aux joues rondes marquées de cicatrices d'acné est assise à califourchon sur un homme en gilet de cuir. Il tourne une de ses boucles châtain foncé autour de son index tout en parlant au téléphone.

Dans la pénombre, Joona ne retrouve plus l'adolescent qui négociait de l'héroïne. Il y a trop de monde partout. Il balaie le local des yeux et voit le chien noir disparaître derrière un rideau de perles ondulant. Les fils du rideau se rassemblent un bref instant pour former le visage de la Joconde, avant de se séparer à nouveau pour laisser la place à une femme buste nu, vêtue seulement d'un pantalon de cuir moulant.

85

Les petites perles tintent quand Erik et Joona traversent la Joconde. L'air est tout à coup saturé de fumée douceâtre, d'une odeur de sueur et d'habits sales. Partout sur le sol en béton grossièrement poli sont disposés des canapés et des fauteuils élimés, voire abîmés. On entend encore la musique de la scène, mais sous forme de tambourinements d'un lourd rythme de basse.

Sur les canapés, ou directement par terre, sont affalés des gens à moitié nus. La plupart semblent dormir, mais certains esquissent des mouvements fatigués.

Tous sont d'une lenteur spectrale, s'étiolant dans le royaume des soumis.

Ils passent devant une femme d'âge moyen sur un canapé taché, sans coussins. Elle porte un soutien-gorge couleur chair et un jean trop grand. Son visage est mince et concentré quand elle chauffe un bout d'alu froissé avec un briquet puis se dépêche d'inhaler la vapeur à travers un fin tube en plastique. Des volutes de fumée s'élèvent vers le toit en tôle ondulée.

Le sol est couvert de mégots, de vieux sachets de bonbons, de bouteilles en plastique, de seringues, de préservatifs usagés et d'enveloppes de gélules. Il y a aussi un catalogue d'échantillons de tissus.

À travers la fumée, Joona voit le jeune Anatolij installé avec le nouveau client sur un canapé aux multiples entailles qui perd son rembourrage.

Joona et Erik poursuivent leur chemin entre les meubles.

Sur un canapé à fleurs noirci de taches, un septuagénaire maigre est vautré entre deux jeunes nanas.

Par terre, derrière le canapé, un type est allongé sans connaissance, uniquement vêtu d'un slip et de chaussettes blanches. On dirait presque un enfant, aux yeux enfoncés et aux joues creuses. La seringue a disparu, mais l'aiguille avec son petit embout en plastique est toujours plantée dans la veine au dos de sa main. Une femme au visage apathique est affalée dans un fauteuil à côté de lui. Au bout d'un moment elle se penche et retire l'aiguille, puis la laisse tomber sur le sol.

Un garde fait sortir un homme en train de vomir, et Joona se dit que cet endroit est l'exact contraire des saturnales des nantis.

À la Zone, aucun vœu n'est exaucé. Ici il n'y a que des prisonniers ou des esclaves et l'argent ne coule que dans une direction. Ils sont enfermés, seuls, dans leur dépendance, et on les purge de tout ce qu'ils ont à donner jusqu'à la mort.

Joona jette en regard en arrière et voit Anatolij se lever et traverser la pièce. Le chien noir le suit.

Un gros lard en pantalon de camouflage et veste noire repousse une fille en sous-vêtements roses et talons aiguilles. Elle revient vers lui et essaie d'embrasser ses mains tout en lui demandant un fixe, juste un. Le ventru s'impatiente, répond qu'il faut qu'elle se reprenne, qu'elle n'a pas encore assez gagné.

— Je ne peux pas, ils m'ont fait mal, ils…

— Ta gueule, je m'en fous – tu vas prendre trois autres clients.

— Mais chéri, je ne me sens pas bien, j'ai besoin de…

Alors qu'elle veut lui caresser la joue, il attrape sa main d'un mouvement rapide, tire sur le petit doigt et le casse d'un coup sec. Ça va tellement vite qu'elle semble d'abord ne pas comprendre ce qui s'est passé. Elle regarde son doigt blessé, les yeux écarquillés.

Un type à la moustache poivre et sel les rejoint, échange quelques mots avec le gros et traîne ensuite la fille en pleurs à travers la pièce vers le rideau. Elle chancelle, perd une chaussure et reçoit une gifle qui l'envoie valdinguer par terre. Elle entraîne un lampadaire dans sa chute.

Joona et Erik se poussent de leur chemin.

Sans ménagement, la fille est remise sur pied. La lampe roule au sol et éclaire un grand diable barbu.

Rocky Kyrklund.

Il dort tout nu dans un fauteuil rouge. Sa tête penche en avant et on ne distingue plus sa barbe des poils de son torse. Il s'est shooté dans la jambe droite et un peu de sang sombre a coulé sur sa cheville.

Il n'est pas seul. À côté de lui, sur un canapé-lit déplié sans matelas, est assise une femme peroxydée en soutien-gorge marron. Sa petite culotte bleu clair est posée sur le lit. Elle a un pansement à moitié décollé au genou.

Elle chauffe une cuillère noircie et regarde avec des yeux luisants les petites bulles qui se forment dans l'eau. Elle s'humecte les lèvres en attendant que la poudre se dissolve et que la cuillère se remplisse d'un liquide jaune clair.

Erik s'approche, enjambe un repose-pied et sent l'odeur fade d'héroïne et de métal chauffé quand il s'arrête devant eux.

— Rocky ? dit-il à voix basse.

Rocky lève lentement le visage. Ses paupières sont lourdes, les pupilles petites comme deux piqûres d'encre de Chine noire.

— Judas Iscariote, murmure-t-il en voyant Erik.

— Oui.

Rocky sourit avec satisfaction et ferme lentement les yeux. La femme à côté de lui pose un bout de coton dans le liquide, y enfonce la seringue, aspire la solution et ajuste une aiguille au corps de pompe.

Joona voit que le gros au pantalon de camouflage a repris sa place devant la pièce qui sert manifestement au personnel, il regarde l'écran de son téléphone. À l'autre bout de la pièce, le type à la moustache grise disparaît par le rideau de perles en compagnie de la fille.

— Tu te rappelles que tu as parlé d'un prédicateur, tu disais qu'il était sale ? demande Erik en s'accroupissant devant Rocky.

Rocky ouvre ses yeux fatigués et secoue la tête.

— Ce serait moi ? Le prédicateur ?

— Je ne crois pas, je crois que tu voulais parler de quelqu'un d'autre. Un homme maquillé avec des veines abîmées.

L'amie de Rocky improvise un garrot avec sa petite culotte, le serre en le tournant avec un stylo aussi fort qu'elle peut.

— Tu disais qu'il avait tué une femme ici, à la Zone, tu t'en souviens ?

— Non, ricane Rocky.

— On l'appelait Tina, mais son vrai nom était Natalia.

— Oui, c'était… c'était lui, c'était le prédicateur, bredouille Rocky.

La femme sur le canapé-lit tâte sa veine pour trouver un point souple sans trop de cicatrices d'acide.

— J'ai besoin de savoir… on parle d'un véritable prédicateur, d'un pasteur ?

Rocky hoche la tête et ferme les yeux.

— Dans quelle église ? demande Erik.

Rocky chuchote et Erik se penche vers lui et sent son haleine fétide.

— Le prédicateur est jaloux… exactement comme Dieu, souffle-t-il.

La fausse blonde plante l'aiguille et une goutte de sang se mêle au liquide jaune avant qu'elle l'injecte. Ses doigts impatients défont le garrot et elle pousse un long gémissement quand l'euphorie monte dans son corps. Elle s'étire les jambes et tend les chevilles, puis elle se relaxe et son corps devient tout mou.

— Nous pensons que le prédicateur a assassiné au moins cinq femmes et nous avons besoin d'un nom, d'une paroisse ou d'une adresse, dit Erik.

— Qu'est-ce que tu racontes en fait ? murmure Rocky en fermant de nouveau les yeux.

— Tu devais me parler du prédicateur, insiste Erik. J'ai besoin d'un nom ou…

— Arrête ton foutu char, bredouille la junkie, et elle se laisse tomber sur les cuisses poilues de Rocky.

— Dis bonjour à Ying, marmonne Rocky en passant maladroitement ses mains sur la tête de sa compagne de défonce.

Pendant qu'Erik essaie de raviver la mémoire de Rocky, Joona surveille la pièce. Le gros en pantalon de camouflage se lève et observe le local. Il range son téléphone et commence à circuler entre les canapés. Il s'arrête devant un homme allongé les yeux fermés, qui a une cigarette allumée entre les lèvres, puis il retourne s'asseoir devant la pièce du personnel.

— Tu veux que je raconte des choses, continue Rocky. Mais le seul souvenir que j'ai du purgatoire, c'est que j'étais enfermé dans une petite cage à singe… et il y avait de longs bâtons en bois au bout incandescent…

— Bla bla bla, l'interrompt Ying avec un rire rauque.

— Je hurlais et j'essayais de me sauver, j'essayais de me protéger avec la gamelle… et bla bla bla, sourit-il.

— Sérieusement, Rocky, intervient Erik d'une voix plus forte. Je ne te dérangerai plus, si seulement tu me racontes quelque chose qui nous permette de le trouver.

Rocky a l'air de s'assoupir. Sa bouche s'ouvre de quelques millimètres et un filet de salive coule dans sa barbe.

L'homme à la moustache grise revient de la première pièce. Le rideau ondule derrière lui, laissant entrevoir un scintillement jaune dans la pénombre avant que le visage de la Joconde se reforme.

— On ne peut pas rester beaucoup plus longtemps, dit Joona à Erik.

Ying essaie d'enfiler sa culotte qui se prend sans arrêt à ses orteils, elle se renverse et se repose, les yeux fermés.

— J'ai le cerveau en compote, bougonne Rocky. Il faut que tu…

— Bla bla bla, répète Ying.

— Donne-moi un nom, s'entête Erik.

— Il faut sans doute que tu m'hypnotises pour que…

— Tu peux te mettre debout ? Je vais t'aider.

Joona voit le gros en pantalon de camouflage se lever encore une fois, il parle au téléphone et commence à se diriger vers eux.

La blonde au collier clouté est plantée dans l'ouverture donnant sur la scène, elle tient le rideau ouvert. Elle semble hésiter à entrer.

Derrière elle, Joona aperçoit une personne élancée en ciré jaune. Un imperméable du genre que portaient les pêcheurs professionnels autrefois.

D'abord il ne comprend pas comment il peut savoir que c'est le prédicateur, mais son esprit jette subitement une lumière forte sur un instant révolu.

— Erik, dit Joona à voix basse. Le prédicateur est ici, du côté du rideau de perles, il porte un ciré jaune.

La prostituée avec le collier clouté agite la main à l'adresse de quelqu'un et titube dans la pièce. Le rideau se referme et oscille devant la silhouette jaune.

Et Joona se rappelle à cet instant comment Filip Cronstedt avait décrit la personne qui filmait Maria Carlsson.

C'étaient les derniers mots qu'il avait entendus avant de s'effondrer dans l'allée entre les box : le personnage mince avec la caméra était vêtu d'un ciré jaune, comme les pêcheurs des îles Lofoten.

Joona se met en route, quand le gros au pantalon de camouflage contourne le canapé trois places fleuri et l'arrête.

— Je dois vous demander, à toi et ton ami, de venir avec moi.

— Erik, dit Joona. Tu l'as vu, hein ? Près du rideau. C'est le prédicateur. Tu dois le suivre et essayer de voir son visage.

— C'est un club réservé aux membres, explique le garde.

— On voulait acheter un canapé, répond Joona, et il voit Erik se précipiter vers le rideau de perles.

86

Le gros lui crie de s'arrêter, mais Erik n'y prête pas attention, il court entre les canapés. Le garde hurle à Joona de se pousser. Un fauteuil part en arrière en raclant le sol.

— *Pyydän anteeksi*, dit Joona en finnois, et il le freine de nouveau.

Le garde frappe la main de Joona, recule et sort un pistolet à impulsion électrique.

— *Nyt se pian satuttaa*, poursuit Joona avec un sourire.

Il fait un pas en avant, s'éloigne de la ligne de tir, écarte le canon avec la main et donne un coup de pied sur le genou de l'homme, faisant plier sa jambe. Le ventru pousse un gémissement et deux électrodes reliées à des filins en forme de spirale viennent se ficher dans le dossier d'un canapé. Joona s'empare du taser et s'en sert pour lui briser les clavicules, il passe les filins autour de son cou et le renverse. Le garde s'écroule, roule sur lui-même, puis tente de se relever. Joona le maintient au sol avec le pied, enroule un filin autour de sa main et le tend jusqu'à faire perdre connaissance à son adversaire.

Erik disparaît derrière le rideau de perles.

La porte de la pièce du personnel à l'autre bout du local s'ouvre. Son téléphone collé à l'oreille, un autre garde aux épaules larges et en veste brillante arrive. Il balaie la pièce du regard.

Joona s'accroupit pour ne pas être vu, tout en sachant qu'il doit l'empêcher d'arrêter Erik.

Rocky a toujours les yeux fermés, mais il a glissé une cigarette entre ses lèvres.

La prostituée au collier clouté enfonce un kleenex usagé entre les coussins d'un canapé et s'avance vers Joona sur des talons aiguilles.

— Tu veux qu'on aille dans une chambre ? Je te bichonnerai, dit-elle en arrivant près de lui.

— Écarte-toi de là, répond-il durement.

Elle se passe la main sur la bouche et se dirige vers le rideau de perles.

L'armoire à glace en veste brillante a repéré Joona. Il arrive sur lui à grandes enjambées, renversant une chaise sur son passage. Joona se lève et aperçoit un pistolet dissimulé derrière la hanche du garde, un gros calibre à canon court.

Toujours allongé sur le dos, l'obèse défait le filin autour de son cou, tousse et essaie de se relever.

Le garde à la veste brillante s'arrête devant Joona de l'autre côté du canapé fleuri et commence à visser un silencieux à son Sig Pro.

— Je te loge une balle dans chaque genou si tu ne viens pas avec moi.

Joona lève une main pour calmer le jeu, essaie de reculer, mais le gros attrape sa jambe et le bloque.

— Je ne savais pas que c'était un club privé, se justifie Joona en essayant de se libérer.

L'autre a fini d'adapter le silencieux, il lève son arme et presse la détente. Joona se jette sur le côté, atterrit sur l'épaule et sa tempe heurte le sol.

Le coup de feu n'a pas fait de bruit, mais la fumée de poudre flotte dans l'air et un homme nu derrière Joona se lève, du sang ruisselant d'un trou dans son ventre. Une femme hurle, s'éloigne de lui et manque de tomber.

— Maintenant tu vas crever, souffle le costaud avec le pistolet, et il grimpe sur le canapé pour mieux voir.

Joona attrape le lampadaire par terre et fait décrire un demi-cercle à son lourd socle. Il touche le garde à l'épaule, le faisant vaciller. Le fil électrique suit le mouvement. L'homme prend appui sur le dos du canapé et Joona est sur lui avant qu'il ait le temps de tirer, il dévie le pistolet et le frappe à la gorge.

Il saisit le canon brûlant et sent un coup violent sur la joue en même temps qu'il force l'arme vers le haut.

Le garde trébuche en arrière et se tient la gorge avec la main. Il n'arrive pas à respirer, de la salive coule de sa bouche ouverte.

En faisant un pas en arrière, Joona retourne l'arme et vise le poumon droit.

Quand il tire, la détonation est remplacée par un clac sourd.

La cartouche vide tombe sur le béton.

L'homme tangue un peu et presse sa main contre le trou dans sa poitrine, tousse et tombe lourdement sur le canapé.

Le gros se relève sur des jambes molles, il tient un couteau à la main. Son épaule est de travers et le taser pend toujours par ses filins autour de son cou.

Joona se déplace et jette un rapide coup d'œil vers le rideau.

Le gros fait quelques pas et tente un assaut avec le couteau. Joona bute sur une table et sent la pointe de la lame frôler son blouson. Il la dévie avec le pistolet, pivote et frappe avec une force inouïe la joue de l'homme avec son coude droit. La tête part sur le côté et des gouttes de sueur giclent. Joona accompagne le mouvement, fait un grand pas en avant pour conserver son équilibre et sent la douleur irradier dans sa hanche.

L'homme a perdu connaissance et s'effondre. Joona balaie la pièce du regard.

Dans très peu de temps, il sera totalement impossible de quitter les lieux. Tassé sur lui-même, il part en direction du rideau, le pistolet pointé vers le sol.

Le nouveau client qui a acheté de l'héroïne à Anatolij est allongé, inanimé, à côté du canapé. Ses lèvres sont grises, et ses yeux ouverts.

Joona contourne une table basse en verre et voit la blonde au collier clouté arriver vers lui entre les canapés.

— Sors-moi d'ici, chuchote-t-elle en lui lançant un regard plein de désespoir. Je t'en prie, il faut que je sorte d'ici…

— Tu peux courir ?

Elle lui sourit, puis sa tête fait soudain un mouvement brusque. Une cascade de sang jaillit de sa tempe.

Joona pivote à l'instant même où, dans un léger souffle, une balle vient se loger dans un dossier à côté de lui, répandant la bourre par terre. Le type à la moustache poivre et sel s'approche entre deux femmes, le pistolet levé. La poudre virevolte autour de sa main.

Joona vise sa poitrine, mais perd la ligne de tir quand la prostituée blonde vacille et lui heurte le dos.

Il vise de nouveau, abaisse le canon d'un millimètre et presse la détente trois fois. Le son produit pourrait laisser penser que le pistolet n'est pas chargé, mais un flot de sang se répand derrière l'homme.

Il fait encore deux pas avant de tomber à genoux, lâche le pistolet et appuie sa main sur un repose-pied.

La femme au collier clouté est toujours debout. Le sang bouillonne de sa tempe et coule le long de son corps. Elle regarde Joona et sa bouche s'ouvre sans qu'aucun son n'en sorte.

— Je vais chercher de l'aide, dit-il.

D'un air ébahi, elle touche ses cheveux ensanglantés, puis elle s'écroule sur le flanc contre un fauteuil et se met en boule comme si elle voulait dormir.

Plus loin, un homme aux épaules rondes s'approche, accroupi à l'abri des canapés. Joona traverse les derniers mètres en courant. Une balle vient perforer le mur à côté de lui, envoyant des fragments de plâtre dans toutes les directions. Il franchit le rideau de perles, cache l'arme près de son corps et marche aussi vite qu'il peut vers le couloir.

Un gros du bide danse sur la scène, la chemise sortie du pantalon.

Erik a disparu et Joona se met à courir dès qu'il atteint l'étroit couloir.

Il entend ses poursuivants quand il entre dans les vestiaires et ferme la porte à clé derrière lui. Quelqu'un prend une douche et le sol plastique de la cabine craque sous son poids. Joona dépasse au pas de course deux femmes qui se bousculent devant la coiffeuse.

Dans la cuisine, un petit bonhomme est en train de faire revenir des boulettes de viande congelées sur une plaque électrique. Il a juste le temps d'attraper un couteau avant que Joona lui tire une balle dans la cuisse.

Il tombe en hurlant. Joona enjambe de vieux cartons dans le local à poubelles et se retrouve enfin à l'air libre. Il court aussi vite qu'il peut dans les hautes herbes pour contourner le bâtiment, sort par les grilles, longe une clôture de barbelés et dépasse une camionnette en stationnement. La voiture d'Erik a disparu. En boitant, il continue en direction du Högdalsdepån pour appeler la police et demander du secours.

87

La circulation est pratiquement nulle et Erik a veillé à rester à bonne distance de la voiture devant lui à travers tout le quartier industriel et sur la route d'Älvsjö. Le prédicateur conduit une Peugeot bleue tellement sale qu'on ne peut pas distinguer le numéro de la plaque d'immatriculation. Erik n'a pas d'autre plan que de le suivre aussi longtemps que possible sans se faire repérer.

La lumière ambrée de l'éclairage des rues envahit par instants l'habitacle, puis disparaît entre les poteaux comme une lente respiration.

Erik se demande si le prédicateur se trouvait à la Zone pour acheter de l'héroïne ou pour rencontrer Rocky.

L'inquiétude fait palpiter son cœur quand il pense à Joona. Erik n'a pas regardé derrière lui en partant, il n'a fait que ce qu'il était censé faire : quitter la pièce remplie de toxicomanes, franchir le rideau de perles et se mêler à la foule.

Les lourdes basses de la musique étaient plus rapides, le martèlement d'un rythme brisé se propageait au plus profond de son corps.

À la lumière de la boule à facettes de la scène, il avait tout à coup aperçu l'individu en vêtement de pluie jaune. Il se dirigeait vers la sortie, et Erik l'avait suivi. Une femme avait essayé de l'arrêter, mais il s'était contenté de secouer la tête et de se frayer un passage.

Personne ne l'avait regardé au moment où il franchissait la porte de contrôle et il avait pu sortir sans encombre sur le quai de chargement.

Joona avait semblé sûr de lui et Erik n'avait qu'une idée en tête : ne pas perdre l'homme maintenant qu'ils étaient si près du but.

Il avait aperçu le ciré jaune dans l'obscurité parmi les voitures et l'avait filé en faisant le moins de bruit possible. Le prédicateur était sorti par les grilles et s'était dirigé vers une voiture bleue.

Erik suit maintenant depuis un quart d'heure les phares arrière rouges et il se répète qu'il ne doit pas trop s'en éloigner. Il accélère un peu dans une longue ligne droite devant un terrain de football en terre battue et une école. Les lumières éparses d'un grand lotissement scintillent à travers la végétation.

Un bus de nuit quitte un arrêt et Erik est obligé de ralentir. Il perd de vue la voiture du prédicateur, met les gaz et dépasse le bus du mauvais côté d'un refuge central pour piétons.

Les feux tricolores plus loin devant lui passent au rouge. Erik accélère, fait une embardée et passe juste derrière une voiture dans la rue perpendiculaire.

Il se rend compte trop tard que la Peugeot bleue a tourné à droite. Il voit les feux arrière disparaître parmi les maisons.

Il n'a pas le temps de réfléchir s'il veut retrouver sa trace.

Erik prend à droite au carrefour suivant et les bouteilles vides dans le coffre de la voiture s'entrechoquent dans le virage. Pendant qu'il roule entre des jardins touffus et des villas sombres, il essaie d'imaginer quelle direction l'autre voiture a pu prendre.

Il ralentit et tourne à gauche, frôle une boîte aux lettres et fonce, puis s'aperçoit qu'après le carrefour suivant, c'est une voie sans issue. Il freine, les roues chassent sur le bitume, il tourne le volant et fait une brusque embardée sur la droite.

La partie arrière de la voiture ne touche plus la chaussée et l'aile gauche vient bruyamment s'arrêter contre un poteau électrique. Les bouteilles dans le coffre se renversent et se brisent, puis la voiture glisse de nouveau sur la chaussée et il rejoint l'autre rue plus large.

Il monte la côte en accélérant, arrive en haut juste à temps pour voir le prédicateur s'engouffrer dans le passage sous l'autoroute.

Il ralentit, ses mains tremblent sur le volant. Le rétroviseur s'est de nouveau détaché et pend par ses fils.

Sur le mur en béton du tunnel, quelqu'un a tagué : "Un autre monde est possible."

La seconde d'après, Erik surgit du tunnel sombre dans un quartier composé de jolis immeubles de trois étages.

La Peugeot bleue dépasse un camion-benne qui, sans se presser, vide méthodiquement tous les conteneurs sortis sur le trottoir, et Erik se demande si le prédicateur habite ici, à Hökmossen.

Erik sait que la réalité est ainsi parfois, mais l'idée qu'un tueur en série puisse mener une vie ordinaire lui paraît inconcevable. Un homme qui plante un couteau dans le visage de ses victimes après les avoir tuées, puis qui rentrerait chez lui, dans sa villa confortable avec pommiers dans le verger et arrosage automatique, et s'installerait devant la télé en compagnie de sa famille.

Erik suit la voiture bleue quand elle quitte la rue Korpmossevägen pour tourner à droite dans Klensmedsvägen.

Le prédicateur ralentit et s'arrête après la troisième rue transversale.

Sans modifier sa vitesse, Erik le double et regarde dans le rétroviseur juste quand l'éclairage de l'habitacle s'éteint. Il dépasse une partie boisée, s'engage dans la rue perpendiculaire suivante, se gare le long du trottoir et sort de la voiture. Il retourne sur ses pas et voit le ciré jaune disparaître dans le bois à gauche de la rue. Erik s'arrête et réalise à quel point ses jambes tremblent.

88

L'Église de Jésus-Christ des Saints des Derniers Jours est située rue Järfällavägen à côté d'un grand parking goudronné. C'est un bâtiment bas à la façade couleur terre cuite, couvert d'un toit en tôle. Au milieu d'une rocaille circulaire se dresse une tour rouge.

Le président de pieu, Thomas Apel, habite avec sa femme et ses deux enfants dans une villa gris béton tout près du temple. Depuis la terrasse en bois équipée d'un barbecue fixe, on aperçoit la tour rouge au-dessus des arbres et des toits.

Adam et Margot ont pris place dans le séjour, on leur a servi un verre de limonade. Thomas Apel et sa femme, Ingrid, sont installés en face d'eux. Thomas est un homme mince, il porte un pantalon gris, une chemise blanche et une cravate gris clair. Il est rasé de près, son visage est maigre avec des sourcils blonds et une petite bouche un peu tordue.

Margot vient de demander où Thomas se trouvait aux moments décisifs des meurtres et il a répondu qu'il était à la maison avec sa famille.

— Y a-t-il d'autres personnes qui peuvent l'attester ? poursuit Margot en regardant Ingrid.

— Les enfants étaient là, répond la femme d'une voix aimable.

— Personne d'autre ? veut savoir Adam.

— Nous menons une vie très tranquille, réplique Thomas, comme si cela expliquait tout.

— Vous avez un joli intérieur, dit Margot en regardant la pièce proprette.

Un masque africain est accroché au mur, à côté d'un tableau représentant une femme en robe noire avec un livre rouge sur les genoux.

— Merci, dit Ingrid.

— Chaque famille est un royaume, déclare Thomas. Ingrid est ma reine, les filles sont mes princesses.

— Bien entendu, sourit Margot.

Elle contemple le visage d'Ingrid dépourvu de tout maquillage, les petites perles dans les lobes de ses oreilles et la robe longue boutonnée jusqu'au cou dont les manches couvrent la moitié de ses mains.

— Vous trouvez sans doute que nous sommes habillés de façon triste et démodée, dit Ingrid quand elle remarque son regard.

— Ça m'a l'air très bien, ment Margot.

Elle essaie de trouver une position confortable sur le canapé profond avec des têtières crochetées posées sur le dossier. Thomas lui ressert de la limonade et elle lui adresse un merci silencieux.

— La vie n'est pas triste pour nous, reprend Thomas calmement. C'est vrai que nous ne consommons pas de stupéfiants, pas de tabac, nous ne buvons pas d'alcool… ni de café ou de thé, mais ça ne rend pas la vie triste pour autant.

— Pourquoi pas de café ?

— Parce que le corps est un don de Dieu, répond-il en toute simplicité.

— Si c'est un don, on devrait quand même être libre de boire du café si on veut, s'indigne Adam.

— Tout à fait, il ne s'agit pas de Tables de la Loi divine, précise Thomas sur un ton léger. Ce ne sont que des conseils…

— Très bien.

— Mais si nous écoutons ses conseils, le Seigneur promet que l'ange de la mort ignorera nos maisons et ne nous tuera pas, sourit Thomas.

— Et si on agit vraiment mal, l'ange arrive tout de suite ? demande Margot.

— Vous disiez donc que vous souhaitiez consulter mon agenda, s'impatiente Thomas, et les veines de ses tempes s'assombrissent.

— Je vais le chercher, propose Ingrid en se levant.

— J'aimerais boire un peu d'eau, déclare Margot, et elle la suit.

Thomas commence à se lever lui aussi, mais Adam l'arrête en le questionnant sur le rôle d'un président de pieu.

Ingrid est en train de chercher l'agenda dans une commode quand Margot arrive dans la cuisine rutilante.

— Puis-je prendre un peu d'eau ?

— Oui, bien sûr.

— Vous étiez à la maison dimanche dernier ?

— Oui, acquiesce Ingrid, et un petit pli apparaît à la racine de son nez. Nous étions là.

— Qu'est-ce que vous faisiez ?

— Nous faisions… ce que nous faisons d'habitude. Nous avons dîné et regardé la télé.

— Quelle émission avez-vous regardée ?

— Nous ne regardons que la télé des mormons, explique Ingrid, et elle vient vérifier que Margot a bien fermé le robinet.

— Est-ce qu'il arrive à votre mari de sortir seul le soir ?

— Non.

— Même pas pour aller au temple ?

— Je ne trouve pas l'agenda, je vais chercher dans la chambre, dit la femme, les joues empourprées, et elle sort de la cuisine.

Margot boit et pose le verre dans l'évier, puis elle retourne dans le séjour. Le visage de Thomas est tendu et la transpiration perle sur sa lèvre supérieure.

— Vous prenez des médicaments ? demande Adam.

— Non, répond Thomas, et il essuie ses paumes sur son pantalon gris clair.

— Pas de psychotropes, pas d'antidépresseurs ? ajoute Margot en se rasseyant sur le canapé.

— Pourquoi voulez-vous savoir ça ? réplique Thomas, et ses yeux sont calmes et luisants quand il les pose sur elle.

— Parce que vous avez reçu de l'aide psychiatrique il y a vingt ans.

— C'était une période difficile pour moi, avant que je n'entende Dieu.

Il se tait et regarde aimablement Ingrid qui est revenue. Elle se tient dans l'embrasure de la porte, un Filofax rouge à la main.

Elle le donne à Margot qui chausse ses lunettes puis se met à feuilleter les pages.

— Est-ce que vous avez une caméra vidéo ? demande Adam pendant que Margot examine l'agenda.

— Oui, répond-il avec un regard perplexe.

— Puis-je la voir ?

Thomas déglutit nerveusement.

— Pourquoi ?

— Simple routine.

— D'accord, mais elle est en réparation, explique-t-il avec un sourire qui raidit sa bouche tordue.

— Où ?

— Chez un ami.

— Puis-je avoir le nom de cet ami, s'il vous plaît.

— Absolument, murmure Thomas, quand la sonnerie du téléphone d'Adam retentit.

— Excusez-moi.

Il se lève et fouille dans sa poche tout en tournant le dos à Thomas.

À travers la fenêtre qui donne sur l'arrière de la maison, il aperçoit un voisin qui les observe de l'autre côté de la clôture. Dans la vitre, il voit en même temps son propre reflet, ses cheveux épais et ses sourcils bien fournis. Il sort le téléphone, c'est Adde, un technicien informatique de la police nationale qui habite, comme lui, à Hökmossen.

— Adam, dit-il.

— Une nouvelle vidéo, crie presque Adde.

— On arrive aussi vite que…

— C'est ta femme sur la vidéo, c'est Katryna… !

Adam n'entend rien de plus, il se dirige droit dans le vestibule, prend appui contre le mur et fait tomber une photographie encadrée de deux fillettes souriantes.

— Adam ? appelle Margot. Qu'est-ce qui se passe ?

Elle abandonne l'agenda sur le canapé, se lève et renverse son verre de limonade sur la table basse.

Adam est déjà devant la porte d'entrée. Margot n'arrive pas à voir son visage. Elle a des nausées, se tient le ventre et lui emboîte le pas.

Il traverse la cour à toutes jambes pour s'engouffrer dans la voiture.

Avant même qu'elle ait franchi la porte, il a démarré. Elle s'arrête, haletante, et le voit mettre les gaz, il fait un brusque demi-tour, dérape et renverse une cage de hockey que des enfants ont installée au bord du trottoir. Elle descend les marches du perron et lui fait signe de s'arrêter, lorsque son téléphone sonne.

89

La villa au numéro 5 de Bultvägen n'a que trois pièces, mais la cuisine dispose d'un coin repas agréable et il y a une cave et un petit jardin donnant sur une partie boisée. Ils ont pu l'acheter pour une somme raisonnable et se sont ainsi rapprochés du cœur de la capitale, mais elle ne tiendra pas beaucoup d'hivers sans rénovation.

Katryna Youssef est assise sur le canapé blanc devant la télé. Elle porte son pantalon de détente Hollister bleu et un tee-shirt rose.

Elle sait que le vernis de ses nouveaux ongles a séché depuis longtemps, mais écarte quand même les doigts quand elle se penche pour prendre son verre de vin. Comme Adam n'est pas là, elle en profite pour s'occuper de sa manucure. Sinon, il se réfugie dans la voiture, l'odeur lui donne mal à la tête.

Elle boit une gorgée et vérifie l'iPad sur ses genoux. Caroline n'a pas encore mis à jour son statut. Elle n'a rien posté depuis une heure, sa douche ne peut tout de même pas durer aussi longtemps.

Katryna regarde un vieux film à la télé, *Volte-Face*, qu'elle trouve assez outré.

Elle travaille demain et ne devrait pas rester éveillée, à attendre Adam.

D'ailleurs, je ne l'attends pas, pense-t-elle avec un regard vers la fenêtre quand les branches d'un buisson dans le jardin viennent racler la vitre.

Elle glisse sa main à l'intérieur de son pantalon souple et commence à se masturber, ferme les yeux quelques secondes, puis les rouvre et regarde le jardin par la fenêtre, continue de se masturber, mais cesse en réalisant que le voisin peut très bien débarquer pour lui ramener le râteau qu'il a emprunté plus tôt dans la soirée. Elle est trop lasse pour se lever et fermer les rideaux et de toute façon elle éprouve plus d'ennui que d'excitation.

Katryna bâille et se gratte la cheville. Bien qu'elle ait mangé une salade au thon tout à l'heure, elle a faim de nouveau. Elle vérifie encore son iPad, parcourt le fil d'actualité du profil de Caroline, lit ses propres commentaires et en écrit un autre.

Avec un drôle d'entêtement, elle regarde les dernières photos de Caroline Winberg, la femme qu'elle n'est pas loin de *stalker*.

Caroline avait été repérée dans le métro alors qu'elle se rendait à une séance d'entraînement de football, et elle est aujourd'hui top-modèle. On dit qu'elle ne se lève pas le matin pour moins de vingt-cinq mille dollars.

Katryna la suit sur tous les forums existants, elle sait en permanence où elle se trouve et avec qui.

Ça s'est fait tout seul.

Elle prend de nouveau le verre de vin et frissonne en se rendant compte que l'éclairage du jardin ne fonctionne pas. Les buissons forment des masses noires contre les vitres. Il lui semble que les lampes n'ont pas fonctionné de toute la soirée. Ce n'est pas la première fois qu'il tombe en panne, il faudra qu'Adam vérifie les fusibles au panneau électrique. Elle n'a aucune intention de descendre à la cave. Pas depuis le cambriolage.

Elle voit son reflet dans la fenêtre sombre, boit un peu de vin et contemple ses ongles.

Quelqu'un est entré par effraction jeudi dernier quand Adam et elle étaient au travail, et maintenant la serrure de la cave est cassée. Ils ont bricolé une fermeture avec une corde pour que la porte paraisse fermée à clé si on tire dessus. Aucun objet de valeur n'a été volé, ni le home cinéma, ni la chaîne hi-fi, ni la console de jeux.

Peut-être ont-ils changé d'avis en comprenant qu'Adam est policier ? Il est possible qu'ils aient vu le diplôme encadré de l'École supérieure de la police et qu'ils aient aussitôt décampé.

Adam pense que c'étaient des jeunes qui s'ennuyaient.

Mais c'est bizarre quand même. Ils auraient pu voler le whisky, les bouteilles de vin ou ses bijoux. La pochette Prada qu'Adam lui a offerte il y a deux ans traînait en évidence dans la chambre.

Elle n'a remarqué qu'un seul objet manquant. Un napperon que sa grand-mère a brodé. Adam ne la croit pas, il dit qu'ils vont le retrouver et il a refusé de le mentionner dans la déclaration de cambriolage.

Lamassu, l'esprit protecteur que sa grand-mère a brodé au fil rouge clair sur du tissu blanc, s'est toujours trouvé sur l'étagère à livres à côté du crucifix d'argent sur socle.

Katryna sait que quelqu'un l'a pris.

Petite, elle avait peur de ce napperon. Sa mère lui disait que Lamassu défendait leur maison, mais elle, elle ne voyait qu'un monstre. Les petits points de broderie denses représentaient un homme à la barbe tressée, avec un corps de taureau et d'énormes ailes d'ange dressées sur son dos.

De nouveau elle pense à la porte de la cave qui n'est fermée qu'au moyen d'une corde qu'Adam a attachée à la canalisation à côté du lave-linge. Elle l'a obligé à inspecter la maison de fond en comble, plusieurs fois.

Outre la cave, elle déteste le vaste placard à balais dans le dégagement entre le séjour et la cuisine, qu'ils utilisent comme penderie.

Il se ferme par deux vantaux en bois très épais. Avant on pouvait les bloquer de l'extérieur avec une petite barre, mais elle est cassée. Du coup, ils se contentent de pousser les portes, mais elles frottent l'une contre l'autre et s'ouvrent tout le temps de quelques centimètres, comme si quelqu'un voulait regarder par la fente.

La porte de la chambre est ouverte et elle voit la lumière d'une voiture se refléter sur l'icône dorée au mur et la seconde d'après sur le verre qui protège le maillot de foot qu'Adam a encadré.

Toutes les maisons ont leurs recoins qui donnent la chair de poule, songe-t-elle avec un frisson. Des pièces ou des cagibis qui ont accumulé la vieille peur du noir de l'enfance.

Elle finit le vin et se lève pour aller dans la cuisine.

90

Katryna place le cubi au bord du plan de travail et remplit son verre sous le petit robinet. Des gouttes rouges viennent éclabousser sa main.

Le vent gronde dans la hotte aspirante. Par la porte vitrée, elle voit la rue vide entre les branches des viornes.

Les deux portes en bois du cagibi tapent l'une contre l'autre et se referment.

Elle pose le verre sur un prospectus Sephora, aspire les gouttes de vin sur le dos de sa main, regarde le verre, regarde la blonde de la pub et décide de garder l'enfant, de ne pas faire d'IVG.

Katryna laisse le verre dans la cuisine, elle se dit qu'elle va envoyer un texto à Adam pour lui annoncer qu'elle a changé d'avis. Elle marche lentement en fixant les lourdes portes en bois. Une force mystérieuse lui ordonne de les regarder et elle s'arrête quand un des vantaux s'ouvre légèrement. Elle respire profondément, puis s'éloigne d'un pas vif. Elle s'oblige à ne pas courir, les mouvements de la porte lui font comme un chatouillis dans le dos.

Elle s'assied sur le canapé et continue de regarder le film.

John Travolta a pris le visage de Nicolas Cage, mais en fait, l'un et l'autre ont toujours le même visage.

Elle ne peut pas s'empêcher de penser au voisin. Il l'a regardée avec insistance quand il est venu emprunter le râteau et elle se demande s'il savait qu'elle était seule à la maison.

Son iPad s'est mis en veille et elle pose le doigt sur l'écran où apparaît aussitôt le visage souriant de Caroline.

Katryna sait que si elle tourne la tête vers la gauche, elle peut voir le reflet des portes du cagibi dans la fenêtre qui donne derrière la maison.

Il faut qu'elle arrête, ça devient obsessionnel.

C'est peut-être le voisin qui s'est introduit chez eux l'autre jour, qui a volé le napperon et une de ses petites culottes dans le panier à linge.

Si on sait que la porte de la cave est maintenue fermée uniquement par une corde, on peut entrer sans faire le moindre bruit.

Katryna se lève et va à la fenêtre, elle commence à tirer le rideau quand elle a l'impression de voir quelqu'un traverser la pelouse en courant.

Elle se penche plus près de la vitre.

Difficile de voir dans l'obscurité.

Un chevreuil, ça doit être un chevreuil, pense-t-elle, et elle ferme les rideaux, le cœur galopant.

Elle se rassoit sur le canapé, éteint la télé et commence à écrire un texto à Adam. Au milieu d'une phrase, le téléphone sonne, la faisant sursauter de peur. Elle ne reconnaît pas le numéro.

— Oui ? dit-elle, sur ses gardes.

— Bonjour Katryna, répond une voix d'homme qui parle vite. Je suis un collègue d'Adam à la Rikskrim et…

— Il n'est pas là…

— Écoute-moi bien maintenant, l'interrompt l'homme. Tu es chez toi ?

— Oui, je suis…

— Va à la porte d'entrée et sors de la maison, ne mets pas tes chaussures, ne prends pas ton manteau, va droit dans la rue et continue de marcher.

— Est-ce que je peux demander pourquoi…

— Tu es en train de sortir là ?

— J'y vais.

Elle se lève et traverse le séjour, jette un regard vers les portes du cagibi, contourne le canapé et se trouve face au vestibule.

Une personne en vêtement de pluie jaune se tient là, lui tournant le dos, en train de refermer la porte d'entrée.

Katryna recule vivement, tourne dans le dégagement et s'arrête.

— Il y a quelqu'un dans la maison, chuchote-t-elle. Je ne peux pas sortir.

— Enferme-toi quelque part et laisse le téléphone allumé.

— Mon Dieu, il n'y a nulle part où…

— Ne parle que si c'est absolument nécessaire, va dans la salle de bains.

Sur des jambes flageolantes, elle se dirige vers la cuisine quand elle s'aperçoit que les portes du placard à balais sont légèrement entrouvertes. Elle n'arrive pas à penser clairement, elle ouvre un des vantaux, entre rapidement dans le cagibi, se glisse à côté de l'aspirateur et tire la porte.

Elle a du mal à la fermer complètement, la fente est trop petite pour ses doigts. Elle essaie d'en saisir le bord avec ses ongles et de la tirer vers elle.

Katryna retient sa respiration en entendant des pas devant le placard. Ils se dirigent vers la cuisine, les portes se touchent et l'autre vantail s'ouvre de quelques millimètres.

Les yeux écarquillés dans le noir, elle entend un tiroir de cuisine qu'on ouvre, puis un bruit métallique. Elle respire par à-coups et pense soudain à la relique dans l'église syriaque orthodoxe de Södertälje. Adam n'avait pas voulu l'accompagner à l'intérieur, mais elle était quand même entrée pour voir l'objet. Un petit bout d'os de saint Thomas. Le prêtre avait dit que la relique était toujours remplie du Saint-Esprit, le bout d'os jaune dans le tube en verre sur la table de marbre en était plein.

Elle tend la main et essaie de fermer la porte mais ne trouve pas de prise, ses ongles ne font que glisser sur le bois. Elle recule prudemment, mais le seau et le balai à franges prennent trop de place. Le manche touche son manteau d'hiver et quelques cintres vides tintent sur la tringle.

Elle referme légèrement la porte mais perd la prise. Le vantail s'ouvre lentement, une petite fente, et elle aperçoit alors une silhouette sombre qui se tient juste devant le placard.

91

La porte s'ouvre d'un coup et un homme armé d'un pistolet fait un pas en arrière. Sa bouche est entrouverte et ses yeux brun sombre la fixent. Elle perçoit une odeur de sueur. Elle enregistre tous les détails dans la seconde. Son jean usé, le bas des jambes retroussé et la tache d'herbe au genou droit, le blouson informe en nylon noir et la casquette avec des fils qui dépassent de l'écusson des New York Yankees brodé à la machine.

— Je suis policier, souffle-t-il, et il baisse son arme.

— Mon Dieu…

Elle sent les larmes couler sur ses joues.

Il prend sa main et l'emmène dans le vestibule tout en faisant son rapport au groupe d'intervention dans son unité radio mobile.

— Katryna est saine et sauve, mais le suspect s'est enfui par la porte de la cuisine… Oui, installez des barrages routiers et faites venir des brigades canines…

Elle marche à côté du policier, prend appui sur le mur avec la main et déplace le diplôme de sa formation de maquillage Leep.

— Donne-moi une seconde, dit le policier, et il ouvre la porte d'entrée pour sécuriser leur passage.

Katryna se penche pour enfiler ses chaussures de sport lorsqu'une cascade de sang éclabousse le miroir du vestibule. Puis elle entend la brève déflagration de l'arme et l'écho renvoyé par la maison de l'autre côté de la rue.

Le policier en civil fait un large geste avec le bras, attrape les vêtements suspendus et les entraîne avec lui dans sa chute. Il s'écroule sur le dos parmi les chaussures. Les cintres se balancent et le sang bouillonne du trou dans son blouson noir.

— Cache-toi, halète-t-il. Retourne te cacher…

Deux nouveaux coups de feu retentissent et Katryna recule. Quelqu'un hurle comme un animal dehors. Elle regarde le policier blessé et le sang qui coule dans les joints du carrelage. Un carreau se brise et un autre coup de feu résonne entre les villas.

Tassée sur elle-même, Katryna court à travers le séjour, dérape sur le tapis de Tabriz, se cogne l'épaule contre le mur, mais réussit à garder l'équilibre, poursuit dans le dégagement et ouvre l'un des vantaux du cagibi. Le balai dégringole et entraîne le seau rouge, l'essoreur en plastique se défait et roule dans le dégagement. Katryna redresse le seau et le balai qu'elle essaie de faire tenir debout contre les vêtements. Une veste tombe et l'épais tuyau de l'aspirateur ouvre l'autre vantail.

Elle entend deux autres coups de feu, s'éloigne du placard et continue vers la cuisine, voit la porte vitrée et l'obscurité dehors, ouvre la porte de la cave et commence à descendre l'escalier raide en bois.

Elle a tellement peur qu'elle a du mal à respirer, elle imagine qu'il s'agit d'un crime raciste, qu'ils les ont trouvés, qu'ils sont furieux parce qu'Adam a acheté une nouvelle Jaguar.

Elle entend les sirènes des voitures de police à travers les murs en pierre et se dit qu'elle se cachera dans la chaufferie jusqu'à ce que la police ait arrêté l'intrus.

Son angoisse grandit alors qu'elle descend dans le noir.

Elle tient la main courante, cligne des yeux et les ouvre grands, mais ne distingue pratiquement rien.

L'odeur des fondations et des canalisations humides se mêle à celle du fuel de l'ancienne chaudière.

Elle pose délicatement les pieds, mais ses pas produisent quand même un petit craquement sous son poids. Elle finit par atteindre le sol carrelé. En plissant les yeux, elle peut deviner le lave-linge, qui forme une tache plus claire dans l'obscurité à côté de la porte, avec la corde autour de la poignée. Elle se retourne et part dans l'autre sens, dépasse le vieux flipper d'Adam et entre dans le local technique. Doucement, elle referme la porte et entend une sorte de gémissement.

Katryna reste immobile, la main sur la poignée, et écoute. Ça crépite un peu dans la tuyauterie, mais autrement tout est silencieux.

S'éloignant de la porte, elle avance dans la pièce, et se dit qu'elle va s'accroupir ici, ça ne devrait pas être long, maintenant que la police est là.

Un nouveau gémissement. Tout près.

Elle tourne la tête, mais ne voit rien.

Puis encore une fois, comme un sifflement.

Le bruit provient de la soupape de sécurité du chauffe-eau.

Katryna tâte dans le noir et trouve l'escabeau taché de peinture replié contre le mur.

Sans faire de bruit, elle l'ouvre et l'installe sous la fenêtre haut placée.

Quelqu'un a volé Lamassu, pense-t-elle. Le napperon avec son dieu protecteur, le protecteur du foyer, voilà pourquoi il lui arrive une chose pareille.

Elle ne peut pas rester dans la maison, elle ne veut plus jamais y revenir. Après avoir défait les deux crochets, elle pousse la petite fenêtre qui donne sur les mauvaises herbes, quand elle sent un courant d'air froid autour de ses chevilles.

Quelqu'un arrive, elle en est certaine.

Quelqu'un s'est introduit par la porte de la cave, en coupant la corde qui la maintenait fermée, quelqu'un est en train d'entrer.

Elle n'arrive pas à ouvrir complètement la fenêtre. Elle essaie encore, mais le châssis bute sur quelque chose. Elle sort le bras, passe ses doigts dans les herbes et touche la tondeuse qui a été déposée là, trop près.

Elle essaie de l'éloigner avec la main, bien que l'escabeau commence à glisser sous son poids. Elle redresse les roues de la tondeuse et réussit à la faire rouler sur quelques centimètres.

La fenêtre s'ouvre enfin et elle commence à s'extirper de la cave lorsque la porte de la chaufferie s'ouvre et la lumière s'allume. Le vieux ballast fait clignoter le tube fluorescent. L'escabeau est renversé sans ménagement et ses jambes vont brutalement cogner le mur. Elle sent une vive brûlure dans les deux genoux, mais se cramponne au chambranle et lutte pour se hisser dehors.

Le premier coup de couteau s'enfonce tellement profondément dans son dos qu'elle entend la pointe de la lame toucher le mur de béton devant elle.

92

Adam Youssef est allongé à plat ventre dans l'allée qui mène chez lui, les mains menottées dans le dos. Le pouls bat fort dans sa cuisse, son jean noir est trempé de sang, mais la blessure par balle est superficielle et ne lui fait pas vraiment mal. La lumière bleue de différents véhicules de secours se projette sur la verdure sombre des jardins selon d'étranges rythmes.

Un policier appuie le genou entre ses omoplates et lui crie de se taire pendant qu'il explique la situation au groupe d'intervention.

— Katryna est toujours à l'intérieur, suffoque Adam.

Le chef des opérations est en contact direct avec le commandant de l'unité d'intervention spéciale de Stockholm pendant qu'il essaie de coordonner l'action qui doit être rapide. Le premier groupe force les fenêtres et les portes, sécurise l'entrée et fait entrer les ambulanciers.

Le collègue qui a été blessé par balle est évacué sur une civière pendant qu'on prévient l'hôpital Karolinska à Huddinge par le téléphone d'urgence afin qu'ils préparent le bloc opératoire.

Adam tente de se dégager et prend un coup dans les reins qui lui coupe la respiration. Il tousse et sent le policier appuyer son genou sur sa nuque. Il tire sur son blouson et lui ordonne de rester tranquille.

— Je suis policier et…

— Ta gueule !

L'autre prend le portefeuille d'Adam et recule, le gravier crisse sous ses chaussures pendant qu'il examine l'insigne de police et la carte d'identité.

— Rikskrim, confirme-t-il.

Le policier qui maintenait Adam au sol se relève en soupirant et la pression sur sa nuque et ses poumons se desserre. Adam essaie de retrouver son souffle et de rouler sur le côté.

— Tu as tiré sur un policier en civil.

— Il tenait ma femme, je l'ai vue avec lui et j'ai cru que…

— C'était le premier sur place, il était en train de la sortir de là… Tout le monde avait reçu cette information.

— Allez la chercher, je vous en prie !

Une voix de femme s'élève :

— Qu'est-ce que vous foutez ?

Margot. Adam voit ses jambes dans la rue à travers les mûriers, elle entre dans le jardin et s'arrête.

— C'est un des nôtres, déclare-t-elle. C'est sa femme qui…

— Il a tiré sur un collègue, répond un des policiers.

— C'est un accident, explique Adam. J'ai cru que…

— Ne dis plus un mot, l'interrompt Margot. Où est Katryna ?

— Je ne sais pas, je ne sais rien… Margot…

— J'y vais, dit-elle, et Adam voit ses pieds avancer sur le gravier.

— Dis-lui que je l'aime, chuchote-t-il.

— Aidez-le à se relever, intime Margot aux deux policiers. Enlevez-lui les menottes et faites-le attendre dans une voiture pour l'instant.

Elle se dirige vers la maison, les deux mains autour de son ventre.

Un jeune homme du groupe d'intervention sort par la porte d'entrée, son casque à la main. Il dépasse Margot et vomit sur le perron, continue le long de l'allée, le visage fermé, défait son gilet pare-balles et le laisse tomber au sol. Arrivé dans la rue, il vomit de nouveau entre deux voitures de patrouille, s'appuie sur un capot et crache.

Les deux policiers saisissent Adam par les bras, le redressent et l'éloignent de la maison. Le sang de sa blessure coule jusque dans sa chaussure. Ils l'emmènent dans une voiture de police et l'installent à l'arrière, mais ils ne lui retirent pas les menottes.

Une autre ambulance franchit les rubalises, les policiers lui font signe d'avancer. Adam entend le crépitement rapide d'un hélicoptère et tourne son regard vers la porte d'entrée pour guetter Margot quand elle sortira avec Katryna.

Lorsque la police nationale avait reçu la quatrième vidéo, le système avait immédiatement réagi comme il fallait.

Un des techniciens était un ami d'Adam Youssef. Il avait reconnu Katryna sur la vidéo et posté d'urgence l'information sur l'intranet de la Rikskrim, avant d'appeler Adam.

Pour gagner du temps et par souci d'efficacité tactique, un "incident particulier" avait été décrété, et les différents groupes de police avaient été organisés en états-majors pour réaliser une intervention coordonnée aussi rapidement que possible.

L'alarme avait été donnée sur les canaux des districts policiers de Söderort, City, Västerort, Nacka et Södertörn.

Ce n'était pas une voiture de patrouille qui se trouvait le plus près de la maison de Bultvägen, mais un enquêteur en civil. Il était arrivé sur place sept minutes après que la police eut reçu la vidéo.

93

Après ce qui lui paraît une éternité, Adam voit Margot ressortir. Lentement, elle descend l'escalier, se tient à la rampe et s'arrête, la main sur le ventre. Elle a le bout du nez tout pâle et son front est luisant de transpiration quand elle s'approche de la voiture de police où il se trouve.

— Enlevez-lui ces putains de menottes, ordonne-t-elle aux policiers d'une voix sourde.

Ils se dépêchent de libérer Adam. Il se masse les poignets et croise le regard de Margot, voit ses pupilles dilatées et sent une violente nausée monter dans sa gorge.

— Qu'est-ce qu'il se passe ? demande-t-il, sa voix trahissant la peur.

Elle secoue la tête, jette un rapide coup d'œil vers la maison, puis le regarde de nouveau.

— Adam, je suis désolée, je ne peux pas te dire combien je suis désolée.

— De quoi ? lance-t-il sur un ton raide en ouvrant grande la portière.

— Reste assis.

Mais il descend de la voiture, se place devant elle avec la soudaine impression d'être en apesanteur.

— C'est Katryna ? Dis-le. Elle est blessée ?

— Katryna est morte.

— Je l'ai vue à la porte, je l'ai vue…

— Adam, le supplie-t-elle.

— Tu es sûre ? Tu as parlé avec les ambulanciers ?

Elle le serre dans ses bras, mais il se libère, fait un pas en arrière et voit quelques mûres sombres balancer au bout d'une fine branche.

— Je suis si terriblement désolée, répète-t-elle encore.

— Tu es sûre qu'elle est morte ? Je veux dire, l'ambulance… qu'est-ce que l'ambulance fait là si elle…

— Katryna restera ici jusqu'à ce que l'examen de la scène de crime soit terminé.

— Elle est dans l'entrée ? Dis-moi où elle se trouve !

— Dans la chaufferie, elle a dû vouloir se cacher dans la chaufferie…

Adam la regarde et la douleur dans sa cuisse se fait soudain plus précise, lancinante. Il voit tous les policiers quitter la maison et se rassembler devant le car de commandement pour faire le point.

Un éclair de lucidité lui traverse l'esprit. Sa femme était presque sauvée, mais il a tiré sur le policier qui la faisait sortir de la maison.

— J'ai tiré sur un collègue.

— Ne pense pas à ça maintenant… Tu dormiras chez moi cette nuit, je vais appeler le patron.

Elle essaie de le prendre par le bras, mais il se détourne.

— J'ai besoin d'être seul… pardon, je…

L'hélicoptère reste en vol stationnaire un peu plus loin, au-dessus du terrain de sport apparemment.

— Ils ont attrapé le prédicateur ?

— Adam, on l'aura, il n'est pas loin, on y mettra tous les moyens, absolument tous.

Il hoche la tête plusieurs fois avant de se détourner de nouveau.

— Donne-moi une seconde, chuchote-t-il, et il fait quelques pas et repousse une branche de buisson.

— Il faut que tu restes ici, dit Margot.

Adam la fixe quelques instants, puis s'éloigne lentement dans le jardin. Il tient les mains devant son visage, fait comme s'il essayait d'intégrer ce qu'elle vient de dire, mais en réalité, il sait qu'il doit voir Katryna, parce qu'il ne les croit pas, ça ne peut pas être vrai, ça ne colle pas, Katryna n'a rien à voir avec cette affaire.

Il contourne la maison. Le tuyau d'arrosage vert est enroulé dans l'herbe haute. Une nuée de moucherons vole dans la lumière bleue clignotante. Il fait plus sombre quand il arrive à l'arrière.

Adam voit sa silhouette noire se refléter sur le couvercle bombé du barbecue. Il tourne à l'angle et s'aperçoit que la porte de la cave est ouverte. La corde coupée. Il entre. La lumière est allumée.

Il entend des pas à l'étage au-dessus. Un technicien est en train de poser des plaques.

Adam fait encore un pas et découvre Katryna dans la lumière froide des néons de la chaufferie. Elle est assise contre la pompe à chaleur et il y a du sang partout, sur son jogging, sur le débardeur, sur le sol. Son visage est presque totalement détruit, en charpie, mais ses cheveux sont glissés derrière une oreille. Du sang sombre luit sur toute sa cage thoracique et la main gauche semble serrer les doigts de la main droite.

Adam titube en arrière, il entend sa propre respiration, renverse le paquet de lessive, marche sur ses bottes en caoutchouc et retourne dans le jardin.

Il étouffe, n'arrive pas à inspirer suffisamment d'air, et il se tripote la bouche.

Il ne comprend plus rien.

L'alarme a été donnée une demi-heure plus tôt et ce qui est arrivé est irrévocable.

Adam retourne vers la voiture de police et vient de dépasser le composteur quand il entend une branche craquer dans le bois. Un de ses collègues arrive derrière lui et l'appelle, mais il s'élance à travers les arbres, suit le bruit de quelqu'un qui se déplace.

Derrière lui, les projecteurs s'allument dans sa maison et le jardin est entièrement illuminé. Les troncs des arbres paraissent gris, comme s'ils étaient recouverts d'une couche de cendre. Comme s'il se trouvait dans un bois souterrain.

Environ vingt mètres plus loin, un homme immobile le fixe. Leurs regards se croisent entre les troncs faiblement éclairés et il faut quelques secondes à Adam pour comprendre de qui il s'agit.

Le psychiatre Erik Maria Bark.

Un éclair lui traverse à nouveau l'esprit quand tout devient limpide. La certitude est aussi nette que lorsqu'une hache fend un morceau de bois.

Adam se penche et dégage le petit pistolet attaché à sa cheville. Les bandes velcro se défont en émettant un petit froissement. Il engage une cartouche dans la chambre et tire.

La balle frôle une branche juste devant le visage d'Erik et change de trajectoire, des éclats de bois volent et le médecin recule.

La main d'Adam tremble, il essaie de viser plus bas, le psychiatre se déplace à reculons, et il tire à nouveau. La balle se perd parmi les sapins sombres qui séparent les deux hommes.

Erik se met à courir, il se baisse, dérape dans une pente et disparaît derrière un tronc épais. Adam le poursuit, mais le perd de vue. Il force le passage d'une grosse branche. Des policiers ont entendu les coups de feu et arrivent en courant du jardin. Toute la lisière du bois est éclairée par les projecteurs.

— Pose ton arme ! crie quelqu'un. Adam, pose ton arme !

Adam se retourne et lève les bras.

— Le tueur est toujours dans le bois ! hurle-t-il. C'est l'hypnotiseur, c'est ce putain d'hypnotiseur !

94

Erik respire profondément et fixe le ciel nocturne et les cimes noires des arbres. La chute a dû lui faire perdre connaissance quelques instants. Son dos est douloureux. Il sait qu'il s'est éraflé en glissant dans la pente raide.

Il se relève et prend appui sur la paroi rocheuse mouillée, sent l'odeur de mousse et de polypode, lève le regard et voit la lumière des puissants projecteurs danser au-dessus des arbres.

Ramassé sur lui-même, il se fraie un passage à travers l'épais fourré, écarte une branche et s'éloigne de l'escarpement.

Des aboiements de chiens lointains se mêlent au crépitement d'un hélicoptère qui s'approche.

Erik avait suivi le prédicateur sur un sentier étroit, mais à mesure que les arbres devenaient plus denses, il avait perdu sa trace. Il était resté l'oreille tendue un moment, mais n'avait perçu que le murmure du vent dans les branches au-dessus de lui. Il avait finalement décidé de retourner à sa voiture et d'attendre, lorsque plusieurs véhicules d'urgence avaient débarqué dans une rue de l'autre côté du bois.

Il s'était dirigé vers eux, imaginant que Joona avait mis la police sur la bonne voie et qu'ils avaient peut-être même arrêté le prédicateur.

Le bois était embroussaillé et accidenté et il avançait lentement dans le noir, mais au bout d'un moment il avait aperçu la lumière gris-bleu clignotante entre les arbres, et s'était subitement trouvé face à face avec Adam Youssef de la Rikskrim.

Adam m'a regardé dans les yeux et il m'a tiré dessus, pense Erik en dévalant une pente. Que s'est-il passé ? Que s'est-il passé à la Zone après mon départ ?

Des cailloux roulent sous ses pieds et il manque de glisser, s'agrippe à une branche et se blesse. Il sent sa paume humide de sang et s'arrête, hors d'haleine, il tente de maîtriser sa respiration et entend de nouveau le bruit de l'hélicoptère qui vole au-dessus des arbres.

Croient-ils qu'il est mêlé aux meurtres parce qu'il n'a pas raconté toute la vérité sur sa connexion avec les victimes ?

Il a menti à la police, il a omis de lever le voile sur l'alibi de Rocky et il a tu ce que Björn avait dit sous hypnose.

L'hélicoptère fait du sur-place au-dessus du petit bois et balaie le sol avec un projecteur, puis s'approche progressivement. Il doit se cacher. Les masses vertes bruissent, les cimes se balancent, des feuilles se détachent et virevoltent.

Le crépitement des pales du rotor tonne dans son corps. Erik se serre contre un tronc, reste complètement immobile pendant que les branches fouettent autour de lui.

C'est complètement fou, pense-t-il, et il sent l'appel d'air secouer ses vêtements. On m'a tiré dessus, j'ai failli être tué.

De la terre sèche et des aiguilles de conifères volent dans sa figure.

L'hélicoptère se déplace et le projecteur de l'appareil balaie la forêt, danse entre les troncs d'arbres.

C'est lui qu'ils pourchassent.

Dans des lueurs intermittentes, à une vingtaine de mètres, il voit deux policiers d'intervention lourdement armés, portant casques, gilets pare-balles et fusils d'assaut verts.

L'un d'eux se tourne vers Erik juste quand la lumière de l'hélicoptère l'atteint à travers les cimes.

L'adrénaline fuse dans son sang telle une injection de glace.

Un coup de feu est tiré au moment où l'obscurité revient. La flamme du canon jaillit à l'instant même où la balle se fiche dans le tronc au-dessus de sa tête.

La détonation rebondit entre les rochers.

L'hélicoptère reprend de la hauteur et le crépitement est assourdissant.

En s'accroupissant, Erik traverse une clairière sans jeter un regard derrière lui, il se laisse glisser en bas d'un talus, court à travers des fourrés touffus, puis il aperçoit la lumière d'un éclairage public derrière les branches.

Il continue droit devant lui et avance prudemment vers la rue. Une voiture passe et, plus loin, il voit des rubans de gel des lieux, des tapis cloutés, des véhicules de police et des policiers en uniforme noir.

Erik se cache derrière les buissons, le dos trempé de sueur. Les policiers en uniforme sont tout près de lui. Il les entend parler dans leurs unités radio, puis les regarde s'éloigner en direction du car de police aux vitres teintées qui abrite le poste de commandement mobile.

L'hélicoptère survole le bois une nouvelle fois. Le bruit résonne fort entre les maisons le long de la rue. Erik plonge dans le fossé sans tourner la tête en direction des policiers, puis remonte, continue tout droit et traverse la route goudronnée. Il franchit des grilles de guingois à côté d'un tourniquet rouillé et suit l'allée de gravier jusqu'au terrain de sport d'une école. Une piste d'athlétisme rouge forme une gigantesque ellipse autour du terrain de foot baigné dans la lumière de puissants projecteurs.

Le cœur cognant dans sa poitrine et jusque dans sa gorge, Erik prend un des ballons qui traînent derrière la cage et continue son chemin. Il traverse lentement le terrain, sous la lueur des projecteurs, en donnant des coups de pied dans le ballon devant lui.

Quand il passe le rond central, l'hélicoptère revient et survole le terrain. Il ne le regarde pas, continue seulement de jouer avec le ballon.

À chaque mètre, il augmente la distance entre la police et lui. Le ballon au pied, il parcourt le terrain d'un bout à l'autre.

L'hélicoptère est déjà loin quand Erik envoie le ballon dans la cage, sort du terrain, saute par-dessus la grille et déboule dans une rue où la circulation semble normale. Il dépasse la station de métro Telefonplan et s'éloigne encore davantage de l'intervention policière, lorsque Joona Linna l'appelle.

— Joona, qu'est-ce qu'il se passe ? demande Erik en essayant de contrôler sa voix. La police m'a traqué avec un hélicoptère, ils essaient de me tuer. C'est de la folie, je n'ai rien fait, je poursuivais le prédicateur…

— Attends, Erik, attends… Tu es où, là ? En sécurité ?

— Je n'en sais rien, je marche dans une rue déserte, j'ai dépassé Telefonplan… Je n'y comprends rien.

— Tu as suivi le prédicateur jusque chez Adam. C'est sa femme, la nouvelle victime, elle est morte.

— Non ! s'exclame Erik.

— C'est la panique générale, continue Joona de sa voix sombre. Ils semblent croire que tu es le meurtrier parce que…

— Mais dis-leur que non ! l'interrompt Erik.

— Tu as été vu à côté de la maison juste après le meurtre.

— Oui, mais si je…

Erik se tait en entendant une voiture s'approcher. Il pénètre dans la cage d'escalier d'un immeuble et tourne le dos à la rue.

— Et si je me rends ? suggère-t-il une fois que la voiture a disparu.

— Pas sans avoir un plan.

— Tu n'as pas confiance en la police ?

— Ils t'ont tiré dessus à l'instant, répond Joona. Si ce n'était pas une erreur, c'est qu'il y a des personnes dans le corps de police qui cherchent à se venger.

Erik passe les mains dans ses cheveux mouillés, lutte pour analyser les événements invraisemblables de ces derniers jours.

— Quelles sont mes options ? finit-il par demander. Qu'est-ce que je dois faire, à ton avis ?

— Donne-moi un peu de temps, je vais me renseigner sur ce qui s'est passé pendant l'intervention. Je vais tenter de comprendre ce qu'on raconte sur toi en interne et s'il y a une manière sûre de te rendre.

— D'accord.

— En attendant tu dois rester à l'écart.

— Et je fais comment ? Je vais où ?

— Ils ont déjà confisqué ta voiture, tu ne peux pas rentrer chez toi ni chez un ami. Jette ton téléphone après cette conversation, tu sais qu'ils peuvent le localiser même s'il est éteint – ils sont probablement en train de le faire en ce moment. On a peu de temps devant nous.

— Je comprends.

La sueur coule sur la joue d'Erik pendant qu'il s'efforce de suivre les instructions de Joona.

— Essaie de trouver un distributeur d'argent, sors-en autant que tu peux, ce sera ta dernière occasion… Mais avant de faire le retrait, tu dois prévoir comment changer de quartier rapidement, parce qu'ils guettent la moindre petite erreur de ta part.

— D'accord.

— Achète un téléphone d'occasion à carte et appelle-moi pour que j'aie le numéro, poursuit Joona. Ne contacte personne d'autre et trouve-toi un hébergement d'urgence qui n'exige pas de carte d'identité.

— Après ça, tout le monde va me croire coupable.

— Seulement jusqu'à ce que je trouve le prédicateur.

— Si je pouvais hypnotiser Rocky, je sais que je pourrais trouver des détails qui…

— Ce n'est plus possible, il est en garde à vue, le coupe Joona.

95

Lorsque Joona arrive dans son ancien bureau tôt le lendemain matin, il y trouve Margot, vêtue d'un tee-shirt clamant *Guys with trucks are not lesbians*. Sa lourde tresse est presque défaite, elle a des cernes sous les yeux et quelques sillons se sont creusés autour de ses lèvres.

— Je sors d'une réunion extraordinaire avec les patrons, explique-t-elle en piochant des sucreries d'un sachet. Le chef de la police départementale, Carlos, Annika du Conseil national de la police. L'enquête préliminaire a la priorité absolue, nous disposons d'énormes ressources… Un avis de recherche national a déjà été lancé et on prépare une conférence de presse pour demain.

— Comment va Adam ? demande Joona.

— Je ne sais pas, il est démis de ses fonctions, ne veut pas rencontrer le psychologue… sa famille est auprès de lui, mais…

— C'est épouvantable.

Joona espère qu'Erik a suivi son conseil, qu'il a détruit son téléphone immédiatement après leur conversation.

Lors de la grande intervention policière à la Zone-Canapés à Högdalen, il a fallu affréter un bus pour transporter toutes les personnes appréhendées à la maison d'arrêt de Huddinge dans l'attente d'une éventuelle inculpation. On a attribué les nombreux morts et blessés à un règlement de comptes sanglant du crime organisé.

L'une des personnes arrêtées pour possession de drogue était Rocky Kyrklund. Dans les vêtements qu'il avait enfilés en vitesse, on a trouvé onze capsules de 250 milligrammes d'héroïne à trente pour cent.

— On a vu le meurtrier à la Zone. Erik l'a suivi jusque chez Katryna, raconte Joona.

— Comment tu le sais ?

— Ce n'est pas Erik qui a fait ça.

— Joona, soupire Margot. Tu peux évoquer cet aspect avec moi, je sais que vous êtes amis, mais fais attention pendant la réunion.

— Il faut qu'ils entendent qu'il est innocent.

— Tu ne veux pas que ce soit Erik, mais il t'a peut-être trompé, dit-elle avec beaucoup de patience.

— J'ai vu un homme en imperméable jaune à la Zone, je me suis rappelé que Filip Cronstedt avait parlé d'un ciré jaune… Erik l'a suivi et s'est retrouvé chez Adam.

— Mais comment expliques-tu qu'il ait rencontré toutes les victimes, y compris Katryna ? demande Margot et son regard se plante sur Joona.

— Il l'a rencontrée quand ?

— Elle nous a accompagnés une fois, quand on est allés chez Erik, Adam et moi. Et Susanna Kern était infirmière à Karolinska, elle suivait une formation continue où Erik était l'un des professeurs… Les caméras de surveillance l'ont filmé en train de parler avec elle.

Joona fait un geste de la main comme s'il trouvait cette information sans la moindre valeur.

— Pourquoi Erik porterait-il le surnom de prédicateur ? demande-t-il.

— Il est habile, il t'a trompé… Il peut amener Rocky à se souvenir exactement de tout ce qu'il veut.

— Mais pourquoi ?

— Joona, je ne sais pas encore tout, mais Erik s'est joué de nous et il a mis des bâtons dans les roues de l'enquête… On a enfin un témoignage de Björn Kern, et il en ressort très clairement qu'Erik ne nous a pas dit que le corps de Susanna avait été arrangé avec la main sur l'oreille.

— Et il aurait eu cette information pendant l'hypnose ?

— Erik savait que l'histoire de l'oreille nous mènerait à Rocky et ensuite jusqu'à lui…

— Ça ne colle pas, Margot.

— Il a rendu visite à Rocky à Karsudden quelques jours avant que je lui demande de le faire.

Le regard de Joona est aussi froid que de la glace quand il pose sa main sur le dossier.

— Tout ça, ce ne sont pas des preuves. Tu en es consciente, n'est-ce pas ?

— C'est suffisant pour l'arrêter, suffisant pour une perquisition, suffisant pour lancer un avis de recherche national, déclare-t-elle d'un ton raide.

— Moi, j'ai plutôt l'impression qu'il a suivi une piste de son propre chef, et que le reste n'est qu'une suite de coïncidences.

— Son profil correspond à celui du tueur. Il est divorcé, célibataire, il abuse de médicaments et…

— Comme la moitié du corps de police, l'interrompt Joona.

— Les meurtres ont un fort caractère voyeuriste… or Erik a une putain d'obsession qui consiste à filmer ses patients, même sous hypnose, quand ils ne le savent pas.

— Simplement pour ne pas avoir à prendre de notes.

— Mais il a des milliers d'heures d'enregistrement archivées et… Et un *stalker* est presque toujours rancunier, il agit à long terme… Le temps investi est un ingrédient de la revendication à disposer de l'autre, un élément de la pseudo-relation qui s'établit.

— Margot, j'entends ce que tu dis, mais est-ce que tu peux envisager qu'Erik soit innocent ?

— C'est possible, absolument, répond-elle en toute sincérité.

— Alors tu dois aussi être consciente que nous perdons de vue le véritable tueur, celui que nous appelons le prédicateur.

Elle se force à détourner le regard et consulte sa montre.

— La réunion commence maintenant, dit-elle en se levant.

— Je peux trouver le prédicateur si tu veux.

— Nous le tenons déjà.

— J'ai besoin de mon arme, j'ai besoin de tout le matériel, les examens des lieux des crimes, les comptes rendus d'autopsie.

— Je ne devrais pas accepter, réplique-t-elle en s'apprêtant à ouvrir la porte.

— Peux-tu faire en sorte que je rencontre Rocky Kyrklund à la maison d'arrêt ?

— Tu n'abandonnes jamais, sourit-elle.

Ils marchent lentement le long du couloir. Margot arrête Joona devant la porte de la salle de réunion.

— Ce sont les collègues d'Adam qui attendent dans cette pièce, garde ça en tête, prévient-elle, la main sur la poignée. Ils ne vont pas prendre de gants, ils ont besoin de parler de ce qui s'est passé, c'est leur façon de lui témoigner leur soutien, à lui et à tout le corps de police.

96

Joona entre avec Margot dans la grande salle de réunion. Elle fait un geste comme pour saluer tout le monde tout en les invitant à rester assis.

— Avant de commencer… Nous sommes tous très émus en ce moment, je sais, et chacun pourra s'exprimer librement, mais je voudrais quand même vous recommander de rester courtois. L'enquête préliminaire est entrée dans une nouvelle phase puisque la procureure en prend la direction, et nous visons une arrestation rapide.

Elle se tait, respire profondément.

— Nos chefs ont tenu à ce que j'invite Joona Linna car il est l'enquêteur criminel ayant les meilleurs résultats à son actif… Des résultats défiant toute concurrence, il faut le dire…

Certains des policiers applaudissent, d'autres restent le regard rivé sur la table.

— Il ne participe évidemment pas à l'enquête, mais j'espère qu'il pourra nous donner quelques conseils, à nous le commun des mortels, plaisante Margot, sans qu'aucune joie brille dans ses yeux.

Joona avance d'un pas et regarde ses anciens collègues autour de la table avant de s'exprimer :

— Erik n'est pas un assassin.

— Mais putain, murmure Petter.

— On l'écoute maintenant, dit Margot sèchement.

— J'ai compris que beaucoup d'éléments incriminent Erik… et il faudrait absolument le cueillir pour l'interroger, mais puisque je suis là pour vous faire part de mon point de vue…

— Joona, je voudrais juste préciser que je viens de voir la procureure, glisse Benny. Elle estime que nos preuves sont particulièrement convaincantes.

— Le puzzle n'est pas terminé juste parce que trois morceaux s'emboîtent.

— Putain, il était là, devant la maison, poursuit Benny. On a trouvé sa voiture, il connaît les victimes, il ment à la police, et je ne sais quoi encore.

— J'ai cru comprendre que vous lui avez déjà tiré dessus à balles réelles.

— Il est jugé extrêmement dangereux et il est probablement armé.

— Mais c'est une erreur, réplique Joona.

Il tire une chaise, s'assied et se laisse tomber lourdement contre le dossier.

— Nous allons arrêter Erik, affirme Margot. Il sera mis en détention provisoire et il aura droit à un procès équitable.

— Essaie donc d'attraper un rayon de soleil, lâche Joona à voix basse, et il se dit que la loi est condamnée à ne jamais arriver jusqu'à la justice.

— Qu'est-ce qu'il raconte, là ? demande Benny.

— Je dis que vous utilisez votre propre peur contre un homme innocent pour…

— On n'a pas peur, merde, l'interrompt Petter.

— Calme-toi ! lance Margot.

— Je n'ai pas l'intention de rester le cul sur ma chaise, à écouter…

— Petter ! le coupe-t-elle rudement.

Le silence se fait dans la salle. Magdalena Ronander déplace un peu son verre d'eau et cherche à capter le regard de Joona.

— Joona, tu raisonnes peut-être différemment parce que tu n'es plus policier, avance-t-elle. Ne le prends pas mal, mais c'est peut-être pour ça qu'on ne comprend pas ce que tu dis.

— Je dis que vous laissez le véritable assassin s'échapper.

— Putain, ça suffit comme ça, rugit Benny, et il abat ses deux mains sur la table.

— Il est soûl ? chuchote quelqu'un.

— Joona se fout du corps de police, il se fout de nous, s'emporte Petter en haussant le ton. Tout tourne autour de lui, je ne pige pas… Enfin, regardez-le, l'autre jour il a laissé tomber son pistolet, c'est à cause de lui qu'Adam a été blessé et…

— Il vaut peut-être mieux que tu partes, suggère Margot, et elle pose une main sur l'épaule de Joona.

— … maintenant il se pointe ici pour nous apprendre comment on mène une enquête, termine Petter.

— Encore une chose, dit Joona en se levant.

— Tu ferais mieux de la fermer, lui conseille Petter.

— Laisse-le parler, réplique Magdalena.

— Je l'ai constaté de nombreuses fois, poursuit Joona. Quand les victimes font partie de la famille, des amis et des collègues, on se met facilement à rêver de vengeance.

— Tu sous-entends que nous ne faisons pas notre boulot comme il faut ? demande Benny avec un sourire glacial.

— Je dis qu'il y a une possibilité qu'Erik me contacte et je voudrais pouvoir lui donner un sauf-conduit, reprend Joona avec un grand sérieux. Pour qu'il ose venir soumettre sa culpabilité au tribunal.

— Bien entendu, répond Magdalena en regardant les autres. N'est-ce pas ?

— Mais si c'est vrai que vous lui avez déjà tiré dessus, comment vais-je le convaincre de se rendre ?

— Tu n'as qu'à lui dire qu'on garantira sa sécurité, propose Benny.

— Et si ce n'est pas suffisant ?

— Tu devras trouver un meilleur mensonge, ricane-t-il.

— Joona, tu as vu les photos de Katryna ? s'écrie Petter, hors de lui. Je n'arrive pas à me dire qu'elle… Qu'est-ce que je vais dire à ma femme ? C'est dément, cette histoire… Enfin, pense à Adam, pense à ce qu'il est en train de vivre… Je peux t'assurer, du fond du cœur, que je me contrefous de ce qui arrivera à ton copain.

— Tout le monde est révolté, dit Margot. Évidemment que nous faciliterons les choses s'il se rend, et qu'il aura un procès équitable…

— À moins qu'il ne se pende dans sa cellule avant, lance un jeune policier resté silencieux jusque-là.

— Arrête ça ! lui intime Magdalena.

— Ou qu'il n'avale un morceau de verre, murmure Benny.

Joona repousse sa chaise sous la table et adresse un hochement de tête à l'assemblée.

— Je vous appellerai quand j'aurai trouvé l'assassin, leur promet-il, puis il quitte la pièce.

— Pathétique, chuchote Petter quand les pas de Joona s'évanouissent dans le couloir.

— Avant de poursuivre, je voudrais dire une chose, déclare Margot. Je pense comme vous qu'Erik est notre assassin, mais faisons tous un pas en arrière… Est-il envisageable une seule seconde que nous nous trompions, qu'Erik soit effectivement innocent ?

— Tu n'accouches pas bientôt, toi ? demande Benny sur un ton tranchant.

— J'accoucherai quand j'aurai clos cette enquête, répond-elle sèchement.

— Maintenant on ferait mieux de se mettre au boulot, suggère Magdalena.

— Très bien… Voici la situation actuelle, résume Margot. Nous avons lancé un avis de recherche national, mais nous savons qu'Erik dispose d'assez d'argent pour quitter le pays… Nous avons commencé les perquisitions, chez lui et sur son lieu de travail… Nous sommes en train de traquer son téléphone portable… ses cartes de crédit sont bloquées, mais il a réussi à retirer une grosse somme cette nuit… Le périmètre autour du guichet automatique a été passé au peigne fin… Nous enquêtons sur cinq adresses et…

Un coup à la porte l'arrête dans son exposé. Anja Larsson entre. Sans saluer personne, elle se penche et chuchote à l'oreille de Margot.

— OK, reprend Margot au bout d'un moment. Il semble qu'on ait localisé le portable d'Erik. Il se trouve quelque part dans la région de Växjö dans le Småland. Apparemment, il est en route vers le sud.

97

Erik est couché sous une housse grise qu'il a piquée sur une moto en stationnement. Le froid le réveille. Le soleil s'est levé et il réalise qu'il se trouve sous un lilas, au milieu d'un bosquet d'arbustes décoratifs. Il a dû dormir trois heures et ses muscles se sont contractés sous l'effet du froid. Tout son corps est endolori quand il se redresse et observe ce qui l'entoure. Une femme en bronze sombre portant des vêtements d'un autre âge le fixe de ses pupilles aveugles depuis son socle.

Le soleil brille sur les feuilles vertes, les faisant miroiter d'un éclat froid.

Erik enjambe une clôture rouge et rejoint le côté ombragé de la rue. Son corps se réchauffe lentement alors qu'il marche. Il a le plus grand mal à croire que les événements de la veille aient réellement eu lieu.

Il s'était dirigé vers Aspudden, tout en parlant au téléphone avec Joona qui le conseillait de se débarrasser du mobile. Il était entré dans un immeuble, avait copié les numéros les plus importants de sa liste de contacts puis avait éteint son portable.

Devant un magasin de vélos, un car au flanc marqué Smålandsbussen était à l'arrêt. Des ados fatigués aux vêtements froissés en descendaient. Les parents les aidaient à récupérer sacs et duvets dans la soute à bagages ouverte.

Erik était monté dans le car comme pour chercher un objet oublié et avait vivement enfoncé son téléphone entre deux sièges.

Il était sorti par la portière arrière, avait pris une casquette posée sur un sac et l'avait glissée sous sa veste. Il avait poursuivi jusqu'à la station de métro et s'était arrêté au guichet automatique de la banque Nordea. En retirant le montant maximum autorisé sur son compte, il avait gardé les yeux baissés sur l'écran, conscient de la présence d'une caméra de surveillance. Puis il avait fait demi-tour jusqu'au car, avait vu les portières se fermer et le véhicule s'éloigner.

Il ne restait plus que deux adolescents sur le trottoir.

Erik avait mis la casquette sur sa tête en remontant la rue Södertäljevägen, il avait traversé le pont Liljeholmsbron, acheté de l'eau et un grand hamburger à Zinkengrillen, qu'il était allé dévorer dans une ruelle. Il avait ensuite repris sa marche, en veillant à éviter les grandes rues truffées de banques et de caméras de surveillance. Il avait marché aussi loin que possible avant de s'écrouler dans le parc de Vitaberg.

Erik passe les mains sur ses cheveux pour les aplatir. Ses vêtements sont froissés, mais pas sales au point de choquer. Il faut qu'il reste caché jusqu'à ce qu'il puisse parler avec Joona. Il ne peut pas prendre de risques maintenant, même s'il espère que la méprise a été corrigée à l'heure qu'il est.

Il s'apprête à traverser la rue, quand ses yeux se posent sur les affichettes de la presse devant un petit commerce, et il s'arrête net entre deux voitures garées.

Une sensation déplaisante lui vrille l'estomac.

Entre les certificats de gains au Loto et la pub pour les paris sportifs, la presse tabloïd claironne la nouvelle.

LA POLICE TRAQUE UN TUEUR EN SÉRIE SUÉDOIS.

Il se reconnaît sur la photo cryptée. Pour des raisons éthiques, la presse a choisi de conserver le secret de son identité. Ce matin, les traits de son visage sont pixelisés en une multitude de petits carrés, mais ce n'est qu'une question de temps avant que sa photo fasse la une des journaux.

L'édition du matin de l'autre journal ne publie aucune photo, mais les majuscules couvrent toute l'affichette.

ALERTE NATIONALE – UN PSYCHIATRE SUÉDOIS RECHERCHÉ POUR QUATRE MEURTRES.

Sous le titre est annoncée la teneur de l'article : les victimes, les photos, la violence, la police.

Il remonte sur le trottoir, passe devant le kiosque et se rend compte peu à peu que la police est réellement convaincue qu'il a tué Katryna et les autres femmes.

C'est lui qu'ils pourchassent.

Erik bifurque dans une rue plus petite et ses jambes se mettent à trembler au point qu'il est obligé de ralentir et finalement de s'arrêter. Il demeure immobile, une main plaquée sur sa bouche.

— Dieu du ciel, chuchote-t-il.

Quand ils liront les journaux, tous ses amis et connaissances vont comprendre que c'est lui qu'on accuse. En cet instant, ils sont en train de se téléphoner, ils sont choqués, excités, dégoûtés.

Certains se réjouissent, d'autres sont sceptiques.

Il a l'impression de tomber, mais il reste debout.

Benjamin sait que ce n'est pas vrai, pense Erik, et il se remet à marcher. Mais Madde aura peur quand son identité sera criée sur tous les toits.

Par la vitre baissée d'une voiture, il perçoit les fragments d'une conversation où il a l'impression d'entendre son nom mentionné.

Il devrait se rendre à la justice pour pouvoir se défendre.

Impossible de continuer ainsi.

Il sort de sa poche une plaquette de Mogadon, en extrait un comprimé, mais change d'avis et jette le blister et le comprimé dans une poubelle.

Dans Östgötagatan, il trouve une petite boutique qui vend des téléphones d'occasion. En attendant son tour, il écoute les informations à la radio. Une voix neutre explique froidement que la chasse au tueur en série présumé entre dans son deuxième jour.

Son estomac se noue comme s'il allait vomir quand il entend le journaliste dire qu'un mandat d'arrêt a été délivré contre un psychiatre de l'hôpital Karolinska fortement soupçonné des meurtres de quatre femmes dans la région de Stockholm.

Pour le reste, la police reste discrète, invoquant l'enquête en cours, mais elle compte sur la collaboration de la population.

L'homme derrière le comptoir, qui a rafistolé la monture de ses lunettes avec du scotch, lui demande ce qu'il peut faire pour lui et Erik tente de sourire en expliquant qu'il voudrait acheter un téléphone et une carte prépayée.

Un chef de la police énumère d'une voix grinçante les moyens importants mis en œuvre, et qui ont déjà donné lieu à un travail d'investigation efficace.

Erik change de direction en sortant du magasin. Il emprunte différentes rues, dans l'intention de quitter le centre de la ville par Danvikstull.

Ce n'est qu'après avoir dépassé le musée du Transport de Stockholm qu'il ose s'arrêter et sortir le téléphone. Le visage tourné contre les briques jaunes d'un immeuble, il appelle Joona Linna.

— Joona, ça ne va pas fonctionner. Tu as vu les journaux ? Je ne peux pas me cacher indéfiniment.

— Donne-moi juste un peu plus de temps.

— Non, j'ai pris ma décision. Je veux que tu m'arrêtes et que tu me conduises à la police.

— Mais je ne peux pas garantir ta sécurité.

— Ça n'a pas d'importance.

— Je n'ai jamais vu la police aussi remontée, et pas seulement les collègues d'Adam. Ça touche tout le monde, dit Joona. Risquer sa vie est une chose, on sait qu'on le fait quand on est sur le terrain, mais ce genre de violence contre une femme de policier, ça…

— Tu dois leur dire que je ne l'ai pas fait, tu dois…

— Je leur ai dit, mais tu es lié à chacune des victimes, tu as été vu sur le lieu du crime.

— Que dois-je faire ? murmure Erik.

— Reste caché jusqu'à ce que je trouve le prédicateur. Je vais aller voir Rocky, il est incarcéré à la maison d'arrêt de Huddinge.

— Je pourrais me rendre à l'un des journaux du soir, propose Erik, et il entend le désespoir dans sa voix. Je raconterais mon histoire, ma version, et les journalistes m'accompagneraient quand je me rendrais à la police.

— Erik, même si c'est un plan possible, sache qu'ils discutent déjà de ton suicide en prison, si tu vas te pendre ou avaler un morceau de verre avant le procès… Des paroles en l'air pour beaucoup, mais je ne veux pas que tu prennes un tel risque maintenant.

— Je vais appeler Nelly, elle me connaît, elle sait que je n'ai pas fait ça…

— Tu ne peux pas l'appeler… La police surveille sa maison… Tu dois trouver quelqu'un d'autre chez qui te cacher, quelqu'un de plus éloigné, d'inattendu.

Erik et Joona raccrochent. Les voitures sont immobilisées dans la rue, le pont basculant est levé. Trois voiliers passent en route pour la mer Baltique.

98

La maison d'arrêt de Huddinge est une des plus grandes de l'administration pénitentiaire. Rocky Kyrklund n'est soupçonné que du délit mineur d'usage de stupéfiants, il n'est pas soumis à des restrictions particulières, mais on le considère comme très prédisposé à l'évasion.

Le bâtiment en brique marron a la forme d'un gigantesque V, son entrée est encadrée de hauts piliers. À l'arrière, deux ailes s'ouvrent en éventail, elles abritent chacune huit cours de promenades individuelles.

Rocky est le seul à connaître l'identité du prédicateur sale. Il l'a rencontré, lui a parlé et l'a vu tuer.

Joona doit laisser ses clés et son téléphone au contrôle de sécurité. On passe ses chaussures aux rayons X et on le fouille une fois qu'il a franchi le portique de détecteur de métal. Un épagneul noir et blanc tourne autour de lui afin de flairer d'éventuels explosifs et drogues.

Le gardien de prison qui l'attend se présente comme Arne Melander. Pendant qu'ils se dirigent vers les ascenseurs, il raconte à Joona qu'il participe à des compétitions de pêche sportive, qu'il s'est placé troisième en pêche au posé au championnat de Suède cet été et qu'il ira faire un tour à la rivière Fyris le week-end prochain.

— J'avais opté pour la pêche sur fond, précise Arne en appuyant sur le bouton des ascenseurs. J'utilisais des asticots couleur rose et bronze.

— Appétissant, répond Joona avec un grand sérieux.

Arne sourit et ses joues se relèvent et deviennent toutes rondes. Il est vêtu d'un pull Nato bleu marine tendu sur son gros ventre, il porte des lunettes et une barbe grise qui descend jusque sur son cou.

La matraque et l'alarme antiagression pendent à sa ceinture quand ils quittent l'ascenseur et franchissent la porte de sécurité. Joona attend tranquillement que le gardien passe sa carte dans le lecteur magnétique et pianote le code.

Ils saluent le surveillant brigadier, un homme aux cheveux blancs avec un œil mi-clos et des lèvres minces.

— On a pris un peu de retard aujourd'hui, dit-il. Kyrklund vient juste de sortir prendre l'air. Mais on peut lui demander s'il veut bien rentrer.

— S'il vous plaît, répond Joona.

Après le meurtre de la gardienne Karen Gebreab, les consignes de sécurité ont changé et aucun membre du personnel ne doit jamais se trouver seul avec un prisonnier. Les détenus sont souvent désespérés, ils sont encore plongés dans le chaos de leur crime et des offenses subies lors de leur arrestation, ils réalisent que leur vie est un échec.

Joona observe Arne Melander qui parle dans son talkie-walkie à quelques mètres de lui. Il contemple les murs nus, les portes, le sol en plastique lisse et les serrures à code.

La maison d'arrêt de Huddinge possède manifestement un système de sécurité de haut niveau, avec protection anti-intrusion renforcée des entrées et des murs, contrôle d'accès et vidéosurveillance. Mais le personnel n'est armé que de matraques.

Ils ont peut-être des bombes lacrymogènes ou au gaz poivre aussi, mais aucune arme à feu.

Quelques années avant de faire l'École supérieure de la police, Joona avait été sélectionné pour intégrer l'unité spéciale des parachutistes qui venait d'être créée, où il avait été formé au *krav-maga* militaire spécialisé dans le combat urbain et l'utilisation défensive de tous les objets à portée de main.

Encore aujourd'hui, dès qu'il entre dans une pièce, son regard cherche automatiquement des armes possibles.

Il a déjà remarqué les champlats en inox qui encadrent les portes de la maison d'arrêt.

La tête des vis a été limée pour qu'il soit impossible de les défaire avec un outil quelconque, mais après des dizaines d'années d'existence, les baguettes ont commencé à se détacher au niveau du sol à plusieurs endroits. Peut-être les roues des chariots de la cantine ou les brosses d'une autolaveuse les ont-elles accrochées de temps en temps.

Joona a noté que certaines pourraient être retirées avec le bout d'un orteil. Et en s'entourant les mains d'un tissu, on devrait pouvoir arracher la baguette sur toute sa longueur, la plier à deux endroits et créer en vingt secondes une sorte de carcan à mettre autour du cou d'un adversaire, avec deux poignées à serrer.

Joona se souvient du lieutenant néerlandais Rinus Advocaat, un homme tout en nerfs, avec des cicatrices au visage et un regard éteint, qui avait fait la démonstration de cette arme et expliqué qu'elle permettait de contrôler les mouvements de l'ennemi et, en principe, de lui sectionner la tête à l'aide des deux bras de levier.

— Le voilà, annonce Arne gentiment.

Rocky marche derrière deux gardiens. Il porte une tenue de prisonnier vert sombre et des chaussures de plage, et a une cigarette glissée derrière l'oreille.

— Merci d'avoir interrompu ta promenade, lance Joona en allant à sa rencontre.

— De toute façon, je n'aime pas les cages, rétorque Rocky en se raclant la gorge.

— Pourquoi pas ?

— Bonne question.

Rocky regarde Joona avec un certain intérêt.

— Vous avez une salle d'interrogatoire réservée, la numéro 11, précise Arne à Joona. Je serai assis de l'autre côté de la vitre.

— Je me rappelle les cages à écrevisses de mon enfance, la nuit… C'était à cette époque de l'année, dit Rocky.

Ils s'arrêtent devant la salle et Arne déverrouille la porte.

— J'éclairais les écrevisses avec une lampe de poche et la lumière les attirait dans la cage, poursuit Rocky.

La salle défraîchie est équipée d'une table, de quatre chaises et d'un téléphone en liaison directe avec le personnel.

Les pieds de chaise sont *a priori* incassables, mais il suffirait de renverser la chaise, de grimper sur la table et de sauter à pieds joints sur le dossier courbé pour que le contreplaqué éclate et permette de fabriquer rapidement un *shiv*, le surin classique des prisonniers, se dit Joona.

— Le gardien me regarde par la vitre ? demande Rocky en levant le menton vers la fenêtre sombre.

— C'est une simple mesure de sécurité.

— Mais tu n'as pas peur de moi, sourit Rocky.

— Non, confirme Joona d'une voix douce.

Le pasteur massif s'assied et la chaise craque sous son poids.

— On s'est déjà rencontrés ? fait-il en plissant le front.

— À la Zone.

— La Zone ? Je suis censé savoir ce que c'est ?

— C'est là que tu t'es fait arrêter par la police.

Rocky plisse les yeux et son regard se perd au loin.

— Je n'en garde aucun souvenir… Ils disent que j'avais un tas d'héroïne sur moi, mais comment aurais-je pu me payer ça ?

— Tu ne te souviens pas de la Zone ? La Zone-Canapés à Högdalen ?

Rocky fait la moue et secoue la tête.

— Un local industriel rempli de canapés et de fauteuils, avec des prostitués, du commerce au grand jour de drogues dures, d'armes et…

— Au fait, j'ai une lésion neurologique à la suite d'un accident de voiture et j'ai de gros problèmes de mémoire, explique Rocky.

— Je suis au courant.

— Mais tu veux que je reconnaisse le délit de stupéfiants ?

— Je m'en fous complètement, répond Joona en s'asseyant en face de lui. Tu n'as qu'à dire que ce n'était pas ta veste, que tu as juste enfilé la première à portée de main.

S'ensuit un petit silence. Rocky étire ses longues jambes.

— C'est donc autre chose que tu as en tête, dit-il lentement.

— Plusieurs fois tu as mentionné une personne que tu appelles le prédicateur sale… et j'ai besoin de ton aide pour l'identifier.

— Je l'ai rencontré, ce prédicateur ?

— Oui…

— C'est un pasteur ?

— Je ne sais pas.

Rocky se gratte la barbe et le cou.

— Je n'en ai aucune idée, dit-il au bout d'un moment.

— Tu as raconté qu'il a assassiné une femme, Natalia Kaliova. Il lui aurait coupé le bras, continue Joona.

— Un prédicateur…

— C'est lui qui a tué Rebecka Hansson.

— Putain, tu joues à quoi là ? rugit Rocky, et il se lève tellement vite que la chaise derrière lui se renverse. C'est moi qui ai tué Rebecka. Tu me prends pour un abruti ou quoi ?

Rocky recule, trébuche sur la chaise, manque de tomber, fait un grand mouvement du bras et pose sa large paume sur le verre trempé.

Le gardien entre, mais Joona lève une main rassurante dans sa direction, avant de voir d'autres gardiens arriver en courant dans le couloir.

— Nous pensons que tu n'es pas coupable, avance Joona. Tu te souviens d'Erik Maria Bark ?

— L'hypnotiseur ?

Rocky s'humecte les lèvres et lisse ses cheveux en arrière.

— Il a trouvé une femme qui te fournit un alibi.

— Et je dois te croire ?

— Elle s'appelle Olivia.

— Olivia Toreby, précise Rocky lentement.

— Tu avais commencé à retrouver tes souvenirs sous hypnose… et tout indique que tu as été condamné pour un meurtre que le prédicateur a commis.

Rocky s'approche de Joona.

— Mais vous ne savez pas qui c'est, ce prédicateur ?

— Non.

— Parce que tout est enfermé dans mon cerveau en compote, dit Rocky d'une voix creuse.

— Est-ce que tu serais d'accord pour te faire hypnotiser encore une fois ?

— Tu ne le serais pas, à ma place ?

— Si, répond Joona sincèrement.

Rocky s'assied, ouvre la bouche pour parler, mais s'arrête et porte la main à son front. Un œil s'est mis à trembler, la pupille semble vibrer, il se penche en avant, s'appuie sur la table et respire lourdement.

— Oh putain, halète-t-il après un moment en levant les yeux.

Son front est trempé de sueur. D'un regard interrogateur, voire rêveur, il fixe Joona et les gardiens qui viennent d'entrer dans la salle.

99

Joona arrête Sara Nielsen, procureure de district, au milieu de l'escalier de l'hôtel de ville de Stockholm où siège le tribunal d'instance. Comme il ne peut pas emmener Erik à la maison d'arrêt pour hypnotiser Rocky, il faut convaincre la procureure de relâcher celui-ci dans l'attente du procès.

— Je vous ai appelée au sujet de Kyrklund, dit-il en se plaçant devant elle. Il ne peut pas rester en détention provisoire.

— C'est la décision du tribunal d'instance, répond-elle.

— Mais je ne comprends pas pourquoi, s'obstine Joona.

— Allez vous acheter un volume du Code pénal suédois.

Une mèche de ses cheveux blonds vole devant le visage de Sara, elle l'écarte d'un doigt et lève les sourcils quand Joona reprend la parole.

— D'après le paragraphe 20 du chapitre 24, le procureur peut annuler la décision de mise en détention provisoire si cette décision n'est plus justifiée.

— Bravo, sourit-elle. Mais il y a un risque manifeste que Kyrklund se soustraie à la justice et un risque évident qu'il commette d'autres crimes.

— Il s'agit d'un délit mineur de détention de stupéfiants, il encourt une peine d'un an maximum… et ce n'est même pas sûr que vous puissiez le prouver…

— Vous m'avez dit au téléphone que ce n'était pas sa veste, réplique-t-elle avec une certaine gaieté dans la voix.

— Et que les motivations d'une détention provisoire ne légitiment en aucune manière un tel empiétement flagrant.

— J'ai tout à coup l'impression de mener de nouvelles délibérations de détention provisoire sur l'escalier du tribunal, avec un ancien policier. Je me trompe ?

— Je peux faire en sorte qu'il soit sous surveillance, dit Joona, et il la suit quand elle reprend la descente des marches.

— Ça ne fonctionne pas comme ça, et vous le savez.

— Je le sais, oui, mais il est malade, il a besoin de l'aide d'un médecin en permanence.

Elle s'arrête et son regard glisse sur le visage de Joona.

— Si c'est le cas, le médecin de Kyrklund peut se rendre à la maison d'arrêt.

— Et si je soutiens qu'il s'agit d'un traitement spécial qui ne peut être entrepris en prison…

— Alors je dis que vous mentez.

— Je peux vous fournir un certificat médical, s'entête Joona.

— Allez-y, mais je le mets en examen mardi prochain.

— Je ferai appel.

— C'est de bonne guerre, sourit-elle avant de partir.

100

Joona est assis sur un des bancs du fond dans l'église Adolphe-Frédéric. Devant l'autel, une chorale de filles est en train de répéter en vue d'un concert. Le directeur donne le *la* et les adolescentes commencent à chanter *O Viridissima Virga*.

Joona se plonge dans le souvenir des longues nuits claires à Nattavaara après la mort de Summa.

La lumière du soleil se précipite par les fenêtres rondes de l'église, se mêle aux ombres des feuilles et au verre coloré.

Après quelques minutes, la chorale fait une pause, les filles sortent leur téléphone, forment des groupes et déambulent dans les allées en bavardant.

La porte du porche s'ouvre et se referme en silence. Le marguillier lève les yeux de son livre, puis se replonge dans sa lecture.

Margot entre, elle porte deux gros sacs en plastique. Ils cognent contre le banc quand elle s'assied lourdement à côté de Joona. Son ventre s'est tellement arrondi qu'il touche le support destiné aux livres d'hymnes.

— Je suis terriblement désolée, dit Margot en chuchotant à moitié. Je sais que tu ne veux pas le croire, mais regarde ça.

Avec un soupir, elle monte un des sacs sur ses genoux et en tire la copie d'une analyse d'empreintes digitales. Joona lit rapidement les différents paramètres de la comparaison, examine les détails du premier niveau et constate la correspondance des flots de lignes et des dessins.

Il s'agit de trois empreintes parfaitement séparées et la correspondance avec celles d'Erik Maria Bark est totale.

— Où étaient ces empreintes ? demande Joona.

— Sur la petite tête de chevreuil en porcelaine coincée dans la main de Susanna Kern.

Joona contemple l'intérieur de l'église. La chorale est en train de se rassembler de nouveau, le directeur frappe dans ses mains pour attirer l'attention des filles.

— Tu voulais des preuves, continue Margot. Des empreintes digitales, ce sont bien des preuves, non ?

— Au sens juridique, oui, admet-il à voix basse.

— La perquisition se poursuit. Nous avons trouvé notre tueur en série.

— Ah bon ?

Margot déplace sur les genoux de Joona le sac contenant les documents de l'enquête préliminaire.

— J'avais vraiment envie de te croire et de croire à la piste du prédicateur, dit-elle, et elle se penche en arrière et respire profondément.

— Tu devrais continuer.

— Tu as rencontré Rocky, j'ai fait en sorte que tu puisses l'interroger, s'impatiente-t-elle. Tu affirmais que c'était nécessaire pour trouver ce foutu prédicateur.

— Il ne se rappelle plus rien.

— Parce qu'il n'y a rien à se rappeler, conclut-elle.

La chorale reprend et les voix des filles remplissent tout l'espace. Margot essaie de s'installer plus confortablement et rejette sa natte sur l'épaule.

— Vous aviez localisé Erik dans le Småland, dit Joona.

— L'unité d'intervention a pris d'assaut un car frété, ils ont trouvé son téléphone entre deux sièges.

— Oups, se contente de dire Joona.

— Il n'a pas encore commis d'erreur, il se tient à l'écart comme un pro. On dirait presque qu'il est conseillé par quelqu'un qui s'y connaît en cavale.

— Je suis d'accord avec toi.

— Il t'a donné de ses nouvelles ?

— Non.

Il regarde l'autre sac, resté posé sur le sol entre eux.

— Et ça, c'est mon pistolet ?

— Oui, c'est ton pistolet, répond-elle, et du pied, elle pousse le sac vers lui.

— Merci, dit Joona en y jetant un coup d'œil.

— Si tu continues à chercher le prédicateur, je dois te rappeler que ce n'est pas moi qui t'ai confié cette mission, déclare Margot, et elle commence à s'extirper du banc. Ce n'est pas moi qui t'ai donné le matériel et nous ne nous sommes pas rencontrés ici, tu m'as compris ?

— Je vais trouver l'assassin, affirme Joona à voix basse.

— Très bien, mais nous ne pouvons plus rester en contact…

Joona sort le pistolet à l'abri du banc, en retire le chargeur qu'il laisse tomber sur ses genoux, puis il fait coulisser la glissière en arrière, vérifie rapidement le mécanisme, examine le ressort et le marteau, met la sûreté et introduit de nouveau le chargeur dans la crosse.

— Qui utilise encore un Colt Combat ? commente Margot. Perso, j'aurais le dos en compote au bout d'une semaine.

Joona ne répond pas, enfile simplement le holster d'épaule avec le pistolet et glisse les chargeurs supplémentaires dans sa poche.

— Quand vas-tu admettre l'idée qu'Erik puisse être coupable ? demande-t-elle rudement.

— Tu verras que j'ai raison, réplique-t-il, et il croise le regard de Margot avec un calme glacial.

101

Nelly Brandt est installée devant son ordinateur. Son visage parfaitement maquillé est fermé et concentré, et ses cheveux blonds ondulent délicatement sur ses épaules. Elle porte une jupe en daim beige et un col roulé tricoté de fils dorés qui moule son buste.

Lorsque Joona entre et la salue, elle ne répond pas. Elle se contente d'ouvrir la fenêtre et de cueillir une fleur rose foncé sur le buisson dehors.

— Pour toi, dit-elle en donnant la fleur à Joona. Avec mes remerciements chaleureux pour ce remarquable travail policier…

— Je comprends ce que tu…

— Attends ! l'interrompt-elle. Il en faut une autre.

Elle se penche et cueille une seconde fleur qu'elle tend à Joona.

— Pour l'ensemble du corps de police suédois. Vachement impressionnant… Allez, je vais arracher tout le buisson… si tu veux bien ouvrir le coffre de ta voiture…

— Nelly, moi aussi, je sais que la police se trompe.

C'est comme si elle se dégonflait, elle s'assied derrière le bureau et cale son visage entre ses mains. Elle voudrait parler, mais les mots refusent de sortir.

— Je cherche toujours l'assassin, poursuit Joona. Mais j'ai besoin de quelqu'un pour prendre la relève d'Erik.

— Je veux bien donner un coup de main, propose-t-elle en levant les yeux vers lui.

— Tu t'y connais en hypnose ?

— Non, rit-elle, surprise. Je croyais… ce n'est pas mon domaine, en fait l'hypnose me donne plutôt la chair de poule.

— Est-ce que tu connais quelqu'un qui pourrait m'aider ?

Elle tourne son alliance autour de son doigt constellé de taches de rousseur et incline la tête.

— L'hypnose, c'est difficile, répond-elle honnêtement. Il y en a quelques-uns qui ont bonne réputation… Même si bonne réputation ne rime pas forcément avec excellence. C'est comme un algorithme humain… Les meilleurs dans chaque domaine voient leur réputation en pâtir, c'est une sorte de contrepoids.

— Tu essaies de dire que personne n'est aussi bon qu'Erik ?

Elle éclate d'un rire bref qui dévoile ses dents blanches.

— Personne ne lui arrive à la cheville… même si, côté mauvaise réputation, il abuse un peu en ce moment.

— Tu penses à quelqu'un que je pourrais consulter ?

— Anna Palmer est douée, à ce qu'on dit. Tout dépend de ce que tu cherches. C'est vrai qu'elle n'a pas l'expérience d'Erik pour ce qui est des traumas psychiques et des états de choc.

Nelly accompagne Joona dans le couloir. Après un bref silence, elle ralentit et lui demande si elle est en danger.

— Honnêtement, je n'en sais rien.

— Mon mari va travailler tard le soir toute la semaine.

— Tu devrais demander une protection policière.

— Non, quand même pas, ça me paraît exagéré… Mais on a découvert hier que la serrure de la porte de derrière a été forcée et du coup je m'inquiète un peu.

— Tu n'as pas quelqu'un chez qui tu pourrais passer la nuit ?

— Si, bien sûr, dit-elle, et elle rougit un peu.

— Fais-le, jusqu'à ce que cette affaire soit terminée.

— Je verrai…

102

Anna Palmer accueille Joona dans une petite pièce pourvue d'un bureau, d'étagères débordant de livres et d'une fenêtre étroite donnant sur le complexe hospitalier. C'est une femme grande aux cheveux gris anthracite coupés court et aux veines apparentes sous les yeux.

— Je connais une personne qui a eu un accident de voiture il y a dix ans, commence Joona. Il souffre d'un traumatisme crânien avec des lésions assez graves au tissu cérébral… Ce n'est pas mon domaine, mais on m'a expliqué qu'il a une activité épileptique acquise dans les lobes temporaux des deux hémisphères.

— Ça peut arriver, en effet, commente-t-elle tout en prenant des notes.

— Son grand problème, c'est la mémoire, poursuit Joona. Aussi bien la mémoire proche que celle à long terme… Parfois il se souvient du moindre détail entourant un événement, parfois il a carrément oublié que l'événement a eu lieu… Il espère que l'hypnose l'aidera à franchir les obstacles.

Anna Palmer se penche sur son bloc-notes et croise les mains sur le bureau. Joona remarque qu'elle a de petites croûtes d'eczéma sur les jointures.

— Je ne voudrais pas vous décevoir, dit-elle d'un ton fatigué. Mais les gens ont une foi incroyable en l'hypnose et en son pouvoir.

— Il est primordial pour cette personne de retrouver certains souvenirs, répond Joona.

— L'hypnose clinique fonctionne par suggestions qui aident le patient à s'aider lui-même… Cela n'a rien à voir avec la possibilité de faire surgir des vérités, explique-t-elle, et elle semble désolée.

— Mais une lésion cérébrale de ce type ne signifie pas que les souvenirs sont effacés, ils existent encore, c'est seulement le chemin pour les atteindre qui est bloqué… Je veux dire, il devrait être possible avec l'aide de l'hypnose d'emprunter un autre chemin, non ? s'obstine Joona.

— Absolument, c'est possible pour quelqu'un d'habile, admet-elle, et elle gratte les marques rouges sur sa main. Mais que fait-on une fois qu'on y est parvenu ? Personne ne peut tracer la frontière entre souvenirs véritables et fantasmes, puisque le cerveau lui-même n'y arrive pas.

— En êtes-vous sûre ? Nous autres, nous pensons bien pouvoir faire le tri entre souvenirs et fantasmes, nous sommes même persuadés d'en être capables.

— Parce que certaines données sont stockées avec l'indication qu'il s'agit de souvenirs réels, ça devient comme un codage, un signe, un préfixe.

— Dans ce cas, le codage devrait encore se trouver dans son cerveau ? persiste Joona.

— Oui, mais il faudrait pouvoir l'extraire en même temps que les souvenirs…

Elle secoue la tête d'un air sceptique.

— Personne ne peut le faire ?

— Non, dit-elle en fermant son bloc-notes.

— Erik Maria Bark estime qu'il peut le faire.

— Erik est très habile… probablement le meilleur au monde pour plonger des patients dans des états hypnotiques profonds, mais ses recherches ne sont pas fondées sur des faits, explique-t-elle lentement, et un éclat étrange scintille dans ses yeux.

— Vous croyez ce que les journaux écrivent à son sujet ?

— Je ne suis pas en mesure d'en juger… Mais il est attiré par la perversion, le comportement psychotique…

Elle s'interrompt.

— C'est de lui dont nous parlons ici ? demande-t-elle durement.

— Non.

— Mais il n'est pas question d'un ami, je suppose ?

— Il n'est jamais question d'amis… Je suis inspecteur à la Rikskrim et j'ai besoin d'interroger un témoin qui souffre d'une amnésie d'origine organique.

Les commissures de la bouche d'Anna Palmer tressaillent.

— Cela serait contraire à l'éthique puisque ce qui est dit sous hypnose n'est pas fiable et n'a pas sa place dans un contexte juridique, répond-elle sur un ton tranchant.

— Il s'agit d'un travail d'investigation, et non de…

— Je peux vous certifier qu'aucun praticien sérieux d'hypnose clinique ne ferait ce que vous demandez, dit-elle en élevant la voix et en le regardant droit dans les yeux.

103

La casquette enfoncée sur sa tête baissée, Erik traverse la passerelle à Sickla, contourne la verdoyante Hammarbybacken, la grande piste de ski artificielle où Benjamin a appris le slalom, avant de s'enfoncer dans le bois.

Il est pratiquement impossible de se déplacer à Stockholm sans être filmé. Il y a des radars automatiques, des caméras aux péages, des caméras de surveillance routière aux carrefours, dans les tunnels et sur les ponts. Même à l'intérieur des boutiques, des trains, des ferries et des taxis, on trouve des caméras. Vingt-quatre heures sur vingt-quatre, chaque station-service est filmée, chaque parking, port, terminal, gare et quai. Toutes les banques sont surveillées, les centres commerciaux, galeries marchandes, places, boulevards, ambassades, commissariats, maisons d'arrêt, hôpitaux, casernes de pompiers.

Erik est très fatigué. Il souffre d'ampoules aux pieds qui éclatent quand il poursuit son chemin à travers la forêt pour rejoindre Björkhagen.

Le ciel a commencé à s'obscurcir et il sent ses jambes flageoler quand il fait une halte dans le petit parc derrière l'immeuble où habite Nestor, son ancien patient.

Il suit l'allée de gravier jusqu'à la porte en bois, avec son clapet à courrier en laiton vieilli, qui donne accès directement à son appartement. La couleur de la façade lui fait penser à de la mousse à matelas mouillée.

Il y a de la lumière dans la cuisine.

En regardant par la fenêtre du séjour, il aperçoit Nestor assis dans un fauteuil.

Personne d'autre n'est en vue dans l'appartement.

Les mains d'Erik tremblent et il a l'impression de ne pas pouvoir faire un pas de plus quand il sonne à la porte.

— Est-ce que je peux entrer ? demande-t-il dès que Nestor ouvre.

— Je ne m'y attendais pas, murmure Nestor. Je l-lance un café.

Nestor fait entrer Erik, ferme la porte à clé et disparaît dans l'appartement. Avec un soupir, Erik enlève ses chaussures et sa veste froissée, qu'il suspend à un crochet, et il sent l'odeur de sa propre transpiration. Ses chaussettes sont collées aux plaies de ses talons, et la chaleur du vestibule fait picoter l'extrémité de ses doigts gelés.

Il sait que Nestor a grandi dans cet appartement. Le plafond est bas, et le vieux parquet de chêne terne et abîmé. Partout sont disposés des objets décoratifs aux motifs de chiens.

Erik traverse le séjour. Un des coussins du canapé est usé jusqu'à la corde. Sur la table basse sont posées une paire de lunettes de lecture et une grille de mots croisés à côté d'une grande figurine représentant des chiens de chasse et des faisans morts.

Dans la cuisine, Nestor est en train de sortir des tasses à café et des biscuits. Sur le fourneau, il y a une poêle avec des restes de saucisse et de pommes de terre.

— Tu m'as dit que je pourrais te demander n'importe quel service, commence Erik en s'asseyant.

— Oui, confirme Nestor en hochant énergiquement la tête.

— Est-ce que je peux rester ici quelques jours ?

— Ici ?

Un sourire incrédule de petit garçon passe sur le visage de Nestor.

— Pourquoi ?

— Ça ne va pas très bien avec ma copine, ment Erik.

— Tu as une c-copine ?

— Oui.

Nestor leur sert du café et dit qu'il a une chambre d'amis, le lit est fait.

— Je peux manger un peu de ce que tu as là, dans la poêle ?

— Bien sûr, j-je m'excuse, dit Nestor, et il allume le fourneau.

— Ce n'est pas la peine de les réchauffer.

— Tu ne veux pas que… ?

— Ça va très bien comme ça.

Nestor glisse la nourriture sur une assiette qu'il pose devant Erik avant de s'asseoir.

— Tu as réfléchi à cette idée d'acheter un chien ?

— Il faut que je bosse pour avoir assez d'argent, répond Nestor, et il lève la cuillère à café de quelques millimètres et regarde en douce son reflet.

— Oui, évidemment, murmure Erik en mangeant.

— Je travaille pour l'église là-bas, poursuit Nestor avec un geste vers la fenêtre.

— Pour l'église ?

Erik sent un frisson lui parcourir l'échine.

— Oui… enfin, pas tout à fait, sourit Nestor en se cachant la bouche d'une main. Je t-travaille dans le cimetière pour animaux.

— Le cimetière pour animaux, répète Erik poliment, et il regarde les mains fines de Nestor et sa chemise jaunâtre en polyester sous le pull sans manches.

Erik finit de manger et boit son café pendant qu'il écoute Nestor raconter que le plus ancien cimetière suédois pour animaux se trouve à Djurgården. Il date du XIXe siècle, c'est l'écrivain August Blanche qui l'a fondé en y faisant enterrer son chien Néron.

— Je t'ennuie avec mes histoires, dit Nestor en se levant.

— Non, je suis juste fatigué, réplique Erik

Nestor s'approche de la fenêtre et regarde dehors. Des formes noires bougent contre un ciel plus clair, des arbres et des buissons agités par le vent.

— Il fera bientôt nuit, chuchote-t-il en direction de son propre reflet.

Deux lévriers afghans sont posés sur le rebord de la fenêtre à côté d'une plante verte. Nestor leur touche furtivement la tête.

— Je peux utiliser la salle de bains ? demande Erik.

Nestor le précède dans le séjour et lui montre au passage une porte dissimulée derrière un rideau.

— Cet appartement est l'ancien logement du concierge, ici il y a un accès direct à la cage d'escalier, je vois ça comme une issue de secours, explique-t-il.

La salle de bains est carrelée à mi-hauteur, avec une baignoire profonde et un rideau de douche décoré d'hippocampes. Erik ferme à clé et se déshabille.

— La brosse à dents rouge est celle de maman, crie Nestor de l'autre côté de la porte.

Erik monte sur le tapis antidérapant spongieux dans la baignoire rayée, se douche et nettoie ses multiples plaies. Sur l'armoire de toilette au-dessus du lavabo est posé un carton qui a contenu des ampoules. Quelques bâtons de rouge à lèvres et un crayon de khôl en dépassent.

Quand Erik sort de la salle de bains, Nestor l'attend dans le vestibule. Son visage ridé semble inquiet.

— J'aurais v-vraiment besoin de te parler d'un truc… il y a un quelque chose qui…

— Je t'écoute.

— Je… qu'est-ce que je fais si le chien meurt ?

— On peut peut-être parler de ça demain.

— Je vais te montrer la ch-chambre d'amis, chuchote Nestor, et il détourne le visage.

Erik récupère sa veste et ses chaussures avant de suivre Nestor. Ils retournent dans le séjour, passent devant la cuisine et s'arrêtent devant une porte à moitié cachée par une armoire, qu'Erik n'avait pas vue auparavant.

Au-dessus du lit dans la chambre est accrochée une grande affiche de Björn Borg embrassant le trophée de Wimbledon. Sur le mur opposé est fixée une étagère String encombrée de chiens en porcelaine.

Un meuble d'angle est placé à côté du lit étroit, il est décoré de vieux motifs traditionnels de Dalécarlie, dont une peinture évoquant les âges de l'homme depuis le berceau jusqu'à la tombe. Un homme et une femme se tiennent côte à côte sur un pont où chaque marche symbolise une décennie. Au milieu du pont, le couple se dresse, quinquagénaire, mais sous le pont, la Mort guette, incarnée par un squelette tenant une faux à la main.

— C'est joli, déclare Erik en jetant un œil à Nestor qui est resté sur le pas de la porte.

— Moi, je dors dans… la chambre de ma mère. Je m'y suis installé quand…

Il fait un mouvement étrange avec la nuque, comme s'il voulait regarder quelqu'un derrière lui.

— Bonne nuit, dit Erik.

Il saisit la poignée pour fermer, mais Nestor arrête son geste en posant une main sur la porte, et il le dévisage avec des yeux attentifs.

— Les riches en ont besoin, les pauvres en ont, et si tu en manges, tu meurs, murmure-t-il.

— Je suis un peu trop fatigué pour les énigmes, Nestor.

— Les riches en ont besoin, les pauvres en ont, et si tu en manges, tu meurs, répète-t-il en se léchant les lèvres.

— Je vais réfléchir à la réponse, promet Erik en fermant la porte. Bonne nuit.

Erik s'assied et fixe le papier peint déprimant orné de médaillons, des dessins qui ressemblent à des armoiries de familles nobles, des guirlandes, des plumes de paon et des centaines d'yeux.

Le store est déjà baissé, il éteint la lampe et sent une vague odeur de lavande se dégager lorsqu'il soulève la lourde couverture piquée et se glisse dans le lit.

Il est tellement fatigué que toutes ses pensées s'évadent et perdent leurs contours. Il est sur le point de chavirer dans le sommeil quand un petit grincement le surprend. Quelqu'un essaie d'ouvrir la porte en silence.

— Qu'est-ce qu'il y a, Nestor ?

— Un indice, dit la voix douce. Je p-peux te donner un indice.

— Je suis très fatigué et…

— Les hommes d'Église estiment que c'est mieux que Dieu lui-même, le coupe Nestor.

— Ferme la porte, s'il te plaît.

Le pêne claque quand Nestor lâche la poignée, puis Erik entend ses pas de loup sur le parquet.

Erik s'endort et dans son rêve il voit la petite Madeleine se tenir devant son lit, elle lui souffle sur le visage et lui chuchote la réponse à l'énigme de Nestor :

— Rien. Les riches n'ont besoin de rien… les pauvres n'ont rien… Et si tu ne manges rien, tu meurs.

104

Erik est tiré de son sommeil par un courant d'air sur le visage. Quelqu'un chuchote des mots rapides et se tait au moment où il ouvre les yeux. L'obscurité est presque impénétrable et il lui faut quelques secondes avant de comprendre où il se trouve.

Le vieux matelas de crin crisse quand il se retourne.

Même en dormant profondément, il est resté sur ses gardes, il y avait en lui une vigilance qui l'a arraché au sommeil.

Il a peut-être seulement entendu de l'eau qui coulait dans la tuyauterie de la maison, ou encore le vent qui soufflait sur la fenêtre.

Personne n'a chuchoté, tout est calme et sombre.

Erik se demande si c'est ici que Nestor dormait quand il a sombré dans la psychose, quand le cliquetis dans les tuyaux s'est transformé en voix, en vieille femme qui brossait ses longs cheveux gris pour éliminer les pellicules et qui disait qu'on ne devait pas croiser le regard de ses proches quand on les tuait.

Erik savait que cela se rapportait au chien qu'on l'avait forcé à noyer quand il était enfant, mais chaque fois que Nestor reproduisait la voix grinçante de la vieille, il frissonnait.

Il le revoit, assis les mains croisées sur ses genoux et les yeux baissés, donnant des conseils pour tuer un enfant, un petit sourire aux lèvres et une rougeur sur les joues.

Le vieux meuble d'angle craque et les ombres du côté de la porte sont difficiles à interpréter. Il ferme ses yeux brûlants, se rendort, mais se réveille immédiatement en entendant la porte de sa chambre se refermer.

Il faut qu'il dise à Nestor de le laisser tranquille quand il dort, qu'il n'est pas obligé de veiller sur lui, mais Erik est trop fatigué pour se lever.

Une voiture passe dans la rue, une lumière froide réussit à se glisser de part et d'autre du store à enrouleur, elle glisse sur le papier peint à médaillons avant de disparaître.

Erik fixe le mur.

On dirait qu'un peu de lumière s'attarde une fois la voiture partie. Comme si une minuscule lampe était allumée du côté de l'étagère murale.

Il cligne des yeux, observe la lumière bleutée fixe et comprend tout à coup qu'il y a un judas entre les deux pièces.

La lumière provient de l'autre chambre, pense-t-il, quand le noir se fait soudain.

Nestor regarde droit dans sa chambre en cet instant.

Erik reste complètement immobile.

Le silence est tel qu'il s'entend avaler sa salive.

La tache bleue redevient visible et des chuchotements frénétiques traversent la cloison.

Erik s'habille rapidement dans l'obscurité et s'approche de la lueur.

Le point lumineux se trouve entre les deux tablettes inférieures de l'étagère. Le petit trou ne serait pas visible si les animaux en porcelaine étaient disposés différemment.

La minuscule ouverture est située dans le point le plus sombre du papier peint aux médaillons sinueux, elle est si petite qu'Erik doit approcher son visage de la cloison et y coller son œil pour distinguer quelque chose.

Il déplace un chiot en porcelaine dans un panier, appuie les mains sur la cloison et introduit sa tête entre les tablettes. Il sent le bois contre ses cheveux et le papier peint contre le bout de son nez.

Quand il est tout près, il parvient à sonder la pièce voisine.

Un téléphone portable est posé sur la table de chevet, l'écran est allumé et éclaire le réveil et les dessins ovales de la tapisserie. Avant que l'écran s'éteigne, Erik a le temps de voir le lit pas encore défait et une photographie encadrée d'un nourrisson en robe de baptême blanche.

Il entend des pas rapides dans l'appartement, essaie de retirer sa tête de l'étagère, mais ses cheveux sont pris dans un éclat du bois. Les figurines en porcelaine s'entrechoquent avec un bruit funeste.

Il glisse une main pour essayer de dégager ses cheveux juste quand la porte derrière lui s'ouvre.

Il parvient à se libérer et en voyant Nestor s'approcher de lui, il recule.

— J'ai appelé la p-police, je suis r-revenu pour te le dire, chuchote Nestor. C'est t-ton tour d'être aidé m-maintenant, j-je leur ai parlé plusieurs fois, ils sont là à présent.

— Nestor, tu ne comprends pas, répond Erik, désemparé.

— Non, non, c'est toi qui ne c-comprends pas, l'interrompt Nestor gentiment, et il allume la lampe sur le rebord de la fenêtre. Je leur ai dit que c'est t-ton tour maintenant d'être soigné…

Une détonation claque comme un caillou projeté sur un pare-brise, et derrière le store à enrouleur tremblant la vitre tombe en mille morceaux sur le radiateur.

Nestor chancelle. Une balle d'une arme à vitesse initiale élevée a traversé son corps. Le sang gicle de l'orifice de sortie du projectile dans une de ses omoplates.

Tout surpris, il regarde le sang.

— Ils avaient p-promis de…

Il commence à osciller, tombe sur la hanche et lève la tête, le regard confus.

— S-s-sors par la porte derrière le rideau, siffle-t-il. Descends dans la b-buanderie, traverse-la, tu pourras sortir par la porte suivante…

Il appuie les jointures des doigts sur le sol comme pour se relever.

— Allonge-toi, murmure Erik. Reste allongé par terre.

— Traverse la cour de récréation, suit le mur de l'église v-vers le bois jusqu'au cimetière pour animaux.

— Reste allongé, répète Erik, et il se déplace accroupi jusqu'à la porte.

Une fois dans le séjour, il comprend que la police est en train de forcer la porte d'entrée de l'appartement. Il y a un grand fracas, des fragments de bois et de métal provenant de la serrure dégringolent sur les marches du perron.

— Cache-toi dans la petite maison r-rouge, dit Nestor d'une voix haletante derrière lui.

Erik se retourne et voit que Nestor s'est levé pour lui indiquer la direction. Le verre devant le visage heureux de Björn Borg vole en éclats, l'écho d'une détonation rebondit entre les immeubles. Nestor se tient le cou, un flot de sang bouillonne entre ses doigts.

Trois fenêtres se brisent dans l'appartement, ce sont des grenades incapacitantes et leur flash est tellement violent que la pièce se fige dans le temps.

Erik vacille.

Le silence est comme celui qui règne sur une immense plage. Des vagues lentes roulent sur le sable, se retirent dans un crépitement.

Il cherche à tâtons son chemin dans le séjour, mais ne voit toujours qu'une image statique de la chambre avec la silhouette de Nestor contre la fenêtre et les gouttes de sang suspendues dans l'air devant le meuble d'angle et la Faucheuse sous le pont.

Erik a perdu l'ouïe, mais il perçoit plusieurs explosions comme des ondes de choc dans sa poitrine. Il se cogne au canapé usé, avance une main sur le dossier.

Puis l'effet du choc se dissipe un peu, ses yeux fonctionnent à nouveau, il contourne la table et le porte-revue, mais est pris de vertige comme s'il était complètement ivre.

Des lampes tactiques balaient le vestibule et la cuisine.

Erik commence à avoir les oreilles qui sonnent, mais il n'entend toujours pas ce qui se passe autour de lui.

Il trouve la porte dissimulée derrière le rideau, la déverrouille et sort dans la cage d'escalier. Il manque de tomber en ratant la première marche pour descendre dans la cave, mais réussit à s'agripper à la main courante.

Sur des jambes instables, il continue jusqu'à une porte en acier, arrive dans la buanderie collective de l'immeuble et tâte le mur pour trouver l'interrupteur. Il allume et, tout en essayant de se rappeler ce que Nestor a dit, poursuit devant les machines à laver, les chariots à linge et les poubelles d'où dépassent des flacons vides d'adoucissant.

Sa tête est bizarrement débranchée, comme si rien de tout ça ne le concernait.

L'aveuglement s'attarde sous forme de taches argentées. Une source lumineuse de plus de cinq millions de candelas active toutes les cellules photoréceptrices de la rétine, et on continue à voir l'image qu'on fixait au moment d'être aveuglé.

Au bout du long couloir se trouve une porte, Erik grimpe quatre à quatre des marches étroites et débouche dans une autre cage d'escalier.

Il sort dans l'air frais nocturne. Il n'y a aucun véhicule de police en vue de ce côté, l'unité d'intervention se trouve manifestement dans une autre rue.

Erik s'engage dans le petit parc d'un pas rapide. Dans le froid, il sent que son oreille droite est mouillée, tâte sa joue et constate qu'il saigne. Sans regarder ni à droite ni à gauche, il traverse tout droit la rue Karlskronavägen, dépasse un parking avec des bornes de tri de déchets. Du verre brisé crisse sous ses chaussures.

Il enjambe un râtelier à vélos et se dirige vers une école. Dès qu'il se trouve tout près des bâtiments, il se met à courir à l'abri d'un mur de brique gris jaune.

La cour de récréation goudronnée est vide. Le vent fait rouler une canette de bière, les paniers à basket sur leurs poteaux n'ont pas de filet.

Haut dans le ciel, un hélicoptère s'approche. Le crépitement des pales de rotor résonne au-dessus des toits et Erik comprend que son ouïe est en train de revenir.

Hors d'haleine, il ralentit, se faufile de l'autre côté du bâtiment et se glisse entre les arbres. Il fait presque nuit noire ici. Erik tient ses mains devant la figure pour se protéger des branches jusqu'à ce qu'il atteigne le mur bas de l'église.

La peur le submerge quand il longe le muret au milieu de hautes orties.

Arrivé dans le bois il voit tout à coup une multitude de petites sépultures décorées par des enfants. Des pierres tombales avec un collier de chien accroché au bord, des tombes avec des jouets à mordiller, des dessins, des photographies et des fleurs, des croix faites maison ou des pierres peintes, des bougies qui ont fini de brûler et des photophores noirs de suie.

105

Il est plus de deux heures du matin, mais Joona est debout au milieu de sa chambre à l'hôtel Hansson. Le sol est couvert de photographies des autopsies et des lieux des crimes.

Puisque la maison d'Erik est bouclée pour la perquisition en cours, la police lui a assigné un hôtel.

Son blouson et son pistolet sont posés sur le lit. Il a mangé une salade César dans sa chambre, les restes sont toujours là, sous la cloche en métal brillant, sur la table basse.

En même temps qu'il lit les analyses des scènes de crime établies par les techniciens, Joona compare les données avec les photos, les comptes rendus d'autopsies et les résultats des analyses du SKL.

Les cauchemars de Rocky étaient de véritables souvenirs, tout ce qu'il avait dit pendant l'hypnose s'est avéré, le même assassin est de retour – le prédicateur sale a récidivé. Après le meurtre de Rebecka Hansson, le tueur en série est entré dans une longue période d'hibernation. Pendant de nombreuses années, il a patienté dans sa tanière glaciale avant de déclencher une nouvelle escalade de violence.

Pour un *stalker*, le harcèlement ressemble à la dépendance à une drogue, impossible de s'arrêter, il est obligé de s'approcher, d'entrer en contact, de faire des cadeaux, et peu à peu il développe mentalement une véritable relation. Extérieurement, il peut faire preuve d'une humble reconnaissance, mais en réalité il est terriblement rancunier et jaloux.

La police a établi une liste de près de sept cents noms qui correspondent au profil extensif du coupable : des évêques, des pasteurs, des curés et les membres de leur famille, des diacres, des organistes, des bedeaux, des maîtres de cérémonie d'enterrements civils, des prédicateurs et des guérisseurs.

Joona se dit que le tueur essaie délibérément de faire passer Erik pour le coupable, mais il n'est pas possible d'établir de liens entre lui et les personnes sur la liste.

Ce que Joona cherche à présent dans les comptes rendus et les analyses est un paramètre concret qui permettrait d'éliminer la plupart des noms.

Rien dans tout ce matériel ne saute aux yeux, mais des données parcellaires pourront peut-être être reliées d'une façon inattendue. Joona tente de séparer les morceaux de puzzle pour voir s'il peut les assembler différemment.

Il enjambe les photographies étalées par terre, celles de la tête du chevreuil et d'un pot de crème glacée fondue, et s'arrête devant la photo de l'arme qui a tué Sandra Lundgren. Le couteau ensanglanté a été photographié là où on l'a trouvé, sur le sol à côté de son corps. Le flash de l'appareil photo brille tel un soleil obscur dans le sang marron.

Il lit que c'est un couteau de chef avec une lame de vingt centimètres en inox, puis il examine les esquisses minutieuses qu'Erixon a faites dans une tentative de reconstituer le violent déroulement à partir des traces de sang et de l'étendue des éclaboussures.

Chaque fois, le tueur portait les mêmes bottes : Touring, taille 43.

Joona essaie de repérer des éléments qui détonnent, qui ne collent pas avec les autres observations. Son regard glisse d'une photo à l'autre, s'y attarde avant de s'arrêter sur la 311 : l'éclat d'un pot de fleurs bleu à l'aspect de crâne d'oiseau, avec des bulles blanches le long d'un bord et un bout pointu lisse comme de la glace.

Il feuillette le rapport d'Erixon pour trouver l'objet et comprend que ce petit éclat se trouvait fiché dans le plancher de Sandra. On l'avait repéré à la faveur d'une lumière rasante. D'après l'analyse de laboratoire, l'éclat, qui ne mesure que deux millimètres, est composé de verre, de fer, de sable et de chamotte.

Joona passe au rapport sur l'intervention chez Adam Youssef. Malgré l'échange de coups de feu, le tueur a choisi de mener à bien son plan et, selon le premier rapport, les faux ongles de Katryna manquaient aux deux mains.

Le prédicateur emporte des trophées et indique ostensiblement l'endroit où il les a prélevés en arrangeant les mains de ses victimes, tel un verdict rendu par un tribunal.

À trois heures quinze, Anja Larsson appelle pour l'informer d'une intervention policière imminente dont elle vient de prendre connaissance. La police a reçu un tuyau jugé particulièrement fiable. Un homme soutient qu'Erik dort dans la chambre d'amis chez lui. Erik était son psychiatre il y a quelques années.

— On a demandé à l'homme de quitter l'appartement.

— Qui dirige cette intervention ? se renseigne Joona.

— Daniel Frick.

— C'est un des meilleurs amis d'Adam.

— Je comprends ton inquiétude. Mais je ne pense pas qu'il y ait lieu de s'alarmer, c'est le Groupe national d'intervention qui mène l'opération.

Par la fenêtre, Joona jette un regard sur la voiture de location qu'il a garée le long du trottoir plutôt que dans le garage de l'hôtel. C'est une Porsche grise six cylindres de 560 chevaux.

— Où est situé l'appartement ?

— Comme tout le monde sait que je te suis restée loyale, Margot a décidé de me tenir à l'écart de l'enquête en cours… et elle n'a pas tort parce que je t'aurais donné l'adresse si je l'avais eue.

Anja ne sait pas où se déroulera l'opération, mais elle a compris qu'il s'agit d'un lieu au sud de Stockholm. Elle raconte à Joona que le groupe d'intervention a reçu l'autorisation d'utiliser des armes de soutien, des fusils d'assaut, des fusils à pompe et des fusils de précision.

Après l'appel d'Anja, Joona reste debout à fixer le sol de la chambre d'hôtel. Des centaines de photos sont alignées entre les murs, et le plafonnier fait briller leur surface lisse.

Il continue de lire l'analyse des lieux des crimes faite par Erixon, mais ses pensées s'échappent sans arrêt vers Erik et l'intervention en cours.

Il se déplace de l'autre côté de la pièce, regarde la photo d'une fibre textile jaune, puis il lit un rapport de laboratoire concernant un morceau de végétal piétiné trouvé dans la cuisine de Maria Carlsson. Le fragment s'est révélé être un petit bout d'ortie.

Il regarde l'agrandissement de la photo. Le petit bout de feuille remplit toute la surface de l'image telle une langue verte et pointue. Les poils urticants ressemblent à des aiguilles de cristal ou à des pipettes fragiles.

L'aube se lève et à l'est le ciel pâlit. De minces rayons de soleil suintent entre cheminées et faîtages, éclaboussant les toits en cuivre du quartier de Vasastan.

L'opération doit être terminée maintenant, se dit Joona, et il essaie de joindre Erik sur son nouveau téléphone.

Personne ne répond. Il réessaie, en vain.

Bien qu'il ne soit que cinq heures et demie du matin, il décide d'appeler Margot. Il faut qu'il sache s'ils ont arrêté Erik, mais il ne peut pas poser de questions directes sur l'intervention pour ne pas mettre Anja en difficulté.

— Vous avez réussi à arrêter un suspect innocent ?

— Joona, je dors…

— Oui, mais qu'est-ce qui se passe ?

— Ce qui se passe ? Tu n'as pas le droit de le demander, mais un ancien patient d'Erik nous a appelés pour dire qu'Erik se trouvait chez lui, répond-elle d'une voix lasse.

— Tu peux me donner un nom ?

— C'est confidentiel, je ne peux pas parler avec toi, je te l'ai déjà expliqué.

— Dis-moi seulement s'il y a quelque chose que je devrais savoir.

— Le patient a dit à la police qu'il avait laissé Erik seul dans l'appartement… Le groupe d'intervention a donné l'assaut, ils ont vu un homme armé et ont tiré à balles réelles… mais il s'est avéré que l'homme à la fenêtre était le patient qui était revenu chez lui.

— Et Erik n'y était pas ?

Il entend ses efforts pour se redresser dans le lit.

— Nous ne savons même pas s'il y a été. Le patient est sur le billard, il ne peut pas être entendu ni…

— Et si c'était lui, le prédicateur, l'interrompt Joona.

— Erik est coupable… Mais le patient sait peut-être où il se trouve – nous allons l'interroger dès que possible.

— Tu devrais placer un policier devant sa chambre d'hôpital.

— Joona, nous avons trouvé du sang dans la voiture d'Erik, ça ne veut peut-être rien dire, mais il est en cours d'analyse.

— Avez-vous recherché des vêtements de pluie jaune chez le patient ?

— Nous n'avons rien trouvé de particulier.

— Y a-t-il des orties devant l'immeuble ?

— Non, je ne crois pas, répond-elle, intriguée.

106

Joona s'assied pour la première fois depuis plusieurs heures et lit le rapport sur les déplacements du meurtrier dans l'appartement de Sandra Lundgren. Il étudie l'esquisse et se dit que ces meurtres ont quelque chose d'étrangement stressé et fébrile. Ils sont planifiés, mais ne sont pas rationnels.

Il compare le rapport avec le compte rendu d'autopsie qui décrit une agressivité théâtrale, et se dit que ce sont plutôt les préparatifs maîtrisés qui sonnent faux, et l'agression qui est l'état naturel du tueur.

Il en conclut qu'il faut absolument vérifier comment a évolué la maladie de l'ancien patient d'Erik. À cet instant, son téléphone sonne.

— Joona, c'est moi, chuchote Erik. Ils ont essayé de me tuer. Je me cachais chez Nestor, un ancien patient à moi, la police a dû croire que c'était moi à la fenêtre. Ils lui ont tiré dessus deux fois, c'était une mise à mort en règle. Je ne pensais pas que la police suédoise pouvait faire ça, c'est complètement fou.

— Tu es en sécurité maintenant ?

— Oui, je crois… Tu comprends, il est juste revenu me dire qu'il avait averti la police, qu'ils avaient promis de ne pas me faire de mal, et là, ils lui ont tiré dessus par la fenêtre.

— Tu as envisagé la possibilité que ce soit lui, le prédicateur ?

— Ce n'est pas lui, répond Erik immédiatement.

— Quels étaient ses problèmes quand il…

— Joona, ça n'a aucune importance. Moi, je veux juste un procès, je m'en fous d'être condamné, je ne peux pas rester…

— Erik, je ne pense pas qu'ils m'aient mis sur écoute, mais ne me dis pas où tu te trouves, l'interrompt Joona. Je veux seulement savoir combien de temps tu penses pouvoir te cacher là où tu es.

Ça crépite dans le téléphone comme si Erik bougeait.

— Je ne sais pas, vingt-quatre heures peut-être, murmure-t-il. Il y a un robinet, mais je n'ai rien à manger.

— Tu risques d'être découvert ?

— Un risque assez minime, je pense, répond Erik, puis il y a un long silence.

— Erik ?

— Je ne comprends pas comment j'ai pu me retrouver dans une telle merde, dit-il à voix basse. Et je n'ai fait qu'aggraver sans cesse la situation.

— Je vais trouver le prédicateur, lui certifie Joona.

— C'est trop tard pour ça, c'est trop tard pour tout, je veux seulement me rendre sans être tué, tu comprends ?

Joona entend la respiration frénétique d'Erik dans le téléphone.

— Si on réussit à te livrer à la police et à te maintenir en vie dans la maison d'arrêt, les suites juridiques pour de tels crimes, c'est la prison à vie.

— Mais je ne serai pas condamné – je peux hypnotiser Rocky avant le procès.

— Ils ne te laisseront jamais faire ça.

— Non, peut-être pas, mais…

— J'ai revu Rocky, raconte Joona. Il est à la maison d'arrêt de Huddinge pour détention de stupéfiants, il se souvient de toi, mais pas de la Zone ni du prédicateur.

— C'est désespérant, soupire Erik.

Joona s'appuie contre la fenêtre et sent la fraîcheur du verre sur son front. En bas dans la rue, un taxi s'arrête devant l'hôtel. Le visage du chauffeur est gris de fatigue quand il va à l'arrière de la voiture pour sortir les bagages du coffre.

Joona contemple sa voiture de location, voit le taxi repartir et quand il relève les yeux, il a pris sa décision.

— Je vais essayer de faire sortir Rocky aujourd'hui… Après, on se retrouvera pour que tu puisses l'hypnotiser, dit-il.

— C'est ça, ton plan ?

— Tu as dit que tu réussirais à faire surgir des détails concrets sur le prédicateur si tu pouvais l'hypnotiser de nouveau.

— Oui, je suis pratiquement sûr d'y arriver.

— Dans ce cas, je trouverai le véritable tueur pendant que tu resteras planqué.

— Mais je veux simplement me rendre et…

— Tu seras condamné si le procès a lieu.

— C'est ridicule, je me suis juste trouvé à proximité de…

— Il n'y a pas que ça, le coupe Joona. Tes empreintes digitales figurent sur un objet qui a été retrouvé dans la main de Susanna Kern.

— Quel objet ? demande Erik, stupéfait.

— Le bout d'un chevreuil en porcelaine.

— Je ne vois pas, ça ne me dit rien.

— Mais les empreintes correspondent à cent pour cent.

Joona entend Erik faire quelques pas dans un sens, puis dans un autre, il semble marcher sur un plancher en bois.

— Donc tout indique que c'est moi, répond-il à mi-voix.

— Tu as une photo de Nestor ?

Erik lui donne ses mots de passe pour accéder en ligne aux dossiers médicaux du département de psychologie, puis il raccroche. Joona enfile son holster avec le pistolet, prend son blouson, descend à l'accueil et fait imprimer la photo de Nestor avant de quitter l'hôtel.

Il dépasse sa voiture de location et tourne dans l'étroite rue Frejgatan.

Devant un immeuble est garée une vieille Volvo, un modèle ancien dépourvu de dispositif antidémarrage. Joona jette un rapide coup d'œil autour de lui. La rue est complètement déserte. Il brise la vitre latérale arrière d'un coup de pied.

L'alarme d'une autre voiture se met à hurler.

Joona ouvre de l'intérieur la portière du conducteur, recule le siège, sort un tournevis de sa poche, défait le cache autour du contacteur de démarrage et démonte les coquilles autour du volant. Il se penche, introduit le tournevis le long de la partie supérieure de la colonne de direction et fait doucement sortir la goupille du système antivol.

Il enfile rapidement ses gants, s'installe à la place du conducteur, dégage les câbles rouges du contacteur de démarrage et enlève l'isolant aux extrémités. Dès qu'il shunte les deux fils, la radio se met à diffuser de la musique et l'éclairage de l'habitacle s'allume. Il ferme la portière, arrache les câbles marron et les frotte rapidement l'un contre l'autre. Le moteur démarre.

Un chapelet en plastique se balance au rétroviseur. La circulation est assez fluide. Les poids lourds roulent déjà, tandis que les particuliers sont encore en banlieue devant le petit-déjeuner, avant de se rendre au travail.

Arrivé à Huddinge, il dépasse la grande bâtisse de la maison d'arrêt, poursuit vers le sud et tourne sur une piste forestière, puis il fait demi-tour, se gare et repart à pied en direction de Stockholm.

107

Joona Linna descend d'un taxi devant son hôtel, paie la course et se dirige droit vers sa voiture de location grise. Le moteur démarre avec un doux ronron, il se cale confortablement contre le dossier en cuir et s'engage dans la rue.

Arrivé devant la maison d'arrêt de Huddinge, il se gare tout près de l'entrée à côté d'une clôture métallique, puis il compose le numéro d'Erik.

— Tu t'en sors comment ?

— Ça va, mais je commence à avoir faim.

— J'ai changé de carte SIM, tu peux me dire où tu te trouves.

— Derrière l'église Markus, de l'autre côté du muret. Il y a un cimetière pour animaux dans le bois. Je suis caché dans une remise rouge.

— C'est assez près de l'intervention policière chez Nestor, je crois ?

— Oui, j'ai entendu l'ambulance cette nuit, répond Erik à voix basse.

— Je t'amène Rocky d'ici une heure, prévient Joona, et il contemple le grand bâtiment qui abrite la maison d'arrêt.

Il range le pistolet et le téléphone dans la boîte à gants, laisse les clés sur le contact, puis quitte la voiture et s'avance entre les hauts piliers de l'entrée.

Il achète trois sandwiches dans le kiosque, demande qu'on les lui mette dans un sac en papier, puis entre pour s'annoncer.

Après les mesures de sécurité habituelles, Joona est introduit dans la maison d'arrêt. Le même gardien que la première fois l'attend.

Joona note qu'Arne a une matraque télescopique Bonowi. Elle est en acier trempé et conçue pour casser les muscles des bras et des cuisses.

Le badge avec son nom est accroché de guingois sur son pull Nato bouloché. Les menottes balancent à sa ceinture au bas de son dos massif.

Dans l'ascenseur, Arne enlève ses lunettes et les nettoie avec son pull.

— Ça va, la pêche ? demande Joona.

— Je pars cet automne à Älvkarleby avec mon beauf.

Une salle de contrôle jouxte la salle d'interrogatoire, un des murs est constitué d'une baie vitrée qui permet d'observer tout ce qui s'y passe.

Joona s'assied sur une chaise et attend, les deux mains posées à plat sur la table, jusqu'à ce qu'il entende des voix dans le couloir.

— On l'appelait le chef nu parce qu'il était tout nu au début, affirme le surveillant brigadier quand il ouvre la porte et fait entrer Rocky dans la salle.

— Non, réplique Arne, ce n'est pas…

— Ma femme et moi, on l'a vu tous les deux il y a quinze ans : Jamie Oliver au Salon du livre de Göteborg, nu comme un ver. Il préparait des spaghettis aux palourdes.

— J'ai mal aux épaules, soupire Rocky.

— Tu la fermes, ordonne Arne, et il le fait s'asseoir de force.

— Faites-moi un gribouillis ici, et il est à vous, dit le surveillant avant de sortir de la pièce.

108

Rocky a le visage plus pâle aujourd'hui, marqué de cernes sombres. Il est probablement en manque. Arne Melander les observe depuis la pièce adjacente, mais il ne peut pas entendre ce qu'ils disent. La vitre acoustiquement isolée est conçue pour préserver le secret des conversations entre les avocats et leurs clients, mais aussi pour que la police puisse questionner des suspects sans que le contenu des interrogatoires soit accessible à des personnes non autorisées.

— Ils disent qu'ils peuvent me garder dans ce putain d'endroit pendant six mois, rouspète Rocky d'une voix râpeuse, et il se frotte sous le nez avec la main.

— Tu as parlé d'un prédicateur, insiste Joona dans une dernière tentative, pour ne pas avoir à exécuter son plan.

— J'ai des problèmes avec ma mémoire depuis un…

— Je sais, l'interrompt Joona. Mais essaie de te souvenir du prédicateur, tu l'as vu tuer une femme qui s'appelait Tina.

— C'est possible, admet Rocky, et ses yeux s'étrécissent.

— Il a coupé son bras avec une machette. Tu te souviens de ça ?

— Je ne me souviens de rien, chuchote Rocky.

— Tu connais quelqu'un qui s'appelle Nestor ?

— Je ne crois pas.

— Regarde cette photo, dit Joona en lui tendant la feuille imprimée.

Rocky examine attentivement le visage fin de Nestor, puis il hoche la tête.

— Il était à Karsudden, je crois…

— Tu l'as connu ?

— Je ne sais pas, on était sûrement dans des services différents.

— Es-tu prêt à rencontrer Erik Maria Bark et à te faire hypnotiser ?

— Oui, dit Rocky en haussant les épaules.

— Le problème, c'est que la procureure refuse de te relâcher.

— Erik pourra sûrement venir m'hypnotiser ici.

— Ce n'est pas possible, la police suspecte Erik d'être l'assassin.

— Erik ?

— Mais il est tout aussi innocent que tu l'étais.

— Vanité des vanités, commente Rocky avec un large sourire.

— Erik a retrouvé Olivia qui…

— Je sais, je sais, je m'agenouille tous les soirs pour le remercier… Mais qu'est-ce que tu as en tête pour me sortir de cette merde ?

— On va sortir ensemble, toi et moi, répond Joona calmement. Je prends un des gardiens en otage et toi, tu te contentes de nous suivre.

— En otage ?

— On sera dehors en sept minutes, bien avant que la police arrive.

Rocky regarde Joona, puis Arne derrière la vitre.

— Je le ferai si on me rend ma dope, déclare Rocky, et il s'incline en arrière et allonge les jambes.

— C'était quoi comme héro ? demande Joona.

— De la blanche du Nimroz… mais Kandahar ça ira aussi.

— J'en fais mon affaire.

De sa poche, il sort un rouleau aplati d'adhésif toilé. Les yeux mi-clos, Rocky observe l'ancien policier entourer ses mains avec le scotch épais.

— J'imagine que tu sais ce que tu fais.

— Emporte le sachet avec les sandwiches, dit Joona, et il appuie sur le bouton de l'interphone pour signaler que la visite est terminée.

Arne ouvre la porte assez rapidement et fait sortir Joona. Le protocole stipule qu'il le raccompagne jusqu'à la sortie avant de ramener Rocky dans sa cellule.

Pendant que le gardien verrouille la salle d'interrogatoire où se trouve Rocky, Joona s'approche de la porte d'à côté où la baguette du chambranle rebique près du sol. Il se penche, introduit les doigts dans l'interstice et tire vers le haut. Les vis s'arrachent du mur avec leurs chevilles en plastique marron.

— Mais qu'est-ce que vous fabriquez ? lui crie Arne.

Des miettes de béton tombent sur le sol tandis que Joona continue de tirer sur la baguette. Elle reste attachée par les vis supérieures. Joona la secoue violemment, le métal se vrille et claque lorsque les dernières vis sautent.

— Hé, je vous parle ! Vous m'entendez ? lance Arne, et il sort sa matraque.

Joona l'ignore complètement, il tient la baguette sur le sol devant lui, pose rapidement son pied dessus, la plie en deux, la retourne et réappuie en croisant les deux branches, formant ainsi une sorte de boucle.

— C'est quoi ces conneries ? dit Arne avec un sourire nerveux, et il fait quelques pas vers Joona.

— Je suis désolé, répond Joona simplement.

Il sait quel genre d'entraînement a reçu Arne Melander : il va s'approcher, la main gauche tendue, essayer de le tenir à distance, puis viser les cuisses et les bras avec sa matraque en faisant de larges mouvements circulaires.

Joona va à sa rencontre d'un grand pas, écarte son bras et le frappe à la poitrine d'un coup de coude direct, et l'homme robuste titube en arrière. Ses genoux cèdent, mais il réussit à parer avec la main quand il tombe.

Le coup entraîne Joona vers l'avant, il trébuche mais reste debout, il a le temps de se retourner et de saisir l'alarme anti-agression avant que le gardien puisse réagir. Il se coupe à l'avant-bras quand il passe la boucle autour du cou d'Arne. Puis il détache les menottes de sa ceinture et attache l'un des bracelets autour de la pliure de la baguette.

— Lève-toi et fais sortir Rocky.

Arne tousse et se retourne lourdement, rampe jusqu'au mur, y prend appui et se redresse.

— Ouvre la serrure.

Les mains d'Arne sont libres, mais derrière lui, Joona le maîtrise avec les limons. Son cou est bloqué dans la boucle et les bords acérés de la baguette frottent sur sa peau.

— Ne fais pas ça, halète Arne.

La sueur coule sur son visage et ses mains tremblent quand il déverrouille la porte de la salle d'interrogatoire. Rocky sort, ramasse la matraque et la replie en l'appuyant sur le sol.

— Arne, si tu coopères, nous serons dehors en quatre minutes, et je te relâcherai, promet Joona.

Le gardien de prison boite devant Joona, cherchant sans relâche à glisser ses doigts sous la boucle.

— Passe la carte, tape le code, lui ordonne Joona en le dirigeant vers l'ascenseur.

Pendant qu'ils descendent, Arne lève une main vers le miroir et regarde la caméra au plafond dans l'espoir que quelqu'un le voie.

Les bords de la baguette ont déjà entamé les premières couches de scotch toilé autour des mains de Joona.

Quand ils arrivent dans le hall d'entrée, il ne faut que quelques secondes au personnel pour comprendre ce qui se passe. Comme une onde de choc, l'ambiance change d'intensité. Une alarme silencieuse a manifestement été déclenchée, elle clignote sous un comptoir et des membres du personnel qui étaient assis en train de bavarder se lèvent précipitamment. Des chaises grincent contre le sol et des documents s'éparpillent par terre.

— Laissez-nous passer ! crie Joona, et il guide Arne vers la sortie.

Sept gardiens arrivent du couloir, ils sont nerveux et ont de toute évidence du mal à interpréter la situation. Joona dit à Rocky de protéger ses arrières.

Rocky déploie la matraque et suit Joona à reculons jusque dans le sas.

Le surveillant-chef qui était de service au contrôle de sécurité arrive rapidement. Il lui incombe de retarder l'évasion et de bloquer la situation aussi longtemps que possible.

— Je ne peux pas vous faire sortir. Mais si vous vous rendez, je…

— Regarde ton collègue, l'interrompt Joona.

Arne pousse un gémissement quand Joona écarte les limons. La boucle se referme davantage autour de son cou et du sang commence à couler sur son pull sombre. Il essaie de contrer avec les mains, mais il est totalement impuissant.

— Arrête ! hurle le surveillant-chef. Arrête, bordel de merde !

Arne halète et titube droit dans un présentoir de brochures d'information, les dépliants se répandent autour de lui.

— Je le relâcherai quand nous serons dehors, dit Joona.

— OK, tout le monde recule ! lance le chef. Laissez-les passer, laissez-les partir !

Ils franchissent le détecteur de métal qui retentit. Des gardiens et des membres du personnel en civil s'écartent. Un surveillant filme toute la scène avec son téléphone mobile.

— Avance, ordonne Joona.

Arne respire en gémissant tandis qu'ils s'approchent de la sortie.

— Mon Dieu, chuchote-t-il en se tenant le bras gauche.

Un chien aboie nerveusement de l'autre côté du sas de sécurité, et des gardiens courent derrière les portes vitrées pour se mettre en position.

— Laissez-les passer ! crie de nouveau le chef de la sécurité, et il les suit dans le sas. Je vous accompagne, je veillerai à vous faire sortir.

Il sort sa carte, tape le code et ouvre la porte.

— Putain, t'es qui, toi ? souffle-t-il en regardant Joona Linna.

Dehors, le soleil resplendit dans un ciel bleu quand ils traversent les dalles de l'entrée pour rejoindre la Porsche grise.

Joona contourne la voiture et force Arne à s'asseoir par terre. Il s'excuse quand il referme le second bracelet des menottes autour de la clôture métallique derrière la voiture. Le chef de la sécurité les regarde, les gardiens bougent devant les portes vitrées à seulement une dizaine de mètres d'eux.

Joona s'installe rapidement au volant et démarre.

Avant même que Rocky ait le temps de fermer la portière, la voiture monte sur la bordure, dévale le talus de gazon, dépasse les glissières de sécurité en béton et fonce en direction du bois où les attend la vieille Volvo.

109

Nestor a été conduit à l'hôpital universitaire Karolinska à Huddinge et opéré en urgence par une équipe qui a réussi à stopper l'hémorragie. Il a eu de la chance, son état s'est stabilisé et il a été transféré aux soins intensifs.

Margot a placé deux policiers en uniforme devant le service postopératoire.

Nestor est conscient, mais en état de choc. Il reçoit de l'oxygène par des lunettes nasales et la saturation en oxygène dans le sang est mesurée en permanence. Un drain thoracique est en place, du sang et de l'air s'écoulent par le tuyau.

Nelly a discuté du cas de Nestor avec le médecin responsable et a suggéré qu'on lui administre un sédatif adapté à son passé psychotique.

Nestor pleure pratiquement sans interruption pendant que Margot essaie de lui expliquer les événements sous l'angle de vue de la police, jusqu'à l'assaut dans son appartement.

— Mais Erik n'y était pas – alors il est où ? interroge-t-elle.

— Je ne sais pas, pleure Nestor.

— Pourquoi as-tu appelé pour dire qu'il…

— Nestor, il faut que tu comprennes que tu n'y es pour rien, c'était un accident, intervient Nelly, et elle prend sa main.

— Est-ce qu'Erik est réellement entré en contact avec toi ? demande Margot.

— Je ne s-sais pas, dit-il encore une fois, et son regard se perd au loin.

— Bien sûr que tu le sais.

— Je ne veux pas parler avec toi, marmonne-t-il en détournant le visage.

— Tu travailles dans quel domaine ? demande Margot en sortant un sandwich au jambon de son grand sac.

— Je suis à la retraite… mais je travaille un peu dans des jardins…

— Où ça ?

— Pour la commune seulement… à différents endroits.

— Il y a beaucoup de problèmes avec les mauvaises herbes ?

— Pas spécialement, répond-il, un peu perplexe.

— Des orties ?

— Non.

— Nestor, dit Nelly d'une voix douce. Tu as probablement compris qu'Erik et moi on est amis… et, comme toi, je pense qu'il vaudrait mieux qu'il se livre à la police.

Les larmes montent de nouveau aux yeux de Nestor et Margot s'éloigne vers la fenêtre pour échapper à la vue de ses pleurs.

— J-je suis transpercé, déclare-t-il en élevant la voix et en posant la main sur le pansement qui recouvre sa poitrine.

— C'était un terrible accident.

— Dieu a voulu me tuer, poursuit-il, et il enlève la sonde à oxygène de son nez.

— Pourquoi tu crois ça ?

— Je n'en peux plus, gémit-il.

— Tu sais… Les juifs disent que le juste peut tomber sept fois et se relever, tandis que les méchants trébuchent dans le malheur… et toi, tu vas te relever.

— Suis-j-je un juste ?

— Je ne sais pas, sourit-elle.

— Mais c'est ce que tu as dit ?

Nelly s'aperçoit que le taux d'oxygène dans le sang baisse et elle lui réinstalle les lunettes nasales.

— Erik m'a sauvé, je voulais juste le sauver, moi aussi, chuchote Nestor.

— Hier, tu veux dire ? dit-elle doucement.

— Il est venu me voir et je lui ai donné le gîte et le couvert, explique-t-il en toussant faiblement. Ils avaient promis de ne pas lui faire de mal.

— Il était comment en arrivant chez toi ?

— Il avait une casquette affreuse et sa main saignait, il était sale, pas rasé, il avait des plaies sur la figure.

— Et toi, tu voulais juste l'aider.

— Oui, fait-il en hochant la tête.

Margot se tient devant la fenêtre avec son sandwich, mais elle a quand même entendu la réponse prudente de Nestor. Sa description d'Erik colle avec un homme qui a couru à travers la forêt et dormi dehors.

— Sais-tu où il est maintenant ? demande-t-elle lentement en se retournant.

— Non.

Margot croise les yeux de Nelly, puis elle quitte la chambre pour mettre sur pied une vaste opération policière.

— Je commence à être f-fatigué.

— Le sédatif ne fait pas encore effet, c'est trop tôt.

— C'est toi la copine d'Erik ? s'enquiert Nestor en la regardant.

Nelly esquisse un sourire.

— Qu'a dit Erik avant de partir ? Tu penses qu'il va se rendre ?

— Ne sois pas fâchée contre lui.

— Je ne suis pas fâchée.

— M-maman dit qu'il est m-méchant, mais… elle f-ferait mieux de se taire, je trouve…

— Repose-toi maintenant.

— C'est vraiment quelqu'un de bien.

— Je suis d'accord avec toi, sourit-elle en lui tapotant la main.

— On se rencontre parfois… mais t-tu ne peux pas me voir, dit Nestor. Tu ne peux pas m'entendre ni sentir mon odeur. Je suis né avant toi et je t'attends quand tu mourras. Je peux t'étreindre, mais tu ne peux pas me retenir ni…

— L'obscurité, répond-elle.

— C'est bien, fait Nestor. Si un homme portait mon fardeau, alors il… alors il…

Nestor ferme les yeux et sa respiration se fait plus lente.

— Je m'en vais maintenant, dit Nelly à voix basse, et elle se lève doucement.

En quittant le service postopératoire, elle s'aperçoit qu'il n'y a plus de policiers en faction devant la porte.

110

La grande cloche de l'église Markus sonne à toute volée. La roue est actionnée et entraîne le bourdon. Le lourd battant frappe le corps de la cloche et son tintement résonne par-dessus le muret du cimetière, se faufile à travers les arbres et vibre jusqu'aux animaux enterrés.

La vitre sale du cabanon dans le cimetière pour animaux où Erik a trouvé refuge tremble. Les murs de la remise rouge sont faits de simples planches et le sol en isorel est taché. Le panneau d'aggloméré était sans doute protégé autrefois par un revêtement de plastique. Le cabanon devait être utilisé par les employés du cimetière communal avant que tous les achats soient rationalisés. Ces dernières années, seul Nestor est venu ici, gérant solitaire et consciencieux du dernier repos des animaux.

Un robinet d'eau froide est fixé sur l'un des murs, au-dessus d'un grand seau en zinc.

Erik a aligné cinq gros sacs de terreau par terre en guise de matelas.

Les yeux ouverts, il est allongé sur le côté et écoute la cloche de l'église. Une puissante odeur de terre l'enveloppe, comme s'il se trouvait déjà dans sa tombe.

Qui pourrait comprendre son destin ? songe-t-il, et il voit la lumière matinale filtrer par le rideau bleu et se déplacer lentement sur les sacs d'engrais et de graines de gazon, sur des pelles et des bêches, pour arriver jusqu'à la hache et la barre à mine rouillée posées contre le mur.

Il laisse son regard s'attarder sur la hache, le fer émoussé au tranchant sérieusement ébréché, il imagine que Nestor l'utilise pour couper des racines quand il creuse des tombes.

Il se tourne sur sa couche pour trouver une position plus confortable. Les premières heures, il était resté blotti dans le coin derrière les sacs de terreau, la cuisse égratignée et une note aiguë sifflant dans les oreilles, nauséeux et tremblant de tout son corps. Les sirènes des ambulances s'étaient éloignées, le vacarme de l'hélicoptère avait disparu et le silence était retombé sur la petite remise.

Au bout de quelques heures, il s'était senti plus rassuré, avait osé se lever et s'approcher du petit robinet pour boire et se rincer la figure. Il avait éclaboussé une pochette en plastique punaisée au mur. Les gouttes ruisselaient sur les tarifs de la Fondation des cimetières pour animaux de Stockholm et tombaient sur l'isorel encrassé.

Il avait appelé Joona pour lui raconter les événements, avait entendu son propre discours confus et répétitif et avait compris qu'il était en état de choc. Il s'était rallongé sur les sacs, mais sans parvenir à dormir : son cœur battait bien trop fort.

À présent, son oreille ne saigne plus, mais il reste un bourdonnement, comme si les sons lui parvenaient à travers un mince tissu. Un halo éblouissant coiffé de piquants scintille en un cercle de plus en plus resserré derrière ses paupières quand il ferme les yeux.

En entendant des voix d'enfants au loin, il pense à Jackie et à Madde. Prudemment, il va à la fenêtre. Il ne voit personne dans le cimetière pour animaux. Ils jouent probablement dans le bois du côté de l'école.

Erik n'a aucune idée de ce qu'il va faire s'ils viennent ici. Son portrait figure peut-être sur toutes les manchettes aujourd'hui. La vague d'angoisse se soulève immédiatement en lui et son sang se glace.

Une toile d'araignée frôle sa main quand il écarte le rideau de quelques centimètres de plus.

Le cimetière pour animaux est un lieu agréable avec des feuillus et du gazon. De l'église, un petit sentier mène à une passerelle en bois bordée de hautes orties.

Sur une tombe, des pierres arrondies forment une croix, et un enfant a fabriqué une lanterne avec un pot de confiture en verre sur lequel il a peint des cœurs rouges. Une bougie chauffe-plat surnage sur l'eau de pluie et les graines tombées des plantes.

Erik pense à nouveau à sa conversation avec Joona. Il sait qu'il peut avoir accès aux souvenirs de Rocky si on lui en donne l'occasion. Il l'a déjà hypnotisé une fois, mais il ne cherchait alors pas le prédicateur.

Combien de temps pourra-t-il rester ici ? Il a faim, et on finira par le débusquer. Il est beaucoup trop près de l'école, de l'église et de l'appartement de Nestor.

Il avale sa salive, touche doucement la plaie sur sa jambe et essaie encore une fois de comprendre comment ses empreintes digitales ont pu se retrouver chez Susanna Kern. Il existe peut-être une explication simple. Joona semble croire qu'il s'agit d'une manipulation visant à lui coller les meurtres sur le dos.

L'idée lui est tellement étrangère qu'il n'arrive pas à la prendre au sérieux.

Il doit y avoir une réponse rationnelle.

Je n'ai pas peur d'un processus judiciaire, songe Erik. La vérité va éclater si seulement j'ai la possibilité de me défendre.

Il doit se livrer à la police.

Il pourrait se réfugier dans l'église, demander au pasteur de communier, solliciter le pardon de Dieu, n'importe quoi pourvu qu'il soit en sécurité.

La police ne pourra pas lui tirer dessus à l'intérieur de l'église.

Il est tellement épuisé que les larmes lui montent aux yeux à l'idée d'abandonner et de remettre son sort entre les mains de quelqu'un d'autre.

Erik décide de se glisser dehors pour voir si l'église est ouverte, lorsqu'il entend des pas sur la petite passerelle.

Il s'accroupit vivement et s'assied dans le coin où il s'était blotti auparavant. Quelqu'un marche sur le sentier en poussant d'étranges gémissements. Il y a un petit tintement, comme si la personne donnait un coup de pied dans une des lanternes artisanales.

Les pas s'arrêtent et le silence se fait. Peut-être dépose-t-il des fleurs sur la tombe d'un chien ? Ou alors il tend l'oreille en direction du cabanon.

Erik est assis dans son coin et pense au chien qu'on a obligé Nestor à noyer. Il visualise les pattes qui s'agitent, les tentatives de l'animal pour nager pendant que le sac se remplit d'eau.

L'homme dehors crache bruyamment et se remet en marche. Il s'approche encore, passe parmi les buissons morts, et les minces branches craquent sous ses chaussures.

Il se tient juste devant la remise, et Erik regarde autour de lui à la recherche d'une arme, ses yeux tombent sur la pelle, puis sur la hache avec son manche court et son fer émoussé.

Tout en bafouillant des paroles pour lui-même, l'homme urine contre le mur du cabanon, éclaboussant les herbes hautes.

— On fait ce qu'on peut, marmonne sa voix grave. On rentre, on est sympa, mais… y a toujours quelque chose qui va pas…

L'homme chancelle juste devant la fenêtre et jette un coup d'œil à l'intérieur. Erik se serre contre le mur, il entend nettement l'homme respirer, d'abord par la bouche et ensuite par son nez bouché.

— Du travail honnête, grommelle-t-il, et il poursuit son chemin à travers les buissons de myrtilles.

Erik se dit qu'il doit attendre que l'homme alcoolisé disparaisse avant de se rendre à l'église.

Encore une fois il essaie d'imaginer Nestor en assassin, mais il a du mal à voir en lui quelqu'un poussé par la soif d'incarner le tourniquet entre la vie et la mort.

Le soleil passe derrière un nuage et le rideau bleu redevient opaque.

Sur une étagère, un sac en plastique est glissé entre le mur et un thermos poussiéreux, il y a aussi une petite urne couleur cendre et un bouledogue en plâtre peint.

Erik a le temps de voir que le petit miroir à barbe de Nestor tremble sur son clou et jette un reflet pâle au sol, avant que la porte du cabanon s'ouvre.

111

Erik titube en arrière et une chaise pliante verte se renverse bruyamment. La porte vient frapper le mur, rebondit sur ses gonds et retombe contre une épaule puissante. La poussière s'élève autour de l'homme massif qui entre dans le cabanon en soufflant. Rocky Kyrklund tousse et se cogne la tête à l'ampoule éteinte qui pend au plafond. Il porte les vêtements fournis par la maison d'arrêt, son visage est couvert de sueur et ses cheveux gris terne collent à sa tête volumineuse.

Joona apparaît derrière lui, ferme la porte et arrête avec sa main le balancement de l'ampoule.

— *Viihtyisä*, dit-il.

Erik essaie de parler, mais il a le souffle coupé. Il a eu tellement peur quand la porte s'est ouverte qu'il a cru avoir une attaque.

Rocky marmonne tout bas, relève la chaise pliante et s'assied. Hors d'haleine, il contemple la petite pièce.

— Vous êtes venus, fait Erik d'une voix faible.

— On a traversé la forêt depuis l'ancienne forge de Nacka, explique Joona, et d'un sachet il sort trois sandwiches fromage-salade.

Ils mangent en silence. Rocky transpire après toutes ces émotions et respire lourdement entre chaque bouchée. Quand il a fini de manger, il va boire de l'eau au robinet.

— Ça coûte plus cher d'enterrer des humains, constate-t-il avec un geste vers les tarifs épinglés au mur.

Des gouttes d'eau scintillent dans sa barbe. Les ombres dansent derrière le rideau.

— Je pense qu'on est en relative sécurité ici, déclare Joona en arrachant les restes de scotch de ses mains. L'intervention chez Nestor a déjà été classée d'intérêt secondaire. Officiellement ils soutiennent que l'information était erronée, qu'en réalité Nestor voulait se suicider.

— Mais il est toujours en vie ?

— Oui, confirme Joona en croisant le regard d'Erik.

Ses cheveux blonds sont hérissés et ses yeux ont retrouvé leur nuance froide de ciel d'octobre.

Erik avale la dernière bouchée de son sandwich.

— Si l'hypnose ne fonctionne pas, je me suis dit que je pourrais me livrer à l'intérieur de l'église, annonce-t-il en s'efforçant de contrôler sa voix.

— Bien.

— Ils ne peuvent pas me tirer dessus dans une église, ajoute-t-il.

— Non, en effet, répond Joona à mi-voix bien qu'ils sachent tous les deux que ce n'est pas vrai.

Rocky fume une cigarette devant la liste des prix, marmonne encore et gratte avec l'ongle la tête plate des punaises pour en retirer le plastique.

— Je suis prêt, lui dit Erik, et il froisse l'emballage du sandwich en une petite boule.

— Moi aussi, fait Rocky avec un hochement de tête en revenant s'asseoir.

Erik regarde ses pupilles dilatées et la couleur de son visage, il écoute son souffle haletant.

— Tu as marché dans la forêt, ton pouls est encore très rapide.

— C'est un problème ? demande Rocky en écrasant son mégot par terre.

— Je voudrais simplement qu'on commence par de la relaxation… que le cerveau soit actif, ce n'est pas un problème, après tout il n'est pas question que tu dormes… Tout ce qu'on va faire, c'est canaliser cette activité et se concentrer…

— D'accord, acquiesce Rocky, et il se renverse contre le dossier de la chaise.

— Assieds-toi confortablement. Tu peux changer de position autant que tu veux pendant l'hypnose, tu n'as pas besoin d'y réfléchir, mais à chaque changement, tu descendras plus profondément dans la relaxation.

Joona et Erik savent que c'est là leur unique chance, la seule possibilité.

Ils n'ont pas besoin de grand-chose, seulement d'un nom, d'un lieu ou d'un autre détail concret.

Avec un seul élément déterminant, le schéma qu'ils ont déjà entrevu formera une flèche qui les mènera au prédicateur.

Erik ne doit pas forcer le déroulement, il doit prendre son temps pour plonger Rocky dans une transe profonde afin d'atteindre ces souvenirs si difficiles à extirper.

— Pose tes mains sur tes genoux, poursuit-il calmement. Serre-les fort, puis relâche-les, sens leur poids, elles retombent et s'étalent sur tes cuisses, tes poignets deviennent souples…

Erik se concentre pour ne pas laisser percer dans sa voix le besoin d'obtenir un résultat, pendant qu'il parcourt lentement l'ensemble du corps de Rocky, jusqu'à ce qu'il voie ses épaules se relâcher. Il évoque sa nuque, le poids de sa tête et la respiration qui vient du plus profond de son ventre, tout en s'approchant de l'induction de manière presque imperceptible.

D'une voix monotone il décrit une vaste plage de sable, des vagues tranquilles qui roulent et se retirent dans un petit clapotis, le sable blanc qui brille comme de la porcelaine.

— Tu avances au bord de l'eau vers le promontoire. Le sable mouillé est ferme sous tes pieds, la marche est aisée, des vagues tièdes viennent te lécher les chevilles et moussent autour de tes jambes, des grains de sable tournoient…

Il décrit les petits coquillages striés et les morceaux de corail qui roulent dans un crépitement d'écume.

Rocky est affaissé sur la chaise pliante qui grince, ses mâchoires sont détendues, et ses paupières lourdes.

— Tu n'écoutes que ma voix et tu te sens bien, tout est agréable et rassurant…

Joona se tient à côté de la fenêtre et contemple le cimetière pour animaux. Son blouson est ouvert et la crosse de son pistolet crée un éclat rouge près de sa poitrine.

— Dans un tout petit moment, je vais compter à rebours à partir de deux cents et à chaque chiffre tu plongeras de plus en plus profondément dans la détente. Quand je te dirai d'ouvrir les yeux, tu les ouvriras, et alors tu te souviendras de chaque détail de ta première rencontre avec l'homme que tu appelles le prédicateur.

Rocky reste immobile, la lèvre inférieure légèrement pendante, ses énormes mains posées sur ses cuisses. Son visage laisse penser qu'il dort et qu'il rêve.

Erik compte à rebours d'une voix traînante et soporifique, il regarde la poitrine de Rocky qui se soulève à chaque inspiration, les mouvements de son gros ventre.

Parallèlement à la situation concrète d'hypnose, Erik se voit lui-même s'enfoncer dans une eau boueuse. La vase trouble l'eau sombre au point qu'il ne distingue que vaguement Rocky devant lui, les bulles d'air qui montent de sa barbe et les cheveux qui ondoient au gré des tourbillons de l'eau.

Erik casse la suite des chiffres, en saute certains, mais continue de compter à rebours sur un rythme imperceptiblement décélérant.

Il sait qu'il doit essayer de faire surgir des souvenirs exacts.

L'eau s'assombrit à mesure qu'il descend. Le courant se fait plus rapide, arrive de côté et tire sur ses vêtements. Rocky semble subir toutes sortes de métamorphoses grotesques dans les flots d'eau boueuse, comme si son visage était constitué de toile de jute souple.

— Dix-huit, dix-sept… treize, douze… bientôt tu ouvriras les yeux, dit Erik en observant la respiration lente de Rocky. Il n'y a aucun danger ici, rien ne te menace…

112

Rocky est entré si profondément en transse que l'activité de son cœur est plus faible que pendant le sommeil profond, sa respiration est celle d'un animal en hibernation, mais en même temps des parcelles de son cerveau peuvent être poussées à une focalisation extrême.

Très bientôt il sera temps de tourner son regard vers le prédicateur et de tenter de l'amener à raconter tout ce qu'il a vu, d'essayer de mettre au jour les souvenirs cristallins conservés tout près des rêves et des délires.

La tête de Rocky pend en avant, des aiguilles de pin se sont fichées dans ses cheveux pendant la marche dans la forêt.

— Quatre, trois, deux, un, maintenant tu ouvres les yeux et tu te souviens de ta première rencontre avec le prédicateur sale.

À travers les flots d'eau marron, Erik voit Rocky secouer la tête, alors qu'en réalité il est assis sur la chaise, les yeux ouverts, et s'humecte la bouche avec sa langue.

Son ventre remue au rythme de sa respiration lente, son menton se lève et ses yeux regardent droit à travers la matière et le temps.

Erik se dit qu'il va répéter ses paroles en y glissant un ordre dissimulé pour le faire parler.

— Dès que tu te sens prêt, je voudrais que tu… *racontes ce que tu vois !*

Rocky lèche ses lèvres gercées.

— L'herbe est blanche… elle crépite sous les chaussures, dit-il lentement. Un voile noir volette au bout du bâton levé… et de petits flocons de neige virevoltent près du sol…

Il se met à murmurer des paroles qu'Erik n'arrive pas à distinguer.

— Écoute ma voix et raconte-moi ce dont tu te souviens, lui rappelle-t-il.

Le front de Rocky est luisant de transpiration, il étire une jambe et la chaise craque sous son poids.

— C'est une lumière qui a la couleur de la chaux, dit-il à voix basse. Elle entre par les fenêtres dans les niches profondes... Sous un ciel en or battu est suspendu le Sauveur vaincu... avec les autres criminels.

— Tu te trouves dans une église ?

Au fond de l'eau sale qui défile, Rocky hoche la tête en réponse. Ses yeux sont écarquillés et ses cheveux tourbillonnent à droite de sa tête.

— Laquelle ?

Erik entend le tremblement de sa propre voix, tente de rester calme, de trouver un repos dans la résonance hypnotique.

— L'église du prédicateur...

Il sent son cœur battre plus fort quand il demande :

— Elle s'appelle comment ?

La bouche de Rocky remue un peu, mais seuls quelques clappements franchissent ses lèvres. Erik se penche par-dessus son épaule et entend la lente expiration, le souffle qui sort du fond de sa gorge.

— Sköld-inge.

— L'église de Sköldinge, répète Erik.

Rocky hoche la tête, incline la nuque en arrière et forme un mot muet avec ses lèvres. Erik échange un bref regard avec Joona. Ils ont obtenu ce dont ils avaient besoin. Il devrait sortir Rocky de la transe profonde, mais il ne peut pas s'empêcher de poser une autre question.

— Est-ce que le prédicateur sale est là ?

Rocky affiche un sourire ensommeillé et lève une main fatiguée comme pour montrer les outils posés contre le mur du cabanon.

— Tu le vois ? le presse Erik.

— Dans l'église, chuchote Rocky pendant que sa tête retombe en avant.

Devant la fenêtre crasseuse, Joona a l'air inquiet. Des visiteurs peuvent rentrer dans le cimetière à tout moment.

— Raconte ce que tu vois, dit Erik.

Rocky est pris d'un frisson et une goutte de sueur tombe de son nez.

— Je vois le vieux pasteur… Avec ses joues flasques et le fard étalé sur l'ombre de sa barbe… le rouge à lèvres et son expression stupide, mécontent et taiseux…

— Continue.

— *Ossa… ipsius in pace…*

Rocky chuchote pour lui-même, son visage tressaille et il s'agite sur la chaise qui grince. De fines écailles de peinture verte tombent sur l'isorel. Joona recule et sort silencieusement son pistolet.

— Tu sais comment il s'appelle, insiste Erik. Dis son nom distinctement pour que je l'entende.

— Le vieux pasteur hideux… avec ses bras frêles, couverts de marques après toute la came qu'il s'est injectée au fil des ans, continue Rocky, et sa tête part sur le côté. Des nuages d'hémorragie sous la peau et des veines brûlées par l'acide, mais là, il est revêtu de son surplis blanc comme neige, personne n'a rien vu, personne ne sait ce qui se passe… Sa sœur et sa fille à côté de lui, les collègues les plus proches…

— Il y a d'autres pasteurs dans l'église ?

— Les bancs en sont remplis, rang après rang après rang…

Bien que Joona lui demande d'une voix feutrée de terminer l'hypnose, Erik exhorte Rocky à descendre encore un peu plus profond.

— Jusqu'à un endroit où il n'y a que des souvenirs réels… Je vais compter à partir de dix… et quand j'arriverai à zéro tu te trouveras dans l'église de Sköldinge et…

Rocky se lève brusquement, il tressaille, ses yeux se révulsent et il s'effondre sur la chaise avant de rouler sur le sol. Sa tête va cogner les sacs de terreau et ses pieds sont secoués de spasmes. Son corps tendu ressemble à un arc, comme s'il essayait de faire le pont. Le pull remonte et la douleur lui tire des gémissements gutturaux, lentement sa bouche s'ouvre grande et sa nuque s'incline en arrière. On entend des craquements dans sa colonne vertébrale. Erik est à ses côtés et déplace les outils hors de sa portée.

Rocky bascule lourdement sur le flanc et l'instant d'après, la crise d'épilepsie entre dans une phase clonique. Erik est agenouillé et tient ses deux mains sous la grosse tête de Rocky pour éviter qu'il ne se blesse.

Ses jambes se contractent de façon désordonnée, sa tête tremble et son gros ventre est secoué de contractions rapides.

— Erik, dit Joona.

Par terre, Rocky se remet sur le dos, ses jambes frétillent et ses talons cognent le sol. Joona tient son arme serrée contre son corps et fixe Erik de ses yeux gris de glace.

— Tu dois trouver une autre cachette, prévient-il. J'ai vu des policiers dans le bois du côté de l'école, ils ont probablement reçu des tuyaux, autrement ils ne seraient pas ici. Ils vont faire venir des unités canines, si ce n'est pas déjà fait, ils vont chercher avec des hélicoptères.

Rocky revient progressivement à lui, il respire toujours vite et une jambe tressaille encore quelques fois.

Erik le fait rouler doucement sur le côté. Rocky ferme les yeux, il est trempé de sueur et il tousse, épuisé.

— Tu as fait une crise d'épilepsie pendant l'hypnose, explique Erik.

— Mon Dieu, soupire-t-il.

— Erik, tu dois t'en aller maintenant, pars aussi loin que tu peux et cache-toi, dit Joona de nouveau.

113

Erik boit rapidement au robinet, s'essuie la bouche, ouvre précautionneusement la porte, observe le cimetière pour animaux et sort du cabanon. Sans se retourner, il emprunte l'allée entre les arbres et les petites tombes. En arrivant dans le bois, il se met à marcher plus vite. Il se retrouve sur un large sentier et court un petit moment.

Des aboiements de chiens retentissent du côté de l'école. Erik abandonne le sentier et s'enfonce dans le bois touffu. Il se fraie un chemin parmi de lourdes branches de sapin, s'égratigne la joue et une paupière, ça lui brûle la peau. Il avance baissé dans l'ombre des arbres, traverse des toiles d'araignées et enjambe des champignons brillants.

Il est hors d'haleine maintenant, inondé de sueur. Le terrain devant lui est en forte pente. Les aboiements s'approchent et il peut entendre les policiers lancer des ordres aux chiens.

Il sent un point de côté, plaque la main sur la zone douloureuse et continue de courir à travers la forêt qui s'ouvre tout à coup. Des roseaux et des massettes scintillent entre les arbres et il a le temps de sentir une odeur aigrelette de marais et de putrescence avant que son pied s'enfonce dans la mousse mouillée. Le crépitement d'un hélicoptère s'élève au-dessus des cimes des arbres.

Erik court, mais le sol semble mouvant, l'eau monte plus haut que les chevilles et il comprend qu'il ne peut pas continuer sur ce terrain marécageux. Il doit faire demi-tour, mais il s'enfonce encore plus et manque de tomber. Il prend appui sur un tronc avec la main. L'humidité fraîche se dégage du sol et une sorte de soupir s'exhale lorsque la mousse mouillée relâche son pied.

Il est obligé de se retirer en rampant à quatre pattes sur le sol détrempé. Puis il arrive sur de la terre ferme et se remet à courir.

Les ailes étincelantes d'une libellule le frôlent et il voit un vieux crâne blanc de chevreuil à côté d'une souche pourrie.

Il saute par-dessus un lit d'eau profonde et marron, dont le fond est couvert de feuilles noires. Il pénètre de nouveau dans le bois sans se retourner et des branches craquent sous ses pieds. Au bout d'un moment, il n'a plus la force de courir, il se met à marcher aussi vite qu'il peut en écartant de grosses branches avec ses mains et en baissant le front pour protéger son visage.

La patrouille canine est plus près maintenant, les aboiements résonnent comme des grondements de tonnerre.

Ils l'ont flairé, bientôt ils l'auront rattrapé.

Une impulsion irrésistible de s'allonger à plat ventre l'envahit, une envie de simplement se rendre. Il voudrait que tout soit terminé, il voudrait retrouver la chaleur, se reposer et réfléchir sereinement à ce qui s'est passé, à la personne qui lui a fait tout ça.

J'abandonne maintenant, pense-t-il, et il s'arrête, à bout de souffle. Il n'y a pas de cachettes dans la forêt.

Puis il se rappelle Nestor qui a pris une balle dans la poitrine.

Les appels s'approchent, telle une équipe de chasseurs qui encercle sa proie.

Erik sent un froid se répandre en lui.

Il faut qu'il essaie d'atteindre les bâtiments près de la piste de ski, qu'il décrive une large courbe autour du terrain boueux et qu'il avance en restant côté forêt.

Il se remet à courir, entre les troncs, droit à travers les fourrés. Les branches frappent son visage, ses bras et ses jambes.

Derrière lui, les chiens aboient, hystériques.

Il est essoufflé, il a la gorge en feu et sait qu'il n'aurait aucune chance de distancer les chiens s'ils étaient lâchés.

Des pommes de pin sèches éclatent sous ses pieds. La bruyère en fleur frotte contre ses jambes. Le terrain monte maintenant, et l'acide lactique dans ses muscles gonfle ses cuisses et les alourdit.

Un haut rocher recouvert de sphaigne et de lichen se dresse entre les troncs. Il commence à l'escalader, dérape sur la mousse et se met à glisser, il essaie d'amortir avec les paumes qui s'écorchent entièrement, mais parvient à se hisser jusqu'au sommet.

Une fois en haut, il s'allonge à plat ventre. Son cœur bat la chamade contre la roche. Il essuie la sueur de ses yeux et aperçoit les immeubles de Björkhagen au-dessus des arbres. Une corneille croasse et sautille maladroitement en haut d'un sapin. En oblique vers la partie extérieure du marais, il voit les policiers se déplacer en tenant en laisse des chiens excités. Ils parlent dans leur unité radio, s'interpellent et montrent le marécage. Soudain l'un des chiens fait signe d'avoir flairé une piste. Il bifurque dans la forêt, s'élance sur les traces d'Erik. La laisse à enrouleur se tend et le chien aboie frénétiquement.

Erik se traîne en arrière et entend un hélicoptère approcher. Il recommence à courir en se baissant, il sait qu'il doit absolument distancer la patrouille canine. Ses jambes tremblent sous l'effort quand il descend la pente en diagonale et pénètre de nouveau dans le bois touffu. Il suit un sentier et se retrouve sur un parcours de jogging au sol recouvert de plaquettes de bois compressées. Une femme en survêtement rose fait des étirements, il hésite un bref instant avant de la doubler. Elle est trempée de sueur. Elle paraît absente et Erik comprend qu'elle est absorbée par la musique de ses écouteurs. Juste quand il la dépasse, elle lève le regard sur lui. Son visage se fige et elle détourne les yeux un peu trop rapidement. Elle l'a reconnu et du coin de l'œil Erik la voit repartir dans la direction opposée.

Il franchit le virage suivant et s'arrête devant un plan d'ensemble de la réserve naturelle. Un point rouge au bord inférieur indique Sicklaskiftet, où il se trouve. Du regard, il suit le tronçon du sentier de grande randonnée qui traverse la réserve, les parcours de sport, les zones marécageuses, les petits cours d'eau et les lacs, avant de décider de se diriger vers le lac Sickla.

Il avance à grandes enjambées dans de hauts buissons de myrtilles, puis s'enfonce au pas de course droit dans la forêt dépourvue de sentier.

Les patrouilles canines arrivent de plusieurs côtés maintenant. Il force le passage à travers un fourré et sa veste s'accroche à une branche. Sentant la panique l'envahir, il tire dessus et la déchire, puis il débouche en trébuchant dans une clairière. Il est tellement essoufflé qu'il doit se plier en deux. Il crache et poursuit sa course folle parmi les arbres.

114

Erik laisse un chablis sur sa droite, continue au milieu des arbres et entend les aboiements des chiens résonner entre les troncs.

Après un peu plus d'un demi-kilomètre, il arrive à un petit ruisseau. Le fond est couvert de cailloux rouges et l'eau scintille en une nuance brune ferrugineuse.

Il descend dans l'eau glacée en espérant que les chiens perdront sa trace quelques minutes.

Il aimerait tellement appeler Jackie et lui dire qu'il est innocent. Il ne supporte pas l'idée qu'elle le prenne pour un assassin. Les médias et les réseaux sociaux doivent fourmiller d'accusations insensées, de détails sur sa vie, d'incidents révolus qui le desservent et confirment sa culpabilité.

Erik essaie de marcher plus vite, mais dérape sur une pierre, il tombe et se cogne le genou. Il pousse un gémissement. Le froid et la douleur fusent dans ses os, dans son dos et jusque dans sa nuque.

Il se relève et tente de courir. Les cailloux glissent sous ses chaussures, ses vêtements sont lourds et l'eau gicle partout autour de lui.

Le ruisseau décrit un méandre. La berge est plus haute ici tandis que le lit se fait plus étroit et le courant plus rapide.

Les arbres se courbent au-dessus de l'eau et il est obligé d'écarter leurs branches. La forêt devient plus dense. Il n'entend plus les chiens, seulement le clapotis autour de ses jambes.

Il franchit un autre virage et décide de sortir du ruisseau. Trempé de la tête aux pieds, Erik se hisse sur la berge et poursuit sur la terre ferme dans des chaussures qui font flic flac à chacun de ses pas. La fatigue et ses vêtements ruisselants le font trébucher coup sur coup.

Tout en longueur devant lui, il voit briller le lac Sickla. Il s'affaisse derrière une grosse pierre, se traîne entre les troncs fins des sorbiers et halète, les poumons en feu.

Ça ne va pas marcher, pense-t-il.

C'est fini, je n'ai nulle part où aller.

Il a un tas de connaissances, des gens qu'il fréquente, des collègues de longue date, quelques rares vrais amis, mais personne qu'il puisse appeler en cet instant.

Certes, Simone se mobiliserait à coup sûr, mais elle est probablement sous surveillance policière. Benjamin aussi le ferait, il en est certain, sauf qu'Erik mourrait plutôt que d'exposer son fils à un danger.

Il n'y a que deux, trois autres personnes à qui il pourrait demander.

Joona, Nelly et peut-être Jackie.

Si Jackie est partie chez sa sœur, comme il le lui a recommandé, il pourrait emprunter son appartement – à moins qu'elle ne croie ce qu'écrivent les journaux.

Erik regarde son téléphone. Il ne reste que quatre pour cent de batterie. Il mettra peut-être Nelly en danger si elle est sur écoute, mais il compose quand même son numéro. S'il veut s'en sortir, il doit courir le risque. Ici, il est complètement acculé, il n'a pas le choix.

Il entend les hélicoptères au loin, puis seulement le murmure des arbres. Ça crépite dans le téléphone et une première sonnerie retentit avant qu'elle réponde.

— Allô, fait-elle d'une voix calme.

— C'est moi. Tu peux parler ?

— Je ne sais pas, mais on dirait. Ça s'appelle parler, ce qu'on fait là ou…

— Nelly, écoute-moi, je ne veux pas te causer de problèmes, mais j'ai besoin d'aide.

— Qu'est-ce qui se passe ?

— Je n'ai pas fait ce dont on m'accuse, j'ignore totalement ce qu'il y a derrière tout ça.

— Erik, je sais, je sais que tu es innocent. Mais pourquoi ne pas simplement te rendre à la police ? Dis que tu abandonnes, je te soutiendrai, je témoignerai, tout ce que tu veux.

— Ils vont me descendre dès qu'ils me verront. Tu n'as aucune idée de ce que…

— J'imagine ce que tu dois ressentir. Mais j'ai l'impression que plus tu attends, plus ça va envenimer les choses. La police est partout…

— Nelly…

— Ils ont saisi ton ordinateur, ils ont mis ton bureau entier dans des cartons, ils sont devant notre maison à Bromma, ils sont à Karolinska et…

— Nelly, j'ai besoin de me cacher un petit moment, je n'ai pas d'autre choix, mais je comprends si tu ne peux pas m'aider.

— J'adore les aventures, ironise-t-elle.

— Je t'en prie, Nelly… je n'ai personne d'autre à qui demander.

Les aboiements de chiens réapparaissent. Ils s'approchent.

— Je ne veux pas y être mêlée. Tu dois le comprendre, c'est Martin qui aurait des problèmes, mais…

— Pardon d'avoir demandé, dit Erik, et il sent un noir désespoir remplir son cœur.

— Mais j'ai une vieille maison, poursuit Nelly. Je ne t'ai jamais parlé de Solbacken ? Une ferme qui a appartenu aux grands-parents de mon père.

— Comment je m'y rends ?

— Erik, je pense que les poursuites en voiture ne sont pas ma tasse de thé, je n'ai pas les couilles pour ça, mais je pourrais filer en douce et… je ne sais pas, louer une voiture chez Statoil ou quelque chose…

— Tu ferais ça pour moi ?

— Dis que tu m'aimes, répond-elle gaiement.

— Je t'aime.

— On se retrouve où ?

— Est-ce que tu connais la baignade de Sickla strand ? demande Erik.

— Non, mais je trouverai.

— Il y a une école ou une garderie d'enfants tout près de la plage – attends-moi là.

Les aboiements retentissent de nouveau dans la forêt.

Erik se lève et court vers les buissons denses sur la grève, il enlève ses chaussures, sa veste et le lourd pantalon. Il fait un paquet de ses vêtements et attend dans le bosquet pendant qu'un hélicoptère passe juste au-dessus de sa tête.

La meute s'approche.

Vêtu seulement de son slip et son débardeur, il s'enfonce dans le lac Sickla. Le froid attaque ses pieds et ses jambes.

Il entend les sirènes des véhicules d'urgence dans plusieurs directions, elles se déplacent par-dessus l'eau et entre les arbres.

Les gyrophares clignotent plus loin dans la rue Ältavägen, sur le pont au-dessus du chenal reliant les lacs Sickla et Järla, au moins trois voitures de police. La lumière bleue des véhicules se reflète sur les barreaux du garde-fou métallique et éclaire les cimes des feuillus sur les deux rives.

Encore une fois, l'hélicoptère survole les arbres dans un boucan infernal et Erik s'immerge aussitôt. Il retient sa respiration, mais sent nettement le courant d'air sur la surface de l'eau quand l'hélicoptère passe. Le lac se soulève en vagues étroites qui s'élargissent en cercles rapides.

Il s'éloigne un peu de la rive, se glisse parmi les nénuphars, entre les tiges glissantes et le fond boueux. Arrivé là, il laisse le paquet avec ses vêtements et le téléphone se remplir d'eau et couler.

De l'autre côté, au-delà de l'écluse, il voit que le pont du canal Sickla est fermé. Ça grouille de voitures de police. Les hauts garde-corps en fibre de verre brillent comme d'énormes plaques de lumière bleue. Un hélicoptère s'est immobilisé en vol stationnaire au-dessus de la piste de ski.

Erik se met à nager vigoureusement, il sent le froid sur ses lèvres, et l'odeur d'eau douce. Plus que quelques centaines de mètres pour atteindre l'autre rive. Il peut déjà voir les deux pontons de baignade devant les immeubles que le groupe industriel Atlas Copco avait construits pour ses ouvriers étrangers après la guerre.

115

Erik nage en baissant la tête et en essayant de ne pas faire trop de remous. Il a déjà parcouru plus d'une centaine de mètres. L'eau clapote doucement sous ses mouvements vigoureux, tonne contre ses oreilles quand il se trouve sous la surface.

Il lève la tête juste assez pour regarder devant lui. Des gouttes d'eau scintillent dans ses cils quand il reconnaît les deux pontons avant qu'ils disparaissent derrière une vague. Les courants l'ont amené loin sur le côté.

Au-dessus de la réserve naturelle qu'il vient de quitter, un hélicoptère crépite, mais Erik n'entend plus d'aboiements de chiens.

Il nage et il pense à sa trahison neuf ans auparavant. Il a volé toute sa vie à Rocky – sans y penser une seule fois jusqu'à maintenant.

Il ralentit, fait du sur-place, il n'est plus qu'à cinquante mètres des pontons jumeaux qui s'avancent dans l'eau. Quelques enfants en maillot de bain courent sur le bois mouillé. On a sorti des paniers à pique-nique, des couvertures et des chaises longues pour profiter des derniers beaux jours avant l'automne.

Un bateau à moteur semble approcher du canal.

Erik nage plus près de la rive, dépasse la zone de baignade. Des saules pleureurs noueux se penchent au-dessus de l'eau. Les branches-lianes vert clair trempent leurs extrémités dans le lac.

Dans une gerbe d'écume, le bateau se dirige droit sur lui.

Erik vise les arbres, remplit ses poumons d'air et plonge.

Avec des mouvements puissants, il nage sous l'eau, sent la fraîcheur sur son visage et ses yeux, le goût dans sa bouche et le bruit assourdi dans ses conduits auditifs.

La lumière du jour se réfracte dans les bulles formés par ses bras.

Le son du hors-bord lui parvient comme un bourdonnement métallique.

Ses épaules se contractent sous l'effort. La rive est plus éloignée qu'il ne pensait. L'eau autour de lui est toute noire, et vers le haut, la surface ressemble à de l'étain liquide.

Ses poumons vont éclater, il faut qu'il respire bientôt. Le vrombissement du moteur hors-bord s'accentue.

Il nage encore, puis remonte vers la surface, incapable de tenir plus longtemps. Il faut qu'il respire.

Des bulles lumineuses évoluent autour de lui.

Il donne des coups de pied et son diaphragme se contracte spasmodiquement pour obliger les poumons à inspirer de l'air.

L'eau devient plus claire, se remplit de grains de sable. Il devine le fond sous ses pieds, des pierres anguleuses et du sable grossier. Il lance ses bras une dernière fois et se guide avec ses mains sur les pierres.

Erik fend la surface, inspire profondément, tousse, tient la main devant sa bouche, tousse encore et crache des glaires. Il se laisse ballotter dans la houle du bateau. Sa vue se brouille, il souffle et s'essuie gauchement le visage.

Sur des jambes flageolantes, il grimpe vers les dalles rocheuses et s'effondre à l'abri des branches des saules. Il tremble de tout son corps. Le bateau de la police est toujours sur le lac, mais il n'entend plus le moteur.

Si Nelly réussit à sortir de chez elle et à louer une voiture, il lui faudra un moment pour arriver jusqu'ici. Il vaut mieux qu'il l'attende sous les arbres, qu'il sèche un peu avant de rejoindre le point de rendez-vous.

Les cris et les rires des enfants s'atténuent comme dans du brouillard. Au loin, des sirènes hurlent et les hélicoptères continuent à survoler la réserve naturelle de l'autre côté du lac.

Au bout d'une demi-heure, Erik sort de sa cachette, franchit les dalles, traverse l'allée piétonne et se faufile derrière un gros noisetier. La terre ombragée derrière le buisson est jonchée de papier-toilette. Il poursuit jusqu'à la façade peinte en rouge du centre de loisirs de Sickla.

Tout à coup des sirènes assourdissantes résonnent entre les murs et il s'arrête net, le cœur battant. Sur une terrasse de café un peu plus loin, des gens boivent et mangent tranquillement sans y prêter la moindre attention. Le véhicule d'urgence disparaît et Erik reprend son chemin. Il a l'intention d'aller attendre de l'autre côté du centre de loisirs, à l'abri des buissons, quand il aperçoit Nelly. Elle porte une robe à fleurs verte et a noué un foulard de la même nuance autour de ses cheveux blonds.

De l'autre côté de la rue stationne un crossover noir. Nelly met une main en visière pour se faire de l'ombre et guette la plage.

Erik traverse le gazon, enjambe les buissons bas et déboule sur le trottoir devant Nelly. Ses lèvres s'ouvrent comme s'il lui avait fait peur. Erik vérifie qu'il n'y a pas de voitures puis il traverse la rue, vêtu seulement de ses sous-vêtements mouillés. Nelly l'examine de haut en bas, puis elle lève le menton comme s'ils se retrouvaient simplement pour discuter d'un patient.

— Un peu inhabituel mais plutôt sexy, sourit-elle, et elle ouvre rapidement la portière arrière. Cache-toi sous la couverture.

Il se glisse par terre devant le siège et tire le plaid rouge sur lui. La voiture surchauffée par le soleil sent le plastique et le cuir.

Erik entend Nelly s'installer au volant et fermer la portière. Elle démarre et prend à gauche, descend du trottoir, et quand elle accélère, il glisse en arrière contre le siège.

— On sait maintenant que Rocky a été condamné à tort pour le meurtre de Rebecka Hansson, mais…

— Pas maintenant, Nelly, l'interrompt-il.

— Mais est-ce qu'on sait s'il est innocent des nouveaux meurtres ? Je veux dire… Il a très bien pu commencer à copier le meurtre pour lequel il a été accusé… dans le seul but de te faire porter le chapeau.

— Ce n'est pas lui, je l'ai hypnotisé, il a vu le prédicateur et…

— Et s'il s'était scindé en deux ? S'il se prenait réellement pour un prédicateur sale et perverti quand il tue ces femmes ?

Nelly se tait et glisse un CD dans le lecteur. La voix éraillée de Johnny Cash remplit l'habitacle : *Wanted man in California, wanted man in Buffalo, wanted man in Kansas city, wanted man in Ohio… wanted man in Mississippi, wanted man in ol'Cheyenne. Wherever you might look tonight, you might see this wanted man.*

Erik s'agrippe au plaid, le nez dans l'odeur de sable des tapis de sol, et ne peut s'empêcher de sourire de Nelly et de sa tentative de plaisanter dans un moment pareil.

116

Rocky dort sur le siège passager à côté de Joona. Sa grande tête bascule sur le côté dans les virages. Le paysage qui défile est désert et peu construit, presque abandonné.

Joona conduit vite et pense au texto que Lumi lui a envoyé plus tôt dans la journée. Elle disait qu'elle adorait Paris, mais que leurs conversations à Nattavaara lui manquaient.

Peu après Flen, la route et le chemin de fer se rapprochent l'un de l'autre sur deux bandes de terre étroites qui avancent entre les nombreux lacs de la région. Un long train de marchandises roule à toute allure à côté de la voiture, de plus en plus près, dans un angle inquiétant. Les wagons marron se reflètent dans l'eau. La route et la voie ferrée se rencontrent en une pointe de flèche, le train passe sous le pont routier et file ensuite de nouveau à côté d'eux avant qu'une forêt de sapins sombres les sépare.

Peu à peu les arbres se font plus rares et le paysage s'étend en d'immenses champs. Des moissonneuses-batteuses soulèvent des nuages de poussière, coupent les céréales et séparent les grains de la tige.

Sköldinge est situé le long de la route 55 peu avant Katrineholm. Joona tourne à droite et distingue quelques maisons rouges entre les feuillus, puis l'église couleur sable surgit sur la plaine avec sa tour pointue.

L'église de Sköldinge.

Voici l'église du prédicateur sale, pense-t-il.

Une église suédoise ordinaire à la campagne, datant du XIIe siècle, entourée de pierres runiques.

Le gravier crisse sous les pneus quand il s'engage devant le foyer paroissial et s'arrête.

Ils ont peut-être trouvé le tueur en série. Le prédicateur des souvenirs cauchemardesques de Rocky. Le vieux pasteur aux joues maquillées et aux bras abîmés par les injections.

La porte de l'église est fermée et les fenêtres sont sombres.

Joona sort son Colt Combat de l'étui et constate que le scotch est sale et ne tient plus très bien. Il a pris l'habitude d'entourer la partie inférieure de la crosse avec du bandage adhésif thérapeutique pour éviter à sa main de glisser s'il se trouve mêlé à un long échange de tirs.

Il ôte le chargeur, vérifie qu'il est plein, le remet en place et engage une cartouche dans la chambre, bien qu'il ait du mal à imaginer que le prédicateur sale les attende dans l'église.

Rien n'est jamais aussi simple.

Le parvis est ratissé, le cimetière bien entretenu. Le soleil perce l'épais feuillage des chênes.

Le prédicateur est un homme très dangereux, un tueur en série qui n'agit pas inconsidérément, qui prend son temps, observe et planifie jusqu'au dernier moment, jusqu'à ce qu'une fureur s'empare de lui et le transforme en bête sauvage.

Sa faiblesse, c'est l'orgueil, la faim narcissique.

Joona balaie du regard l'église puis les champs. Dans une poche, il a deux chargeurs supplémentaires avec des munitions parabellum ordinaires, et dans l'autre un chargeur avec des balles blindées.

Même si le prédicateur n'est pas là, même s'il n'a jamais été là, la route s'arrête ici.

S'il ne trouve rien qui puisse convaincre Margot, alors c'est fini, Erik sera condamné bien qu'il soit innocent, exactement comme Rocky fut condamné autrefois pour le meurtre de Rebecka Hansson.

Et le tueur en série restera en liberté.

C'est aujourd'hui que tout se décide. Erik ne peut plus fuir, il n'a nulle part où aller, la meute va le débusquer de la forêt.

Lui-même a permis à un détenu de la maison d'arrêt de s'enfuir, il a usé de violence contre un gardien de prison, a menacé de le tuer.

Disa aurait affirmé qu'il est simplement en manque de stimulation, qu'il a besoin de reprendre le travail. C'est trop tard pour ça, mais il n'a pas eu le choix, et dans ce cas les conséquences importent peu.

Rocky se réveille quand Joona ouvre la portière, il le regarde avec des yeux étroits et ensommeillés.

— Attends ici, ordonne Joona en sortant de la voiture.

Rocky descend aussi et crache dans l'herbe, s'appuie contre le toit de la voiture et trace un trait dans la poussière avec le doigt.

— Tu reconnais le lieu ?

— Non, répond Rocky en contemplant l'église. Mais ça ne signifie pas grand-chose.

— Je préfère que tu attendes dans la voiture, répète Joona. Je ne crois pas que le tueur se trouve ici, mais la situation pourrait se corser.

— Je m'en fous, dit seulement Rocky.

Il suit Joona le long des tombes. L'air est frais, comme après la pluie. Ils dépassent un homme en jean et tee-shirt qui fume et parle au téléphone devant la porte de l'église.

Le passage de la forte lumière du soleil à l'obscurité sous le porche est violent et ils ne voient presque rien.

Joona se déplace vivement sur le côté, prêt à dégainer son pistolet.

Il cligne des yeux et attend qu'ils s'accommodent à la lumière avant de continuer entre les bancs sous l'orgue. Des piliers massifs soutiennent le toit aux voûtes étoilées et aux sinueuses peintures *a secco*.

On entend le bruit d'un petit choc et une ombre volette sur les murs.

Quelqu'un est assis sur un des premiers bancs.

Joona retient Rocky, sort son arme et la tient dissimulée près de sa cuisse.

Un oiseau heurte la fenêtre. On dirait une corneille attachée par une ficelle qui cogne la vitre en essayant de s'envoler.

La porte de la sacristie est entrouverte. Sur le mur est dessinée une croix indistincte dans un cercle.

Joona s'approche lentement de la silhouette tassée sur elle-même et voit une main ridée s'agripper au dossier du banc devant elle.

L'oiseau cogne de nouveau la vitre. La personne voûtée tourne lentement la tête en direction du bruit.

C'est une vieille femme chinoise.

Joona la dépasse, cache son arme et lui jette un regard oblique. Elle a les yeux baissés, son visage est fermé.

À côté des fonts baptismaux médiévaux, Marie est assise, enfant, sur les genoux de sa mère, Anne. La robe évasée en bois tombe en lourds plis autour de ses pieds.

Le Christ pend sur la croix sous un ciel doré au milieu du tabernacle, exactement comme Rocky l'avait décrit pendant l'hypnose.

C'est ici qu'il a rencontré le prédicateur pour la première fois, quand l'église était remplie de pasteurs.

Maintenant, il est de retour.

Rocky s'est arrêté dans l'embrasure noire de la porte sous la tribune d'orgue. Les tuyaux de l'instrument pointent au-dessus de lui comme autant de plumes d'oiseau.

Il reste immobile, hésite. Tel un renégat, il ne lève pas les yeux sur l'autel, il les garde rivés sur ses grosses mains vides.

La Chinoise est partie.

Joona frappe à la sacristie, pousse un peu la porte et scrute la pénombre. Les vêtements sacerdotaux sont préparés, mais la pièce semble vide.

Joona se déplace sur le côté et regarde par la fente côté gonds. Il aperçoit le mur de pierre irrégulier, comme du tissu gondolé.

Il ouvre davantage la porte et entre, le pistolet toujours serré contre son corps. Son regard survole les habits sacrés. Tout en haut de la pièce, la pâle lumière du jour entre par une niche profonde.

Joona traverse la pièce et vérifie les toilettes, mais il n'y a personne. Sur l'étagère au-dessus du lavabo est posée une montre-bracelet.

Il lève le pistolet et ouvre la porte de la penderie. Des chasubles, des aubes, des étoles sont suspendues côte à côte, classées par couleurs selon le calendrier liturgique et les événements de la vie. Joona repousse rapidement les vêtements et examine le fond du placard.

Quelque chose brille par terre dans un des coins. Une pile de magazines dédiés aux voitures de sport.

Joona retourne dans la salle d'église, laisse Rocky qui s'est assis sur un des bancs et sort demander à l'homme devant la porte s'il sait où il pourra trouver le pasteur.

— C'est moi, sourit l'homme, et il laisse tomber son mégot dans le mug de café posé près de ses pieds.

— Je veux dire l'autre pasteur, précise Joona.

— Il n'y a que moi ici.

Joona a déjà vu ses bras, il n'y a aucune cicatrice de piqûre.

— Vous êtes pasteur depuis quand ?

— J'ai d'abord été ordonné suffragant à Katrineholm et il y a quatre ans je suis devenu le pasteur de cette paroisse, répond l'homme amicalement.

— Et avant vous, c'était qui, le pasteur ici ?

— Il y a eu Rikard Magnusson… et avant lui Erland Lodin et Peter Leer Jacobson, Mikael Friis et… je ne me souviens pas des autres.

L'homme s'est coupé à la main, un sparadrap défraîchi est collé sur sa paume.

— Je vais vous poser une question qui peut paraître bizarre, dit Joona. À quelle occasion une église est-elle pleine de pasteurs… sur les bancs, comme des paroissiens ?

— Pour les ordinations, quoique dans ces cas-là, ça se passe dans la cathédrale, répond le pasteur de bon cœur, et il ramasse le mug par terre.

— Mais ici, insiste Joona. Cette église n'a jamais été remplie de pasteurs ?

— Ce serait possible pour les obsèques d'un pasteur… enfin, c'est la famille qui décide qui elle veut inviter… il n'y a pas de règles particulières pour le clergé.

— Il y a eu les obsèques d'un pasteur ici ?

L'homme regarde les pierres tombales du cimetière qui entoure l'église, les petites allées et les buissons soigneusement taillés.

— Je sais que Peter Leer Jacobson est enterré dans ce cimetière, murmure-t-il.

Ils entrent sous le porche où il fait beaucoup plus frais, les bras du jeune pasteur se couvrent de chair de poule.

— Il est mort quand ? demande Joona.

— Bien avant mon arrivée. Je ne sais pas exactement… il y a peut-être une quinzaine d'années.

— Existe-t-il un registre des personnes qui étaient présentes à son enterrement ?

L'homme secoue la tête en réfléchissant.

— Pas de registre, mais Ellinor doit le savoir. C'est sa sœur, elle habite encore dans le logement de veuvage… Il était veuf et il prenait soin d'elle…

Joona retourne à l'intérieur de l'église plongée dans la pénombre. Rocky est en train de fumer dans l'allée centrale juste sous le crucifix triomphal datant du Moyen Âge. Jésus pend sur une croix rouge sang, et tout son corps décharné est constellé de plaies sanglantes comme celles d'un vieil héroïnomane.

— Que signifie *Ossa ipsius in pace* ? demande Joona.

— Pourquoi tu veux savoir ça ?

— Parce que tu l'as dit pendant l'hypnose.

— Ça veut dire "Ses os sont en paix", répond Rocky d'une voix éraillée.

— Tu décrivais un pasteur mort – c'est pour ça qu'il était fardé.

Ils se dirigent d'un pas rapide vers la sortie. Joona a compris que Rocky décrivait des funérailles avec un cercueil ouvert. Le pasteur décédé était maquillé et vêtu de sa robe blanche, mais ce n'était pas lui, le prédicateur sale. La cérémonie funèbre servait simplement de cadre à la première rencontre entre Rocky et lui.

117

Sous un portique délicat en fer forgé annonçant le nom de Fridhem, un escalier de pierre mène au logement de veuvage mis à la disposition de la sœur aînée de Peter Leer Jacobson après la mort de celui-ci. Elle s'est associée avec une femme plus jeune du village pour y gérer un café et une petite exposition autour du village et de la vie des pasteurs et de leurs familles au fil des siècles.

La propriété nommée Fridhem consiste en trois maisons rouges aux huisseries et châssis blancs, aux volets ouverts et aux toits recouverts de tuiles anciennes. Les bâtiments sont groupés autour d'une pelouse bien entretenue avec des tables de café sous un grand bouleau pleureur.

Les deux hommes entrent dans l'estaminet, en passant d'abord dans une pièce exiguë avec, accrochées au mur, des photographies en noir et blanc encadrées. Les yeux de Joona glissent sur des bâtiments, sur des équipes d'ouvriers qui posent devant l'objectif et sur des familles de pasteurs. Dans trois vitrines sont exposés des bijoux de deuil en jais, des lettres, des inventaires de succession et des livres de cantiques.

Joona commande deux cafés et quelques biscuits à une vieille femme en tablier fleuri derrière le comptoir. Elle regarde nerveusement Rocky qui ne lui rend pas son sourire quand elle précise qu'ils ont droit à une deuxième tasse pour le même prix.

— Excusez-moi, dit Joona. Je suppose que vous êtes Ellinor. La sœur de Peter Leer Jacobson ?

La femme hoche la tête, intriguée. Joona lui dit qu'ils viennent de voir le nouveau pasteur qui a parlé si chaleureusement de son frère, et ses yeux bleu clair se remplissent de larmes.

— Peter était très, très aimé, dit-elle avec une inspiration profonde. Tout le monde se souvient de lui, et il leur manque encore à tous…

— J'imagine que vous étiez fière de lui, sourit Joona.

— Oui, c'est vrai.

En un geste émouvant, elle joint ses mains au-dessus de son ventre, comme pour se calmer.

— Il y a une chose que je me demande, poursuit Joona. Votre frère, il avait un collègue, quelqu'un qui travaillait avec lui ?

— Oui… il y avait le doyen de l'église de Katrineholm bien sûr… et les pasteurs de Floda et de Stora Malm… Et je sais qu'il allait souvent à l'église de Lerbo les derniers temps.

— Ils se voyaient en privé aussi ?

— Mon frère était quelqu'un de bien. Un honnête homme… très aimé…

Ellinor jette un regard dans le local vide, fait le tour du comptoir et montre une coupure de journal encadrée de la visite du couple royal à Strängnäs.

— Peter était chapelain à l'office du jubilé dans la cathédrale, continue-t-elle avec délectation. L'évêque l'a remercié après et…

— Montre-lui tes bras, demande Joona à Rocky.

Sans broncher, Rocky remonte les manches de son pull.

— Il était aussi intervenant au synode diocésain de Härnösand et il…

La vieille femme s'arrête net de parler en voyant les bras abîmés de Rocky, bosselés et tachés de centaines de cicatrices d'injections, sillonnés de veines attaquées par l'acide ascorbique qu'il a utilisé pour diluer l'héroïne-base.

— Lui aussi est pasteur, raconte Joona sans la quitter du regard. Tout le monde peut tomber dedans.

Le visage ridé d'Ellinor pâlit, et s'apaise. Elle s'assied sur le banc, la main devant la bouche.

— Mon frère a changé après l'accident… quand sa femme est morte, dit-elle à voix basse. Le chagrin l'a détruit, il s'est retiré du monde… Il se croyait persécuté, il pensait qu'on l'espionnait.

— C'était quand ?

— Il y a seize ans…

— Votre frère s'injectait quoi ?

Elle pose sur lui un regard épuisé.

— C'était écrit morphine épidurale sur les boîtes…

La femme secoue la tête et les vieilles mains bougent nerveusement sur le tablier fleuri.

— Je ne savais rien… Il était complètement seul vers la fin, même sa fille n'en pouvait plus, elle s'est occupée de lui aussi longtemps qu'elle a pu, je ne comprends pas où elle trouvait la force.

— Mais il réussissait à célébrer le culte, à faire son travail ?

Ses yeux rougis fixent encore Joona.

— Oui, il célébrait le culte, personne ne se rendait compte de rien, surtout pas moi, on ne se voyait plus… Mais j'allais à l'église le dimanche et… Tout le monde disait que ses prêches étaient plus puissants que jamais… alors que lui, il s'étiolait de jour en jour.

Rocky murmure quelque chose et s'éloigne. Par la fenêtre ils le voient se diriger vers la pelouse et s'asseoir à une table à l'ombre du grand bouleau.

— Comment l'avez-vous appris ? demande Joona.

— C'est moi qui l'ai trouvé, répond la vieille femme. Je me suis occupé du corps.

— C'était une overdose ?

— Je ne sais pas, il n'était pas venu célébrer le culte du dimanche, alors je suis allée au presbytère… Il y régnait une puanteur épouvantable… Je l'ai trouvé dans la cave… nu et sale, il avait des plaies partout… J'ai su après qu'il était mort depuis trois jours. Il était là, dans la cage, comme un animal.

— Dans une cage ?

Elle hoche la tête et essuie la morve sous son nez.

— Il n'avait qu'un matelas et un bidon d'eau avec lui, chuchote-t-elle.

— Vous n'avez pas trouvé ça étrange, qu'il soit dans une cage ?

Elle fait non de la tête.

— Elle était fermée à clé de l'intérieur… J'ai toujours pensé qu'il s'était enfermé pour se débarrasser de la drogue.

De nouveaux clients arrivent, et une femme plus jeune avec le même tablier fleuri apparaît derrière le comptoir.

— Est-ce que votre frère a pu se faire aider par un collègue pour écrire ses prêches ?

— Je ne sais pas.
— Je suppose qu'il avait un ordinateur, puis-je le voir ?
— Il est au bureau, mais il écrivait ses prêches à la main.
— Vous les avez conservés ?
Ellinor se lève lentement du banc.
— Je me suis occupée de tous ses biens. J'ai fait le ménage au presbytère pour éviter le qu'en-dira-t-on… mais il s'était débarrassé de tout… Il n'y avait pas de photographies, pas de lettres, pas de prêches… Je n'ai même pas trouvé ses journaux intimes, alors qu'il en avait toujours tenu un. Il avait rempli plusieurs carnets… Il les gardait enfermés à clé dans le secrétaire, mais il était vide.
— Est-ce qu'ils peuvent se trouver à un autre endroit ?
Elle reste immobile et sa bouche remue sans un bruit avant que les mots jaillissent.
— J'en ai retrouvé un, un seul… Il était caché dans le meuble à alcool, il y a souvent un compartiment secret derrière les bouteilles d'eau-de-vie, les hommes autrefois aimaient bien pouvoir sortir des cartes postales coquines quand ils se voyaient.
— Qu'est-ce qu'il y a d'écrit dans ce journal ?
Elle sourit en secouant la tête.
— Je ne le lirais pour rien au monde, ça ne se fait pas…
— Non, en effet.
— Dans le temps, Peter sortait ses journaux intimes à Noël et nous lisait ses notes sur nos parents et des idées pour ses prêches ou des observations… Il écrivait vraiment bien.
La porte s'ouvre encore une fois, un courant d'air s'engouffre dans la pièce accueillante et l'odeur de café se répand entre les murs.
— Vous avez ce journal ici ?
— Il fait partie de l'exposition. On appelle ça "le musée", mais en fait ce ne sont que des bricoles qu'on a trouvées sur place.
Joona l'accompagne dans la salle d'exposition. Sur une photo agrandie de 1850, trois femmes maigres en robe noire posent devant le logement pour les veuves des pasteurs. La maison paraît presque noire. La photo a été prise tôt au printemps. Les arbres sont nus et il y a encore de la neige dans les sillons des champs.

Sous la photo, un bref texte relate l'histoire du pasteur qui avait fait construire Fridhem, pour que son épouse ne soit pas obligée de se marier avec son successeur, s'il devait mourir avant elle.

À côté de boucles d'oreilles et d'un collier de jais poli se trouvent une clé rouillée et une petite photo en couleurs des funérailles de Peter Leer Jacobson. Un homme en noir porte le bâton avec le voile noir. L'évêque se tient devant le cercueil avec la fille et la sœur du défunt, tous ont le visage baissé.

Ils regardent des photos des mines de Kantorp, de femmes et d'enfants qui triment pour laver le minerai de fer en plein soleil, de l'hospice de Sköldinge et de l'inauguration de la gare ferroviaire. Une photographie de l'église a été colorisée, de sorte que le ciel est bleu pastel, la verdure a l'air tropical et la charpente du nouveau beffroi brille comme du bronze poli.

— Voilà son journal intime, dit Ellinor, et elle s'arrête devant l'une des vitrines où quelques objets ont été alignés.

118

Sur un napperon en lin sont exposés une barrette rouillée, une montre de gousset, un recueil de cantiques gravé du nom d'“Anna” en lettres d'or, une page d'un ancien registre paroissial, *Le Petit Catéchisme* ainsi que le journal intime du pasteur, un ruban violet entourant la couverture en cuir tachée.

La vieille femme jette sur Joona un regard apeuré quand il ouvre la vitrine et sort le journal. Sur la page de garde, une écriture sinueuse annonce “Pasteur Peter Leer Jacobson, livre XXIV”.

— Je trouve que ce n'est pas bien de lire le journal intime d'autrui, dit-elle avec une pointe d'inquiétude dans la voix.

— Non, répond Joona, et il ouvre le livre.

Il voit tout de suite qu'il est vieux, la première note est datée d'il y a presque vingt ans.

— On n'a pas le droit de…

— Il le faut pourtant, l'interrompt Joona.

Il feuillette, parcourt les pages manuscrites pour trouver une indication sur la personne qui écrivait les prêches de Peter.

Le travail administratif prend de plus en plus de temps, les consignes sont plus strictes. Je crains que bientôt ce ne soit l'économie qui dirige mon église. ~~Pourquoi ne pas réintroduire les lettres d'indulgence [sic !]~~.

C'est le cinquième dimanche après l'Épiphanie et les tissus liturgiques s'assombrissent de nouveau. Le titre est : Semailles et récolte. Je n'aime pas l'avertissement de la lettre aux Galates comme quoi Dieu ne se laisse pas tromper. “Car ce que l'on sème, on le récolte.”

Mais parfois on n'a pas semé et pourtant on doit récolter. Je ne peux pas dire cela à mes ouailles – eux, ils veulent entendre comment on dresse les tables dans le ciel.

Joona lève les yeux et voit la vieille femme quitter la pièce, les bras ballants.

J'ai rencontré le pasteur pâlot de Lerbo pour un entretien individuel. Il croyait probablement que je voulais parler de mon alcoolisme. Il est jeune, mais sa foi est tellement forte que ça m'incommode. J'ai décidé de ne plus aller le voir.

Ma fille commence à grandir. L'autre jour je l'ai regardée à son insu. Elle était assise devant le miroir, s'était coiffée comme Anna et souriait à son reflet.

Maintenant nous attend le cinquième dimanche de Pâques. Le thème du prêche est "Raffermir sa foi". J'ai pensé à mes grands-parents qui sont partis en Guinée avant de s'installer à la ferme de Roslagen. Dans ma paroisse il n'y a aucune place pour la mission et cela me laisse perplexe.

Joona s'assied sur une des vieilles chaises sous les photographies. Il parcourt le journal, lit des paragraphes sur les tâches du calendrier liturgique, sur les chants du culte matinal de Noël et sur un culte d'été en plein air près d'un moulin. Il revient en arrière, cherche d'autres notes sur le pasteur de Lerbo et se retrouve de nouveau au milieu de Pâques.

Les Évangiles tournent le regard vers le tombeau vide, mais au dîner nous avons parlé du texte de l'Ancien Testament qui décrit la dernière plaie d'Égypte. En invoquant le passage de la Bible concernant Pâques, ma fille a dit que Dieu adore le sang : "Le sang vous servira de signe sur les maisons où vous serez ; je verrai le sang, et je passerai par-dessus vous."

Mon épouse et moi faisons lit à part depuis un an. Je me couche tard et je ronfle comme une locomotive (dit-elle). Mais la nuit, nous

nous faufilons souvent dans le lit l'un de l'autre. Parfois j'accompagne Anna dans sa chambre le soir, seulement pour la regarder se préparer pour la nuit. J'ai toujours aimé la voir enlever ses bijoux, refermer la petite pince du clip et placer les boucles d'oreilles dans le coffret, l'une à côté de l'autre. Anna attache une minutie tranquille aux détails. Elle ne monte pas les bras derrière le dos pour enlever son soutien-gorge, elle balaie doucement les bretelles de ses épaules, fait descendre le soutien-gorge jusqu'à sa taille et le tourne pour défaire les agrafes.

Hier soir quand j'étais assis sur son lit et la regardais nouer ses cheveux en une tresse sur son épaule, j'ai cru voir un visage derrière la fenêtre sombre. Je me suis levé et me suis avancé, mais je n'ai rien vu, je suis allé sur la véranda puis dans le jardin, mais tout était calme et immobile et je me suis tourné vers le ciel étoilé.

Joona regarde par la fenêtre et voit que Rocky est toujours assis sous l'arbre, les yeux fermés et les jambes étirées. Il continue sa lecture.

~~*J'ai vu le pasteur pâlot de Lerbo à l'hypermarché Obs hier, mais n'ai pas eu à le saluer.*~~

Dimanche de Laetare
Nous sommes donc rendus au milieu du carême. Mal à la tête, j'ai bu du vin tard la nuit, j'ai lu et écrit.
Aujourd'hui nous pensons au Pain de la vie. Les jours saints de Pâques seront bientôt là et nous serons accablés par le lourd poing de l'existence.

Joona laisse son regard parcourir les pages qui couvrent le dimanche de la Trinité et le passage vers les six mois plus modestes du calendrier liturgique, avant de s'arrêter net sur ces lignes :

C'est arrivé maintenant, l'impossible, la chose épouvantable. Je l'écris ici, je demande pardon à Dieu pour ne plus jamais le mentionner ensuite. Ma main tremble lorsque je note ceci, deux jours plus tard :

Tel le vieux Loth, j'ai été abusé et j'ai péché contre la loi de Dieu, mais j'écris pour comprendre le rôle que j'ai eu, ma culpabilité dans la honte. Il était tard et j'avais bu plus que de raison, plus que d'habitude, et j'étais ivre quand j'ai gagné mon lit et me suis endormi.

Maintenant, après coup, je me dis que quelque part je savais que ce n'était pas Anna qui se glissait à côté de moi dans l'obscurité, elle avait l'odeur d'Anna, elle portait les bijoux et la chemise de nuit de mon épouse, mais elle avait peur, tout son corps tremblait quand je me suis couché sur elle.

Elle n'a rien chuchoté, n'a pas soupiré comme le fait Anna, elle respirait comme pour ne pas céder à une douleur.

J'ai essayé d'allumer la lumière, j'étais toujours ivre et la lampe est tombée par terre, je me suis levé en titubant, j'ai tâté le long de la cloison et trouvé l'interrupteur du plafonnier.

Ma fille était assise dans mon lit. Elle était maquillée et portait des bijoux, et elle souriait malgré sa peur.

J'ai hurlé, j'ai crié et me suis précipité pour lui arracher les boucles d'oreilles d'Anna, j'ai frotté son visage avec le drap ensanglanté, l'ai traînée en bas de l'escalier et dehors dans la neige, j'ai glissé et je suis tombé, je me suis relevé et je l'ai repoussée.

Elle avait froid, ses oreilles saignaient, mais elle continuait de sourire.

Je serai puni, je dois être puni, j'aurais dû voir cela arriver. Le repli sur soi et son épanouissement, ses cachotteries, toujours à épier, toujours à tripoter les bijoux et la trousse de maquillage d'Anna.

Joona interrompt sa lecture, regarde la clé rouillée et les boucles d'oreilles noires dans la vitrine, le texte qui parle de reprendre l'épouse du pasteur précédent. Il quitte l'exposition, le journal intime à la main, passe devant la photo des veuves maigres.

Dans le café, Ellinor range de petites tasses avec leur sous-tasse sur l'étagère derrière le comptoir. On entend un léger cliquetis de porcelaine. Une mouche fatiguée s'est égarée dans le local par la porte ouverte et se cogne sans cesse contre la vitre.

Ellinor se retourne quand Joona entre. Son visage montre clairement qu'elle regrette de lui avoir parlé du journal intime de son frère.

— Puis-je vous demander comment est morte la femme de Peter ?

— Je l'ignore, réplique-t-elle sur un ton bref, et elle continue d'empiler des tasses et des sous-tasses.

— Vous venez de dire que vous étiez amies, Anna et vous.

Le menton de la vieille femme tremble.

— Vous feriez mieux de partir maintenant.

— Ce n'est pas possible, répond Joona.

— J'ai cru que vous étiez intéressé par les prêches de Peter, c'est pour ça que je…

Elle secoue la tête, soulève un plateau avec du café et deux gâteaux et se dirige vers la porte.

Joona la suit, lui tient la porte ouverte et attend pendant qu'elle sert les clients dans le jardin.

— Je ne veux pas en parler, fait-elle ensuite faiblement.

— Ce n'était pas un accident ? demande-t-il d'une voix tranchante.

Le visage d'Ellinor exprime un grand trouble et se plisse comme pour pleurer.

— Je ne veux pas, le supplie-t-elle. Vous ne comprenez pas ? Il est trop tard…

Elle baisse la tête et pleure doucement pour elle-même.

L'autre femme arrive et pose ses mains sur les épaules d'Ellinor, secouées de sanglots. Les clients qui viennent d'être servis se lèvent et changent de table.

— Je suis policier, s'entête Joona. J'ai les moyens de me renseigner, mais…

— Je vous en prie, partez maintenant, implore l'autre femme en serrant Ellinor dans ses bras.

— C'était un accident, c'est tout, dit la sœur du pasteur décédé.

— Je n'ai aucune envie de vous embêter, poursuit Joona. Mais je dois absolument apprendre ce qui s'est passé, et je dois l'apprendre maintenant.

— Un accident de voiture, gémit Ellinor. Il pleuvait des cordes… elles se sont encastrées dans le mur du cimetière, Anna a été écrasée par la carrosserie, son visage était tellement abîmé que…

Elle s'assied en chancelant devant l'une des tables et fixe le vide.

— Continuez, dit Joona calmement.

La femme lève les yeux sur lui, essuie ses larmes et hoche la tête.

— On a tout vu depuis le presbytère… Mon frère s'est précipité sur la route… Je l'ai suivi sous la pluie et j'ai vu ma nièce essayer de dégager sa mère, elle tapait avec le cric… sur la voiture… Je ne faisais que crier, je courais à travers les fourrés d'osier…

La voix de la femme se brise, elle ouvre et ferme la bouche quelques fois avant de continuer :

— Il y avait des éclats de verre et des bouts de tôle partout, ça sentait l'essence et le métal chaud… La petite a abandonné, elle est restée plantée là, à attendre que son père arrive… Je me souviens de ses yeux choqués et de son étrange sourire…

Ellinor lève ses mains et regarde ses paumes.

— Mon Dieu, chuchote-t-elle, ma nièce rentrait juste de l'école de Klockhammar, et elle était là, dans son imperméable jaune, à regarder sa mère. Le visage d'Anna était en bouillie, il y avait du sang partout, jusqu'au…

Encore une fois, sa voix la trahit et elle avale sa salive avant de poursuivre, lentement.

— La mémoire, c'est une chose bizarre. Je sais que j'ai entendu une voix fluette quand je suis arrivée sous la pluie, comme un enfant qui parle… Et juste à ce moment-là, le feu a pris, j'ai vu une bulle bleue entourer Anna et l'instant d'après, je me retrouvais dans l'herbe mouillée dans le fossé et le feu tournoyait comme une spirale autour de la voiture. Le bouleau à côté s'est enflammé et je…

— Qui conduisait la voiture ?

— Je ne veux pas en parler.

— La fille, dit Joona. Elle s'appelle comment ?

— Nelly, répond la vieille femme, et elle le regarde, épuisée.

119

Joona essaie d'appeler Erik pendant qu'il slalome entre les tables du café pour rejoindre Rocky.

Son téléphone est coupé.

Il compose le numéro privé de Margot Silverman, elle ne répond pas, alors il appelle son ancien chef, Carlos Eliasson, à la Rikskrim et laisse un bref message sur le répondeur.

Rocky est toujours à la même place, à l'ombre sous le bouleau pleureur, il balaie des miettes de gâteau sur son ventre. Il a ôté ses chaussures et ses chaussettes et remue les orteils dans l'herbe.

— Il faut qu'on parte, lui dit Joona.

— Tu as eu la réponse à tes questions ?

Joona ne s'arrête pas, il descend l'escalier qui mène au parking. Il imagine que Peter ne conservait pas le journal intime n° 24 dans le secrétaire car son contenu était trop honteux. Voilà pourquoi Nelly l'a raté quand elle a détruit les autres.

Vers la fin du journal, Peter raconte qu'ils avaient envoyé leur fille dans une pension protestante traditionaliste pour jeunes filles.

Joona s'immobilise devant la voiture volée et pense à Nelly. Elle avait quatorze ans quand on l'a reléguée à l'école de Klockhammar près d'Örebro. Elle y est restée pendant six ans. Il est possible qu'elle n'ait pas rencontré ses parents pendant tout ce temps, mais elle n'a jamais abandonné cette fixation sur son père.

Le sentiment d'aimer et d'être rejetée, de tout donner et de se voir tout retirer, a développé chez elle un grave trouble de la personnalité.

Elle surveillait sa mère, essayait de lui ressembler et de prendre sa place.

Rocky a remis ses chaussures, mais tient ses chaussettes à la main quand il arrive sur le parking et ouvre la portière.

— Le prédicateur sale, est-ce une femme ? demande Joona.

— Je ne crois pas, répond Rocky en le regardant dans les yeux.

— Tu te souviens de Nelly Brandt ?

— Non, fait-il, et il s'assied sur le siège passager.

Joona enlève le cache plastique endommagé du contacteur d'allumage, shunte les deux câbles rouges, retire le scotch des câbles de démarrage marron et approche les deux bouts pour provoquer des étincelles et faire démarrer le moteur.

— Je ne sais pas ce dont tu te souviens de la séance d'hypnose, dit Joona pendant qu'il conduit. Mais tu as parlé de la première fois où tu as vu le prédicateur sale… Tu l'as rencontré à l'enterrement ici, à Sköldinge, mais la personne que tu as décrite était le pasteur dans le cercueil, c'était son père, Peter…

Rocky ne répond pas, il se contente de fixer la vitre d'un regard vide pendant que la voiture fonce sur la route étroite entre les champs et la forêt.

Joona imagine que la mère était allée chercher sa fille adulte à l'école de Klockhammar et l'avait laissée conduire au retour.

La mère avait peut-être enlevé sa ceinture de sécurité au moment où elles quittaient la grand-route et roulaient vers l'église.

Nelly avait probablement vu son père à une fenêtre du presbytère, avait accéléré et foncé droit dans le mur.

La mère n'était peut-être pas morte, seulement blessée et coincée sous la tôle.

Dans ce cas, l'observation faite par Ellinor à travers la pluie est correcte : Nelly était allée prendre le cric dans le coffre et avait frappé le visage de sa mère jusqu'à ce qu'elle meure.

Peut-être avait-elle mis le feu à la voiture sous les yeux de son père.

Après la mort de sa mère, Nelly s'était occupée de lui. Elle l'avait isolé du reste du monde, l'avait gardé pour elle seule et avait veillé à devenir tout pour lui.

Le père avait vécu quatre ans de plus. Nelly avait fait de lui un morphinomane, elle le gardait enfermé dans une cage, soumis et sans défense.

Le dimanche elle le faisait sortir et lui donnait les prêches qu'elle avait écrits pour le culte.

Il était brisé, une épave, toxicomane.

Ils avaient peut-être des fragments de vie normale, il n'est pas rare qu'un ravisseur qui maintient sa victime en captivité pendant longtemps la laisse jouer des séquences d'une existence normale. Ils dînaient peut-être ensemble, s'installaient sur le canapé et regardaient des émissions à la télé.

Pour finir, il avait appris à fermer lui-même sa cage de l'intérieur et à dormir sur le matelas.

Il est possible qu'il soit mort d'une overdose, ou qu'il soit simplement tombé malade.

Beaucoup de pasteurs avaient été dépêchés à son enterrement, certains restaient assis sur les bancs tandis que d'autres officiaient dans la cérémonie.

L'un de ces pasteurs était Rocky Kyrklund de la paroisse de Salem.

Ils viennent juste de dépasser Flen, le lac scintille, bleu et argent, à droite de la route, et Joona sort son téléphone, ouvre le listing du personnel de l'hôpital de Karolinska et trouve une photographie de Nelly.

— Jette un œil sur cette photo, dit-il.

Rocky prend le téléphone, l'incline pour éviter la lumière du jour sur l'écran, puis inspire profondément.

— Arrête-toi ! rugit-il. Arrête-toi !

Alors que la voiture roule encore, il ouvre la portière qui va heurter un rail de sécurité avant de rebondir sur la route. La vitre vole en éclats, du verre se répand dans l'habitacle. La porte pendouille et frotte contre l'asphalte. Joona se range sur le bord de la route, deux roues dans l'herbe du bas-côté.

Un camion klaxonne furieusement derrière eux et passe tellement près que le sol tremble.

Rocky va tout droit dans le champ à côté de la route, s'avance entre les rouleaux de paille sous plastique noir, s'arrête et cache son visage dans ses mains.

120

Joona reste dans la voiture, moteur allumé, ramasse son téléphone et essaie de joindre Erik de nouveau. Le visage tourné vers le ciel, Rocky se tient debout dans le champ un long moment avant de revenir à la voiture. Il arrache la portière cassée, la balance dans le fossé et se rassoit sur le siège.

— Je me souviens d'elle, dit-il sans regarder Joona. Elle avait le crâne rasé, elle était blanche comme un linge, elle était allée au lycée de Klockhammar… Après l'enterrement de son père, j'ai couché avec elle par terre dans le vestibule du presbytère… Ça ne signifiait rien, on avait parlé, pris un café et je n'étais pas pressé de rentrer.

Joona ne dit rien, il a compris que la photographie de Nelly a ravivé la mémoire de Rocky mais que le flot de souvenirs est limité. À tout moment, il peut à nouveau perdre le contact avec son passé.

— Je me souviens de tout, continue Rocky comme en transe. Elle est venue me voir à Salem, elle venait aux cultes… Elle était là, naturellement, comme une partie de ma vie, je ne comprenais pas comment…

Il se perd dans ses pensées et ses doigts tremblants tirent une cigarette du paquet. Ses cheveux gris et drus frisottent, ses épais sourcils se froncent.

— Je suis pasteur, finit-il par dire. Mais aussi un homme… je fais des choses dont je ne suis pas forcément fier. Il vaut mieux ne pas avoir de relations amoureuses avec moi, là-dessus je suis très clair, je n'ai jamais été fidèle ni…

Il se tait de nouveau comme si la force du souvenir le vidait de son souffle.

— Parfois je couchais avec elle, parfois je la laissais attendre, je ne lui avais rien promis, je ne voulais pas de ses foutus prêches… Je m'en souviens, c'était toujours du genre Prends garde aux femmes de mauvaise vie… "Sa maison, c'est le chemin du séjour des morts…"

La voiture tangue au passage d'un bus et Rocky contemple le champ, le lac et le petit bosquet d'arbres, tout près.

— Quand je lui ai annoncé que je m'étais lassé d'elle, elle a disparu, poursuit-il. Mais j'ai compris qu'elle rôdait autour du presbytère… j'ouvrais la porte et je lui criais dans la nuit de me foutre la paix.

Rocky se tait et Joona attend en silence pour ne pas l'arracher à la fragile évocation de son passé.

— Un soir, elle est venue à l'église avec vingt sachets d'héroïne blanche et tout a recommencé… C'est allé super-vite, raconte-t-il avec un lourd regard sur Joona. J'ai plongé direct. On partageait nos seringues, elle me suivait partout, parlait de Dieu, prêchait, m'accompagnait dans la fange, voulait être comme moi, elle voulait être une partie de moi.

Il secoue sa grosse tête et se frotte la figure.

— On traînait à la Zone, je ne prêtais pas attention à ses prêches… C'étaient des interprétations extrêmes de la Bible, des preuves de notre mariage… Toute une conception du monde où le Dieu jaloux lui donnait raison.

Un noyau de douleur brille dans ses yeux.

— J'étais drogué et stupide. Je lui ai dit que j'aimais Natalia. Ce n'était pas vrai, mais je l'ai dit quand même.

Il est à bout de forces et son menton tombe sur sa poitrine.

— Elle avait de si jolies mains, Natalia.

Son visage pâlit soudain, il se perd à nouveau dans la contemplation du champ, la sueur brille sur son front et une goutte s'écoule de son nez et tombe sur sa poitrine.

— Tu parlais de Natalia, dit Joona au bout d'un moment.

— Quoi ?

Rocky le fixe sans rien comprendre, il se penche sur le côté et crache dans l'herbe. Une voiture avec une remorque chargée de bois de chauffage passe.

— Nelly montrait des photos de celles qu'elle avait l'intention de tuer, poursuit Joona. Mais Natalia devait mourir sous tes yeux…

Rocky secoue la tête.

— Tout ce que je sais, c'est que Dieu m'a perdu en chemin et qu'il ne s'est pas donné la peine de revenir me récupérer, murmure-t-il d'une voix enrouée.

Joona ne dit rien de plus. Il compose le numéro d'Erik encore une fois, sans succès.

Il appelle Margot, mais abandonne au bout de dix sonneries.

Maintenant il sait qui est le prédicateur, mais il ne peut évidemment rien prouver et il n'a rien à dire à la police. Margot l'écoutera sans doute, mais il est peut-être allé trop loin en libérant Rocky de la maison d'arrêt.

Joona essaie de comprendre pourquoi Nelly a poursuivi Erik. Ils sont seulement collègues et Nelly est mariée à Martin Brandt. Son obsession a dû s'enraciner plusieurs années auparavant, et l'histoire va très mal se terminer.

121

Le gravier gicle derrière eux quand la voiture redémarre. L'habitacle se remplit d'un vent tonitruant.

Pendant que Joona pousse le moteur au maximum, il essaie de se faire une idée claire de la tueuse en série. En couchant avec Rocky le jour de l'enterrement de son père, Nelly avait transféré son amour sur lui. Elle l'épiait, le poursuivait, se glissait dans sa vie, essayait de le dompter avec des drogues et tuait les femmes qui menaçaient leur pacte. Elle lui avait créé un cadre invivable en veillant à ce qu'il soit le suspect principal du meurtre de Rebecka Hansson. Pour finir, elle l'avait enfermé dans une cage, elle lui procurait de l'héroïne et croyait qu'elle le possédait totalement, jusqu'au jour où il avait réussi à s'évader. Il avait volé une voiture à Finsta et avait eu un accident en se rendant à l'aéroport d'Arlanda. Atteint d'une grave lésion cérébrale et condamné à des soins psychiatriques, aux yeux de Nelly, il avait perdu tout attrait.

Elle avait peut-être aperçu Erik quand il avait été appelé à témoigner en tant qu'expert dans le procès de Rocky Kyrklund.

Joona frémit en pensant que Nelly a probablement commencé à poursuivre Erik dès cette époque, s'approchant lentement, systématiquement, de lui.

Elle a fait des études, est devenue la collègue d'Erik, s'est mariée avec Martin et a soutenu Erik pendant sa séparation d'avec Simone.

Après le divorce, ses désirs de possession ont probablement grandi, elle s'est mise à le surveiller, n'a supporté aucune concurrence et a développé une jalousie pathologique. Elle voulait sans doute qu'il la choisisse de lui-même, qu'il la voie, elle seule, mais comme il n'était pas intéressé, la fêlure en elle s'est aggravée et elle a été obligée d'intervenir pour ne pas être anéantie.

Quand Erik a eu une aventure avec Maria Carlsson, elle s'était probablement dit que tout s'arrangerait si elle pouvait se débarrasser de sa rivale.

Un *stalker* développe toujours des relations fantasmées avec ses victimes, des relations qu'il imagine réelles et réciproques.

Dans son esprit, Nelly a pu croire qu'elle était mariée avec Erik et le fauve en elle s'est réveillé en voyant qu'il la trompait avec Maria Carlsson, qu'il était attiré par Sandra Lundgren, qu'il flirtait avec Susanna Kern et qu'il avait peut-être souri à Katryna Youssef.

Joona bifurque vers Malmköping, s'arrête sur le parking du magasin de bricolage et choisit une voiture en meilleur état.

Ils roulent ensuite à 190 kilomètres-heure sur la route européenne 20, lorsque Margot l'appelle de son téléphone personnel.

— Tu es recherché, tu en es conscient ?

— Je sais, mais…

— Tu vas te retrouver en prison pour ce que tu as fait, l'interrompt-elle.

— Ça le vaut, répond-il à voix basse.

Le silence dure quelques secondes.

— Je comprends pourquoi tu es un meilleur policier que moi, murmure Margot.

Joona double une Corvette noire et se rabat derrière un poids lourd avec une bâche jaune.

— Nos techniciens ont trouvé des cheveux d'Erik dans la baignoire de Sandra Lundgren, nous avons déjà ses empreintes digitales sur la tête de chevreuil, il a un lien avec toutes les victimes, il y a des milliers d'heures de vidéos dans sa cave et…

— C'est trop, la coupe Joona.

— Et l'analyse du sang dans-la voiture d'Erik montre qu'il provient de Susanna Kern… Et là, oui, c'est trop, même pour moi, dit-elle lourdement.

— Tant mieux.

— Erik est médecin… et tout ça ne colle pas, puisque les quatre meurtres démontrent une connaissance de criminalistique… Quand on s'y connaît, on ne laisse pas de sang dans sa propre voiture… Quelqu'un l'a versé sur son siège arrière pour le coincer.

— Tu as rencontré l'assassin, annonce Joona.

— C'est Nestor ?

— C'est Nelly Brandt… c'est elle, le prédicateur.

— Tu sembles sûr de toi.

— C'est Erik qu'elle veut atteindre, c'est lui qu'elle poursuit, les victimes ne sont que des rivales dans sa tête.

— Si tu es certain de ce que tu avances, j'organise une descente immédiatement, dit Margot. Nous interviendrons sur son lieu de travail et à son domicile en même temps.

Joona poursuit en direction de Stockholm tout en pensant à Nelly. Elle a poursuivi Erik pendant des années, elle a sondé la vie des femmes pour lesquelles il montrait de l'intérêt afin d'essayer de comprendre ce qu'elles avaient qu'elle ne pouvait pas lui offrir. Elle les voyait s'afficher avec des bijoux, des bouches peintes, de beaux ongles et elle voulait le leur enlever, les punir et mettre en évidence leurs oreilles nues ou leurs mains affreuses.

Quand cela n'a pas suffi, elle a essayé de lui enlever le monde entier. Telle Artémis avec ses chiens, elle a créé une meute. Elle est habile chasseresse, elle isole sa proie, la blesse, l'affole pour l'amener entre ses tentacules jusqu'à ce qu'il n'y ait plus qu'une seule issue.

Le but était qu'Erik comprenne que tout le désignait comme coupable, et qu'il s'enfuie avant d'être capturé par la police. Tout le monde lui tournerait le dos et il finirait par aller voir la seule qui lui ouvrirait encore sa porte.

S'il n'a pas encore été arrêté par la police, il s'est forcément réfugié auprès de Nelly.

122

Jackie ne tient pas en place. Elle va dans la cuisine, en se disant qu'elle va manger un morceau bien qu'elle n'ait pas vraiment faim.

Peut-être devrait-elle se contenter de s'asseoir dans le silence et de boire une tasse de thé.

Elle tâte le plan de travail, sa main passe le long du carrelage, sur le grand mortier et trouve la boîte de thé avec le petit bouton en verre.

Ses mains s'arrêtent.

Elles reviennent vers le mortier en pierre.

Le lourd pilon n'est pas à sa place dans le bol.

Jackie promène ses doigts sur tout le plan de travail sans le trouver. Il faudrait qu'elle demande à Madde quand les choses se seront un peu calmées entre elles.

Elle étouffe un bâillement et remplit la bouilloire d'eau.

Les jours suivant leur dispute chez Erik, Madde lui avait soutenu qu'Erik était triste et qu'il ne voudrait plus jamais revenir chez elles. Elle avait prétendu qu'elle oubliait elle aussi un tas de choses, en inventant un long récit de tous ses oublis de clés, de partitions et de chaussures de football.

Jackie avait tenté de lui faire comprendre qu'elle n'était plus fâchée, que ce n'était la faute de personne quand deux adultes n'arrivent plus à s'entendre. Là-dessus était arrivée la traque médiatique.

Jackie n'a pas expliqué à sa fille pourquoi elle ne la laisse pas aller à l'école. Elle a reporté toutes ses leçons avec ses élèves et annulé toutes ses dates dans les églises.

Pour faire passer les journées et ne pas trop gamberger, elle consacre son temps au piano, fait des gammes et des exercices de doigté pendant des heures, jusqu'à en avoir mal au cœur et ressentir de telles douleurs aux coudes qu'elle doit prendre des antalgiques.

Elle n'a évidemment pas dit à sa fille ce qu'on raconte aux informations au sujet d'Erik.

Madeleine ne comprendrait jamais.

Jackie elle-même ne comprend pas.

Elle n'écoute plus la télévision, n'a pas la force de suivre les spéculations, la délectation morbide de la douleur et du chagrin.

Madde a cessé de parler d'Erik, mais elle conserve une attitude réticente. Elle regarde des émissions destinées à des enfants plus petits qu'elle et Jackie pense qu'elle a recommencé à sucer son pouce en cachette.

Une boule de malaise pèse dans son ventre quand elle pense à l'incident survenu ce jour même. Elle a perdu patience quand Madde a refusé de se mettre au piano. Elle lui a dit qu'elle se comportait comme un bébé et Madde a commencé à pleurer et à lui crier qu'elle ne l'aiderait plus jamais pour quoi que ce soit.

Elle est allée se terrer dans sa penderie, avec des couvertures, des oreillers et des peluches, et ne répond pas quand Jackie essaie de lui parler.

Il faut que je lui montre qu'elle n'a pas besoin d'être excellente, songe Jackie. Que je l'aime quoi qu'elle fasse, de manière inconditionnelle.

Elle traverse la fraîcheur du vestibule et arrive devant les fenêtres du séjour, où le soleil se déverse. La lumière lui fait l'effet d'un courant d'eau tiède et elle sait que le piano sera chaud comme un grand animal.

Dehors, dans la rue, des travaux de démolition sont en cours, les secousses sourdes des grosses machines font vibrer le sol sous ses pieds nus, et elle entend les vieux carreaux des fenêtres trembler entre les croisillons.

Sur le parquet au milieu du séjour, elle sent quelque chose qui colle sous son talon. Madde a peut-être renversé du sirop. Une odeur de renfermé flotte dans la pièce, une odeur d'orties et de terre humide.

Une sensation électrique et piquante de danger fuse en elle, et un frémissement la parcourt du coccyx à la nuque.

Rien de plus normal que d'être ébranlée après tout ce qui s'est passé, toutes les horreurs qu'elle a entendues au sujet d'Erik, pense-t-elle juste avant de percevoir un bruit vers la fenêtre qui donne sur la cour.

Elle écoute et s'en approche. Tout est silencieux, mais quelqu'un peut être en train de l'observer si le rideau est ouvert.

Avec prudence, elle tend la main et touche la vitre.

Elle ferme les rideaux, les anneaux raclent contre la tringle, puis le silence retombe, à part le petit frôlement du rideau contre le mur.

Jackie avance jusqu'au piano, s'assied sur le tabouret, ouvre le couvercle, s'installe confortablement, baisse les mains. Quelque chose est posé sur le clavier.

Un morceau de tissu.

Elle le prend et le tâte. C'est une nappe ou une sorte de petite tapisserie.

Madde a dû le poser là.

Le tissu est brodé d'un motif complexe. Elle suit le dessin du bout des doigts.

On dirait une figure, un animal avec quatre pattes et des ailes ou des plumes sur le dos, et une tête d'homme à la barbe bouclée.

Elle se lève lentement et un froid envahit tout son corps, comme si elle tombait droit dans de la glace pilée.

Il y a quelqu'un dans la pièce.

Elle l'a senti à l'instant.

Le parquet grince derrière son dos, sous le poids d'un adulte.

Le sentiment d'un danger absolu comprime son monde, le réduit en un noyau dur où elle est totalement seule avec sa terreur.

— Erik ? dit-elle sans se retourner.

Elle entend un lent froufrou et la vibration du sol fait bouger le compotier vide sur la table.

— C'est toi, Erik ? demande-t-elle en s'efforçant de paraître calme. Tu ne peux pas venir ici comme ça…

Elle se retourne et entend la respiration étrangère, superficielle et fébrile.

Jackie se déplace lentement vers la porte.

Il reste où il est, mais il y a une sorte de grincement, comme s'il portait des vêtements de plastique ou de toile cirée.

— On peut en parler, tu sais, dit-elle, et la peur dans sa voix est manifeste. J'ai réagi trop fort, je le sais, je voulais t'appeler…

Il ne répond pas, déplace seulement son poids d'un pied à l'autre. Le parquet craque.

— Je ne suis plus fâchée, je pense à toi tout le temps… Ça va s'arranger, poursuit-elle faiblement.

Elle bouge en direction du couloir qui mène au hall d'entrée, il faut qu'elle sorte, qu'elle attire Erik hors de l'appartement, loin de Madde.

— On peut s'installer dans la cuisine, Madde n'est pas encore rentrée, ment-elle.

Soudain des pas lourds s'approchent, et elle brandit la main pour l'arrêter.

Elle sent un coup sur son bras levé. Le pilon frôle son coude et elle titube en arrière.

L'adrénaline fuse dans ses veines et l'empêche de sentir la douleur dans le bras qui a encaissé le coup.

Jackie recule, lève son bras qui tremble, se retourne et bute contre la cloison, elle se cogne les genoux à la petite table, attrape le bol en verre dans lequel Madde met du popcorn, et frappe de toutes ses forces. À l'instant où elle l'atteint, le bol lui glisse des mains. Erik tombe sur elle et elle se cogne le dos contre la bibliothèque.

Jackie sent l'imperméable d'Erik contre son corps. Elle le repousse des deux mains et perçoit son haleine âcre.

Des livres s'effondrent des rayonnages.

Ce n'est pas Erik, pense-t-elle.

Ce n'est pas son odeur.

Elle court vers le vestibule, la main sur le mur. Arrivée devant la porte d'entrée, elle commence à ouvrir le verrou d'une main tremblante.

Les lourds pas la suivent.

Elle tire sur la porte, qui se referme aussitôt toute seule dans un cliquetis.

La chaîne de sécurité, elle a oublié la chaîne de sécurité.

Elle essaie maladroitement de l'enlever, mais sa main tremble trop, elle n'arrive pas à la faire glisser dans son rail.

La personne qui cherche à la tuer s'approche en laissant échapper un grognement sourd.

Du bout des doigts Jackie repousse la chaîne qui se défait subitement, elle ouvre la porte et se précipite dans la cage d'escalier. Elle manque de tomber, mais atteint la porte du voisin et frappe du plat de la main.

— Ouvre-moi ! crie-t-elle.

Il y a un mouvement dans son dos, elle pivote et lève les mains devant son visage pour se protéger quand le coup l'atteint.

Jackie tombe contre la porte, du sang coule le long de sa joue et elle n'émet qu'un lourd halètement lorsque le coup suivant fait partir sa tête sur le côté.

Une fleur amère éclôt et remplit sa bouche et ses narines, une fleur chaude aux pétales comme de fines plumes.

123

Recroquevillé sur le sol de la voiture, Erik n'entend que les bruits du moteur, le vacarme monotone des pneus sur le goudron et les petits soupirs inconscients de Nelly qui se concentre sur la circulation.

Après avoir quitté la rue Sickla strand, elle a conduit pendant vingt minutes dans Stockholm, avec de nombreux arrêts aux feux rouges, des virages et des changements de file. Puis elle s'est garée, est sortie de la voiture et elle est demeurée longtemps absente. Erik est resté dissimulé sous le plaid, a prudemment changé de position et a attendu. Il s'est endormi dans l'air chaud, mais s'est réveillé en sursaut en entendant des voix juste à côté de la voiture.

C'étaient deux hommes qui se consultaient à voix basse. Il a essayé de saisir leur conversation, on aurait dit des policiers, mais il n'en était pas sûr.

Il n'a pas bougé d'un millimètre, le plaid sur le dos, en essayant de respirer doucement. Tout son côté droit s'était ankylosé, mais il n'a osé changer de position que longtemps après que les voix eurent disparu.

Au bout d'une bonne quarantaine de minutes, Nelly est revenue. Il l'a entendue ouvrir le coffre et y placer un bagage lourd, en soufflant comme une forge. La voiture a tangué un peu, puis elle est revenue s'installer au volant. Elle a démarré le moteur et la *Symphonie de psaumes* d'Igor Stravinsky a rempli l'habitacle.

Quand la voiture s'est engagée sur l'autoroute, il a osé retirer la couverture de son visage. La voix de Nelly paraît joyeuse quand elle lui lance à travers la musique qu'elle est folle de faire ça, mais qu'elle a eu une période punk assez marquée à seize ans et qu'elle aime encore se venger des flics et de tous les autres salopards de fascistes.

Ils roulent depuis plus d'une heure quand elle rétrograde, et dans son petit espace au sol, Erik est poussé contre le siège du conducteur.

L'énorme crossover effectue un virage serré sur une piste cahoteuse. De petits cailloux frappent contre le châssis. Nelly ralentit encore, et Erik entend des branches frotter contre le toit et les vitres. La voiture bringuebale sur les bosses et les nids-de-poule avant de s'arrêter. Le frein à main est serré avec un petit grincement, puis le silence s'installe.

La porte du conducteur s'ouvre et lorsque l'air frais mêlé aux gaz d'échappement du moteur diesel atteint ses narines, Erik peut enfin s'asseoir sur le siège arrière. Aveuglé, il contemple des ruines envahies par la végétation et il voit un ciel blanc, des feuillages denses et de grands champs en friche.

Ils sont en pleine cambrousse. Des sauterelles stridulent dans les hautes graminées. Nelly le regarde, les yeux brillants. Sa robe à fleurs verte est froissée à hauteur des cuisses, et des mèches de ses cheveux décolorés se sont échappées du foulard sur sa tête. Elle a une rougeur bizarre sur une joue, comme si elle s'était fait mal. Tout est si silencieux et calme qu'Erik entend les breloques de son bracelet cliqueter quand elle remonte son sac sur l'épaule.

Il ouvre la portière et pose prudemment un pied sur l'herbe. Son débardeur a séché, tout son corps est endolori.

Nelly s'est garée dans une cour à l'abandon. Une maison jaune à un étage se dresse parmi les ruines d'une sorte d'usine. D'un four noir de suie monte une haute cheminée en brique. Les bâtiments sont entourés de rejets d'arbres et dans l'herbe haute on aperçoit d'énormes quadrillages de plates-formes maçonnées.

— Viens, on entre, dit Nelly en se léchant les lèvres.

— C'est ça, Solbacken ? s'étonne Erik. Le Coteau ensoleillé ?

— C'est beau, non ? pouffe-t-elle.

Des éclats de verre jonchent la cour, des briques et des plaques noircies de tôle ondulée sont éparpillées dans l'herbe. Certaines fondations se sont écroulées dans les sous-sols, laissant apparaître des sortes de cavités envahies de mauvaises herbes et des voûtes menant à des passages souterrains.

Dans un bosquet de jeunes ormes trônent une vieille machine à laver, des chaises en plastique sales et quelques pneus de tracteur. Nelly glisse sa main sous le bras d'Erik avec un sourire de satisfaction.

— Je vais te montrer l'intérieur, je l'adore.

La maison jaune est entièrement cernée d'orties vert sombre. La gouttière s'est détachée et repose sur le toit de la véranda.

— C'est sympa dedans, tu verras, dit-elle en essayant de l'entraîner.

Le sol tangue, Erik se sent submergé par une vague de nausée et son regard s'accroche à une flaque d'eau marron où miroite du fuel.

— Ça va ? demande Nelly, et son sourire paraît inquiet.

— J'ai un peu de mal à tout saisir… de me trouver ici.

— On va entrer, décide-t-elle, et elle se dirige vers la maison à reculons sans lâcher Erik du regard.

— J'ai hypnotisé Rocky ce matin. Il s'est souvenu de la personne qui a assassiné Rebecka Hansson, il a dit le nom de l'église où ils se sont rencontrés.

— Il faudrait qu'on passe le tuyau à la police.

— Je ne sais pas… tout s'est…

— Allez, viens, l'interrompt-elle.

— Je n'ai pas eu le temps de réfléchir, je n'ai fait que courir, explique-t-il pendant qu'ils traversent la cour.

— Bien sûr, répond-elle distraitement.

Une corneille s'envole et va se poser sur le toit. Le câble de l'antenne télé pend le long de la façade jusque dans les mauvaises herbes. Des monceaux de feuilles mortes mouillées se sont accumulés autour d'un vieux tonneau de fuel estampillé de l'emblème défraîchi de Shell.

— Il faut que je trouve un moyen de me livrer à la police, dit Erik.

Il suit Nelly sur un sentier vert à travers les hautes orties.

— Ils ont tiré sur Nestor littéralement sous mes yeux, je n'arrive pas à le croire, poursuit-il.

— Je sais.

— Ils ont cru que c'était moi et ils lui ont tiré dessus par la fenêtre, comme une exécution. C'étaient des tireurs d'élite.

— Tu me raconteras tout ça quand on sera à l'intérieur, propose Nelly avec une petite ride d'impatience entre les sourcils.

Dans les orties près du mur traîne une pelle à neige au manche cassé. La peinture de la véranda d'entrée se détache par pans entiers et l'une des fenêtres est cassée. Un bout de contreplaqué recouvre l'emplacement du carreau.

— En tout cas, tu es là maintenant, en sécurité, déclare Nelly. Je veux dire, pour moi, tu peux rester aussi longtemps que tu le souhaites.

— Tu pourras peut-être contacter un avocat quand les choses se seront tassées ? suggère Erik.

Elle hoche la tête, se lèche les lèvres encore une fois et remet une mèche blonde sous son foulard.

— Dépêche-toi.

— Pourquoi, qu'est-ce qu'il y a ?

— Rien, répond-elle rapidement. Seulement je… tu sais… on dit partout que tu es recherché. Et parfois les voisins font un saut quand ils voient que je suis là.

Erik laisse son regard errer vers la route étroite entre les champs. Aucune autre maison n'est en vue, seulement des champs abandonnés et une bande de forêt.

— Allez, viens, répète-t-elle avec un sourire tendu, et elle attrape de nouveau son bras. Tu as besoin de boire et de te mettre quelque chose sur le dos.

— Oui, dit-il en la suivant sur le sentier ouvert à travers les orties.

— Et après, je vais nous préparer quelque chose à manger.

Ils montent les marches de la petite véranda. Des sacs-poubelles pleins sont appuyés contre le mur extérieur à côté d'un bac en plastique avec des bouteilles remplies d'eau de pluie. Nelly tourne la clé dans la serrure, ouvre la porte et le précède dans le vestibule. Elle appuie sur l'interrupteur du plafonnier, mais n'obtient qu'un clic dans le vide.

— Faut que je vérifie les fusibles, pouffe-t-elle.

Une combinaison bleue avec des taches d'huile est accrochée à un cintre à côté d'une doudoune argentée. Sur l'étagère à chaussures, une paire de sabots scandinaves usés et une paire de bottes crottées. Au-dessus d'une petite banquette est suspendue une tapisserie avec un verset de la Bible brodé : *Car l'amour est fort comme la Mort, Cantique des cantiques VIII, 6.*

Une odeur douceâtre de poulet cru et de fruits blets flotte dans l'air.

— C'est une vieille maison, dit Nelly doucement.

— Oui, fait-il en songeant qu'il voudrait juste partir d'ici.

Elle le regarde en souriant toujours, tellement près qu'il voit son fard à joues qui s'est aggloméré dans ses cernes.

— Tu veux prendre une douche avant de manger ? demande-t-elle sans le quitter des yeux.

— J'ai l'air d'en avoir besoin ? plaisante-t-il.

— C'est toi qui sais si tu te sens sale ou non, répond-elle avec sérieux, et ses yeux brillent comme du verre.

— Nelly, je te suis infiniment reconnaissant pour tout ce que tu…

— En tout cas, voici la cuisine, le coupe-t-elle.

Quand elle pousse la lourde porte à côté de la banquette, Erik entend un bruit métallique.

Le son s'amplifie avant de s'arrêter net.

D'un pas hésitant, il la suit dans la cuisine sombre. Une puanteur de nourriture avariée le frappe. Une faible lumière filtre par les stores vénitiens baissés. Il est difficile de distinguer quoi que ce soit. Nelly est allée ouvrir le robinet.

Erik reste dans l'embrasure de la porte et sent un frisson lui parcourir le dos. Tout le plan de travail déborde d'outils et de pièces de moteur rouillés, de bûchettes, de sacs en plastique froissés, de chaussures et de casseroles contenant des restes de nourriture.

— Nelly, qu'est-ce qui s'est passé ici ?

— Quoi donc ? demande-t-elle sur un ton léger pendant qu'elle remplit un verre d'eau.

— Enfin, l'état de la cuisine ?

Elle suit son regard vers le plan de travail et les rideaux tachés. Trois lampes à pétrole éteintes sont posées dans un tiroir ouvert.

— Des gens qui sont entrés par effraction, sans doute, dit-elle en lui tendant le verre.

Il entre et a tout juste le temps d'arriver vers elle quand la porte de la cuisine claque bruyamment derrière son dos.

Erik pivote, son cœur battant la chamade. Un dispositif de fermeture automatique surdimensionné s'est tout d'un coup déclenché, le puissant ressort en acier vibre et chante.

— Bon sang, ce que j'ai eu peur, soupire-t-il.

— Pardon, dit Nelly sur un ton désinvolte.

124

Nelly allume une lampe de poche qu'elle pose négligemment sur le plan de travail. La lumière frappe les couches de toiles d'araignées sur le store.

Erik reste immobile et essaie de comprendre ce qu'il voit. Une grosse mouche fait quelques tours dans la pièce et atterrit sur la porte de la cave. Le long d'un des montants pend une barre de fer qui semble servir à la bloquer.

— La femme qui craint l'Éternel est celle qui sera louée, chuchote Nelly.

— Nelly, je ne comprends pas très bien ce qu'il se passe.

Deux couteaux sont posés par terre à côté d'un tapis en lirette roulé, d'une boîte de vitesses de voiture et d'un recueil de cantiques sale.

— Tu es arrivé chez toi, sourit-elle.

— Merci, mais je…

— La porte est là, dit-elle en pointant le doigt.

— La porte est là ?

— C'est mieux si tu descends toi-même, déclare-t-elle en avançant la main qui tient le verre d'eau.

— Si je descends où ?

— Ne me contredis pas maintenant, sourit-elle.

— Tu veux que je me cache dans la cave ?

Elle hoche énergiquement la tête.

— N'est-ce pas un peu exagéré ? Je ne pense pas que…

— Tais-toi, crie-t-elle, et elle jette le verre d'eau sur lui.

Le verre atterrit sur le mur avant de se briser par terre. L'eau éclabousse les jambes et les pieds d'Erik.

— Qu'est-ce que tu fais, là ?

— Pardon, je suis un peu stressée, c'est tout, dit-elle en se griffant le front.

Il opine de la tête et se dirige vers la porte du vestibule, mais le puissant ressort l'a bloquée et il faut une clé pour l'ouvrir. Il n'y en a pas dans la serrure. L'adrénaline se libère dans son sang quand il entend Nelly approcher derrière lui. Il tire sur la poignée, mais la porte ne bouge pas d'un millimètre.

— Je veux simplement que tu fasses ce que je dis, explique Nelly.

— Mais je n'ai pas l'intention de descendre dans une putain de…

Avant qu'il ait le temps de finir sa phrase, Erik reçoit un coup dans le dos tellement fort qu'il en perd le souffle et se cogne le front contre la porte. Il titube sur le côté. C'est comme s'il avait une crampe au-dessus de l'omoplate gauche, puis il se rend compte qu'un liquide chaud coule dans son dos.

Il regarde ses pieds et voit les petites éclaboussures de sang dans la crasse du lino, il se tourne vers Nelly et comprend qu'elle l'a frappé avec la bûche qui se trouve maintenant par terre.

— Pardon, Erik, rit-elle presque. Je ne voulais pas…

— Nelly ? halète-t-il. Tu m'as fait mal.

— Oui, je sais, ce n'est pas facile, mais je suis là pour t'aider. Ne t'inquiète pas.

— Je n'ai pas fait ce dont on m'accuse, essaie-t-il d'expliquer.

— Ah bon ?

Il se déplace latéralement, se tourne de nouveau vers Nelly et voit qu'elle s'est saisie d'un gros pied-de-biche sur le plan de travail.

— Tu ne comprends pas… je suis innocent.

Erik recule et heurte la table où est posée une bassine remplie d'eau de vaisselle. L'eau déborde et éclabousse le sol.

Nelly s'approche rapidement de lui et frappe. Il prend le coup sur l'avant-bras, la douleur est telle qu'il manque de s'évanouir et il trébuche contre la porte bleu ciel du garde-manger.

Elle frappe encore, mais rate sa tête. Des éclats de bois volent du chambranle. Il vacille et renverse sur le plan de travail une pile de pots de confiture vides qui vont ensuite s'écraser par terre en envoyant des morceaux de verre partout.

— Nelly, arrête, souffle-t-il.

Son bras est probablement cassé, il doit le soutenir avec l'autre main.

Nelly le suit d'un air particulièrement concentré. Il rejette sa tête en arrière quand elle vrille son corps et frappe. Le pied-de-biche lui frôle le bout du nez mais rate son visage, il se cogne la nuque à une porte de placard. Il essaie de s'esquiver et marche sur les éclats de verre juste quand elle frappe de nouveau.

Il freine le coup puissant avec son bras cassé et hurle de douleur. Sa vue se brouille pendant quelques secondes, ses jambes se dérobent. Il tombe à genoux. Il voit le sol crasseux et le sang qui coule le long de son bras blessé.

— Arrête, arrête, supplie-t-il, mais il sent déjà le coup suivant sur sa tempe.

Sa tête part sur le côté. Son corps s'engourdit, comme s'il s'éteignait à l'intérieur, alors qu'il tâte dans le vide pour trouver un appui.

Son champ de vision se réduit à un fin tuyau, la cuisine rétrécit et Nelly se penche en avant et le contemple avec un sourire.

Erik tente de se relever. Il comprend qu'il a de nouveau marché sur des morceaux de verre, car la douleur lui arrive comme des piqûres lointaines, de loin, tout en bas, sous son pied, dans la terre.

Il tombe en arrière, roule sur le côté et reste là, à suffoquer, la joue contre le lino.

— Dieu du ciel…

— Ainsi l'innocent est devenu un objet de raillerie, murmure-t-elle. Interroge pourtant le bétail…

Dans son champ de vision resserré, il distingue Nelly qui ouvre la porte de la cave et la bloque du pied avec un coin en bois.

Il sent son parfum quand elle se penche, le saisit sous les bras et le traîne sur le sol. Toutes ses forces l'ont quitté, ses pieds pendent mollement et dessinent des traces de sang par terre.

— Ne fais pas ça, gémit-il.

Elle le tire vers l'escalier, il essaie de s'agripper à un placard, mais sans y arriver. Le sang coule sur sa joue, autour du cou et dans la nuque. Il veut attraper le chambranle, mais il est trop faible.

Nelly descend l'escalier à reculons en le traînant dans le noir. Ses pieds rebondissent sur chaque marche.

Il ne voit presque rien, sent seulement la douleur irradier dans son bras. Loin là-haut, il devine la lueur de la lampe de poche. Puis il perd connaissance.

125

Quand Erik ouvre les yeux dans le noir, une puanteur de vieux excréments et de pourriture à un stade avancé le prend à la gorge. Il a terriblement mal à l'avant-bras droit et une migraine lui laboure le crâne.

Il ne voit rien et une vague de panique brûlante émiette ses pensées, les éparpille dans l'obscurité. Il ne comprend pas ce qui s'est passé et tout son corps se tend, vigilant, prêt à la fuite.

Il voudrait appeler à l'aide, mais il se force à rester immobile et à écouter. La pièce est totalement silencieuse.

Par moments, il entend un faible bruit sourd, comme le vent dans une cheminée.

Avec précaution il tâte son bras blessé et sent qu'il est entouré de papier.

Le cœur d'Erik se met à battre plus fort.

C'est de la folie, pense-t-il. Nelly m'a frappé, elle m'a grièvement blessé, j'ai probablement le bras fracturé.

Le sang coagulé a collé ses cheveux et sa joue au matelas, il s'en rend compte quand il essaie de se retourner.

Il lève la tête et respire fort par le nez, pris de vertige. Une douleur martèle sa tempe quand il s'oblige à se mettre à genoux.

Il tend l'oreille de nouveau, mais ne perçoit aucun mouvement, aucune autre respiration que la sienne.

Il fixe l'obscurité, cligne des yeux, mais sa vue ne s'accommode pas à son environnement.

S'il n'est pas devenu aveugle, c'est que la pièce n'a aucune ouverture, aucune lumière.

Il se souvient maintenant d'avoir été traîné en bas d'un escalier raide avant de perdre connaissance.

Il tient son bras blessé serré contre son corps en se relevant, mais avant d'avoir pu redresser le dos, il se cogne la tête contre quelque chose.

Le choc produit un petit bruit métallique.

Il avance accroupi, la main tendue, mais ne peut faire que deux pas avant d'être bloqué par une grille.

Il marche sur une matière mouillée qui s'écrase sous son pied.

Erik continue de tâter autour de lui, suit la grille et arrive à un angle.

Il est enfermé dans une cage.

Son cœur bat bruyamment dans sa poitrine, la panique se réveille, son pouls bruisse dans ses oreilles, il a l'impression de ne plus pouvoir respirer.

Il commence à comprendre. Tout ce qui lui est arrivé se segmente, morceau par morceau, en événements distincts et nets – éclairés par une lumière glacée.

Erik continue de tâter, marche sur un objet souple qui ressemble à une couverture. Il passe sa main valide sur la grille, examine avec les doigts les gros barreaux, touche les angles. Ils sont soudés partout. Il sent les joints irréguliers là où les tiges de métal ont été soudées à la grille, en haut et en bas.

Nelly, pense-t-il.

C'est Nelly qui a fait tout ça.

D'une façon ou d'une autre, c'est elle, la personne qu'ils appelaient le prédicateur sale. Une tueuse en série, un *stalker*.

Erik marche de nouveau sur le matelas et ses mains repèrent la porte de la cage. Il la secoue violemment et la grille autour de lui vibre dans un bruit sourd.

Il glisse ses doigts entre les barreaux et tâte un gros cadenas, il le remue et essaie de tirer dessus, mais, de toute évidence, c'est une serrure impossible à briser, même s'il avait un pied-de-biche.

Erik se remet à genoux et essaie de respirer calmement. Il s'appuie sur sa main gauche et ferme les yeux dans le noir lorsqu'un bruit le fait sursauter. C'est la porte en haut dans la cuisine qui vient de s'ouvrir.

Des pas font grincer l'escalier et un cône de lumière s'élargit lentement.

Quelqu'un descend, une lampe de poche à la main.

Il se penche en avant et voit la robe verte qui flotte autour des jambes de Nelly.

La lueur de la torche danse sur les marches d'escalier et sur le mur où des pans entiers d'enduit sont tombés. La main courante est mal fixée et fait voler de la poussière de ciment quand elle s'y appuie.

C'est comme s'il allait vomir.

Elle a tué Maria Carlsson, Sandra Lundgren, Susanna Kern et Katryna Youssef – des femmes de son entourage totalement innocentes.

Comment concevoir que Nelly ait fait ça ? Qu'elle se soit assise à califourchon sur ces femmes pour détruire leur visage et leur cou avec un couteau, bien après les avoir tuées ?

Elle arrive. La lumière le balaie et il voit que la cage est faite de treillis pour béton armé reliés par soudure. Il est entouré de tiges de fer couleur rouille qui forment un gros quadrillage. Le solide cadenas est en acier poli et ferme une porte en treillis double épaisseur aux mailles soudées.

Des ombres glissent sur les murs de la cave quand elle s'arrête et le regarde.

Son visage est rouge d'excitation, et sa respiration saccadée. Erik voit maintenant que la rouille de la grille a taché sa main gauche. Son débardeur est déchiré et pend en lambeaux autour de sa taille.

— N'aie pas peur, dit Nelly en tirant une chaise de bureau devant la cage. Je sais, pour le moment, tu essaies de comprendre comment tout ça se tient, mais on n'est pas pressés.

Sans le quitter des yeux, elle pose la lampe de poche sur une vieille table de cuisine. La torche éclaire le mur de l'escalier et Erik devine le reste de la pièce.

À côté de lui est posé un vieux matelas. Le tissu rayé est maculé d'une trace sombre de saleté au milieu, comme si quelqu'un y avait dormi pendant une longue période.

Un bidon en plastique terne avec de l'eau trouble est posé dans l'autre coin, où il aperçoit aussi une assiette en porcelaine au dessin fleuri décoloré à force de lavages, sous un enchevêtrement de fines craquelures.

Ça doit être cette cage dont parlait Rocky.

Il est resté enfermé ici pendant sept mois avant de réussir à s'évader.

Il était sorti de la cage et avait volé une voiture à Finsta, pour finalement se planter tout seul avec et se retrouver condamné pour le meurtre de Rebecka.

Dans les ombres de l'autre côté du grillage, Erik voit des rats morts et une botte de bâtons de bois au bout noir de suie.

Le sac noir de Nelly est posé sous la table.

Erik remue la tête pour écarter ses cheveux de ses yeux. Il se dit qu'il doit lui parler, qu'il doit devenir autre chose qu'une victime à ses yeux.

— Nelly, dit-il d'une voix faible. Qu'est-ce que je fais ici ?

— Je te protège.

Il tousse et pense qu'il doit parler avec sa voix normale, qu'il doit apparaître comme son collègue de Karolinska, pas comme un homme affolé, déshumanisé.

— De quoi ai-je besoin d'être protégé, selon toi ?

— D'un tas de choses, chuchote-t-elle avec un sourire.

Des mèches de ses cheveux blonds se sont de nouveau échappées du foulard et la robe légère a des taches de sueur aux aisselles et sur la poitrine.

Elle dit qu'elle me protège, pense-t-il. Nelly estime qu'elle me protège d'un tas de choses.

Elle ne m'a pas amené ici pour me tuer.

Rocky aussi s'était retrouvé dans la cage, et il n'avait été ni torturé ni mutilé. À la rigueur frappé et corrigé.

Des toiles d'araignées pleines de mouches et de cloportes tremblent en bas de la grille. Ses yeux se posent sur l'ouverture sombre de l'autre côté de la cave. Le petit courant d'air au sol vient d'un tunnel souterrain.

Il faut qu'il réfléchisse.

Elle a lancé la police à ses trousses. Elle savait qu'il allait fuir, qu'il n'aurait nulle part où aller, que tôt ou tard il viendrait à elle de son plein gré.

C'est lui qui l'a appelée, qui a demandé à venir ici.

C'est ainsi qu'elle l'a voulu, tout ça colle trop bien pour être un hasard.

Elle a dû préparer cette machination pendant des années, elle l'a probablement espionné avant même de commencer à travailler à l'hôpital Karolinska.

Elle l'a pris pour cible de son *stalking*.

Elle a été proche de lui tellement longtemps qu'elle a pu anticiper ses moindres mouvements, manipuler les preuves pour faire de lui un coupable aux yeux de la police.

Erik regarde une araignée qui passe lentement sur un rat mort. Il se dit que sa vie s'est effondrée et qu'il restera peut-être ici jusqu'à sa mort.

Car personne ne sait où il se trouve.

Joona cherche au mauvais endroit, l'église de Sköldinge n'est qu'un fragment confus dans le cerveau de Rocky.

Sa famille, ses amis et le reste de son entourage vont se souvenir de lui comme d'un tueur en série qui a basculé dans la clandestinité et s'est volatilisé.

Il faut que je m'évade, songe Erik. Même si la police me capture et que le tribunal me condamne à la prison à vie.

126

Nelly se penche vers lui et le regarde avec une expression qu'il a du mal à interpréter. Ses yeux clairs sont comme des boules de porcelaine brillantes.

— Nelly, nous sommes des gens rationnels, toi et moi, dit Erik, et sa voix tremble de peur. On se respecte… et je comprends que tu n'avais pas l'intention de me faire aussi mal.

— C'est tellement pénible quand tu ne fais pas ce que je te dis, soupire-t-elle.

— Je sais que tu trouves ça pénible, mais c'est comme ça pour tout le monde, ça fait partie de la vie.

— Très bien, OK, acquiesce-t-elle sur un ton distant.

Elle chuchote quelque chose pour elle-même et déplace un objet sur la table. Du sable s'écoule sur le verre poussiéreux d'un petit tableau posé contre le mur, un accord de coopération entre la verrerie d'Emmaboda, Saint-Gobain et la manufacture de Solbacken.

— J'ai vraiment très mal au bras et à la…

— Tu vas me dire que tu as besoin d'aller à l'hôpital ? demande-t-elle avec mépris.

— Oui, il faut me faire une radio et…

— Tu t'en sortiras sans, l'interrompt-elle.

— Pas s'il y a un hématome sous-dural, dit-il en touchant la plaie à sa tempe. Je peux très bien avoir une hémorragie artérielle, ici, entre la dure-mère et la boîte crânienne.

Elle le regarde, surprise, puis elle se met à rire.

— Mon Dieu, ça, c'était vraiment pathétique.

— Je veux juste dire… que pour me sentir bien ici, tu dois t'occuper de moi, veiller à mon bien-être…

— C'est ce que je fais, tu ne manques de rien.

Une personne qui fait tout ce que Nelly a fait souffre d'une faim affective insatiable, songe Erik, elle a des besoins infinis et peut passer d'un amour dévoué à la haine féroce en une seconde.

— Nelly, combien de temps comptes-tu me garder enfermé ?

Elle fixe le sol avec un sourire gêné, examine ses ongles et lui jette ensuite un regard indulgent.

— Dans un premier temps, tu vas me supplier et peut-être me menacer, répond-elle. Tu vas promettre tout un tas de choses… Puis très vite tu vas essayer de me manipuler de différentes manières en disant que tu n'as pas l'intention de t'évader, que tu veux seulement m'aider à balayer les marches d'escalier.

Elle réajuste sa robe et l'observe en silence. Au bout d'un moment, elle croise ses jambes et se déplace un peu de sorte que la lumière de la lampe torche vient caresser sa joue.

— Nelly, je te suis reconnaissant de pouvoir rester ici, seulement je n'aime pas la cave, je ne sais pas pourquoi, mais c'est comme ça, dit Erik sans recevoir de réponse.

Il la contemple en essayant de se rappeler comment ils se sont rencontrés.

Elle a dû se trouver dans les parages quand il établissait l'expertise de Rocky, et ensuite elle a posé sa candidature pour un poste dans son service.

Comment a-t-elle pu l'obtenir ?

Le chef du personnel s'était suicidé. C'était juste après l'arrivée de Nelly.

Elle était drôle, légère, de conversation charmante, et capable d'une certaine ironie envers elle-même.

La période du divorce avec Simone avait été difficile. Les nuits surtout étaient éprouvantes, les longues heures sans pouvoir dormir. Nelly l'avait convaincu de reprendre des cachets. Elle lui donnait du Valium, du Rohypnol, du Seresta, du Dafalgan codéine – tous les médicaments dont il s'était libéré plusieurs années auparavant.

Ils buvaient et prenaient des cachets ensemble, ça les amusait. Aujourd'hui, il ne comprend plus comment il a pu accepter un tel raisonnement. Ils avaient commencé à s'embrasser et s'étaient retrouvés au lit. Elle avait insisté pour porter une chemise de nuit oubliée par Simone et il avait essayé de ne pas montrer combien il trouvait ça déplacé.

Maintenant il se souvient d'un événement tout récent. La journée avait été particulièrement pénible, un de ses patients avait été hospitalisé d'office et mis sous contention, et il avait passé plusieurs heures à écouter les accusations de la famille. Il était sorti de l'entretien épuisé et bouleversé, et il était si tard qu'il avait décidé de dormir à l'hôpital sur son canapé-lit.

Nelly était là aussi, elle faisait des heures sup, et elle lui avait donné un Rohypnol, puis elle avait préparé des cocktails avec de l'alcool médical et du Schweppes Russchian.

Le dosage du médicament était trop fort pour lui, ou peut-être était-il au bout du rouleau après toutes ces heures de travail, car il avait plongé dans un sommeil proche de l'inconscience.

Il sait que Nelly l'avait aidé à se déshabiller avant de partir et qu'il avait dormi longtemps et profondément.

Mais il avait rêvé que quelqu'un l'embrassait, léchait ses lèvres closes et mettait dans sa main relâchée une boule de verre froid en serrant fort.

Dans les rêves provoqués par le somnifère, Nelly revenait auprès de lui, elle avait un piercing dans la langue et elle prenait lentement son pénis dans sa bouche. Puis il avait rêvé qu'un chevreuil entrait dans son bureau en empruntant le même chemin que Nelly : il passait devant son lit et s'arrêtait derrière le lampadaire, levait la tête et le regardait avec ses yeux farouches.

Dans le rêve, Erik ne pouvait pas parler. La lumière était filtrée par ses cils et il voyait Nelly. Elle était à genoux et appuyait un petit objet froid dans sa main. Une petite tête marron de chevreuil en porcelaine.

À présent, assise, le visage neutre, elle le regarde. Comme si elle attendait son lent rétablissement.

Après un instant, elle sort des vêtements soigneusement pliés d'un mince sac-poubelle et les pose sur ses genoux.

— Ils sont pour moi ?

— Oui, pardon, s'excuse-t-elle, et elle roule les habits et les lui tend à travers la grille.

— Merci.

Il déplie un jean sale avec des taches de terre aux genoux, et un tee-shirt délavé avec l'inscription Saab 39 Gripen imprimée sur le devant. Les vêtements sentent la sueur et le moisi, mais Erik enlève son débardeur déchiré et se change.

— Tu as un mignon petit ventre, c'est nouveau, dit-elle en riant.

— N'est-ce pas, répond-il à mi-voix.

Dans un geste de coquetterie, elle lève le menton et défait le foulard autour de ses cheveux. Du sang a séché sur les mèches blondes. Il se force à la fixer droit dans les yeux, à ne pas dévier le regard bien que la peur accélère son pouls.

— Nelly, on est ensemble, déclare-t-il en avalant sa salive. On a toujours été ensemble… mais j'ai attendu, parce que je croyais que tu étais avec Martin.

— Avec Martin ? Mais… ça n'a pas la moindre importance, répond-elle, et une rougeur apparaît sur ses joues.

— Vous aviez l'air heureux.

La bouche de Nelly se fait sérieuse et ses lèvres tremblent.

— Il n'y a que toi et moi, dit-elle. Il n'y a toujours eu que toi et moi…

Erik a du mal à respirer, mais fait de son mieux pour paraître naturel quand il parle :

— Je ne savais pas si tu regrettais ce qui s'était passé, cette fois-là…

— Jamais, chuchote-t-elle.

— Moi non plus. Je sais, j'ai fait des trucs stupides, mais seulement parce que je me sentais abandonné.

— Mais mon pauvre…

— Parce que j'ai toujours senti que notre façon de communiquer était unique, Nelly. Depuis toujours, elle est unique.

Les larmes montent aux yeux de Nelly et elle détourne la tête. De ses doigts tremblants, elle se frotte sous le nez.

— Ce n'était pas mon intention de te faire mal, se justifie-t-elle à voix basse.

— Je ne dirais pas non si tu me proposais quelques comprimés d'Oramorph, dit-il sur un ton plus léger.

— D'accord, répond-elle tout de suite, et elle s'essuie le visage avant de se lever et de partir.

127

Dès que Nelly a fermé la porte de la cuisine derrière elle et baissé la lourde barre, Erik commence à tirer sur la grille. Il utilise toutes ses forces et arrive à la plier de quelques millimètres, mais il comprend qu'elle ne cédera jamais.

Il donne un coup avec son pied nu, la ferraille lui brûle la voûte plantaire et le métal émet un son plaintif. Il tourne dans la cage, désespéré, secoue les coins, cherche un point faible dans la construction, appuie sur le haut, mais il n'y a aucune faille, aucune soudure prête à lâcher. Alors il se couche sur le ventre, tend la main gauche et parvient à atteindre un des bâtons du bout des doigts. Il le fait rouler vers lui jusqu'à ce qu'il puisse le saisir et le tirer à l'intérieur de la cage. Il se déplace du côté opposé, pointe le bâton et atteint la fine bretelle du sac Gucci noir. Avec précaution, il lève la pointe du bâton et fait glisser le sac dans sa direction. Il est obligé de prendre appui sur son bras blessé et la douleur le fait gémir. Il lui semble qu'une éternité passe avant qu'il parvienne à tirer le sac jusqu'à la grille. Ses mains tremblent quand il cherche la clé du cadenas parmi les tubes dorés de rouge à lèvres de Nelly, sa bombe de voyage de laque à cheveux et son poudrier. Dans un petit compartiment, il trouve son téléphone. Comme il ne peut utiliser qu'un bras, il pose le mobile par terre, se penche dessus et compose le numéro de SOS Alarm.

— SOS 112, que vous arrive-t-il ? répond une voix calme.

— Écoutez-moi… Vous devez localiser ce téléphone, dit Erik aussi fort qu'il l'ose. Je suis enfermé dans la cave d'une tueuse en série, il faut que vous veniez et…

— Je vous entends très mal, l'interrompt la voix. Pouvez-vous vous déplacer…

— L'assassin s'appelle Nelly Brandt et je me trouve dans la cave d'une maison jaune sur la route de Rimbo.

— Je n'entends plus rien… Vous dites qu'on vous menace ?

— Ce n'est pas une plaisanterie, il faut que vous veniez, poursuit Erik avec un rapide regard vers l'escalier. Je suis dans une maison sur la route de Rimbo, elle est jaune et entourée de champs, j'ai aussi vu des ruines sur le terrain, une ancienne usine avec une grande cheminée et…

La porte de la cuisine s'ouvre, et Erik raccroche vite, le téléphone glisse entre ses doigts tremblants, mais il parvient à le ramasser et à le replacer dans le sac. Il entend Nelly descendre l'escalier raide, il reprend le bâton et pousse le sac vers la table. Il doit appuyer avec le bout de bois sur le bord inférieur pour éviter qu'il ne se renverse. Il se penche aussi loin que possible pour le remettre à sa place initiale.

Nelly est presque arrivée.

Erik retire le bâton et le cache sous le matelas, une légère trace s'est dessinée dans la crasse du sol.

Nelly est dans la cave. Un couteau de cuisine à large lame pend dans sa main. Son visage est trempé de sueur, elle repousse ses cheveux ensanglantés et regarde le sac sous la table.

— Ça a pris du temps, dit-il en s'adossant à la grille.

— Il y a du bordel dans la cuisine.

— Mais tu as trouvé la morphine ?

— Quand on a suffisamment faim, l'amer devient sucré, murmure-t-elle en posant le comprimé blanc sur l'extrémité de la lame du couteau.

Elle affiche un sourire vide et le pointe vers la grille.

— Ouvre la bouche, demande-t-elle d'un air absent.

Son cœur battant la chamade, Erik approche son visage de la grille rouillée, ouvre la bouche et voit la pointe du couteau avancer.

La main de Nelly tremble et sa respiration s'accélère quand elle l'introduit dans sa bouche ouverte.

Il sent le métal froid contre sa langue avant de fermer doucement les lèvres sur le couteau.

Nelly le retire et la lame heurte la grille dans un bruit métallique.

Erik fait semblant d'avaler le comprimé, mais il le glisse entre la joue et les molaires du fond. Le goût amer se répand dans sa bouche quand sa salive en dissout la surface. Il n'ose pas l'avaler. Peu importe l'intensité de la douleur, il ne peut pas prendre le risque d'être somnolent et encore moins de s'endormir.

— Tu as de nouvelles boucles d'oreilles, constate-t-il en s'asseyant sur le matelas.

Elle sourit brièvement, puis son regard s'attarde sur la main qui tient le couteau.

— Mais je n'étais pas suffisante pour toi, dit-elle à voix basse.

— Nelly, si j'avais su que tu m'attendais…

— J'étais dans le jardin et j'ai vu comment tu regardais Katryna, chuchote-t-elle. Les hommes aiment les beaux ongles, je sais, et mes mains ont toujours été bizarres, il n'y a rien à faire…

— Moi je trouve que tu as de belles mains. Elles sont…

— Plus belles que les siennes en tout cas, le coupe Nelly. Maintenant il ne reste plus que ta petite prof… Je vous ai vus, j'ai vu sa bouche sournoise et…

— Pour moi, il n'y a que toi, promet-il, et il s'efforce de garder une voix ferme.

— Mais je n'ai pas d'enfant, pas de petite fille.

— De quoi tu parles ? demande Erik, et son corps se glace.

— Il est sans doute préférable de ne pas mettre du feu dans son sein si on ne veut pas…

— Nelly, elles ne sont rien pour moi. Je ne vois que toi.

Elle fait un mouvement brusque avec le couteau. Il se jette en arrière et la lame frappe la grille à l'endroit où était son visage à l'instant.

Elle respire fort et le regarde, déçue, et il comprend qu'il a été trop loin, elle a senti qu'il n'était pas sincère.

— Ce que tu dis, souffle-t-elle. Je ne sais pas, c'est un peu comme chercher la mort en chassant le vent.

— Qu'est-ce que tu veux dire ? Je ne cherche pas la mort, Nelly.

— Tu n'y es pour rien, marmonne-t-elle, et elle se gratte le cou avec le tranchant du couteau. Ce n'est pas ta faute.

Elle recule de quelques pas et les ombres se referment autour de son visage clair, dessinant de larges trous noirs à l'emplacement des yeux, de lourds contours autour du menton.

— Mais je vais te montrer combien tout est périssable, Erik, dit-elle en se dirigeant vers l'escalier.

— Ne fais pas de bêtises maintenant, crie Erik dans son dos.

Elle s'arrête et se retourne. La sueur a coulé sur ses joues, effaçant son maquillage.

— Je ne peux pas accepter que tu penses encore à elle, déclare Nelly d'une voix autoritaire. Si tu dois penser à elle, tu ne verras plus qu'un visage sans yeux et sans lèvres.

— Non, Nelly ! hurle Erik, et il la voit disparaître en haut de l'étroit escalier.

Il se laisse tomber sur le sol, crache le comprimé à moitié dissous dans sa main et le glisse dans une poche du jean.

128

Margot sait que Nelly Brandt ne se trouve vraisemblablement pas à son domicile à Bromma, ni d'ailleurs à son lieu de travail à Karolinska. Pourtant, assise dans sa voiture plus loin dans la rue, elle ressent une vive inquiétude en regardant le Groupe national d'intervention se déployer autour de la villa blanche de style fonctionnaliste.

Abstraction faite des policiers en noir lourdement armés, tout le lotissement est calme comme dans un rêve, comme les soirées magiques de l'enfance.

Margot suit l'intervention *via* la radio, et la tension en elle est presque douloureuse. Elle ne peut s'empêcher d'imaginer la quiétude brisée par des cris et des armes qu'on décharge.

Ça crépite dans son unité radio quand le chef de l'intervention, Roger Storm, lui fait un rapport direct.

— Elle n'est pas ici.

— Ils ont cherché partout ? demande-t-elle. La cave, le grenier, le jardin ?

— Elle n'est pas là.

— Et le mari ?

— Il était en train de regarder un championnat de plongeons à la télé.

— Qu'est-ce qu'il dit ?

— Je n'y suis pas allé par quatre chemins, mais il affirme que Nelly n'est pas mêlée à l'affaire... Ils ont lu tout ce que les journaux ont écrit sur Erik, et il certifie que Nelly est aussi choquée que lui.

— Je m'en fous, je veux juste qu'il nous dise où elle est.

— Il n'en a aucune idée – cette maison est la seule qu'ils ont, répond Roger.

— Le groupe d'intervention a terminé ?

— Ils sont en train de sortir.

— Alors j'entre, déclare Margot, et elle ouvre la portière.

Au moment où elle se lève, une douleur sourde se répand dans le bas du dos. Elle comprend immédiatement de quoi il s'agit, mais se dandine jusqu'à la porte d'entrée grande ouverte.

— J'accoucherai quand j'aurai terminé cette affaire, dit-elle au policier qui surveille l'entrée.

Le vestibule est agréable, grand et accueillant. Une peinture de Carl Larsson est accrochée en face de la porte. Les membres du groupe d'intervention partent, casque à la main et fusil d'assaut à l'épaule.

Dans la pénombre du séjour, un homme replet est assis dans un fauteuil. Il a desserré sa cravate et déboutonné le col de sa chemise, un plateau avec un plat réchauffé au micro-ondes est posé sur la table basse. Il a l'air sérieusement ébranlé, se frotte sans arrêt les cuisses et affiche un sourire confus au policier qui parle avec lui.

— C'est une grande maison, vous comprenez. Ça nous suffit amplement… En hiver, en général, on part aux Antilles et…

— Votre famille, elle n'a pas de résidences secondaires ? l'interrompt Margot.

— Je suis le seul qui habite en Suède.

— Mais si votre femme empruntait une maison pour se cacher, elle irait où ?

— Je suis désolé, je n'en ai aucune idée, je…

Margot le plante là et monte l'escalier, regarde autour d'elle, entre dans une chambre et sort son téléphone.

— Nelly Brandt n'est ni chez elle ni à Karolinska, annonce-t-elle dès que Joona répond.

— On peut la relier à d'autres propriétés foncières ? demande-t-il.

— Nous avons vérifié tous les registres, répond Margot, et elle suffoque quand la contraction suivante arrive. Ils ne possèdent pas d'autre résidence, ils n'ont pas de maison de campagne, pas de terrains.

— Où habitait-elle avant ?

Margot sort la liste de données qu'elle avait demandée dès que Joona l'avait mise au courant.

— D'après l'état civil, elle était domiciliée au presbytère de Sköldinge jusqu'à il y a dix ans… ensuite il y a un trou de quatre ans avant qu'elle surgisse ici.

— Elle vivait avec Rocky Kyrklund dans son logement de fonction, ajoute Joona.

— Oui, on y a envoyé du monde, mais il a été transformé en logement social pour…

— Je sais, je sais.

— Elle a évidemment pu prendre un appartement en sous-location.

— Le journal intime faisait référence à une ferme dans le Roslagen, continue Joona.

— Il n'y a pas de ferme, en tout cas aucune qu'on puisse relier à elle. Sa famille n'a jamais possédé de terres, et ils sont tous morts.

— Mais Rocky s'est évadé de chez elle, il a volé une voiture à Finsta. Nous ignorons quelle distance il a parcourue à pied…

— Il doit y avoir des milliers de fermes autour de Norrtälje, l'interrompt Margot.

— Cherche dans ses papiers, je veux dire, si elle sous-loue une ferme, elle a peut-être payé des factures d'électricité qui ne sont pas à son nom.

— On pense obtenir un mandat de perquisition d'ici deux heures.

— Commence dès maintenant, cherche jusqu'à ce qu'on t'arrête.

— D'accord, je commence où ?

— Si tu crois que le mari dit la vérité, tu dois chercher parmi les objets personnels de Nelly.

— Je suis à l'étage… Ils ont chacun leur chambre, explique Margot en entrant dans une pièce décorée d'un papier peint bleu pigeon.

— On va continuer à parler pendant que tu cherches… Raconte-moi exactement ce que tu vois.

— Le lit est fait et il y a quelques livres sur la table de chevet, on dirait de la littérature spécialisée, de la psychologie.

— Regarde dans les tiroirs.

Margot ouvre les deux tiroirs de la table de chevet. Il n'y a aucun papier.

— Ils sont pratiquement vides. Une plaquette de Mogadon, des pastilles pour la gorge et une crème pour les mains.

— Une crème de soin ordinaire ?

— Clarins.

Elle glisse la main plus loin dans le tiroir, trouve un petit flacon de médicament en plastique et lit l'étiquette.

— Un flacon de complément alimentaire.

— Lequel ?

— Du fer… sulfate de fer.

— Ça sert à quoi ? Tu en prends, toi ? demande Joona.

— Je préfère manger de la viande pour cinq, répond Margot, et elle referme le tiroir.

— Il n'y a pas de penderie ?

— Je suis en train d'entrer dans son dressing, dit-elle, et elle s'enfonce entre les alignements de vêtements.

— Qu'est-ce qu'il y a ?

— Des robes, des jupes, des tailleurs, des chemisiers… Ne crois pas que je sois jalouse, mais il n'y a que des Burberry, Ralph Lauren, Prada et…

Elle se tait brusquement.

— Que se passe-t-il ?

— Ses chaussures… Je pense que je vais quand même verser une larme.

— Ne t'arrête pas.

— Joona, je voudrais juste te dire que… Je me suis spécialisée et j'ai étudié tous les grands cas de traque furtive, depuis Mona Wallén-Hjerpe jusqu'à John Hinckley… mais personne n'arrive à égaler la fixation de Nelly… C'est le pire *stalker* que j'aie jamais vu.

— Je sais.

— Je cherche où maintenant ?

— Fouille tout au fond, répond Joona. Regarde derrière les étagères, sous les cartons, il faut que tu trouves quelque chose.

Ils raccrochent et Margot cherche partout, s'appuie contre le mur et rampe à quatre pattes jusqu'au fond de la penderie, mais elle ne trouve absolument rien. Au moment où elle revient dans la chambre, elle voit Roger Storm débouler en haut de l'escalier. Son visage est en sueur et il se précipite vers elle, les yeux écarquillés. Margot soupire, et appuie son poing fermé au bas du dos pour contrer la prochaine contraction.

— Qu'est-ce qu'il y a ? dit-elle d'une voix étouffée.

— On a reçu une nouvelle vidéo.

129

Le soleil s'est couché et Rocky se réveille sur le siège passager à côté de Joona. L'éclairage public s'allume, ils s'approchent de Södertälje quand Margot appelle.

— On a reçu une nouvelle vidéo, dit-elle d'une voix tourmentée. C'est sûrement quelqu'un qu'Erik connaît ou qu'il a…

— Décris-la.

— Nelly est déjà chez la victime quand elle filme… La femme semble blessée, elle est blottie dans un coin… À la fin de la vidéo, on voit un petit pied… Il fait sombre, mais on dirait qu'il y a un enfant par terre.

— Continue.

— C'est une pièce tout ce qu'il y a d'ordinaire, de vieux murs avec des papiers peints gondolés… On voit peut-être une grande cheminée dehors, les techniciens n'ont pas encore terminé l'analyse.

— Continue.

— Je regarde la vidéo sur un iPad… La femme a des cheveux noirs, courts, elle est mince et je ne sais pas… Elle saigne, a presque perdu connaissance, elle bouge ses mains comme si elle ne voyait rien ou…

— Écoute-moi, l'interrompt Joona. Elle s'appelle Jackie Federer, elle habite Lill-Jans plan.

— J'envoie immédiatement un groupe d'intervention, déclare Margot, et elle raccroche.

Joona n'a pas le temps de préciser qu'elle n'est sans doute plus chez elle, puisque Nelly va vouloir assassiner Jackie sous les yeux d'Erik, comme elle avait tué sa mère devant son père, et Natalia devant Rocky.

Ils doublent un minibus qui a crevé et qui s'est rangé sur le bord de la route. Un homme barbu en short, avec un coup de soleil sur les jambes, est en train de poser un triangle de présignalisation.

— Tu parlais d'une cage, que tu étais en cage, dit Joona à Rocky.

— Quand ça ?

— Nelly t'avait enfermé quelque part.

— Je ne crois pas, répond-il en regardant la route.

— Tu sais où ça peut être ?

— Non.

— Tu t'es évadé et tu as volé une voiture du côté de Norrtälje.

— Ce n'est pas toi plutôt qui passes ton temps à voler des voitures ? murmure-t-il.

— Réfléchis… C'était une ferme, il y a peut-être une cheminée…

Rocky suit le paysage qui défile. Quand ils dépassent l'échangeur de Salem, il pousse un profond soupir. Il se frotte le visage et la barbe avec ses grosses mains avant de fixer de nouveau la route.

— C'est Nelly Brandt qui a tué Rebecka Hansson, dit-il lentement en froissant un paquet de cigarettes vide.

— Oui.

— Dieu est revenu me récupérer après tout.

— On dirait, acquiesce Joona doucement.

— Je serai peut-être condamné pour l'évasion et pour l'héroïne dans mes poches… mais après ça, je vais redevenir pasteur.

— Tu as déjà été condamné à tort, on ne va pas te condamner une deuxième fois, explique Joona.

— Tu peux t'arrêter ici ? demande Rocky calmement. Il faut que j'aille jeter un œil à mon église.

Joona s'arrête au bord de la route et le laisse descendre. Le grand pasteur claque la portière, frappe un petit coup sur le toit et marche en direction de la bifurcation pour Salem.

130

Pendant le briefing de la police de Norrtälje plus tôt dans la journée, le lieutenant Ramon Sjölin a décidé qu'Olle et George Boman partiraient en patrouille ensemble.

Ils sont père et fils et ont rarement l'occasion de travailler en binôme. Leurs collègues les ont charriés, disant que papa Olle allait enfin recevoir une leçon de vrai travail policier.

Olle adore le jargon de ses collègues et il est extrêmement fier de son fils, qui fait une tête de plus que lui.

Comme d'habitude, la journée a été calme, et en début de soirée, ils se sont rendus dans la zone industrielle de Rimbo, où de nombreux vols organisés ont été signalés ces six derniers mois. Tout semblait en ordre, ils n'ont pas rédigé de rapport et ils ont poursuivi leur route après une courte pause pipi.

Olle a mal au dos et incline davantage son siège. Il vient de consulter sa montre et d'annoncer qu'ils pourront rentrer au poste d'ici une demi-heure, lorsque l'alerte du centre départemental leur parvient.

SOS 112 a reçu un appel trente minutes auparavant.

Un homme les a contactés d'un téléphone qui captait très mal.

L'opérateur n'a presque rien entendu, mais lors de l'analyse de la brève communication, on a compris que l'homme demandait de l'aide, et qu'il décrivait un endroit avec des ruines d'usine près de Rimbo.

On a réussi à identifier le lieu. Il s'agit de la maison d'habitation construite après le grand incendie de la verrerie de Solbacken.

— On est en train de rentrer au poste, marmonne Olle.

— Vous n'avez pas le temps de vous occuper de ça d'abord ? demande l'opérateur.

— Si, si, bien sûr.

Quelques grosses gouttes de pluie tombent sur le toit de la voiture. Olle frissonne et remonte la vitre, en écrasant du même geste un papillon jaune.

— Du grabuge possible dans une villa du côté de Gemlinge, dit-il à son fils.

George fait demi-tour et repart vers le sud, le long des énormes exploitations agricoles qui ont remodelé le paysage au milieu des forêts noires.

— Maman est d'avis que tu ne manges pas assez de légumes, elle voulait préparer des lasagnes aux carottes, dit Olle. Mais j'ai oublié d'acheter les carottes, et du coup, ce sera du steak haché.

— Ça me va, sourit George.

La nuit est tombée sur les champs. Une aile du papillon écrasé tombe à l'intérieur de la voiture et vibre dans l'air soufflé par la ventilation.

Ils se taisent quand ils quittent la grand-route et tournent sur l'étroit chemin de terre. Les trous profonds font souffrir la suspension, et des branches frottent contre le toit et le long des flancs de la voiture.

— Il m'a l'air abandonné, cet endroit, constate George.

Les phares de la voiture ouvrent un tunnel dans l'obscurité et font scintiller comme du laiton les papillons de nuit qui virevoltent dans les herbes folles du bas-côté.

— Quelle est la différence entre un fromage ? demande Olle.

— Je ne sais pas, papa, répond George sans quitter le chemin des yeux.

— Il y a des trous dans le fromage, mais pas de fromage dans les trous.

— Poilant, soupire le fils en tambourinant des doigts sur le volant.

Ils entrent dans une grande cour et voient une énorme cheminée se dessiner sur le ciel nocturne. La voiture avance lentement sur du gravier qui crépite. Olle se penche vers le pare-brise et respire par le nez.

— C'est sombre, murmure George en tournant le volant.

La lumière des phares balaie des buissons et des pièces de machines rouillées et leur renvoie tout à coup un reflet.

— Une plaque d'immatriculation, remarque Olle.

Ils s'approchent davantage et découvrent une grosse voiture au coffre ouvert garée entre les ruines de la verrerie.

Les deux hommes regardent la maison jaune. Elle est entourée de hautes orties et les fenêtres sont éteintes.

— On attend un moment. Si c'est des voleurs, on les verra peut-être sortir avec une télé ? propose Olle à voix basse.

George tourne à gauche et redresse la voiture avant de s'arrêter de sorte que les phares éclairent la véranda d'entrée.

— L'alarme concernait une éventuelle bagarre, pas un cambriolage, dit-il en ouvrant la portière. Je vais jeter un coup d'œil.

— Pas tout seul, réplique son père.

Les deux policiers sont équipés d'un gilet pare-balles léger sous leur veste d'uniforme, et à leur ceinture sont accrochés leur arme de service, un chargeur supplémentaire, une matraque, des menottes, une lampe de poche et une unité radio.

Leur ombre effilée s'étend sur le sol, atteint les orties et la maison.

George prend sa lampe torche, il a eu l'impression de distinguer quelque chose parmi les éclats de verre dans les ruines.

— Qu'est-ce qu'il y a ? demande Olle.

— Rien, répond George, la bouche sèche.

Les feuilles sur le sol crépitent, puis ils entendent un bruit bizarre, comme si quelqu'un criait d'angoisse dans la forêt.

— Putain de chevreuil, il m'a fait peur ! s'exclame Olle.

George éclaire un creux profond entre des murs en brique écroulés. Partout dans la mauvaise herbe scintille du verre brisé.

— C'est quoi, cet endroit ? chuchote George.

— Fais gaffe où tu mets les pieds.

Le cercle plat de la lampe de poche balaie les fenêtres sales de la maison. Les carreaux sont tellement striés de crasse qu'ils ne renvoient qu'une lueur grise.

Ils marchent au milieu des grandes orties et George tente une plaisanterie comme quoi ce jardin est plus vert que celui de son père.

Une des fenêtres de la véranda a été recouverte d'une plaque de contreplaqué et une faux rouillée est posée contre la façade.
— S'il y a une bagarre ici, c'est sûrement parce que personne ne veut faire le ménage, dit Olle à voix basse.

131

À travers la grille de la cage, Erik voit Jackie faire un pas hésitant en arrière. Elle a peur et elle est désorientée. Elle tente de saisir la situation sans paniquer. Nelly a dû la garder enfermée quelque part dans la maison avant de la forcer à descendre dans la cave.

Erik ne connaît pas les intentions de Nelly, mais il voit sa rage exaltée quand elle fixe Jackie, le menton en avant.

Il n'ose pas la supplier – tout ce qu'il dira embrasera sa jalousie. Les pensées fusent dans sa tête en quête d'un moyen de percer sa fureur désespérée.

Jackie émet un claquement de la langue et fait un pas en avant. Elle entre droit dans la lumière de la lampe de poche et s'arrête une seconde en sentant sa chaleur.

Erik voit maintenant l'étendue de ses blessures. Du sang noircit sa tempe, elle a des ecchymoses sur le visage et sa lèvre inférieure est fendue. Son ombre remplit tout le mur. De biais devant elle, Nelly éponge la sueur de sa main droite sur sa robe avant de saisir le couteau sur la table.

Jackie entend le mouvement et recule jusqu'au mur de brique. Erik la voit tâter avec la main à la recherche d'un indice pour commencer à s'orienter.

— Qu'ai-je fait ? demande-t-elle, la peur suintant de sa voix.

Erik baisse les yeux, attend quelques secondes et regarde Nelly, mais celle-ci a déjà repéré son regard sur Jackie. Sa bouche est tellement crispée que les tendons du cou ressortent.

Elle essuie les larmes de ses joues et le couteau tremble dans sa main droite lorsqu'elle s'approche lentement de Jackie.

Jackie sent manifestement la présence de Nelly. Elle ne veut pas montrer sa peur, mais les mouvements de sa cage thoracique révèlent les sursauts brefs de sa respiration. D'instinct, elle voudrait se baisser, mais elle se force à redresser le corps.

Nelly se déplace lentement sur le côté, du gravier crisse sous ses chaussures.

Jackie incline légèrement la tête en entendant le bruit. Du sang gluant s'est coagulé sur son oreille, sa tempe et sa joue.

Nelly avance le couteau vers elle et la regarde, les yeux rétrécis. Le bout de la lame bouge devant le visage aveugle, faisant miroiter un mince reflet au plafond.

Jackie lève une main et le couteau disparaît, pour revenir immédiatement et soulever le col de son chemisier.

— Nelly, elle est aveugle, dit Erik en luttant pour paraître calme. Je ne comprends pas le sens de…

Nelly donne un petit coup avec le couteau entre les seins de Jackie, qui pousse un gémissement et tâte la plaie superficielle avec la main. Ses doigts deviennent rouges de sang, et une expression de crainte et de confusion gagne son visage clair.

— Regarde-la maintenant ! fait Nelly. Regarde-la ! Regarde !

Jackie longe le mur en le frôlant du bout des doigts, elle se heurte à la table et manque de tomber, trébuche sur une brique et fait un grand pas pour conserver son équilibre.

— Quelle grâce ! s'esclaffe Nelly en écartant les cheveux ensanglantés de son visage.

Jackie recule et Erik l'entend respirer comme un animal blessé.

Nelly gravite autour d'elle. Jackie tourne en fonction du bruit, tient tout le temps ses mains devant elle pour se protéger tout en essayant de s'orienter dans la pièce.

De nouveau elle heurte la table et Nelly se glisse derrière elle et la poignarde dans le dos.

Erik s'oblige à ne pas hurler.

Jackie pousse un gémissement de douleur, fait un pas en avant, trébuche et tombe à genoux. Elle se relève rapidement, le sang ruisselle sur ses vêtements, le long d'une jambe, et elle fait quelques pas désorientés, les mains toujours tendues devant elle.

— Erik, pourquoi faites-vous ça ? demande Jackie d'une voix tremblante.

— Pourquoi faites-vous ça ? répète Nelly.

— Erik ? souffle-t-elle en se retournant.

— C'est fini entre nous, répond Erik durement. Ne va pas croire que…

— Ne lui parle pas ! lui crie Nelly. Je me fous de tout maintenant, je ne vais pas vous laisser…

— Nelly, je ne veux parler qu'avec toi et personne d'autre, l'interrompt Erik. Je veux seulement te regarder, toi, ton visage et…

— Tu entends ça, hurle Nelly à Jackie. Qu'est-ce qui va pas chez toi ? Il ne veut pas d'une salope aveugle. Tu piges ça ? Il ne veut pas de toi !

Jackie ne dit rien, elle s'accroupit seulement, protège son visage et sa tête avec ses avant-bras et ses mains.

— Nelly, ça suffit comme ça, dit Erik, et il ne parvient plus à maîtriser sa voix. Elle comprend, elle n'est pas une menace pour nous, elle…

— Lève-toi, il trouve que ça suffit, il veut te regarder… Montre-lui ton visage… ton joli petit visage.

— Nelly, pitié…

— Lève-toi !

Jackie commence à se lever et Nelly frappe de toutes ses forces avec le couteau, mais la lame rate le cou et passe par-dessus l'épaule juste à côté de la gorge. Jackie pousse un cri et bascule en arrière. Nelly frappe encore, mais la lame acérée ne touche que de l'air. Elle heurte une étagère murale et renverse quelques pots de conserve par terre.

— Nelly, arrête, il faut que tu arrêtes ! s'écrie Erik, et il secoue la grille.

Jackie la repousse des deux mains et Nelly recule, dérape sur les bâtons, trébuche et perd le couteau.

— Tu pilerais l'insensé dans un mortier, au milieu des grains, articule Nelly d'une voix fluette pendant que ses mains tâtent frénétiquement le sol.

Elle attrape une conserve, se redresse et frappe Jackie avec. Des coups violents sur le ventre, sur le sein gauche, sur la clavicule. Jackie hurle et parvient à éjecter le pot de la main de Nelly, puis elle roule sur le côté et tente de se relever.

— Il y a un tunnel droit devant toi, lui crie Erik.

Nelly se lève et la suit, attrape les cheveux courts de Jackie et commence à la frapper du poing dans le dos et sur la nuque.

Jackie bascule en avant et tombe sur un genou.

En soufflant, Nelly cherche parmi les ombres de la cave et trouve le couteau par terre près du mur.

— Maintenant je vais lui prendre son visage, murmure-t-elle d'une voix brouillée comme si elle avait la bouche remplie de salive.

Jackie reste immobile, à genoux, le visage complètement découvert. Des flots de sang coulent dans son dos. Elle a trouvé un petit tournevis, elle se lève, haletante et chancelante.

Nelly essuie la sueur de ses yeux, sa robe verte est souillée de taches noires. Jackie se détourne d'elle et trouve l'escalier.

Nelly sourit à Erik, suit Jackie, lève le couteau et frappe. La lame dérape et s'enfonce de biais, ouvre une entaille entre l'épaule et la nuque.

Jackie tombe à nouveau sur les genoux, elle se cogne le front sur les premières marches et s'effondre.

Nelly titube en arrière, le couteau à la main, et elle souffle pour écarter les cheveux de son visage, lorsqu'une sonnerie retentit.

Elle regarde l'escalier, semble hésiter. La sonnerie retentit de nouveau, et elle chuchote quelque chose, puis elle contourne Jackie et grimpe rapidement l'escalier, referme la porte derrière elle et tourne la clé.

132

Les deux policiers patientent dans la véranda, mais ils n'entendent aucun bruit à l'intérieur, uniquement le vent à travers les arbres et le bruissement des insectes dans les herbes folles.

— Quelle est la différence entre un sandwich au jambon avec des cornichons… et un vieux avec une cigarette dans le cul ? demande Olle, et il sonne encore une fois.

— Je ne sais pas, répond George.

— Dans ce cas, je demanderai à quelqu'un d'autre d'aller acheter les sandwiches demain.

— Enfin… papa…

Olle rit et éclaire la peinture écaillée de la porte et la poignée rouillée. George frappe quelques coups sonores sur la fenêtre à côté, puis s'en éloigne.

— On va entrer, décide Olle.

Il fait signe à son fils de reculer en bas des marches pendant qu'il pose la main sur la poignée.

Il est sur le point d'ouvrir, quand une chaude lumière s'allume à l'intérieur. La fenêtre grise du vestibule a soudain l'air accueillante. Une femme élégante portant un foulard sur la tête et une lampe à pétrole à la main leur ouvre la porte. Elle est en train de boutonner son imperméable jaune sur la poitrine et regarde les deux policiers d'un air surpris et amusé à la fois.

— Bon sang, j'ai cru que c'était l'électricien – on a une coupure de courant, dit-elle. Qu'est-ce qu'il se passe ?

— Nous avons reçu un appel de détresse, explique Olle.

— Comment ça ? demande-t-elle en les fixant du regard.

— Tout va bien ici ? s'enquiert George.

— Oui… je crois, dit-elle sur un ton inquiet. Quelle sorte d'appel ?

Les marches de l'escalier craquent quand George avance d'un pas. La femme dégage une forte odeur de sueur et son cou est taché d'éclaboussures.

Sans savoir pourquoi, il se retourne et pointe sa lampe torche sur l'obscurité le long de la façade.

— Un homme a appelé. Il y a d'autres personnes dans la maison ?

— Seulement Erik… Ce serait lui qui vous a appelé ? Mon mari est atteint d'Alzheimer…

— Nous aimerions lui parler, déclare Olle.

— Ça ne peut pas attendre demain ? Il vient juste d'avoir sa dose de donépézil.

Elle lève la main pour éloigner ses cheveux du front. Ses ongles sont noirs, comme si elle avait remué de la terre.

— Ça ne sera pas long, continue Olle, et il fait un pas dans le vestibule.

— J'aimerais mieux pas, dit-elle.

Les deux policiers observent le vestibule. Le papier peint est marron et un tapis de lirette artisanal couvre le lino usé du sol. Sur le mur est accroché un tableau avec un verset de la Bible, et quelques vestes et manteaux sont soigneusement suspendus sur des cintres. George voit son père pénétrer dans le vestibule, il frissonne et jette un regard derrière lui, sur la voiture. Les phares allumés ont attiré des insectes qui tourbillonnent comme des prisonniers devant la lumière.

— J'insiste, il faut qu'on parle à votre mari, reprend Olle.

— Il le faut vraiment ? demande son fils d'une voix étouffée.

— On a reçu un appel, poursuit Olle en s'adressant à la femme. Je regrette… mais c'est la procédure, vous devez nous laisser entrer.

— Ce sera vite fait, ajoute George.

Ils essuient poliment leurs pieds sur le paillasson. Un serpentin tue-mouche pend au crochet du plafonnier dans le vestibule. Des centaines d'insectes collés recouvrent le ruban telle une fourrure noire.

— Vous pouvez me tenir ça ? demande la femme en donnant la lampe à pétrole à Olle.

La lueur de la lampe volette sur les murs. George attend derrière son père quand la femme pousse la porte de la cuisine sombre des deux mains. Une vibrante note métallique fuse dans le vestibule. George entend la femme parler de la maladie de son mari quand elle entre dans la cuisine. La porte ouverte laisse échapper une horrible puanteur. Olle tousse un coup, puis il suit la femme, la lampe à la main.

La lumière jaune tangue sur le chaos de la pièce. Partout, du verre brisé, des casseroles et de vieux outils. Il y a du sang frais sur le lino sale, les éclaboussures montent haut sur les portes de placard.

Olle se retourne vers son fils qui arrive juste derrière lui quand la porte claque avec une force inouïe. George la prend en pleine figure. Il est projeté en arrière et sa tête va heurter le sol du vestibule.

Ahuri, Olle fixe la porte, il voit l'énorme ressort, regarde le pied de son fils coincé entre la porte et le chambranle.

Quand il se retourne vers la femme, elle tient une hache à long manche sur l'épaule, et avant qu'il ait le temps de se pousser, elle l'abat. La lame entre de biais dans son cou. Olle vacille et voit son propre sang éclabousser l'imperméable de la femme. Il est entraîné quand elle arrache la lourde hache en faisant un pas pour ne pas tomber.

Elle retire calmement la lampe à pétrole de sa main et la pose sur le plan de travail avant de relever la lourde hache sur son épaule.

Olle voudrait lancer un avertissement à son fils, mais il n'a plus de voix, il est en train de perdre connaissance, des nuages noirs viennent brouiller son champ de vision. Il se tient le cou avec la main, le sang coule à l'intérieur de sa chemise, il tente de dégainer son pistolet, mais ses doigts ne lui obéissent plus.

La femme abat la hache de nouveau et tout devient noir.

Dans le vestibule, George ouvre les yeux et regarde autour de lui. Il est allongé sur le dos, son front saigne.

— Putain, c'était quoi ? dit-il dans un halètement.

Ses doigts tremblants viennent tâter son nez et son front en sang.

— Papa ? appelle-t-il, puis il voit qu'il a le pied coincé dans la porte.

La cheville paraît cassée, mais, bizarrement, ça n'est pas douloureux. Il tire dessus et se rend compte qu'il n'a plus de sensibilité dans les orteils.

Troublé, il fixe le plafond, voit le serpentin tue-mouche balancer là-haut. Il entend des chocs sourds dans la cuisine et se redresse sur ses coudes, mais il ne voit rien par la fente de la porte.

Il parvient maladroitement à dégager sa lampe torche de la ceinture et peut éclairer une partie de la cuisine par la mince ouverture. Son père est à terre, la bouche ouverte, ses yeux le fixent.

Tout à coup la tête fait quelques tours sur elle-même quand la femme la repousse du pied. Elle roule et tourne sur le lino ensanglanté.

George est pris de panique, il hurle, perd la lampe de poche et essaie de reculer, tape dans le chambranle avec son pied libre, mais il est pris comme dans un piège à loups. Il veut dégainer son pistolet, mais n'y arrive pas. Il doit d'abord enlever son gant et il approche la main de sa bouche pour s'aider avec les dents, quand soudain la porte s'ouvre et le libère.

Il rampe en arrière et se cogne le dos dans une petite commode, un bol se renverse et des pièces de monnaie pleuvent autour de lui.

Il parvient à retirer le gant et essaie de sortir son pistolet de l'étui quand la femme à l'imperméable jaune arrive dans le vestibule. Elle lève la hache au-dessus de sa tête, tellement haut qu'elle touche le plafonnier et entraîne le serpentin plein de mouches. La lourde lame entre dans la poitrine de George avec une force terrible, traverse le mince gilet pare-balles, se plante dans le sternum et atteint son cœur.

133

Erik tend son bras par le grillage pour essayer de toucher Jackie, mais elle est trop loin de lui, ses doigts ne font que remuer dans l'air derrière son dos. Sans savoir si elle l'entend, il lui parle sans discontinuer, insiste pour qu'elle se lève et essaye de sortir par le tunnel.

Nelly est absente depuis plusieurs minutes maintenant.

Quand elle est partie, il ignorait si Jackie était en vie, elle était affaissée, inerte, mais en s'allongeant contre la grille, il a perçu sa respiration.

— Jackie ? dit-il encore une fois.

Il sait qu'elle serait morte si on n'avait pas sonné à la porte. Malgré le silence, il imagine que c'est la police qui est arrivée, c'est forcément la police. Il a été entendu.

J'espère qu'ils ont compris la gravité de la situation, pense-t-il. Et qu'ils ont envoyé une équipe de secours.

Il ramasse le bâton, tend son bras et touche Jackie avec le bout arrondi.

— Jackie ?

Elle remue lentement une jambe, tourne le visage sur le côté et tousse faiblement.

À nouveau, Erik lui explique ce qui s'est passé, les crimes que Nelly a commis, comment elle lui a fait porter le chapeau, et que Joona sait la vérité.

Elle lève une main fatiguée vers la plaie superficielle à son cou.

Erik ignore totalement si elle saisit ce qu'il dit, mais il lui répète qu'elle doit à tout prix essayer de fuir, que le temps presse.

— Tu dois lutter maintenant, sinon tu ne t'en tireras pas.

Elle dispose de très peu de temps ; il a guetté des coups de feu, des voix, mais n'a rien entendu.

— Jackie, essaie de te relever, la supplie-t-il.

Enfin elle s'assied. Le sang coule de ses sourcils le long de la joue, elle a du mal à respirer.

— Tu m'entends ? Tu comprends ce que je dis ? Il faut que tu sortes d'ici, Jackie. Tu peux te relever ?

Erik ne lui dit pas qu'il a appelé la police, il ne veut pas lui donner de faux espoirs. Nelly est parfaitement capable de tromper les policiers, et Jackie doit s'enfuir, c'est sa seule chance.

Elle se lève, geint et crache du sang. Elle chancelle, mais reste debout.

— Tu dois partir avant qu'elle revienne, répète-t-il.

En haletant, Jackie se dirige vers sa voix, les bras tendus.

— Va de l'autre côté. Tu dois sortir dans les ruines et t'éloigner par les champs.

Avec prudence, elle dépasse les pots de conserve par terre et touche la grille avec les mains.

— Je suis enfermé dans une cage, dit-il.

— Tout le monde dit que tu as assassiné quatre femmes, chuchote-t-elle.

— C'est Nelly qui les a tuées… Tu n'es pas obligée de me croire, l'essentiel c'est que tu sortes d'ici…

— Je savais que tu n'avais pas fait ça.

Il caresse ses doigts qui serrent les tiges de la grille, elle se penche en avant et appuie le front contre le métal rouillé.

— Il faut que tu mobilises toutes tes forces, dit-il en effleurant sa joue. Tourne-toi, laisse-moi voir. Tu es sérieusement blessée… Jackie, tu as besoin de soins, il faut aller à l'hôpital. Dépêche-toi maintenant et…

— Madde est toujours à la maison, gémit-elle. Mon Dieu, elle était cachée dans la penderie quand…

— Elle va s'en sortir, elle va s'en sortir.

— Je ne comprends rien, murmure Jackie, et l'angoisse crispe son visage.

— C'est comment quand tu respires ? Tousse un peu pour voir… Ça devrait aller, les poumons sont probablement atteints, mais tu as évité le plus grave. Écoute Jackie, il y a une lampe de poche sur la table, tu peux sentir la chaleur, tu sais où elle se trouve.

Elle passe sa main sur sa bouche, hoche la tête et s'efforce de se calmer.

— Tu peux la chercher ? Il n'y a rien entre toi et…

Il s'interrompt en entendant un bruit violent au rez-de-chaussée. C'est le puissant ressort de la porte de la cuisine qui claque.

— C'était quoi ? chuchote-t-elle, et ses lèvres tremblent.

— Dépêche-toi, tu marches droit vers la lumière, il n'y a rien sur le sol entre toi et la table.

Elle se retourne et marche en direction de la chaleur, tâte pour trouver la lampe de poche, la prend et revient la donner à Erik.

— Tu as compris où est située l'ouverture du passage ? demande-t-il.

— À peu près.

— Elle n'est pas très grande, c'est un trou étroit bordé de briques, il n'y a pas de porte, explique-t-il, et il entend quelqu'un hurler à l'étage. Fuis et pars le plus loin possible… Prends ce bâton, il te servira de canne.

Elle est sur le point de se mettre à pleurer. Son visage est blême, ses lèvres déjà blanches d'hypoxémie.

— Erik, ça ne marchera pas…

— Nelly va te tuer quand elle reviendra… Écoute-moi, il y a un passage souterrain… je ne sais pas dans quel état il est, il est peut-être bloqué, mais il faut à tout prix que tu sortes… il y a des ruines partout et tu pourras… tu vas…

— Je ne peux pas, dit-elle, et elle bouge la tête dans un sens puis dans l'autre, des mouvements d'angoisse répétitifs.

— S'il te plaît, écoute-moi… Quand tu arriveras dans les parties à ciel ouvert, il faudra grimper pour atteindre le niveau du sol…

— Et toi, tu vas faire quoi ?

— Je ne peux pas sortir, Nelly a la clé autour du cou.

— Je t'en prie… comment vais-je trouver mon chemin ?

— Dans le noir, les aveugles sont rois, dit-il seulement.

Le visage de Jackie tremble quand elle se retourne et se met en marche, se guidant avec le bâton.

Il éclaire avec la lampe torche et essaie de l'aider. La lumière oblique fait grandir et se rétrécir les ombres.

— Il y a un tas de tuiles juste devant toi, dit-il. Reste un peu sur la droite, tu arriveras pile sur l'ouverture.

Ils entendent tous les deux la barre de la porte d'en haut qu'on retire, un bruit sourd, puis un raclement contre le mur quand elle retombe.

— Tends la main maintenant, chuchote Erik. Tu sens le mur à gauche… tu n'as qu'à le suivre…

Jackie entre en collision avec quelque chose qui tombe, un pot de peinture roule sur le sol et Erik la voit se crisper de peur.

— Ne t'arrête pas, souffle-t-il. Tu dois rentrer t'occuper de Madde.

La porte au-dessus d'eux s'ouvre et se referme avec un clic avant que les pas dans l'escalier résonnent.

Jackie est arrivée devant l'ouverture, et Erik la voit s'engouffrer dans le tunnel, elle laisse courir sa main sur le mur et balaie toujours le sol avec le bâton.

Il dirige la lumière vers le bas et voit Nelly descendre dans la cave. Le ciré jaune est maculé de sang et elle tient un couteau de cuisine à la main.

Elle plante ses yeux sur lui.

Il ne sait pas ce qu'elle a le temps de voir avant qu'il éteigne la lampe de poche. L'obscurité est totale, comme si on avait éliminé le monde entier autour d'eux.

— Nelly, ils vont envoyer des renforts, d'autres policiers, dit-il, et il tient son bras blessé avec sa main valide. Tu comprends ? C'est terminé maintenant…

— Ce n'est jamais terminé, répond-elle.

Elle se tient complètement immobile, mais Erik entend sa respiration à seulement un mètre de lui.

Un bruit de casserole s'élève dans le passage souterrain. Nelly ricane nerveusement et se dirige vers l'ouverture. Elle rentre droit dans la pile de tuiles, la contourne et cherche son chemin dans le noir vers le tunnel.

134

Jackie avance comme elle peut dans le couloir étroit, laissant sa main droite courir le long du mur et explorant l'espace devant elle avec le bâton.

Il faut qu'elle sorte d'ici, qu'elle fuie cet endroit et qu'elle poursuive jusqu'à ce qu'elle trouve quelqu'un pour l'aider.

Des vagues de terreur sans nom la submergent. Son pied heurte une bouteille de verre que sa canne improvisée n'a pas repérée, et elle roule bruyamment sur le sol irrégulier.

Le bout de ses doigts glisse sur des briques et du mortier désagrégé, et elle note qu'elle dépasse le septième renfoncement vertical du mur. Elle tient le compte, automatiquement, ça faciliterait les choses si elle devait revenir sur ses pas.

Jackie a du mal à respirer, la douleur dans son dos s'enflamme à chacun de ses pas. Le sang chaud coule en continu de la plaie, jusqu'en bas du dos et le long de ses jambes.

Elle se demande si Erik a dit la vérité en affirmant que ses blessures n'étaient pas trop graves ou s'il voulait juste la calmer pour qu'elle ait le courage de s'enfuir.

Elle tousse et sent la douleur spasmodique dans son poumon endommagé, derrière l'omoplate.

Elle n'arrive pas à manier assez vite la canne.

Son tibia bute sur une sorte d'appareil coiffé d'un couvercle anguleux en tôle et de câbles électriques qui pendent. Elle doit enjamber la machine et ses muscles tremblent sous l'effort. Elle n'a aucun moyen d'estimer la longueur du couloir, mais elle suppose qu'elle se trouve dans un système de tunnels et de salles.

Elle marche un peu trop vite, au risque de trébucher.

Elle dépasse une pièce sur la gauche, qui fait comme un trou dans l'acoustique.

Jackie décide d'arrêter de compter les renfoncements, elle doit se focaliser uniquement sur la sortie.

— Nelly arrive ! crie Erik dans la cave derrière elle. Attention, elle arrive !

Cette voix qui trahit la peur d'Erik lui parvient affaiblie dans le tunnel, mais elle l'entend et comprend l'avertissement.

Nelly s'est lancée à ses trousses.

Jackie essaie d'accélérer le pas, elle contourne un fauteuil et continue le long du mur, ses doigts passent sur des rayonnages. Elle entend du bruit derrière elle et se retient de hurler d'affolement.

Il devient de plus en plus difficile de respirer. Jackie tient la main devant sa bouche et essaie de tousser en silence, sans arrêter d'avancer. Au milieu d'un pas, elle se cogne le visage à quelque chose. Une porte d'armoire ouverte. La porte se referme et les objets en verre sur les étagères s'entrechoquent.

Elle songe à la violence qu'elle a subie : la sensation de la lame de couteau acérée brutalement arrachée et la douleur qui irradiait dans son dos.

L'essoufflement est comme un poids sur sa poitrine, elle respire trop vite, mais il le faut, elle sent que son corps n'absorbe pas suffisamment d'oxygène.

Elle bouge la canne avec des mouvements rapides, laissant l'autre main frôler des briques et des joints, un gros câble, des briques nues encore et de vieux carreaux de fenêtre appuyés contre le mur.

À chaque instant, elle s'efforce d'interpréter l'espace qui l'entoure.

Quand elle entend une ouverture, elle s'arrête quelques secondes pour écouter et déterminer si c'est un passage transversal ou une pièce fermée.

Elle continue dans le même tunnel puisque le faible courant d'air au sol semble toujours venir de devant.

Un boulon saillant arrache la peau de ses jointures.

Maintenant, elle entend sa poursuivante.

Nelly lui crie quelque chose, mais Jackie ne comprend pas les mots.

La panique s'empare d'elle et sa main qui tient le bâton est humide de transpiration.

Elle trébuche sur une brique, perd l'équilibre et manque de tomber. Elle décrit un large geste du bras, sa main passe dans une toile d'araignée avant d'aller frapper le mur. La douleur dans son dos se propage comme une pointe d'épée après le mouvement brutal et elle a un goût de sang dans la bouche.

Un gros boum dans le tunnel derrière elle tonne dans ses oreilles. Ça doit être le meuble avec des objets en verre qui s'est renversé. Elle entend du verre qui se brise et s'éparpille au sol.

Jackie essuie sa main humide contre sa jambe, serre fort la canne et se lance en avant aussi vite qu'elle peut. Le bout des doigts de sa main droite est endolori à force de frotter sur le mur en brique rugueux.

Elle entend des pas derrière elle – ils sont beaucoup plus rapides que les siens.

Terrorisée, Jackie bifurque dans un couloir latéral. Son cœur s'emballe.

Ça ne va pas fonctionner. Nelly s'oriente dans les tunnels, c'est sa maison.

Elle se force à continuer. Ce couloir est plus étroit que l'autre. Elle marche sur de vieux tissus, son pied accroche quelque chose qu'elle traîne derrière elle.

— Jackie ! appelle Nelly. Jackie !

Elle s'efforce de ne pas tousser, passe devant un trou dans le mur assez près du plafond où elle sent l'air passer, mais au même moment, elle est brusquement freinée. Son chemisier s'est accroché à quelque chose qui l'empêche d'avancer. Totalement affolée, elle brasse l'air et le tissu se déchire, mais elle reste coincée.

Elle entend Nelly à nouveau, qui l'a suivie dans le couloir latéral.

Jackie tire sur son chemisier et se retourne, elle tâte sous son bras gauche et sent un gros tuyau qui pend du plafond. Elle a marché droit dessus, il s'est pris dans ses vêtements et elle doit reculer de plusieurs pas pour s'en dégager.

Nelly est tout près, du mortier craque sous ses bottes et ses vêtements bruissent au rythme de ses mouvements.

Jackie respire par le nez, elle continue dans le couloir et entend Nelly pousser un gémissement – elle aussi s'est pris le tuyau qui pend.

Un chant métallique oscille entre les parois.

Jackie arrive dans une pièce plus grande où les échos se font plus lents.

Il y a une odeur d'eau croupie dans l'air, comme celle d'un vieil aquarium. Elle rentre presque immédiatement en collision avec un objet et perd le bâton.

Elle respire beaucoup trop vite, se penche en avant et sent un gros seau rempli de terre sèche, de brindilles et de bouts d'écorce. L'abominable douleur dans son dos la fait presque basculer en avant, mais elle poursuit quand même l'exploration du sol autour du seau, ses mains repèrent de vieilles bouteilles, des toiles d'araignées et du bois mort.

Elle entend Nelly l'appeler, s'approchant de nouveau.

Jackie cesse de chercher la canne, il faut qu'elle continue sans. Les bras tendus devant elle, elle tâte son chemin le long d'une suite de stalles avec des séparations maçonnées.

Elle s'arrête devant un gros objet qui occupe toute la pièce. C'est un long lavabo collectif en métal. Elle le suit et le contourne quand elle entend les pas de Nelly résonner derrière elle.

Jackie fait claquer sa langue, fort, comme elle l'a appris. Son environnement renvoie les bruits comme de faibles échos que son cerveau transforme en cartes tridimensionnelles. Elle claque encore la langue, mais elle a beaucoup trop peur pour que ça puisse fonctionner correctement, elle n'a pas le temps de bien écouter et ne visualise pas la pièce.

Elle continue, le souffle coupé. Elle ne sait pas comment contrôler les tremblements de son corps. Elle tourne le visage, claque la langue de nouveau et perçoit soudain une ouverture à gauche, en biais.

Jackie arrive près du mur, le touche avec ses mains, le suit, trouve l'ouverture et sent de nouveau le faible courant d'air venant du dehors.

C'est un couloir étroit, au sol recouvert de gravier et d'une matière qu'à l'odeur elle identifie comme des restes carbonisés de bois et de plastique. Elle marche sur un châssis de fenêtre par terre, son pied nu passe à travers le verre qui éclate bruyamment. Elle sait qu'elle s'est blessée, mais n'en tient pas compte. Elle s'appuie contre le mur et poursuit, des miettes de mortier desséché s'écoulent entre ses doigts, quand elle entend Nelly marcher sur le verre.

Elle est juste derrière.

Jackie se met à courir, une main le long du mur et l'autre tendue devant elle. Elle trébuche contre un chevalet en bois, atterrit sur l'épaule gauche et pousse un gémissement de douleur. Un objet se renverse à côté d'elle alors qu'elle essaie de s'éloigner à quatre pattes. Au son, on dirait un tuyau en plastique ou un manche à balai.

Jackie rampe et se cogne la tête à la paroi. Elle se relève, chancelle sur des briques et parvient à se rattraper contre le mur.

135

Jackie hésite sur la direction à prendre dans le tunnel. Elle fait demi-tour et suit le mur dans l'autre sens pendant un mètre ou deux, écoute, mais n'entend plus Nelly. Sa propre respiration est tellement bruyante qu'elle doit se couvrir la bouche avec la main pour l'étouffer.

Ça crépite sur le sol devant elle, un bruit lent.

Ce n'est qu'un rat.

Jackie reste parfaitement immobile et respire par le nez. Elle n'a aucune idée de comment sortir d'ici. La peur l'empêche de penser rationnellement, elle est trop angoissée pour interpréter correctement son environnement.

Elle entend un grincement un peu plus loin. On dirait une lourde porte ou une vieille calandre de repassage. Tout ce qu'elle voudrait, c'est se cacher, se blottir par terre les bras autour de la tête, mais elle se force à continuer.

Ses pieds heurtent des pierres, des poteaux de bois carbonisés et des monceaux de sable et de gravier. L'éboulement obstrue tout le couloir et elle grimpe sur les gravats. Des cailloux roulent bruyamment dans la pente derrière elle et des morceaux de verre se brisent en éclats plus petits.

Jackie entend de l'air siffler plus haut dans un passage étroit et elle continue de gravir le tas en s'appuyant sur ses mains. Une planche cassée lui égratigne la cuisse et elle glisse sur des briques et du mortier.

Elle grimpe jusqu'à ce que sa tête heurte le plafond. Elle sent le courant d'air sur son visage, mais ne trouve pas l'ouverture. Désespérée, elle brasse l'air devant elle, essaie d'enlever des pierres enchevêtrées dans du fil métallique, balaie du mortier poudreux et trouve enfin le petit passage. Les doigts de Jackie rencontrent un morceau de grillage à poules et elle tire dessus. Elle parvient à dégager une grosse pierre, creuse un trou plus grand et se taillade la paume. Elle se hisse vers le trou et essaie de sortir par là. En gémissant, elle sort un bras et la tête, des pierres roulent de l'autre côté de l'ouverture et elle se pousse en avant, donne des coups de pied et se dit, épouvantée, qu'elle va rester coincée.

Jackie tâte avec la main devant elle et cherche quelque chose pour s'agripper et se hisser à l'extérieur. Elle ignore si Nelly est sur ses talons, si en cet instant elle grimpe l'éboulis, le couteau brandi.

Elle sent un bout de corde sous sa main et s'y hisse, tout en appuyant de toutes ses forces avec les jambes. Le grillage à poules et les cailloux éraflent son épaule, mais elle réussit à passer. Elle se prend le pied dans l'ouverture, essaie de le dégager, le rentre dans le trou, tourne sa cheville dans un autre angle et se libère enfin.

Elle se laisse glisser le long de l'éboulement, entraînant un tas de gravier avec elle, et arrive sur un sol plat. Sans savoir où elle est, elle marche droit devant elle, les mains tendues, jusqu'à ce qu'elle trouve un mur qu'elle se met à suivre.

La brique est plus fraîche ici, et elle comprend qu'elle s'approche d'une sortie. Le mur forme un angle qu'elle suit, et elle arrive dans une pièce plus grande. Le plafond est très haut ici, les sons s'élargissent et se répandent comme une mer veloutée.

Jackie s'arrête, hors d'haleine, et se repose un instant. Elle est penchée en avant, tout son corps tremble de fatigue et sous l'effet du choc.

Il faut qu'elle reprenne son chemin. Il faut qu'elle trouve comment sortir d'ici.

Avec ses doigts écorchés, elle suit le mur, quand elle entend une porte en acier s'ouvrir plus loin à droite.

Jackie s'accroupit et espère qu'elle est dissimulée par un objet quelconque. Elle essaie de respirer en silence, mais son cœur tonne dans sa poitrine.

Nelly a pris un autre chemin, se dit-elle. Elle connaît la disposition des pièces, sait où mènent les couloirs.

Le coup de couteau dans son dos fait atrocement mal maintenant, ça tire bizarrement. Elle tousse un peu et le sang chaud se remet à couler.

Toujours accroupie, elle avance tout doucement et marche sur un objet métallique, se penche et sent que c'est une pelle.

— Jackie ! appelle Nelly.

Elle se relève précautionneusement, longe le mur, fait claquer sa langue et comprend qu'il y a une ouverture à gauche.

— Jackie ?

L'écho de la voix de Nelly vient frapper le mur d'en face. Jackie s'arrête et écoute. Soudain elle en est certaine : Nelly a appelé dans la mauvaise direction.

Elle ne me voit pas, pense-t-elle.

C'est tellement sombre ici qu'elle ne me voit pas.

Nelly est aveugle.

Jackie bouge lentement maintenant, elle ramasse un caillou qu'elle lance au loin. Il atterrit sur un mur, rebondit par terre et touche un objet.

Elle reste immobile et entend Nelly marcher en direction du bruit.

Jackie retourne prendre la pelle et la soulève. La lame racle le sol et Nelly s'arrête, essoufflée.

— Je t'entends, dit-elle, la voix enjouée.

Jackie s'approche d'elle, son parfum lui chatouille les narines. Elle pose ses pieds sur le sol, pas après pas, et écoute le gravier qui crisse faiblement.

Nelly recule et va heurter un seau qui se renverse.

Elle ne me voit pas, mais moi je la vois, songe Jackie tandis qu'elle avance en écoutant la respiration haletante de Nelly et qu'elle hume la forte odeur de sueur à travers celle de l'eau de toilette.

Jackie détecte nettement la présence ondulante de Nelly, elle perçoit le passage du couteau dans l'air et elle écoute le son de ses pieds quand elle recule encore un peu.

Elle sait que je suis ici, mais elle ne me voit pas, pense Jackie de nouveau, et elle serre le manche de la pelle après avoir changé de prise, elle fait claquer sa langue et sait immédiatement où se trouve le mur et où se tient Nelly.

Nelly souffle fort et donne des coups de couteau rapide dans toutes les directions. Le couteau ne rencontre que de l'air, et elle s'arrête.

Elle écoute et respire nerveusement.

Jackie vient tout près d'elle en silence, elle perçoit la chaleur que dégage le corps de Nelly. Elle suit les mouvements du couteau, fait un pas en avant et frappe un coup puissant avec la pelle.

Le lourd fer touche Nelly à la joue dans un bref chuintement. Sa tête est projetée sur le côté, et elle tombe sur la hanche.

Elle hurle de douleur.

Jackie tourne autour d'elle, entend chaque mouvement, chaque inspiration.

Elle gémit un peu et essaie de se relever. Jackie frappe de nouveau, mais la pelle passe juste au-dessus de la tête de Nelly, ne produisant qu'un court sifflement métallique en effleurant ses cheveux.

Nelly se relève, vacille et frappe avec le couteau. La pointe entame l'avant-bras de Jackie. Elle recule instinctivement, marche sur le seau qui a fait trébucher Nelly à l'instant et se déplace sur le côté, le cœur galopant. L'entaille sur son bras brûle et le sang coule sur sa main. L'adrénaline fuse dans ses veines, les poils se dressent sur ses bras, mais elle secoue la main, essuie le sang sur sa jupe et saisit la pelle à nouveau.

Jackie avance en silence vers Nelly. Elle l'entend se baisser et pointer le couteau, note la respiration humide qui sort de sa bouche. Sans un bruit, elle tourne autour d'elle, change de direction et frappe de nouveau de toutes ses forces. Le coup est très violent. La pelle s'abat sur l'arrière de la tête de Nelly. Jackie l'entend pousser un soupir et tomber en avant, sans parer avec les mains.

Elle frappe encore, atteint la tête de Nelly avec un bruit mouillé, puis tout devient silencieux.

Jackie recule, hors d'haleine, ses mains tremblent. Elle tend l'oreille mais ne perçoit aucune respiration. Elle s'approche avec précaution, touche Nelly avec la pelle : son corps est tout mou.

Jackie attend, son pouls tonnant dans les oreilles. Puis elle donne un coup avec le tranchant de la pelle, mais sans obtenir de réaction.

La respiration de Jackie se fait saccadée et une bouffée d'angoisse l'assaille. Son estomac se retourne. Elle pose la pelle et s'approche, les jambes flageolantes. Elle se penche sur Nelly jusqu'à ce que ses mains rencontrent son dos. La chaleur moite du corps monte vers elle. Nelly porte un imperméable, le plastique rêche grince sous les doigts de Jackie.

Erik a dit qu'elle gardait la clé autour du cou.

Jackie tâte son dos jusqu'à la nuque et sent que les cheveux de Nelly sont trempés de sang chaud.

Ses doigts s'insinuent en tremblant sous le col et elle cherche le long de la nuque poisseuse, trouve une chaîne et tire dessus. Mais la chaîne ne cède pas.

Elle est obligée de retourner Nelly sur le dos. C'est lourd, elle doit se servir des deux mains et pousser avec la jambe.

Le corps roule et Jackie se retrouve à califourchon sur elle. Elle commence à déboutonner le col de l'imperméable, mais s'arrête en entendant un bruit visqueux, comme si Nelly s'humectait les lèvres.

Elle ouvre un autre bouton, et il lui semble entendre aussi de tout petits clics, qu'elle interprète comme des paupières sèches qui clignent.

La peur explose dans sa tête et elle arrache l'encolure de la robe, trouve la chaîne avec la clé et la passe par-dessus la tête ensanglantée de Nelly.

136

Joona a suivi les panneaux pour Rimbo, mais quitte la route 280 à hauteur de Väsby pour prendre la direction de Finsta, quand Margot appelle et raconte que Jackie et sa fille ne sont pas dans l'appartement de Lill-Jans plan. Tout indique qu'elles ont été enlevées ; il y a du sang par terre jusque dans la cage d'escalier. La porte de la penderie est cassée et sur la cloison à l'intérieur, l'enfant a écrit : "La dame parle bizarrement."

Joona répète plusieurs fois qu'il faut repérer la maison à proximité de Finsta, c'est là qu'elle a conduit Jackie et Madeleine. Erik s'y trouve probablement déjà, dans sa cage, ou il y arrivera très bientôt.

— Trouvez la maison. C'est tout ce qui compte pour le moment, dit Joona avant de raccrocher.

Dans l'obscurité, il a dépassé en voiture plusieurs fermes et vu des exploitations agricoles, des scieries avec des cheminées, petites et grandes.

Il conduit vite sur la route sombre et ne se permet pas de penser qu'il est trop tard, que le temps est écoulé.

Il faut qu'il parvienne à emboîter les morceaux du puzzle.

Il y a toujours des questions à poser et des réponses à obtenir.

Nelly se répète invariablement, elle revient toujours au même mode opératoire.

Il y a forcément une propriété dans le Roslagen à laquelle Nelly a accès d'une façon ou d'une autre.

La propriété n'appartenait pas à sa famille, mais le grand-père paternel a pu en être le gérant. Lui aussi était pasteur et l'Église suédoise possède un tas de terrains, de forêts et de biens immobiliers.

Pendant qu'il conduit, Joona essaie de passer l'affaire en revue et de penser à tout ce qu'il a lu et vu bien avant de savoir que Nelly était celle que Rocky appelait le prédicateur sale.

Tout le monde commet des erreurs.

Il doit absolument trouver un élément qui fera le lien entre une maison dans le Roslagen et la vidéo de Jackie.

Joona pense à l'imperméable jaune, à tous les psychotropes, aux trophées que Nelly récolte et à sa manie de marquer les endroits du corps comme des points d'accusation, il pense à son mari si confiant, aux vêtements coûteux, à la crème pour les mains, au flacon de compléments alimentaires, puis il prend son téléphone et appelle l'Aiguille.

— Tu es assis sur une branche assez frêle, dit l'Aiguille. Cette libération de la maison d'arrêt n'était pas…

— Elle était nécessaire, l'interrompt Joona.

— Et maintenant tu voudrais me poser une question, constate l'Aiguille en se raclant la gorge.

— Nelly prend des comprimés de fer.

— Elle souffre peut-être d'anémie.

— C'est dû à quoi, l'anémie ?

— À mille choses… cancer, maladies rénales mais aussi grossesse et règles.

— C'est de l'hydroxyde de fer qu'elle prend.

— Tu veux dire de l'oxyhydroxyde de fer ?

— Elle a des taches sur les mains, précise Joona.

— Des taches de rousseur ?

— Plus sombres… des modifications de la pigmentation et…

— Intoxication à l'arsenic, le coupe l'Aiguille. L'oxyhydroxyde de fer est utilisé comme antidote à l'arsenic… si ses mains sont sèches et constellées, ça peut…

Joona cesse d'écouter quand lui vient à l'esprit l'une des photographies qu'il avait étalées sur le sol de sa chambre d'hôtel.

Elle représentait un fragment de deux millimètres de long qui ressemblait à un crâne d'oiseau bleu.

L'éclat avait été trouvé dans le plancher de Sandra Lundgren. Ça ressemblait à de la céramique, mais c'était en réalité un composé de verre, de fer, de sable et de chamotte.

Il dépasse une immense grange rouge et se dit que le petit crâne d'oiseau était une scorie, un sous-produit de la fabrication de verre.

— Du verre, chuchote-t-il.

Le sol autour d'anciennes verreries est souvent pollué par l'arsenic. Autrefois, on utilisait de grandes quantités de ce redoutable métalloïde pour purger le verre, éliminer les bulles d'air et l'homogénéiser.

— Une verrerie, prononce Joona à voix haute. Ils se trouvent dans une verrerie.

— Ça se peut, absolument, dit l'Aiguille, comme s'il avait suivi le raisonnement mental de Joona.

— Tu es devant ton ordinateur ?

— Oui.

— Cherche une ancienne verrerie près de Finsta.

Joona longe un lac qui scintille entre les arbres et les buissons et il entend les murmures incompréhensibles de l'Aiguille qui pianote sur son clavier.

— Non… la seule répertoriée a brûlé en 1976, la verrerie de Solbacken à Rimbo, ils y fabriquaient du verre blindé et des miroirs… le terrain appartient à l'Église suédoise et…

— Envoie l'adresse et les coordonnées sur mon téléphone, l'interrompt Joona. Et préviens Margot Silverman.

Joona freine brutalement, tourne d'un coup sec à droite, bloque les roues et recule en faisant gicler le gravier sous les pneus, il part en marche arrière sur la route, change de vitesse et appuie sur l'accélérateur de nouveau.

137

En gémissant de douleur, Erik sort le tuyau de cuivre par le haut de la cage, se sert d'une des tiges de fer comme point d'appui pour essayer d'écarter la suivante. Le levier improvisé est un peu trop court, bien qu'il y pèse de tout son poids. Le tuyau glisse. Erik tombe et son coude valide cogne contre la grille.

Il se relève, éclaire avec la lampe torche et constate qu'il a réussi à plier la barre du treillis de quelques centimètres supplémentaires.

Il tend l'oreille vers les tunnels : il n'a rien entendu depuis que Nelly s'est lancée à la poursuite de Jackie.

Erik a cherché dans la cave à l'aide de la lampe de poche, mais n'a rien trouvé de mieux que ce tuyau de cuivre qu'il a réussi à attraper.

Tous les points de soudure de la cage ont été parfaitement réalisés, mais à l'aide du tuyau il a déjà plié un des fers à béton du haut, suffisamment pour espérer qu'il sera possible de le casser. Ça prendra peut-être des heures ou des jours, mais ce n'est pas impossible.

Il introduit de nouveau le tuyau dans le maillage, mais s'arrête.

Des pas traînants s'approchent dans le tunnel. Erik retire le tuyau, le dissimule sous le matelas, saisit la lampe de poche et dresse l'oreille. Il y a quelqu'un, c'est certain, il a entendu des pas.

Il éteint la lampe de poche en se disant qu'il doit jouer le jeu, quoi qu'il arrive. Il n'a pas le choix, ce serait beaucoup trop facile pour Nelly de le tuer là, dans la cage.

Sans faire de bruit, il suit le crépitement des pas et la respiration dans la pièce devant le treillis.

— Erik ? chuchote Jackie.

— Il faut que tu sortes d'ici, fait Erik rapidement.

Il allume la lampe torche et voit Jackie à un mètre de lui. Son visage est sale et plein de sang, sa respiration haletante et elle paraît très mal en point.

— Nelly est morte, déclare-t-elle. Je l'ai tuée.

— Tu es blessée ?

Elle ne répond pas, fait un pas vers lui, arrive devant le treillis et glisse la main dans la cage. Il caresse ses doigts et l'éclaire pour voir ses blessures.

— Tu as assez de forces pour sortir et chercher de l'aide ? demande-t-il, et il écarte des cheveux de son visage en sang.

— J'ai la clé, dit-elle en toussant faiblement.

Elle s'appuie contre la cage, passe la chaîne par-dessus sa tête et lui donne la clé.

— Je l'ai tuée, halète-t-elle en s'affaissant sur le sol. J'ai tué un être humain…

— C'était de la légitime défense, la rassure Erik.

— Je ne sais pas, murmure-t-elle, et les larmes viennent déformer son visage. Comment peut-on le savoir…

Erik tend le bras du côté du cadenas, réussit à y introduire la clé, la tourne et entend le petit clic quand l'anneau se dégage du boîtier.

La lampe de poche à la main, il sort de la cage et prend Jackie dans ses bras. Sa respiration est saccadée et superficielle.

— Montre ton dos, chuchote-t-il.

— Ce n'est pas grave. Il faut que je rentre, Madde m'attend, donne-moi quelques secondes…

Avec la lampe de poche, Erik balaie les murs à la peinture écaillée, la table, l'étagère.

— Je crois que la porte de la cuisine est fermée à clé, mais je vais monter vérifier.

— D'accord, dit Jackie, et elle essaie de se relever.

— Ne bouge surtout pas.

Erik grimpe l'escalier raide. Le revêtement en plastique marron des marches est maculé de traces laissées par des bottes ensanglantées. Il atteint l'imposante porte métallique, appuie sur la poignée, tire et pousse, mais la porte est verrouillée.

Il secoue la poignée et cherche avec la torche un crochet où la clé serait pendue, mais ne trouve rien et retourne auprès de Jackie. Elle s'est levée et s'appuie d'une main contre le treillis de la cage.

— C'est fermé à clé. Il faut qu'on sorte par les tunnels.

— D'accord, répond Jackie à voix basse.

— Je pense qu'elle a tué les agents de police qui sont venus. Ils vont nous trouver, mais ça peut prendre du temps, et toi, tu as besoin d'être conduite rapidement à l'hôpital.

— On y va, souffle-t-elle.

— Tu vas y arriver, l'encourage Erik en posant une main sur son épaule. J'ai une lampe de poche, je peux voir la direction qu'il faut prendre.

Il la guide vers l'entrée du tunnel, lui fait contourner un fauteuil et un petit tabouret rembourré. De vieux châssis de fenêtres sont appuyés contre la paroi et des douilles jaunies garnies d'ampoules poussiéreuses sont jetées là, pêle-mêle.

Ils laissent de côté un couloir transversal avec un escalier raide qui descend, passent devant une armoire renversée, marchent avec précaution sur du verre brisé.

Grâce à la lumière de la lampe torche, Erik s'oriente facilement et il aide Jackie à avancer. Ils arrivent dans une salle remplie de lavabos collectifs en tôle avec des alignements de robinets, il y a aussi des compartiments à l'enduit effrité.

Au plafond sont suspendues des réglettes néon sans tube et sans grille de protection. Les câbles électriques pendent dans le vide. Un grand seau vert rempli de terre et largement entamé par la rouille est posé au milieu. Le bâton que Jackie avait utilisé comme canne se trouve à côté, près du mur.

Ils traversent la pièce et entrent dans un couloir où sont alignées des penderies de vestiaire cabossées. Une canalisation d'eau court au plafond, le tuyau s'est détaché d'un côté et pend comme une épée, courbé par son propre poids.

Erik éclaire le passage étroit devant eux. Les murs se sont écroulés et des parties du toit sont effondrées, le tunnel est rempli de briques, de sable et de bois de construction, jusqu'au plafond.

Il ouvre une porte et ils empruntent un autre couloir, tournent à droite, passent sous un porche arrondi et se retrouvent tout à coup à l'air libre.

Ils se tiennent dans une grande pièce où souffle un vent frais. Le toit a disparu et la haute cheminée se dresse contre le ciel sombre. La lumière de la lampe de poche fait scintiller une grosse hotte en métal. Le carrelage par terre est sale et craquelé.

Des herbes folles poussent entre les barreaux d'une échelle couchée devant un énorme four. Erik n'a plus la moindre force dans son bras blessé, mais il réussit à soulever l'échelle et à la dégager de la végétation. Du pied, il repousse des briques et du sable, puis il dresse l'échelle contre le mur.

Il aide Jackie à grimper en se tenant juste derrière elle, elle glisse et il perd la torche en la rattrapant. La lampe dégringole entre les barreaux, s'écrase au sol et s'éteint immédiatement.

Quand ils arrivent dans l'herbe haute qui entoure les ruines, la douleur martèle son bras comme s'il était coincé dans une machine. Ils avancent parmi des chardons et des buissons bas, Jackie s'appuyant lourdement sur Erik. Les phares d'une voiture de police vide éclairent la maison d'habitation jaune. Sans s'arrêter, ils traversent la cour et s'éloignent sur la route.

138

Joona roule à toute allure sur les routes en mauvais état. Margot a organisé une intervention policière, mais il ne veut pas prendre le risque de les voir arriver trop tard. La police de Norrtälje a perdu le contact avec une voiture dépêchée dans le secteur.

Les feux avant balaient le champ quand il bifurque sur l'étroit chemin de terre dans la forêt. Les pneus patinent sur la chaussée sablonneuse, l'adhérence est nulle, mais il joue du volant pour contrôler le dérapage et parvient à redresser la voiture. Il donne du gaz à nouveau et la voiture file sur le chemin défoncé.

Deux chevreuils traversent la piste, il freine et les voit bondir gracieusement avant de disparaître entre les arbres.

Il roule dans une flaque profonde et l'eau se fend avec une étrange paresse, des cascades giclent de part et d'autre de la voiture.

À la sortie d'un virage, Joona accélère de nouveau. La lumière blanche s'étend sur la ligne droite le long du champ, ouvre un tunnel lumineux dans l'obscurité.

Il distingue la haute cheminée de la verrerie tel un obélisque noir contre le ciel gris acier.

Tout au bout de la portée des phares, il aperçoit deux silhouettes. Elles se tiennent sur la route, dans une étreinte immobile.

Erik et Jackie, il en est pratiquement sûr.

Le châssis bute sur une grosse pierre, et le chemin de terre se trouve plongé dans la pénombre pendant quelques secondes. Des branches frappent le pare-brise, la visibilité est réduite et Joona distingue mal leurs visages.

Plus loin du côté des bâtiments écroulés se dressent des citernes vides et des dépotoirs de verre brisé.

Un profond nid-de-poule oblige Joona à ralentir et à braquer, et le faisceau lumineux rebondit au-dessus des deux silhouettes.

Un reflet jaune scintille à côté du chemin.

Nelly.

Elle est derrière Erik et Jackie. L'imperméable capte une partie de la lumière des phares. Elle avance, tête baissée, sur un sol étincelant de verre brisé.

Joona klaxonne, change de vitesse et appuie sur l'accélérateur. De petits cailloux crépitent contre le châssis. La voiture fait une embardée, la boîte à gants s'ouvre et des papiers se déversent sur le siège. Il dérape loin sur le bas-côté où des mauvaises herbes fouettent le capot.

Nelly s'approche du couple. Elle marche à grands pas à travers les orties et les jeunes pousses d'arbres.

Erik plisse les yeux vers la voiture, il a l'air soulagé et agite la main.

Joona klaxonne encore et encore, les perd de vue, sort du virage et distingue le couteau dans la main de Nelly.

Elle enjambe le fossé et se retrouve à quelques pas du couple, elle se recroqueville et se fond dans leurs ombres.

Joona continue de klaxonner comme un fou et fonce en accélérant dans la ligne droite. À la lumière instable, il voit Nelly arriver juste derrière Jackie et lui planter le couteau dans les reins.

Une grosse branche fait voler en éclats un des feux avant, et les ruines à droite s'évanouissent dans une obscurité soudaine.

Jackie s'effondre sur le chemin de terre. Erik lui tient toujours la main.

Quelques branches remuent sur le bas-côté. Nelly a disparu.

Joona freine sec, les pneus patinent et fument sur le gravier, la végétation frotte contre la tôle et la voiture glisse sur deux roues dans le fossé où elle s'immobilise.

Joona saute hors du véhicule, il court jusqu'à Erik qui est tombé à genoux devant Jackie.

— Je n'ai rien vu, dit-il, et il déchire le chemisier de Jackie et tâte le couteau pour vérifier comment il est planté. Son rein peut être touché, il faut faire venir une ambulance au plus vite…

— Où est Madeleine ? l'interrompt Joona.

— À la maison, il faut qu'on l'appelle…

— Elle n'est pas dans l'appartement, lui dit Joona. Nelly les a prises toutes les deux.

— Dieu du ciel, chuchote Erik, et il lève le visage vers Joona.

— Est-ce qu'elle peut être ici, dans la maison ?

— Il y a une cage dans la cave et un tas de passages souterrains qui…

La respiration de Jackie est de plus en plus irrégulière. Erik sent son pouls s'affaiblir. Il jette un regard rapide sur la maison jaune, écarte ses cheveux avec ses doigts pleins de sang et aperçoit une lueur jaune derrière l'un des carreaux sales à l'étage.

— Il y a de la lumière au premier. Elles doivent être à…

Il se tait, pose l'oreille sur la poitrine de Jackie : son pouls disparaît. Le cœur ne bat plus, il n'entend que des craquements sourds à l'intérieur de son corps.

— Fais venir un hélicoptère, crie-t-il. Son cœur s'est arrêté, c'est urgent !

Erik fait à Jackie un massage cardiaque et ne sent plus la douleur dans son bras pendant qu'il compte trente pressions rapides. Il fait deux insufflations et continue la réanimation cardiopulmonaire pendant que Joona transmet les coordonnées à l'opérateur au téléphone.

— Fais en sorte qu'elle survive, je vais chercher la petite, dit Joona, et il se lance en direction de la maison.

139

Joona dégaine son pistolet en traversant la cour. Les phares de la voiture de police éclairent toujours la villa jaune, leur lumière frôle une autre voiture dont le coffre est ouvert. Une odeur de feu remplit tout à coup l'air nocturne immobile. Il patauge dans de hautes orties et voit une fumée blanche monter des mauvaises herbes autour des fondations, comme de la vapeur d'eau.

Il gravit les marches jusqu'à la véranda, devant l'entrée, lève son arme, ouvre la porte et découvre le policier mort étendu dans le vestibule.

Son torse est couvert de sang sombre, son visage détourné.

Joona pointe son pistolet sur la porte suivante, enjambe le corps, se penche et ramasse la lampe de poche au verre fendu, puis il éclaire la cuisine.

À la lumière déclinante, il voit les traces de la violence. Le sol est inondé de sang et la tête de l'autre agent de police se trouve à un mètre du corps. L'homme n'a même pas eu le temps de sortir son pistolet du holster. Le sang a giclé jusque sur le verre d'une lampe à pétrole éteinte posée sur une chaise. Une sorte de rugissement tonne dans la cave et un mince voile de fumée grise se répand sous le plafond et enrobe un vieux détecteur de fumée.

Joona traverse tout droit le chaos de la cuisine et franchit une porte. Il traverse un salon télé et arrive dans un dégagement étroit où un escalier ouvert mène à l'étage. Une fumée noire lèche les murs telles les eaux troubles d'un fleuve.

Une lampe à pétrole explose sous l'effet de la chaleur dans la pièce voisine, et des flammes bleu ciel s'accrochent aux murs.

Un nuage d'étincelles s'élève quand une partie du plancher en feu s'effondre dans la cave.

Joona sent la forte chaleur sur son visage en montant l'escalier. Le papier peint s'embrase, le feu est en train de gagner le niveau supérieur.

Il comprend que Nelly brûle tout ce qui peut la désigner comme coupable. Si Jackie ne survit pas et que la maison disparaît, il ne reste que les preuves qui accablent Erik.

La lumière de la lampe de poche faiblit et devient jaune.

Il arrive au premier, tient le pistolet devant lui et entre dans une chambre de jeune fille. Le papier peint à fleurs est couvert de photographies d'Erik. Beaucoup sont prises à son insu, d'autres sont des portraits et certaines semblent découpées dans des magazines spécialisés ou décollées d'albums photo.

Sur une étagère sont exposés des objets qu'elle a volés à Erik. Des verres à vin, des livres, des déodorants et un éléphant en bois de Malaisie. Une veste en velours côtelé brun est accrochée à un cintre, sur une chemise bleue.

Loin sous ses pieds il entend des sifflements. Le feu aspire l'oxygène, il devient de plus en plus difficile de respirer.

La lampe de poche s'éteint, il la secoue et retrouve une faible lueur tremblotante.

Joona avance encore et voit les trophées pris aux victimes, alignés sur une coiffeuse devant un miroir.

Il y a là quelques flacons de vernis à ongles, un bâton de rouge à lèvres H&M et un soutien-gorge rouge. Sur une serviette rose sont posés le piercing avec Saturne, une barrette et la boucle d'oreille de Susanna Kern, des faux ongles arrachés et un collier de perles noircies de sang.

La lampe de poche s'éteint pour de bon et Joona la pose doucement par terre.

Il se déplace vers une porte ouverte sur une chambre mansardée et aperçoit soudain Madeleine dans la lumière brumeuse.

Elle est couchée par terre à côté d'un divan, au milieu de la pièce. Du scotch recouvre sa bouche et une flaque de sang brille sous sa tête.

Joona se dit que la petite fille est le trophée que Nelly a pris à Jackie.

Elle respire, mais a dû perdre connaissance.

Nelly n'est pas là. La porte à côté du lit est souillée de sang autour de la poignée.

Les pièces se remplissent de fumée claire et Joona sait que le temps presse.

Avec un rapide regard sur la fillette, il dirige son arme vers la droite et avance.

La lourde hache fend l'air à sa gauche. Joona a mal interprété la configuration de la chambre et repère le mouvement trop tard. Il a juste le temps de reculer la tête. La lame balaie son visage et va se planter dans le mur.

La poussière et les débris de plâtre volent.

Nelly essaie d'arracher la hache quand Joona la frappe au visage avec la crosse du pistolet, de bas en haut.

Sa tête part en arrière et de la salive gicle de sa bouche. Elle atterrit de biais sur le dos et le plancher semble ployer sous son poids. De la fumée noire se dégage des fentes entre les lattes de bois.

La puissance du coup fait trébucher Joona en avant et il renverse une chaise sur laquelle sont posés des cintres en plastique.

Nelly s'assied et se trouve tout à coup à côté de Madeleine. Joona ne comprend pas comment elle a fait, ça n'a pas pris une seconde.

Le divan a changé de place.

Puis il réalise qu'il a regardé dans un grand miroir. Le reflet lui a donné l'illusion que Madde se trouvait au milieu de la pièce, en sécurité, à bonne distance.

Le feu siffle et crache en consumant de l'oxygène.

Joona tient son arme le long du corps et tente à nouveau de saisir la configuration de la chambre. De grandes plaques de miroir brut sont appuyées contre les murs et les meubles, elles perturbent les perspectives et modifient les dimensions de la pièce.

Nelly saigne du nez, elle a tiré Madeleine contre elle et la tient serrée dans ses bras. Une épaisse fumée les enveloppe et il n'arrive pas à voir si elle est armée.

— Lâche la fille ! crie Joona en s'approchant doucement.

Au-dessus de la porte fermée à gauche, de la fumée suinte, noire comme une fumée de fuel. Des photos d'Erik par terre se racornissent sous l'effet de la chaleur.

— Lâche la fille, s'il te plaît ! répète Joona.

— Oui, répond-elle docilement, mais elle reste assise avec Madeleine dans ses bras.

Madeleine ouvre ses yeux fatigués et Nelly l'embrasse sur la tête.

— Nelly, il faut qu'on sorte… tous les trois. Tu comprends ?

Elle hoche faiblement la tête et le regarde droit dans les yeux.

La porte en face s'enflamme dans une lueur bleu clair et soudain un feu ondulant lèche le plafond de ses pointes, laissant des marques noires. Le vacarme au rez-de-chaussée est infernal, toute la maison craque comme si d'énormes blocs de pierre frottaient les uns contre les autres.

— Tu peux m'aider ? demande-t-elle sans le quitter des yeux.

— Oui, je peux t'aider, répond-il, et il essaie de comprendre ce qu'elle dissimule près de sa hanche.

Elle lui adresse un sourire étrange, amoureux, comme si une certitude plaisante l'envahissait.

Des étincelles et des particules de suie volent vers le haut avec le souffle brûlant, et de l'air plus frais est aspiré vers le feu près du plancher. Les rideaux sales devant la fenêtre flambent, les flammes s'enroulent en un instant autour du tissu.

— Que dit le feu ? murmure Nelly en se redressant.

Avec une brutalité distraite, elle tire Madeleine par les cheveux et la relève. La fillette a peur et les larmes coulent sur ses joues.

— Nelly, dit Joona encore une fois. Il faut qu'on sorte. Je vais t'aider, mais je…

Dans un épouvantable fracas, toute une partie de la cloison de la chambre voisine s'effondre entre eux, des plaques de plâtre entières avec des bouts de papier peint déchirés et des montants en bois enveloppés de fumée noire. De petits fragments incandescents clignotent dans le brouillard gris au-dessus.

— Mais je ne te laisserai pas faire de mal à l'enfant, termine-t-il sa phrase.

Dans un des miroirs, Joona voit que Nelly a sorti un couteau. Elle tient Madeleine par les cheveux avec l'autre main et tire tant que la petite fille doit se mettre sur la pointe des orteils.

Le plancher vibre sous leurs pieds.

La chaleur arrive par grosses bouffées et la structure de la porte effondrée prend feu. La fumée noire remplit la pièce, les flammes se dressent, impatientes, et atteignent le plafond.

— Lâche le couteau ! Tu n'es pas obligée de faire ça ! crie Joona, et il vise la silhouette derrière les flammes avec son pistolet.

Il cherche à se déplacer sur le côté, mais ne distingue que partiellement le ciré jaune à travers la fumée et le feu.

— Ce n'est jamais assez, dit une voix fluette d'enfant.

Joona saisit la situation en moins d'une seconde. Il pense d'abord que c'est Madeleine qui parle, mais sa bouche est recouverte de scotch, ça ne peut pas être elle, et il presse la détente de son pistolet.

Trois fois il tire, droit dans le feu.

Les balles atteignent Nelly à la poitrine et dans le miroir de biais derrière elle, Joona voit le sang gicler entre ses omoplates. Le grand miroir se brise et tombe en mille morceaux sur le plancher.

Madeleine reste immobile, la main sur la blessure de son cou. Le sang coule entre ses doigts, mais elle est vivante.

La voix fluette de Nelly a annoncé la mort chaque fois.

Joona se précipite sur Madeleine, d'un coup de pied il éloigne le couteau de la main de Nelly, bien qu'il sache qu'elle est morte, il prend la fillette dans ses bras et sort à reculons à travers la fumée.

Nelly gît sur le dos parmi les éclats de miroir, la bouche ouverte. Elle a perdu une botte et toute sa jambe est secouée de spasmes sous le bas de nylon sale.

Un bidon en plastique s'est renversé et du pétrole coule sur les lattes du plancher, ça siffle, puis le feu bondit à travers le sol.

Une vague de chaleur les accueille. Joona titube en arrière avec l'enfant dans ses bras, bascule dans la chambre de jeune fille juste quand le plancher de l'autre chambre cède sous le poids de Nelly.

Elle est aspirée vers le bas et disparaît dans un brasier infernal.

La jambe de pantalon de Joona prend feu quand il recule avec Madeleine.

De nouveau les flammes se dressent, hurlantes, depuis la cave, et viennent frapper le plafond de la chambre. Des parties enflammées de la lampe tombent dans un nuage d'étincelles. Le bord de la fenêtre brûle et la vitre explose dans un fracas assourdissant.

Joona se retire plus loin dans la chambre de jeune fille avec Madde. Les murs remplis de photographies d'Erik flambent.

— Je vais te l'enlever, prévient Joona, et il lui ôte le scotch de la bouche. Ça a fait mal ?

— Non, chuchote-t-elle.

Une haute armoire s'effondre à travers le plancher de la chambre et disparaît dans le feu hurlant.

— Maintenant on va essayer de sortir d'ici, dit-il, et il entoure Madeleine de son blouson de cuir. La fumée est dangereuse et je veux que tu respires à travers la doublure. Tu crois que tu peux faire ça ?

Elle hoche la tête. Il la soulève dans ses bras et commence à descendre l'escalier. La lueur de l'incendie danse sur les murs. Des flammèches s'échappent entre les marches. Un grincement de métal qui se tord loin au rez-de-chaussée monte jusqu'à eux.

Le feu s'élève par vagues et laisse des traces de suie sur le papier peint.

Joona inspire de l'air brûlant dans ses poumons et tousse douloureusement.

Les carreaux des fenêtres dans la pièce en dessous éclatent tous en même temps dans une violente explosion. Du verre s'éparpille partout et de l'oxygène s'engouffre et alimente le feu qui se jette à l'assaut du plafond dans un rugissement.

Le plafonnier brûle et se vrille sur son support.

Madeleine tousse et Joona lui crie de respirer à travers le tissu.

Dans le séjour sous la chambre, le feu a pris du sol au plafond. La chaleur repousse Joona vers le salon télé. Des pans entiers de plâtre s'effondrent et Madde crie quand une pluie de poussière enflammée les inonde.

Joona tousse encore et doit prendre appui avec la main sur le sol brûlant. Il suffoque, l'intoxication lui donne le vertige et l'épuise. Il sait qu'il ne lui reste que peu de secondes, il retient sa respiration et se relève. Portant l'enfant dans ses bras, il avance en titubant, traverse à croupetons la fumée dense du séjour.

Ses yeux pleurent, il ne voit presque plus rien. Le canapé s'enflamme et le souffle chaud envoie des étincelles sur son visage.

Le bruit derrière eux est tonitruant, comme une toile de voile qui faseye, et le tourbillon du feu se jette à leurs trousses.

Joona enjambe une pile de tapis fumants et pousse la porte.

La cuisine est entièrement livrée aux flammes et des parties du plafond tombent. Une explosion propulse des éclats de verre entre les murs.

La chaleur ardente lui brûle les poumons, il va devoir inspirer bientôt, son cœur bat désespérément.

L'extrémité d'une solive cède et tombe comme une lourde pendule, venant briser la table et se ficher dans le plancher.

Le linoléum du sol fait des bulles et les murs gondolent.

L'eau dans un seau bouillonne.

Le puissant mécanisme à ressort s'est vrillé, arrachant à moitié la porte.

Joona enjambe son collègue mort. Le vestibule est rempli de fumée. La chaleur et l'infernal vacarme les cernent, l'enfant et lui. Il sait qu'il va incessamment être à court d'oxygène, mais résiste au réflexe de respirer.

Entouré par les flammes, il avance et ouvre la porte en feu d'un coup de pied. Elle saute de ses gonds et dégringole dans la véranda.

Joona descend les marches, l'enfant toujours dans ses bras. Son visage est noir de suie et ses vêtements brûlent. Les agents de police et les ambulanciers se précipitent avec des extincteurs et des couvertures.

Margot Silverman est obligée de faire en pas en arrière pour s'éloigner de la chaleur, une contraction puissante lui coupe le souffle et elle sent en même temps qu'elle perd les eaux qui coulent entre ses cuisses.

Les pales du rotor crépitent et soulèvent un vent qui fait virevolter des papiers et des poussières sur une large surface circulaire.

Erik tient la main de Madde quand ils décollent. Elle est allongée, attachée sur la civière à côté de Jackie, et le regarde avec un sourire avant de fermer les yeux.

L'hélicoptère s'envole en se balançant et Erik aperçoit Joona à quatre pattes, en train de tousser violemment. Il est entouré de policiers et de personnel soignant. Margot essaie de résister quand on la conduit vers une ambulance.

La lueur jaune de la maison en feu et la lumière bleue clignotante des véhicules de secours remplissent toute la cour.

Joona se relève lourdement, enlève son pistolet de l'étui, le lance par terre et tend les mains pour être menotté.

L'hélicoptère tourne, s'incline vers l'avant et prend de la vitesse.

Erik a le temps de voir toute la maison s'effondrer dans les flammes, et la fumée tournoyer vers le ciel comme un cordon ombilical noir. L'ombre de la haute cheminée s'étend, tremblotante, sur les ruines et les champs à l'abandon.

ÉPILOGUE

Erik Maria Bark est assis dans son fauteuil en peau de mouton, les yeux tournés vers le ciel blanc d'octobre, de l'autre côté des hautes fenêtres. L'inspectrice Margot Silverman va et vient sur le parquet en chêne verni, sa petite fille au sein.

Erik et Rocky Kyrklund sont tous les deux lavés de tout soupçon d'homicide. Sans présenter d'excuses pour quoi que ce soit, Margot relate les grands traits de la longue reconstruction d'événements à laquelle elle s'est consacrée depuis le mois de septembre.

Nelly a probablement commencé à épier Erik dès le procès de Rocky Kyrklund. Elle a déplacé sa fixation sur lui, tout comme elle avait déplacé sa fixation sur Rocky lors de l'enterrement de son père.

On a découvert que Nelly a été inscrite à une école de médecine aux États-Unis, mais toutes les données telles que diplômes, services et spécialisation restent introuvables. Elle a probablement tout appris toute seule. Dans la maison à Bromma, on a trouvé des centaines de livres de neurologie, de psychotraumatologie et de psychiatrie de catastrophe.

Rien n'indique que son mari ait eu connaissance de sa double vie. Elle espionnait Erik en cachette, l'avait approché petit à petit et collectionnait des photos de lui dans la maison construite sur les ruines de la verrerie incendiée. Après le divorce d'Erik, elle a commencé à imaginer qu'elle était mariée avec lui.

Erik ferme les yeux. De paisibles notes de piano traversent les cloisons et se mêlent à la voix de Margot.

Le syndrome de traque furtive était corrélé avec un trouble de la personnalité narcissique obligeant Nelly à ressembler à Erik et à être tout pour lui. Plus elle sentait qu'elle le possédait, plus elle était obligée de le surveiller et de le contrôler.

Elle voulait qu'il la voie, la désire et l'aime. Son besoin était insatiable et un feu s'est allumé en elle qui a grandi jusqu'à tout dévorer.

Nelly était marquée pour toujours par son enfance et sa jeunesse religieuses, par l'omniprésence de l'église et des prêches de son père. Elle avait étudié l'Ancien Testament et le Dieu jaloux donnait raison à tout ce qu'elle ressentait.

Elle espionnait les femmes qu'elle pensait attirantes pour Erik, et faisait une fixation sur leurs attributs. Poussée par une jalousie pathologique, elle les filmait pour dénoncer leur coquetterie avant de les priver pour toujours de leur beauté et de leur charme.

Il reste difficile de comprendre comment sa jalousie s'éveillait et comment elle choisissait ses victimes. Certains éléments indiquent que le fait même de tuer accélérait l'évolution. Quand elle a commencé à traquer Erik, quand il n'y a plus eu de retour possible, elle s'est muée en fauve excité attaquant sur tous les fronts.

Sous l'effet d'un stress exacerbé, l'enquête policière lui a paru trop lente et elle s'est mise à disposer des indices en surabondance. Rendue folle par la passion, elle a assassiné ses rivales tout en créant un piège autour d'Erik, une nasse qui le mènerait à elle.

Nelly avait tué sa mère sous les yeux de son père, tué la femme que Rocky disait aimer devant lui et elle avait projeté de tuer Jackie devant Erik.

Elle aurait pris Madeleine comme un trophée et laissé Jackie sans visage, la main posée sur l'utérus pour indiquer son crime.

Margot se tait, place doucement son bébé sur son épaule et lui frotte le dos jusqu'à ce qu'il fasse son rot.

Après le départ de Margot, Erik se dirige vers le doux déferlement de notes de musique et s'arrête au seuil de la double porte du séjour. Le piano à queue est placé au milieu de la pièce, couvercle ouvert, et il semble jouer tout seul. Ce n'est qu'en contournant l'énorme instrument qu'Erik voit le visage concentré de Madeleine et ses doigts qui volent sur les touches.

Erik s'assied en silence sur le canapé, à côté de Jackie, et au bout d'un moment, elle appuie sa tête contre son épaule.

OUVRAGE RÉALISÉ
PAR L'ATELIER GRAPHIQUE ACTES SUD
ACHEVÉ D'IMPRIMER
SUR ROTO-PAGE
EN DÉCEMBRE 2015
PAR L'IMPRIMERIE FLOCH
À MAYENNE
POUR LE COMPTE DES ÉDITIONS
ACTES SUD
LE MÉJAN
PLACE NINA-BERBEROVA
13200 ARLES

DÉPÔT LÉGAL
1re ÉDITION : JANVIER 2016
N° impr. : 89105
(Imprimé en France)

Avant même qu'elle soit évacuée par l'hélicoptère, les ambulanciers avaient réussi à faire repartir son cœur à l'aide du défibrillateur. Endormie d'urgence, elle avait subi sept heures d'opération à l'hôpital Akademiska à Uppsala.

Pour Erik, c'est comme s'il s'était réveillé d'un long cauchemar, et quand les doigts de Jackie viennent se tresser autour des siens, il ne peut qu'éprouver de la reconnaissance qu'ils soient en vie et se réjouir de connaître l'amour encore une fois.

Madeleine laisse les dernières notes retentir avant d'étouffer les cordes, elle attend que le silence remplisse la pièce, puis lève le visage et les regarde avec un sourire.

Erik applaudit et ne s'arrête que lorsque Madeleine commence à relever le tabouret. Il va alors s'installer au piano, change de partition et ferme les yeux quelques instants avant de jouer son étude.

Le vendredi 24 octobre, la longue audience au tribunal de première instance de Stockholm est terminée. Le juge et les trois assesseurs établissent hors de tout doute raisonnable que Joona Linna s'est rendu coupable d'une série de délits graves quand il a libéré Rocky Kyrklund de la maison d'arrêt de Huddinge.

L'issue du procès est prévisible, malgré les circonstances atténuantes, mais lorsque le jugement est annoncé, Erik se lève de son banc. Jackie et Madeleine se lèvent à ses côtés, ainsi que Nils Åhlén, Margot Silverman et Saga Bauer.

Joona reste assis, tête baissée, à côté de son avocat, tandis que le juge prononce le verdict rendu à l'unanimité :

— Joona Linna, le tribunal de première instance vous déclare coupable de violences sur agent public, de dégradation aggravée du bien d'autrui, de connivence aggravée d'évasion, d'usurpation de fonction, de vol aggravé, et vous condamne à quatre ans d'emprisonnement.